REPARACION DE MOTORES ELECTRICOS

PARTE I
TEXTO

Ediciones G. Gili, SA de CV

México, Naucalpan 53050 Valle de Bravo, 21 Tel. 55 60 60 11
08029 Barcelona Rosellón, 87-89 Tel. 93 322 81 61

ROBERT ROSENBERG, B. S. M. A.

Catedrático de "Profesiones Eléctricas" en la "Alexander Hamilton Vocational and Technical High School" de Brooklyn (Nueva York)

REPARACION
DE
MOTORES ELECTRICOS

Tratado práctico sobre el rebobinado de motores de corriente alterna y continua, y sobre la reparación de defectos en los mismos y en el correspondiente aparellaje de arranque y maniobra

PARTE I

TEXTO

GG® / México

Versión autorizada de la última edición de la obra *Electric Motor Repair*, publicada en Estados Unidos de América por Holt, Rinehart and Winston, Inc.

Traducción directa del inglés por Octavio Teixidor, Ing. Técnico

Ninguna parte de esta publicación, incluido el diseño de la cubierta, puede reproducirse, almacenarse o transmitirse de ninguna forma, ni por ningún medio, sea éste eléctrico, químico, mecánico, óptico, de grabación o de fotocopia sin la previa autorización escrita por parte de la editorial.

7.ª edición ampliada y puesta al día 14.ª tirada

© 1970 by Holt, Rinehart and Winston, Inc. (EE.UU.)
y para la edición castellana
© Editorial Gustavo Gili, SA - Barcelona

Printed in Spain
ISBN: 968-6085-34-3
Impresión: Gráficas 92, Rubí (Barcelona)

PROLOGO DEL AUTOR

Durante muchos años se ha dejado sentir la necesidad de un libro sobre reparación y maniobra de motores eléctricos que, por su carácter eminentemente práctico, su claridad y su concisión, pudiese ser de utilidad inmediata a personas cuyos conocimientos básicos de matemáticas y electricidad son muy limitados. Mis prolongados contactos con operarios de talleres de reparación y con estudiantes de las diversas escuelas de formación profesional donde he ejercido el profesorado han puesto de relieve la existencia de tan acuciante necesidad.

Precisamente con el propósito y la esperanza de subsanar esta sensible omisión ha sido escrita la presente obra. La inclusión en ella de más de 900 ilustraciones (principalmente esquemas y dibujos) obedece al deseo de conferirle el carácter de un manual de consulta directa, no sólo para el estudiante, sino también para el operario que, en su propio banco de trabajo, se apresta a emprender su cometido.

Con objeto de que el personal dedicado a estas tareas aprenda a realizar su labor satisfactoriamente y sin pérdida innecesaria de tiempo, se ha procurado exponer siempre los métodos más eficaces y rápidos para llevar a cabo las diversas operaciones de detección, localización y reparación de defectos. La descripción sistemática de estas operaciones, que figura al final de cada capítulo, constituye una excelente ayuda para la pronta resolución de los problemas que puedan plantearse. No sólo se estudian extensamente, dentro de este campo, los motores de corriente alterna y los de corriente continua más difundidos en la práctica, sino también el conexionado y la reparación del aparellaje utilizado para la maniobra de los mismos.

A pesar de los numerosos cambios y adiciones introducidas en esta nueva edición, tanto en lo que se refiere al texto como a las ilustraciones, subsiste buena parte del material existente en ediciones anteriores.

Así, si bien varias secciones del libro han sido alteradas, enteramente refundidas o ampliadas con nueva información, la obra sigue conservando el carácter y la finalidad con que fue concebida.

Dada la enorme importancia adquirida actualmente por los dispositivos de gobierno a base de semiconductores, que han llegado a reemplazar por completo a los tradicionales tubos de vacío y de gas, se ha añadido un nuevo capítulo dedicado a la descripción elemental de los principales componentes semiconductores (diodos, transistores y tiristores) y de sus aplicaciones específicas en circuitos de gobierno. Numerosos esquemas facilitan la comprensión de estas materias.

También ha sido objeto de revisión y ampliación el cuestionario que, dispuesto en el mismo orden con que los temas aparecen expuestos en el texto, figura a continuación de las ilustraciones. Las preguntas que incluye interesan indistintamente al profesor y al alumno, ya que pueden utilizarse como pruebas de examen, como ejercicios a desarrollar en casa o como base de estudio.

Una última característica de la obra —y no por ello la menos importante— es la separación de texto e ilustraciones en dos unidades independientes y contiguas. Esto ofrece las siguientes ventajas: 1.ª permite la confrontación simultánea de cualquier figura y del texto a que hace referencia, sin necesidad de volver hojas; 2.ª permite dejar el libro plano y abierto sobre la mesa o el pupitre, sin tener que sostenerlo con la mano; 3.ª permite que el operario pueda consultarlo en pleno ejercicio de su labor. Incluso el material de la cubierta y el papel del libro han sido cuidadosamente elegidos por su especial solidez y resistencia a los agentes deteriorantes del taller.

Ha sido para mí altamente satisfactorio comprobar la favorable acogida que profesores, estudiantes y operarios electricistas han dispensado a esta obra hasta el momento. Aprovecho gustoso esta oportunidad para expresar mi más sincero agradecimiento a todas las personas que me han distinguido con sus valiosas sugerencias, y a las numerosas firmas que tan amablemente han puesto a mi disposición textos, esquemas y fotografías con destino al presente libro.

ROBERT ROSENBERG

CAPÍTULO I

Motores de fase partida

PARTES PRINCIPALES DEL MOTOR

El motor de fase partida es un motor de corriente alterna de potencia equivalente a una fracción de caballo, que se emplea para accionar aparatos como lavadoras, quemadores de aceites pesados, pequeñas bombas, etc. Este motor consta de cuatro partes principales, que son: 1, una parte giratoria, llamada *rotor*; 2, una parte fija, llamada *estator*; 3, dos *escudos* o placas terminales, sujetos a la carcasa del estator mediante tornillos o pernos, y 4, un interruptor centrífugo, dispuesto en el interior del motor. En la figura 1.1 puede verse el aspecto exterior de un motor de fase partida. Este motor se conecta normalmente a una red monofásica de alumbrado o de fuerza, y se utiliza cuando el par de arranque necesario es moderado. La "National Electrical Manufacturers Association" (NEMA) define el motor de fase partida en estos términos: motor de inducción monofásico provisto de un arrollamiento auxiliar desplazado magnéticamente respecto al arrollamiento principal y conectado en paralelo con este último.*

* El objeto del arrollamiento auxiliar es conseguir el arranque del motor monofásico. Para ello es preciso que los flujos magnéticos engendrados por los dos arrollamientos del motor estén desplazados en el espacio y desfasados en el tiempo. La primera condición se cumple disponiendo geométricamente cada arrollamiento en posición adecuada con respecto al otro. La segunda condición se logra variando la resistencia y la reactancia inductiva del arrollamiento auxiliar, o bien intercalando en él un condensador. En Norteamérica es corriente distinguir ambas modalidades de arranque mediante las designaciones "motor de fase partida" y "motor con condensador", y por este motivo se describen una y otra separadamente en el texto. (*N. del T.*)

Rotor

El rotor (fig. 1.2) se compone de tres partes fundamentales. La primera de ellas es el *núcleo,* formado por un paquete de láminas o chapas de hierro de elevada calidad magnética. La segunda es el *eje,* sobre el cual va ajustado a presión el paquete de chapas. La tercera es el arrollamiento llamado "de jaula de ardilla", que consiste en una serie de barras de cobre de gran sección, alojadas en sendas ranuras axiales practicadas en la periferia del núcleo y unidas en cortocircuito mediante dos gruesos aros de cobre, situados uno a cada extremo del núcleo. En la mayoría de los motores de fase partida el arrollamiento rotórico es de aluminio y está fundido de una sola pieza. De este tipo es el rotor que aparece en la figura 1.2.

Estator

El estator se compone de un *núcleo* de chapas de acero con ranuras semicerradas, de una pesada *carcasa* de acero o de fundición dentro de la cual está introducido a presión el núcleo de chapas, y de dos arrollamientos de hilo de cobre aislado alojados en las ranuras y llamados respectivamente *arrollamiento principal o de trabajo* y *arrollamiento auxiliar o de arranque.* La figura 1.3 muestra el aspecto exterior de un estator, y la figura 1.4, el esquema de ambos arrollamientos. En el instante del arranque están conectados uno y otro a la red de alimentación; sin embargo, cuando la velocidad del motor alcanza un valor prefijado el arrollamiento de arranque es desconectado automáticamente de la red por medio de un interruptor centrífugo montado en el interior del motor.

Escudos o placas terminales

Los escudos o placas terminales, de los cuales se ha representado uno en la figura 1.5, están fijados a la carcasa del estator por medio de tornillos o pernos; su misión principal es mantener el eje del rotor en posición invariable. Cada escudo tiene un orificio central previsto para alojar el cojinete, sea de bolas o de deslizamiento, donde descansa el extremo correspondiente del eje rotórico. Los dos cojinetes cumplen las siguientes funciones: sostener el peso del rotor, mantener a éste exactamente centrado en el interior del estator, permitir el giro del rotor con la mínima fricción y evitar que el rotor llegue a rozar con el estator.

Interruptor centrífugo

El interruptor centrífugo va montado en el interior del motor. Su misión es desconectar el arrollamiento de arranque en cuanto el rotor ha alcanzado una velocidad predeterminada. El tipo más corriente consta de dos partes principales, una fija (mostrada en las figuras 1.5 y 1.6), y otra giratoria. La parte fija está situada por lo general en la cara interior del escudo frontal del motor (fig. 1.5) y lleva dos contactos, por lo que su funcionamiento es análogo al de un interruptor unipolar. En algunos motores modernos la parte fija del interruptor está montada en el interior del cuerpo del estator. La parte giratoria va dispuesta sobre el rotor, como muestran las figuras 1.7 y 1.10.

El funcionamiento de un interruptor centrífugo es el siguiente (figura 1.8): mientras el rotor está en reposo o girando a poca velocidad, la presión ejercida por la parte móvil del interruptor montiene estrechamente cerrados los dos contactos de la parte fija. Cuando el rotor alcanza aproximadamente el 75 % de su velocidad de régimen, la parte giratoria cesa de presionar sobre dichos contactos y permite por tanto que se separen, con lo cual el arrollamiento de arranque queda automáticamente desconectado de la red de alimentación.

Un tipo muy extendido de interruptor centrífugo es el representado en la figura 1.9. En ella se distingue la parte fija del interruptor y el mecanismo giratorio que regula la velocidad de desconexión, constituido esencialmente por un peso. En la figura 1.10 puede verse este mecanismo giratorio montado sobre el rotor. Su funcionamiento es similar al del interruptor de la figura 1.8, sólo que ahora el peso se va desplazando hacia fuera a medida que la velocidad aumenta y se separa por tanto de la placa de contactos fija: esto determina finalmente la apertura de dichos contactos y la desconexión del arrollamiento auxiliar. La figura 1.11 muestra las partes fija y giratoria de otro interruptor centrífugo.

En otro tipo de interruptor centrífugo, más antiguo, la parte fija está formada por dos segmentos semicirculares de cobre, montados en la cara interior del escudo frontal y aislados uno de otro. La parte giratoria se compone de tres láminas de cobre que deslizan sobre el borde de los segmentos durante la fase de arranque. Ambas partes se han representado en la figura 1.12. Mientras el motor arranca, las tres láminas permanecen en contacto con los segmentos y los cortocircuitan, con lo cual el arrollamiento de arranque queda conectado a la red. En cuanto el motor alcanza aproximadamente el 75 % de su velocidad de régimen, la fuerza centrífuga hace levantar las láminas y éstas, al separarse de los segmentos, determinan la desconexión del arrollamiento de arranque.

FUNCIONAMIENTO DEL MOTOR DE FASE PARTIDA

El motor de fase partida está generalmente provisto de tres arrollamientos independientes, todos ellos necesarios para el correcto funcionamiento del mismo. Uno de éstos se halla en el rotor, y se designa con el nombre de *arrollamiento de jaula de ardilla.* Los otros dos se hallan en el estator, dispuestos como indica la figura 1.13: cada uno está subdividido en cuatro secciones (polos).

Arrollamiento de jaula de ardilla

Se compone de una serie de barras de cobre de gran sección, que van alojadas dentro de las ranuras del paquete de chapas rotórico; dichas barras están soldadas por ambos extremos a gruesos aros de cobre, que las cierran en cortocircuito. La mayoría de los motores de fase partida llevan, sin embargo, un arrollamiento rotórico con barras y aros de aluminio, fundido de una sola pieza (fig. 1.2).

Arrollamientos estatóricos

Son los siguientes: 1, un *arrollamiento de trabajo o principal,* a base de conductor de cobre grueso aislado, dispuesto generalmente en el fondo de las ranuras estatóricas, y 2, un *arrollamiento de arranque o auxiliar,* a base de conductor de cobre fino aislado, situado normalmente encima del arrollamiento de trabajo. Ambos arrollamientos están unidos en paralelo. En el momento del arranque uno y otro se hallan conectados a la red de alimentación, como muestra la figura 1.14 *a.* Cuando el motor ha alcanzado aproximadamente el 75 % de su velocidad de régimen, el interruptor centrífugo se abre (figura 1.14 *b*) y deja fuera de servicio el arrollamiento de arranque; el motor sigue funcionando entonces únicamente con el arrollamiento de trabajo o principal.

Durante la fase de arranque, las corrientes que circulan por ambos arrollamientos crean un campo magnético giratorio en el interior del motor. Este campo giratorio induce corrientes en el arrollamiento rotórico, las cuales generan a su vez otro campo magnético. Ambos campos magnéticos reaccionan entre sí y determinan el giro del rotor. El arrollamiento de arranque sólo es necesario para poner en marcha el motor, es decir, para engendrar el campo giratorio. Una vez conseguido el arranque del motor ya no se necesita más, y por ello es desconectado de la red con auxilio del interruptor centrífugo.

IDENTIFICACION Y LOCALIZACION DE AVERIAS

Cuando un motor deja de funcionar correctamente, conviene seguir una norma definida para determinar las reparaciones que exige su nueva puesta en marcha. Esta norma consiste en la ejecución de una serie de pruebas y ensayos con objeto de descubrir la clase exacta de avería que sufre el motor. Tales pruebas dan a conocer rápidamente al operario especializado si las reparaciones son de poca importancia, como por ejemplo substituir los cojinetes, el interruptor o las conexiones, o bien más importantes, como por ejemplo un rebobinado parcial o total.

Serie de pruebas a ejecutar

Las pruebas necesarias para identificar y localizar las posibles averías de un motor se detallan a continuación por el orden lógico con que es preciso ejecutarlas.

1. Ante todo inspeccionar visualmente el motor con objeto de descubrir averías de índole mecánica (escudos resquebrajados o rotos, eje torcido, conexiones interrumpidas o quemadas, etc.).
2. Comprobar si los cojinetes se hallan en buen estado. Para ello se intenta mover el eje hacia arriba y hacia abajo dentro de cada cojinete (fig. 1.88). Todo movimiento en estos sentidos indica que el juego es excesivo, o sea que el cojinete está desgastado. Seguidamente se impulsa el rotor con la mano para cerciorarse de que puede girar sin dificultad. Cualquier resistencia al giro es señal de una avería en los cojinetes, de una flexión del eje o de un montaje defectuoso del motor (figs. 1.92 y 1.93). En tales condiciones es de esperar que salten los fusibles en cuanto se conecte el motor a la red.
3. Verificar si algún punto de los arrollamientos de cobre está en contacto, por defecto del aislamiento, con los núcleos de hierro estatórico o rotórico. Esta operación se llama *prueba de tierra* o *de masa*, y se efectúa mediante una lámpara de prueba (figs. 1.78 *a* y *b*).
4. Una vez comprobado que el rotor gira sin dificultad, la prueba siguiente consiste en poner el motor en marcha. Para ello se conectan los bornes del motor a la red de alimentación a través de un interruptor adecuado, y se cierra éste

por espacio de algunos segundos. Si existe algún defecto interno en el motor puede ocurrir que salten los fusibles, que los arrollamientos humeen, que el motor gire lentamente o con ruido, o que el motor permanezca parado. Cualquiera de estos síntomas es indicio seguro de que existe una avería interna (por regla general, un arrollamiento quemado). Entonces es preciso desmontar los escudos y el rotor e inspeccionar más detenidamente los arrollamientos. Si alguno de ellos está francamente quemado no será difícil identificarlo por su aspecto exterior y por el olor característico que desprende.

REBOBINADO DE UN MOTOR DE FASE PARTIDA

Si las pruebas anteriores demuestran que los arrollamientos del motor están quemados o que existen muchos cortocircuitos entre espiras, es preciso rebobinar el motor para dejarlo nuevamente en condiciones de servicio. Antes de desmontar el motor conviene marcar con un punzón los escudos y la carcasa, al objeto de poder volverlos a montar más tarde en el lado correcto. Así, por ejemplo, puede marcarse con un golpe de punzón el escudo frontal y la parte de carcasa contigua, y con dos golpes de punzón el escudo posterior y su correspondiente parte de carcasa contigua (fig. 1.15). Seguidamente se desmonta el motor, y éste queda listo para su reparación.

La reparación de un motor de fase partida con un arrollamiento averiado comprende varias operaciones independientes, las más importantes de las cuales son: 1, toma de datos; 2, extracción del arrollamiento defectuoso; 3, aislamiento de las ranuras; 4, rebobinado; 5, conexión del nuevo arrollamiento; 6, verificación eléctrica del mismo; 7, secado e impregnación.

Toma de datos

Esta operación es una de las más importantes entre las indicadas anteriormente. Consiste en anotar cuidadosamente los datos esenciales relativos al arrollamiento primitivo, con el fin de no tropezar con dificultades al rebobinar el motor. Tal anotación se efectúa antes de extraer el arrollamiento estatórico averiado y durante esta operación. Lo mejor es tomar el mayor número posible de datos antes de proceder a la extracción del arrollamiento averiado. La información que debe reunirse, tanto para el arrollamiento de trabajo como para el de arranque, comprende: 1, los datos que figuran en la placa de características del motor; 2, el número de polos; 3, el paso de bobina (número de ranuras abarcado por cada bobina); 4, el número de espiras de cada bobina; 5, el diámetro del conductor de cobre en cada arrollamiento; 6, la clase de conexión entre bobinas (es decir, en serie o en paralelo); 7, la posición de cada arrollamiento estatórico con respecto al otro; 8, el tipo de bobinado (a mano, con molde o en madejas); 9, clase y dimensiones del aislamiento de las ranuras; 10, número de ranuras.

Los datos que anteceden deben anotarse escrupulosa y claramente, pues toda información inexacta o errónea relativa al arrollamiento original entorpecería la labor del operario encargado de ejecutar el rebobinado, con la consiguiente pérdida de tiempo. Para explicar en detalle la forma de conseguir la información deseada, supondremos que se trata de rebobinar un motor de 4 polos y 32 ranuras. Todo operario adiestrado procederá del modo que se describe a continuación.

Se anotarán las indicaciones de la placa de características en una hoja de datos como la que se reproduce en la página 11. La información que figura en dicha placa es sumamente importante, puesto que da a conocer inmediatamente la firma constructora del motor, la potencia del mismo, la tensión de servicio y la velocidad a plena carga. Otros datos interesantes son la clase de corriente (alterna o continua), la intensidad de corriente absorbida a plena carga, el tipo de motor y el número de serie. Este último dato cobra especial importancia si es necesario encargar piezas de recambio. La placa de características de un motor monofásico debería contener como mínimo los datos siguientes: 1, tipo y cifra clave según las designaciones del fabricante; 2, potencia nominal; 3, duración de servicio; 4, calentamiento admisible; 5, número de revoluciones por minuto a plena carga; 6, frecuencia; 7, número de fases; 8, tensión nominal; 9, corriente a plena carga; 10, letra clave; 11, letra característica del diseño, en caso de motores de potencia no inferior a 1 CV; 12, la designación "protegido térmicamente", si así procede; 13, número de serie, para motores de potencia superior a 1 CV, y 14, factor de sobrecarga. Para la explicación de varios de estos conceptos, véase la página 147.

La figura 1.13 muestra esquemáticamente el estator de un motor de fase partida, visto de frente. Los arrollamientos se hallan alojados en 32 ranuras, y cada uno de ellos está subdividido en 4 *secciones, polos* o *grupos*. Para saber el número de polos de un motor basta contar el número de secciones de su arrollamiento de trabajo. En la figura 1.13, las 4 secciones de dicho arrollamiento indican que el motor es de 4 polos. Si el número de secciones fuese 6 en vez de 4, el motor sería de 6 polos. En los motores de inducción la velocidad queda determinada por el número de polos: por consiguiente, es de suma importancia anotar este dato correctamente. Así, por ejemplo, un motor de 2 polos (bipolar) girará a algo menos de 3.600 revoluciones por minuto; uno de 4 polos (tetrapolar), a algo menos de 1.800 r.p.m.; uno de 6 polos (hexapolar), a un poco menos de 1.200 r.p.m.; uno de 8 polos (octopolar), a un poco menos de 900 r.p.m., etc. Estas velocidades sólo son ciertas cuando la frecuencia de la red de alimentación del motor es de 60 hertz; * para otras frecuencias rigen velocidades distintas.**

En la figura 1.16 puede verse el aspecto que ofrecería el conjunto de ambos arrollamientos si, suponiéndolos cortados por una generatriz cualquiera, se extendieran sobre una superficie plana. Obsérvese la posición del arrollamiento de trabajo con respecto a la del arrollamiento de arranque. Cada polo del arrollamiento de arranque cubre dos polos contiguos del arrollamiento de trabajo. Esta condición se cumple siempre en motores de fase partida, independientemente del número de polos o de ranuras del motor. Por tanto, *es sumamente importante observar y anotar la posición exacta del arrollamiento de trabajo con respecto a la del arrollamiento de arranque.* Si al rebobinar el motor no se disponen ambos en la posición correcta, el arranque puede no efectuarse en buenas condiciones. De hecho, los arrollamientos de arranque y de trabajo están siempre *desfasados* 90 grados eléctricos, cualquiera que sea el número de polos del motor. En cambio, el desfase geométrico (en grados geométricos) existente entre ambos arrollamientos varía con el número de polos del motor: así, para un motor de 4 polos es de 45° geométricos, y para uno de 6 polos, de 30° geométricos.***

Examinando con mayor detalle un polo cualquiera, tanto del arrollamiento de trabajo como del de arranque, se observa que consta de 3 bobinas separadas (fig. 1.17), las cuales han sido arrolladas sucesivamente. También se observa que cada bobina va alojada en dos ranuras, separadas entre sí por una o por varias ranuras. El número de ranuras comprendido entre los lados de una misma bobina, incluidas las dos en las cuales están alojados dichos lado, recibe el nombre de *paso de bobina.* En nuestro ejemplo estos pasos son, respectivamente, "1 a 4", "1 a 6" y "1 a 8" (fig. 1.18). Las bobinas sobresalen cierta distancia por ambos lados de las ranuras, la cual debe medirse y ano-

* 1 hertz = 1 período por segundo.

** En la mayoría de los países europeos la frecuencia de las redes de distribución de energía eléctrica es de 50 hertz. A esta frecuencia, las velocidades síncronas indicadas en el texto quedan reducidas en la proporción 50/60 = 0,833. Por lo demás, en la tabla VII del apéndice figuran los valores exactos de las velocidades síncronas que corresponden a varias frecuencias y a distintos números de polos. (*N. del T.*)

*** Estas relaciones son fáciles de establecer sabiendo que 1 grado eléctrico es igual a 1 grado geométrico dividido por el número de pares de polos. (*N. del T.*)

tarse cuidadosamente. Al rebobinar el motor es muy importante que las bobinas nuevas no sobresalgan de las ranuras una distancia superior a la anotada, pues de lo contrario los escudos podrían ejercer presión sobre aquéllas y provocar un contacto a masa.

La operación siguiente consiste en anotar la información obtenida relativa a las posiciones de los arrollamientos y a los pasos de bobina. La mayoría de los operarios especializados acostumbran utilizar para ello un diagrama en el cual están representados los dos arrollamientos y la totalidad de las ranuras. El ejemplo de la figura 1.19 corresponde a un motor de 32 ranuras. Con este sistema el paso de cualquier bobina se indica simplemente trazando un arco de curva que enlace las dos ranuras donde aquélla va alojada. La anotación se efectúa primero para el arrollamiento de arranque, porque está encima y es por tanto más fácilmente visible que el arrollamiento de trabajo. El paso de las bobinas de este último puede determinarse con mayor facilidad si se levantan un poco los extremos del arrollamiento de arranque. Cada arco de curva representa entonces una bobina de un polo.

A continuación se indica un modelo de hoja de datos previsto para contener toda la información que debe reunirse.

MODELO DE HOJA DE DATOS PARA MOTORES DE FASE PARTIDA

Firma constructora

Potencia (CV)	Velocidad (r.p.m.)	Tensión (V)	Corriente (A)
Frecuencia	Tipo	Cifra clave	Factor sobrecarga
Calentamiento adm.	Modelo	Número serie	Fases
Número polos	Letra clave	Número ranuras	Duración servicio

Arrollamiento	Diámetro cond.	Número ramas	Pasos	Número espiras
Trabajo				
Arranque				

Ranura núm.	1	2	3	4	5	6	7	8	9	10	11	12	13	14	15	16	17	18	19	20	21	22	23	24	25	26	27	28	29	30	31	32	33	34	35	36	1
Trabajo																																					
Arranque																																					

Sentido giro	A derechas	A izquierdas

No todos los motores tienen 32 ranuras: la mayoría de los motores de fase partida tienen 36 ranuras, algunos sólo 24. En la figura 1.20

se ha representado el diagrama de pasos para un motor de 4 polos y 36 ranuras, y en la figura 1.21 el diagrama para un motor de 4 polos y 24 ranuras. Obsérvese en la figura 1.21 que los lados contiguos de las bobinas exteriores de dos polos consecutivos están alojados, uno sobre el otro, en la misma ranura. Esta circunstancia ocurre en muchos motores. Obérvese también en la figura 1.20 que los polos del arrollamiento de arranque son alternativamente de 3 y de 4 bobinas.

Otro dato importante que debería anotarse es la posición de los polos del arrollamiento de trabajo con respecto a la propia carcasa del motor. En algunos motores es fácil identificar el centro de cada polo principal porque la ranura que le corresponde es de tamaño distinto a las demás. Este detalle basta para situar correctamente los polos al rebobinar. No obstante, en caso de faltar dicha referencia es preciso señalar claramente la posición de los polos marcando con un punzón la ranura (o ranuras) que corresponde al centro de cada uno.

Seguidamente debe ser anotada la clase de conexión entre polos. Esta operación sólo puede llevarse a término cuando se está familiarizado con los diversos sistemas de ejecutar los arrollamientos y de conectar los polos entre sí.

Los motores de fase partida pueden tener conectados los arrollamientos de manera muy variada, según que estén previstos para trabajar a una sola tensión, a dos tensiones distintas, a dos velocidades, con sentido de giro reversible exteriormente, etc. Para poder anotar la clase de conexión que lleva el motor es preciso que el operario conozca las diversas modalidades de ellas que puede encontrar. Por tal motivo es conveniente leer y estudiar los epígrafes "Conexión de los polos" (pág. 20) y "Manera de identificar la conexión" (pág 23) antes de proceder a anotar este dato.

También es necesario averiguar y anotar el número de espiras que contiene cada bobina. Esto puede hacerse abriendo las bobinas y contando las espiras arrolladas en su interior, o bien cortando las bobinas por un extremo y contando el número de terminales. Es muy importante asimismo observar y anotar si hay un solo conductor por espira, o si hay más de uno. A veces se emplean, por ejemplo, dos conductores de pequeño diámetro en vez de uno solo de mayor diámetro. El diámetro del conductor se medirá con auxilio de un micrómetro o calibre adecuado y se anotará también cuidadosamente. Todos estos datos se irán tomando a medida que se extraen los arrollamientos del estator.

Cuando únicamente esté quemado o cortocircuitado el arrollamiento de encima (el de arranque), bastará anotar solamente los datos referentes al mismo.

Extracción de las bobinas del estator

Cuando sólo es preciso reemplazar el arrollamiento de arranque, pueden extraerse fácilmente las bobinas defectuosas del mismo cortando los conductores por un lado del estator y tirando luego de ellas por el lado opuesto. A veces pueden sacarse los conductores de las ranuras tras retirar las cuñas que los mantienen sujetos. Tal operación suele efectuarse mediante una sierra para metales (fig. 1.22). Primero se golpea verticalmente la hoja de la sierra con un martillo para que los dientes de la misma penetren en la cuña (fase 1); a continuación se golpea la hoja lateralmente, al objeto de extraerla junto con la cuña (fase 2).

Cuando es todo el estator el que debe ser rebobinado, resultaría sumamente difícil y entretenido intentar sacar los arrollamientos del núcleo estatórico sin ablandar o carbonizar antes el barniz y el aislamiento con que están protegidos. Por regla general los arrollamientos quedan extraordinariamente endurecidos a causa de su impregnación con barniz, y tratar de extraerlos sin carbonizarlos previamente exigiría un tiempo considerable.

En muchos talleres se acostumbra colocar el estator en una estufa de secado durante varias horas, a unos 200° C, y a dejarlo luego enfriar por sí solo. La estufa puede ser caldeada por gas o bien eléctricamente. Es muy importante poder controlar la temperatura, con el fin de evitar que las planchas del núcleo se deformen o que el recubrimiento electrolítico de las mismas se deteriore. Antes de introducir el estator en la estufa suelen cortarse las cabezas posteriores de bobina a ras de ranura con auxilio de un escoplo neumático o eléctrico (fig. 1.23). De esta forma es relativamente fácil extraer la parte restante de las bobinas, una vez enfriado el estator, tirando simplemente de ellas por el lado opuesto y haciéndolas pasar a través de las ranuras.

Conviene tener presente que los arrollamientos antiguos no deben llegar a arder, que la temperatura no debe aumentar demasiado aprisa y que el estator debe dejarse enfriar gradualmente. Estas observaciones son por otra parte válidas para cualquier clase de motor.

El aislamiento de las bobinas estatóricas también puede ablandarse disponiendo el estator entre dos grupos de lámparas de infrarrojos. Generalmente se cortan primero las cabezas de bobina por un lado del estator, a ras del paquete de planchas. A menudo se echa también aceite alrededor de los terminales cortados y del aislamiento, y se espera a que haya penetrado antes de someter el estator a la acción de las lámparas.

Bastan normalmente 15 minutos para calentar las bobinas hasta el punto de permitir su fácil extracción.

Durante este proceso debe contarse el número de espiras de cada una de las bobinas que componen uno o dos polos del arrollamiento de arranque, y hacer lo propio con el arrollamiento de trabajo. Estas cifras se anotan entonces en la hoja de datos, junto a los arcos de curva que indican el paso de cada bobina. Al mismo tiempo se determinará y anotará el diámetro del conductor en uno y otro arrollamiento; para ello basta despojar el conductor de su aislamiento y medir el diámetro con auxilio de un calibre o de un micrómetro. Se anotará también la clase de aislamiento que lleva el conductor.

Conductores para bobinas

Los conductores de cobre para bobinas se diferencian principalmente por la clase de aislamiento que los recubre. Es necesario que esta capa aislante ocupe poco espacio y que pueda resistir los efectos de un calentamiento considerable y continuo. El espesor de aislamiento varía según los casos.

Los materiales aislantes que protegen conductores, ranuras y otras partes del motor se clasifican en función de su resistencia térmica. En motores y generadores se emplean las cuatro clases siguientes de aislamiento: clase A (105° C), clase B (130° C), clase F (155° C) y clase H (180° C). Las temperaturas de régimen excepcionalmente altas acortan la vida de una máquina eléctrica, a menos de prever para ella la clase de aislamiento adecuada. Así, un aislamiento de clase A (105° C) sólo puede ser utilizado en motores cuya temperatura total de régimen no exceda de 105° C. Esta cifra equivale a la suma de la temperatura ambiente y del calentamiento propiamente dicho debido al régimen de servicio. Los motores equipados con aislamiento de clase A están normalmente previstos para un servicio continuo con calentamiento admisible de 40 a 50° C y a una temperatura ambiente de 40° C. Los motores equipados con aislamiento de clase B, F y H pueden soportar temperaturas mucho más elevadas.

Algunos fabricantes han lanzado al mercado numerosos tipos de conductores para bobinas, protegidos con todas las clases de aislamiento indicadas. Dichos conductores son conocidos con una gran diversidad de nombres comerciales, de los cuales se mencionan varios a continuación.

El hilo Formvar (sencillo o reforzado), aislado con una película de resina polivinílica, es uno de los más ampliamente usados. Posee excelentes propiedades, como elevada resistencia a la abrasión y flexibilidad, y encuentra aplicación en prácticamente todos los casos donde basta aislamiento clase A (estatores, inducidos, transformadores, electroimanes, etcétera). Algunos tipos de hilo Formvar están provistos de un recubrimiento exterior a base de nilón, que les confiere elevada resistencia al ataque de los activos disolventes contenidos en los barnices usuales. Otros nombres comerciales son Formex, Nyform y Nyclad. Los fabricantes de hilo de cobre aislado publican prospectos donde figuran las principales características de sus productos.

Los hilos de clase B suelen estar aislados con una película de poliuretano y un recubrimiento exterior de nilón. Algunos de ellos pueden soldarse directamente, sin necesidad de despojarlos previamente de la película aislante. Algunos de los nombres comerciales existentes para hilos de clase B son Nylac, Beldsol, Alcanex (reforzado) y Formvar (con recubrimiento exterior a base de fibra de vidrio).

Los conductores aislados con clase F y clase H se utilizan generalmente en motores que trabajan en condiciones térmicas extremadamente desfavorables. El aislamiento se compone de fibras de vidrio aglomeradas con siliconas u otros materiales.

También se rebobinan motores, si bien en menor grado, con hilo esmaltado recubierto con una capa de algodón, seda o fibra de vidrio. Las abreviaturas respectivas son S.A.E., S.S.E. y S.V.E. (iniciales de "simple" y de los aislantes empleados). Así, un hilo del número 18 aislado con una película de esmalte y una simple capa de algodón dispuesta encima se anotará abreviadamente N.° 18 S.A.E. Si se trata de hilo Formvar se usará la designación N.° 18 Simple Formvar. Conviene recordar que la mayoría de las películas de recubrimiento pueden ser simples o múltiples, y por tanto es preciso especificar claramente esta circunstancia. En caso de duda se usarán hilos con película múltiple. Un hilo aislado con película múltiple tiene un diámetro aproximadamente 0,025 mm mayor que el de un hilo igual, pero aislado con una sola película.

Una vez extraídos los arrollamientos se procederá a retirar el aislamiento de las ranuras. Si dicho aislamiento está carbonizado resultará fácil de quitar, puesto que irá desprendiéndose por sí solo a medida que se saquen los arrollamientos. En caso de que permaneciera adherido a los lados de las ranuras será preciso emplear un cuchillo u otro instrumento cortante para hacerlo saltar.

Retirados ya los arrollamientos y el aislamiento de las ranuras, se acostumbra someter el estator a la acción de un chorro de aire para eliminar la suciedad, el polvillo o las partículas extrañas que puedan permanecer alojadas en él. Esta operación se efectúa con ayuda de un compresor: la presión del aire, que sale a través de una pequeña tobera, es suficiente para lograr una limpieza a fondo del estator. Si éste estuviera grasiento convendrá limpiarlo con un líquido apropiado, preferiblemente no inflamable.

Aislamiento de las ranuras

Tras la ejecución de cuanto se ha indicado anteriormente, el motor se halla desmontado y listo para ser rebobinado. Antes de disponer los arrollamientos en sus respectivas ranuras es preciso colocar en las mismas un determinado aislamiento con objeto de evitar que el conductor recubierto tenga algún punto de contacto directo con el núcleo de hierro. Existen diferentes materiales aislantes apropiados para esta finalidad. Algunos de los más corrientemente usados son: 1, papel de trapo elaborado con gran esmero para asegurar su pureza química y su resistencia mecánica (fabricado en varios espesores y doblado): constituye un aislamiento de clase A; 2, combinación o "sandwich" Mylar, también de clase A; 3, combinaciones Dacron - Mylar, para aislamientos de clase B y F; 4, papel nilón, para aislamientos de clase B hasta H (es especialmente resistente a las temperaturas elevadas, posee gran resistencia mecánica a la tracción y goza de excelentes propiedades dieléctricas).

Existen otras muchas clases de materiales aislantes. Al reemplazar el aislamiento de las ranuras es muy recomendable utilizar el mismo tipo y espesor de material que los que el núcleo llevaba originalmente.

El aislamiento para las ranuras se corta del modo indicado en la figura 1.24 *a*, es decir, unos 6 mm más largo que la ranura; luego se amolda a la forma de ésta para que encaje perfectamente. Es frecuente practicar dobleces en los cuatro extremos del aislamiento (fig. 1.24 *b*) para evitar que éste pueda deslizarse hacia el exterior de la ranura y causar un posible contacto de la bobina con masa. Este papel aislante se fabrica y expende en rollos correspondientes a diversos anchos y espesores, y puede adquirirse en muchas firmas suministradoras de motores. El aislamiento, con los extremos ya doblados, se corta en tiras de longitud adecuada al perímetro de las ranuras por medio de una cuchilla especial. En motores de fracción de caballo y de tamaño medio resulta muy apropiado el papel aislante de espesor comprendido entre 0,2 y 0,4 mm; por otra parte, entre el arrollamiento de trabajo y el de arranque se dispone generalmente batista barnizada de 0,2 mm de grueso.

La figura 1.24 *a* muestra además el modo de colocar tiras aislantes de protección sobre los bordes de las ranuras, para evitar que durante el rebobinado el hilo roce contra el núcleo de hierro. Dichas tiras pueden retirarse, una vez terminada la operación, o bien doblarse por sus extremos y dejarse en el interior de las ranuras.

Rebobinado

Un motor de fase partida puede rebobinarse de tres maneras distintas: 1, a mano; 2, con bobinas moldeadas, y 3, con madejas. En la práctica se usan indistintamente los tres procedimientos, ya que cada uno ofrece determinadas ventajas. Sea el que fuere el procedimiento elegido, se dispone primero el arrollamiento de trabajo íntegro en las ranuras, y luego el de arranque, encima. Como ya se ha dicho, es conveniente interponer un aislamiento adecuado entre uno y otro. Una vez dispuesto el arrollamiento de arranque encima del de trabajo, se introduce en la parte superior de cada ranura una cuña de configuración apropiada (de madera, de fibra o de otro material análogo), cuya misión es mantener los conductores bien sujetos en el interior de las ranuras y asegurados contra el efecto de las vibraciones. Estas cuñas (fig. 1.25) se suministran generalmente en barras de 1 m de longitud y anchos diversos, las cuales se cortan a la medida de la ranura.

Bobinado a mano. Este procedimiento puede emplearse tanto para el arrollamiento de trabajo como para el de arranque, y posee dos ventajas principales: 1, permite un bobinado más compacto, lo cual es especialmente importante cuando el espacio disponible para las cabezas de bobina es reducido, y 2, hace innecesario el uso de hormas, moldes, etc. Los conductores se van alojando en las ranuras, espira por espira, comenzando por la bobina interior y terminando por la exterior, con lo cual quedan completadas todas las bobinas de un polo. En las explicaciones que siguen se supone que se trata de bobinar un estator de 32 ranuras.

1. El estator y el carrete de hilo se disponen como indica la figura 1.26; el extremo del hilo se hace pasar por el fondo de una ranura. Si el estator carece de pies empléense soportes, un tornillo de banco o un portaestator como el de la figura 1.27. Se completa la bobina interior (paso 1 a 4) arrollando el número de espiras exigido.

2. Una vez terminada la bobina interior se prosigue con la siguiente (paso 1 a 6), cuyas espiras se arrollan en el mismo sentido (fig. 1.28). Procédase de manera idéntica hasta haber alojado en sus respectivas ranuras todas las bobinas del polo. El hilo no debe cortarse hasta que todo el polo esté terminado. Antes

de iniciar el devanado es conveniente colocar pasadores o varillas de madera en las ranuras vacías del centro del polo, como indica la figura 1.29. Haciendo pasar luego las espiras de hilos por debajo de los extremos de dichas varillas se evita que las bobinas puedan salirse de las ranuras en el transcurso de la operación.

3. Una vez concluidas las bobinas que constituyen el polo se colocan sobre las mismas, en las ranuras correspondientes, cuñas de madera o de fibra, con objeto de evitar que las espiras puedan deslizarse hacia fuera. Entonces pueden retirarse las varillas auxiliares.

4. Los demás polos se bobinan de modo idéntico al primero.

5. El arrollamiento de arranque se bobina encima del de trabajo, teniendo cuidado de empezar en el punto correspondiente al centro de un polo de trabajo cualquiera, y de interponer un aislamiento adecuado (batista barnizada) entre ambos arrollamientos. A pesar de estar ejecutado el arrollamiento de trabajo a mano, la práctica ha sancionado la costumbre de utilizar bobinas moldeadas o bien madejas para el arrollamiento de arranque. Una vez terminada la colocación de dicho arrollamiento, se introducen nuevas cuñas en las ranuras para mantener todas las espiras bien sujetas. En la figura 1.30 pueden verse algunos polos de un estator ya rebobinado.

Bobinado con molde. Con este sistema se moldean primero las bobinas sobre una horma, plantilla o gálibo de madera o metal, se sacan luego del molde y se colocan finalmente en las ranuras correspondientes. Es el procedimiento más corriente para rebobinar motores de fase partida.

1. El primer paso consiste en determinar el tamaño y la forma de las bobinas, partiendo de las dimensiones del núcleo estatórico. Para ello se utiliza un alambre grueso, al que se da la forma de la bobina interior haciéndolo pasar por las ranuras correspondientes (paso 1 a 4) y dejando por lo menos una distancia libre de 6 mm a cada extremo de las mismas (fig. 1.31). Para la bobina inmediatamente contigua se sigue un procedimiento análogo, procurando que entre las cabezas homólogas de esta bobina y la anterior quede una distancia mínima de 5 mm. El tamaño y la forma de la tercera bobina (o de las que sigan) se fijan de la misma manera.

Para cada tamaño de bobina se confecciona entonces una horma de madera cuyo contorno corresponda exactamente a la forma de aquélla y cuyo espesor sea aproximadamente los 3/4 de la profundidad de una ranura. Estas formas se afianzan luego conjuntamente por medio de un perno (fig. 1.32 *a*).

2. Sobre cada horma de madera se van arrollando luego las espiras necesarias para la correspondiente bobina, empezando siempre por la más pequeña. Una vez concluida la operación se atán sólidamente las bobinas por varios puntos con un cordel, a fin de mantener inamovibles las espiras, y se sacan del molde. El empleo de moldes concéntricos de cabezales ajustables (fig. 1.32 *b*), existentes en el mercado, permite ejecutar bobinas para muy diversas marcas de motores con suma rapidez y precisión. La ventaja de este tipo de moldes es que permiten un considerable ahorro de tiempo en el bobinado de un estator, a la vez que hacen innecesaria la construcción de nuevos moldes para cada marca distinta de motor.

3. Seguidamente se alojan dichas bobinas moldeadas en las correspondientes ranuras del estator (fig. 1.33), apretándolas con fuerza contra el fondo de estas últimas.

4. Se sujetan bien las espiras en el interior de las ranuras por medio de cuñas a base de material de clase A, B, F o H, según sea la clase de aislamiento del motor.

Bobinado en madejas. Este procedimiento se usa principalmente para el arrollamiento de arranque. Esta modalidad de devanado utiliza una sola bobina (madeja) para cada polo, suficientemente grande para que pueda ser alojada en todas las ranuras abarcadas por la totalidad de las secciones individuales que integran un polo. La ventaja de este sistema radica en el hecho de poder alojar simultáneamente muchos conductores en una misma ranura. A pesar de ello, algunos talleres de reparación prefieren substituir las madejas por bobinas moldeadas, especialmente cuando disponen de moldes con cabezales ajustables.

1. El tamaño y la forma de la madeja se obtienen generalmente de la propia madeja primitiva al desmontar el estator. Un bobinado de este género es fácil de identificar, debido a que puede sacarse un polo entero en forma de una sola bobina. No obstante, si no fuera posible averiguar el tamaño de la madeja siguiendo el método indicado, se procederá a determinarlo arrollando un alambre grueso sobre las ranuras correspondientes (fig. 1.34 *a*), dejando unos espacios laterales suficientes para que el nuevo devanado no quede excesivamente apiñado. A continuación se unen los dos extremos del alambre retorciéndolos uno sobre el otro, y se saca dicho alambre de las ranuras.

2. Se da luego al alambre una forma rectangular u oblonga (fig. 1.34 *b*), que se utiliza como molde para devanar la madeja correspondiente, como si fuera una bobina normal. En realidad, la configuración de esta bobina tiene poca importancia a condición que su perímetro sea siempre el mismo. En la figura 1.35 *a* puede verse una bobina dispuesta sobre su molde.

3. Si la bobina debe ser de forma rectangular, se arrolla el número necesario de espiras alrededor de cuatro carretes vacíos fijados sobre una base de madera, procurando dejar libres los dos extremos del hilo. Antes de sacar la bobina del molde es conveniente atarla en varios puntos, para evitar que se deshaga.

Si prefiere darse a la bobina una forma oblonga, basta clavar dos carretes vacíos a un lado o encima del propio banco de trabajo, separados a la distancia conveniente, y arrollar las espiras necesarias a su alrededor (fig. 1.35 *b*).

También cabe hacer uso de un molde con cabezales ajustables como el representado en la figura 4.18. Si bien está previsto para la ejecución de bobinas trifásicas, puede adaptarse fácilmente para las monofásicas. La ventaja del mismo es que puede ajustarse a cualquier forma de bobina separando meramente sus cabezales a la distancia adecuada.

4. Ahora se saca la madeja del molde y se aloja en las dos ranuras correspondientes al menor de los pasos (1 a 4) como indica la figura 1.36 *a*. Seguidamente se retuerce la madeja y luego se dobla para hacer entrar sus costados en las dos ranuras correspondientes al paso inmediatamente superior (1 a 6), y así sucesivamente, hasta completar el polo (fig. 1.36 *b*). En muchos motores se intro-

duce la madeja hasta dos y tres veces en las mismas ranuras, según las características de la bobina primitiva. La figura 1.37 muestra un polo cuya bobina central se ha ejecutado haciendo pasar la madeja dos veces por las mismas ranuras.

Substitución de un bobinado a mano por uno en madejas. A menudo es deseable substituir un bobinado estatórico ejecutado a mano por otro bobinado equivalente en madejas, especialmente cuando el diámetro del hilo no excede el calibre n.° 21 de la escala de A.W.G.* (aproximadamente 0,7 mm); por el contrario, no es aconsejable llevar a cabo tal modificación cuando el diámetro del hilo excede de dicho límite, pues se tropezaría con dificultades al tratar de retorcer las madejas.

Para explicar de qué manera se ejecuta esta operación se tomará como ejemplo el de un polo compuesto originalmente de 85 espiras arrolladas a mano, de las cuales 20 correspondían a la bobina interior (paso 1 a 4), 38 a la bobina central (paso 1 a 6) y 27 a la bobina exterior (paso 1 a 8). Al rebobinar el polo conviene que el número total de espiras alojadas en las ranuras sea lo más próximo posible a 85, y además, que el número de espiras dispuestas en cada ranura sea aproximadamente el mismo que en el arrollamiento primitivo. La bobina que constituye la madeja se devanará con 21 espiras, y se dispondrá en las ranuras 1 vez con paso 1 a 4, 2 veces con paso 1 a 6 y 1 vez con paso 1 a 8, como muestra la figura 1.37. De esta manera habrá 21 espiras con paso 1 a 4, 42 espiras con paso 1 a 6 y 21 espiras con paso 1 a 8, con un total de 84 espiras por polo. Esta cifra se aproxima muchísimo a la primitiva (85); por otra parte, el número de espiras alojado en cada ranura se aproxima suficientemente al original para asegurar un funcionamiento satisfactorio del motor. Para determinar el tamaño de las madejas se procederá de la manera indicada en la figura 1.34 *a*, con la única excepción de que el alambre que sirve de patrón deberá arrollarse también dos veces en la parte central (paso 1 a 6).

Conexión de los polos para una sola tensión de servicio

Una vez bobinados todos los polos de un motor, la próxima operación consiste en conectar entre sí sus respectivos arrollamientos. Independientemente del número de polos en cuestión, es condición indispensable que dos polos consecutivos cualesquiera sean de signo opuesto. Esto se logra conectándolos entre sí de manera que la corriente circule por las espiras de un polo en el sentido de las agujas de

*** Iniciales de "American Wire Gauges", calibres americanos normalizados para hilos de cobre desnudo. Véase a este respecto la tabla I del Apéndice. (*N. del T.*)**

un reloj, y por las espiras del polo siguiente en sentido contrario al de las agujas de un reloj (fig. 1.38); ambos sentidos seguirán alternando de modo análogo para los polos restantes.

Los motores más extendidos actualmente son los que llevan 4 polos estatóricos conectados en serie: por tal motivo se describirá preferentemente esta clase de conexión. Conviene recordar a este respecto que cuando los polos del arrollamiento de trabajo están conectados en serie, los del arrollamiento de arranque suelen estar también conectados del mismo modo. Aunque hay excepciones a esta regla, sólo se presentan raramente.

Conexión en serie de los cuatro polos del arrollamiento de trabajo. Los terminales de los polos se conectarán como se ve en la figura 1.39, es decir, el terminal final del polo 1 con el terminal final del polo 2. Seguidamente se conecta el terminal inicial del polo 2 con el terminal inicial del polo 3 (fig. 1.39), y el terminal final del polo 3 con el terminal final del polo 4 (fig. 1.40). Por último, los dos conductores de la red de alimentación se conectan respectivamente al terminal inicial del polo 1 y al terminal inicial del polo 4.

A fines de simplificación, las conexiones de las figuras 1.38 a 1.40 pueden esquemátizarse representando cada polo por un rectángulo cuadriculado, como muestran las figuras 1.41 a 1.43.

La figura 1.44 permite comparar las representaciones detallada y esquemática del arrollamiento de trabajo completo de un motor de 4 polos y 36 ranuras. Obsérvese que, si bien todos los polos han sido bobinados de manera idéntica, están conectados entre sí de forma que dos polos contiguos sean siempre de signo opuesto.

Tras haber adquirido cierta experiencia en el bobinado de arrollamientos de trabajo, se estará en condiciones de efectuar la operación ininterrumpidamente, es decir, sin necesidad de cortar el hilo cada vez que se ha concluido un polo. Pero debe tenerse mucho cuidado en ir alternando el sentido de bobinado cuando se pasa de un polo al siguiente, con objeto de que vayan alternando también las polaridades correspondientes: así, el primer polo se bobinará a derechas, el segundo, a izquierdas, el tercero, nuevamente a derechas, etc.

Una vez terminado el arrollamiento conviene comprobar si la sucesión de polaridades es correcta. Para ello se conecta el arrollamiento a una fuente de corriente continua de baja tensión y se pasa una brújula sucesivamente frente a cada polo, por el interior del estator. Si el conexionado es correcto, la aguja de la brújula se desviará alternativamente en sentidos opuestos.

Conexión en serie de los polos del arrollamiento de arranque. Los polos del arrollamiento de arranque también están conectados de modo que las polaridades vayan alternando sucesivamente. La forma de conectarlos entre sí es análoga a la descrita para el arrollamiento de trabajo. La única diferencia es la inclusión del interruptor centrífugo, que puede ir intercalado en el conductor de alimentación unido al polo 4, o bien conectado en serie entre los polos 2 y 3. Las figuras 1.45 y 1.46 muestran esquemáticamente el conexionado correcto del arrollamiento de trabajo y del de arranque: en la figura 1.45 el interruptor centrífugo está interpuesto al final del arrollamiento de arranque, y en la figura 1.46, en el centro de este último. La figura 1.47 representa ambos arrollamientos en esquema circular, tal como en realidad van dispuestos en las ranuras del estator.

También puede representarse el conexionado de una manera más sencilla adoptando un esquema simplificado como el de la figura 1.48 *a*. Este esquema no da ninguna indicación en cuanto al número de polos, pero muestra en cambio claramente cómo están conectados los terminales de ambos arrollamientos a la red de alimentación. Se observa en este caso que los dos terminales del arrollamiento de trabajo y los dos terminales del arrollamiento de arranque pueden conectarse independientemente a la red, es decir, no existe ninguna unión previa entre cada par homólogo de ellos. De esta forma resulta fácil invertir el sentido de giro del motor, pues para ello basta permutar entre sí los terminales del arrollamiento de trabajo o bien los del arrollamiento de arranque. Los primeros se han designado con las letras T_1 y T_4; los segundos con las letras T_5 y T_8. Los esquemas de la figura 1.48 *b* indican la manera de conectar los cuatro terminales para que el motor gire respectivamente a derechas o a izquierdas.

Los polos de un motor hexapolar se conectan de igual manera que los de un motor tetrapolar, con la sola excepción, naturalmente, de que es preciso añadir dos más. En la figura 1.49 puede verse el esquema circular de conexiones de los arrollamientos de un motor hexapolar de fase partida.

Conexiones serie - paralelo. Si bien en la mayoría de los motores de fase partida los polos de cada arrollamiento están conectados en serie, existen también algunos fabricantes que utilizan conexiones *serie - paralelo,* llamadas asimismo de *doble derivación* o de *doble circuito.* En una conexión de esta clase existen siempre dos circuitos o ramas para cada arrollamiento,* como indican las figuras 1.50 y 1.51. Sin embargo, sea el que fuere el número de circuitos por arrollamiento, debe cumplirse asimismo la condición de que dos polos contiguos cualesquiera sean de signo opuesto.

Manera de identificar la conexión de los polos

Antes de intentar averiguar directamente qué clase de conexionado entre polos posee un motor de fase partida u otro motor cualquiera de corriente alterna, es muy conveniente leer y analizar detenidamente la información contenida en su placa de características. Entre otras cosas, se sabrá si el motor puede funcionar a una sola tensión de servicio o bien a dos, si puede girar a una sola velocidad de régimen o bien a dos, y cuál es el valor exacto de esta velocidad o velocidades. Si la frecuencia es de 60 p.p.s., un motor tetrapolar debe girar aproximadamente a 1.725 r.p.m., un motor hexapolar a unas 1.150 r.p.m., y un motor bipolar a unas 3.450 r.p.m.** Los polos destacan claramente en el estator, tanto para el arrollamiento de arranque como para el de trabajo.

Los terminales que salen hacia fuera o que están conectados a la placa de bornes o al interruptor centrífugo, es preferible no tocarlos. Para identificarlos, obsérvense y dibújense en un esquema los puntos hacia donde se dirigen: los que están conectados a las bobinas de hilo grueso, alojadas en el fondo de las ranuras, pertenecen al arrollamiento de trabajo, mientras que los que están unidos a las bobinas de hilo más fino pertenecen al arrollamiento de arranque. Si es necesario se cortará el cordel que mantiene unidos los terminales, con objeto de poderlos separar. En caso de que el motor funcione a una sola tensión de servicio y su sentido de giro pueda invertirse desde el exterior, se hallarán 4 terminales (2 de cada arrollamiento). Uno de los terminales del arrollamiento de arranque suele estar conectado al interruptor centrífugo.

En la gran mayoría de los motores de fase partida para una sola tensión de servicio, los polos están conectados en serie de modo que las polaridades vayan cambiando de signo alternativamente.

En muchos talleres de reparación se sigue el procedimiento siguien-

* La conexión serie - paralelo a que se hace referencia consiste de hecho en la conexión en paralelo de dos ramas, cada una de las cuales se compone de dos polos unidos en serie. (*N. del T.*)

** Se recuerda que a la frecuencia de 50 p.p.s., que es la usual en Europa, es preciso multiplicar estas velocidades por 0,833. Los valores síncronos de las mismas figuran en la tabla VII del Apéndice. (*N. del T.*)

te, en especial cuando los arrollamientos han quedado muy endurecidos tras el secado: primero se marcan los terminales, luego se desconectan de la placa de bornes. Entonces se introduce el estator en una estufa de secado y se eleva la temperatura lo suficiente para carbonizar el aislamiento. Esto permite no sólo una fácil extracción de los arrollamientos, sino además la verificación del tipo de conexionado existente; por otra parte, facilita el recuento del número de espiras.

Los motores de fase partida y otros de tipo análogo pueden presentar a veces algunas conexiones complicadas. En tal caso la experiencia y unos buenos conocimientos sobre conexiones permitirán sin duda al operario identificarlas sin gran dificultad. Sin embargo, las conexiones serán, por regla general, sencillas, y no constituirán problema alguno para el principiante.

Maneras de empalmar terminales y aislar la unión

Una manera de empalmar los terminales de dos polos consiste en sacar el aislamiento de ambos en una longitud de unos 5 cm a partir de cada extremo, retorcer los hilos desnudos uno sobre el otro, soldarlos, y finalmente encintar la unión. Este procedimiento es el mostrado en la figura 1.52: los conductores que se han empalmado son aquí el terminal final del polo 1 y el terminar final del polo 2.

Otra manera de proceder es utilizar manguitos barnizados o tubos de fibra de vidrio en vez de cinta aislante. En la figura 1.53 se indica detalladamente el modo de efectuar un empalme según este sistema, que puede descomponerse en 5 operaciones fundamentales:

1.ª Se quita el aislamiento de los extremos de los dos terminales a empalmar en una extensión de 2 a 3 cm.

2.ª Se hace pasar hacia el interior de cada terminal un manguito barnizado de unos 2,5 cm de largo o más, según convenga.

3.ª Se hace pasar sobre uno de estos manguitos otro manguito del mismo material, pero de mayor diámetro y longitud (aproximadamente unos 5 cm).

4.ª Se retuercen los dos extremos desnudos uno sobre el otro, de modo que quede un empalme recto, y se suelda la unión.

5.ª Se hacen deslizar los manguitos pequeños hasta que se tocan en el centro del empalme, y luego se desliza el manguito mayor sobre ambos, de forma que los cubra por completo.

El proceso íntegro exige menos tiempo que el aislamiento a base de cinta; por otra parte, la ejecución del empalme resulta más esmerada.

Un tercer procedimiento consiste en usar una lámpara para soldar los extremos de los terminales, previamente retorcidos. El empalme se cubre deslizando sobre el mismo un trozo corto de manguito, que luego se sujeta a la conexión (fig. 1.54).

Para empalmar entre sí los polos del arrollamiento de trabajo y del arrollamiento de arranque puede emplearse uno cualquiera de los métodos descritos. Una vez ejecutadas correctamente todas estas uniones, se empalman cables flexibles a los terminales de ambos arrollamientos que deben ir conectados a la red. La mejor manera de aislar estos empalmes es, asimismo, mediante manguitos de fibra de vidrio. Además, se tendrá la precaución de sujetar sólidamente con un cordel los cables flexibles a sus respectivos arrollamientos (fig. 1.55), para evitar que un tirón eventual sobre los primeros pueda arrancarlos de los segundos. Las propias bobinas de los arrollamientos se aseguran también entre sí con un cordel o cinta adecuados (de nilón, lienzo o algodón). Esto confiere mayor compacidad a los arrollamientos, impide que se aflojen o deshagan, y evita hasta cierto punto que los conductores vibren y se desplacen.

Verificación eléctrica de los arrollamientos terminados

Una vez concluido el rebobinado y efectuadas las correspondientes conexiones es muy conveniente verificar eléctricamente uno y otras con objeto de detectar posibles cortocircuitos entre espiras, contactos a masa, conexiones erróneas o interrupciones. Estas pruebas deben efectuarse antes de proceder a las operaciones de secado e impregnación, pues así resulta más fácil remediar cualquier defecto eventual. Más adelante, en este mismo capítulo (bajo el epígrafe "Detección, localización y reparación de averías"), se encontrará información detallada sobre el modo de realizar dichas pruebas.

Secado e impregnación

Cuando ya se han efectuado y verificado todas las conexiones entre polos, y los cables flexibles de conexión a la red han sido empalmados a sus respectivos terminales y sujetados a los arrollamientos, se introduce el estator en una estufa de secado, donde debe permanecer aproximadamente 1 hora a una temperatura de unos 120° C. Con este precalentamiento se consigue eliminar la humedad de los arrollamientos y facilitar así la posterior penetración del barniz. Seguidamente se sumerge el estator en un baño de barniz aislante adecuado al tipo de conductor empleado. Es muy importante recordar que el barniz debe ser suficientemente fluido para que pueda penetrar en los arrollamientos, y suficientemente espeso para que deje una película consistente tras el secado. El barniz puede volverse excesivamente espeso por evaporación de su base líquida. Si esto ocurre, dilúyase siempre con el líquido recomendado por el fabricante del mismo.

Una vez impregnados los arrollamientos (lo cual ocurre tras una inmersión en el barniz de aproximadamente media hora, o bien cuando ha cesado por completo el desprendimiento de burbujas), se saca el estator del baño y se deja escurrir. Así que ha cesado de escurrirse se introduce de nuevo en la estufa, donde se deja secar por espacio de varias horas. Cualquiera que sea el tipo de barniz empleado, asegúrese de que han sido tenidas en cuenta todas las instrucciones y recomendaciones del fabricante del mismo. Después de extraer el estator de la estufa conviene frotar la superficie interior del núcleo con objeto de eliminar de ella el barniz adherido, que podría dificultar el libre giro del rotor.

La impregnación y el secado confieren a todo el bobinado las características de una masa compacta y rígida, sin posibilidad de movimiento; además, protegen herméticamente los arrollamientos contra la penetración de la humedad o de partículas extrañas, y elevan tanto la resistencia mecánica como la rigidez dieléctrica de los conductores.

Existen clases de barnices que no exigen ningún secado ulterior en la estufa, puesto que se secan por sí solos al contacto del aire. Son muchos los talleres que usan estos barnices para impregnar arrollamientos estatóricos de motores pequeños con aislamiento de clase térmica A. También en este caso deberían seguirse las recomendaciones del fabricante.

En otros talleres se emplea un barniz a base de resina "epoxy" o de poliéster, que puede ser aplicado a los arrollamientos en menos de 20 minutos. Carece en absoluto de poder disolvente y ofrece el mismo grado de protección que los barnices ordinarios. Los arrollamientos a impregnar se calientan previamente aplicando entre sus bornes la mitad, aproximadamente, de la tensión nominal. A continuación se coloca el estator en posición horizontal y se vierte el barniz sobre las cabezas de bobina, dejando que se escurra a través de las ranuras. Una vez concluida la operación, se mantienen los arrollamientos calientes haciendo circular corriente por sus bobinas durante unos 5 minutos. Esto permite que el barniz se solidifique y endurezca rápidamente. Todo el proceso se realiza en menos de media hora. La figura 1.56 muestra cómo se vierte el barniz sobre el devanado estatórico de un motor trifásico. De igual manera se procede con motores monofásicos.

INVERSION DEL SENTIDO DE GIRO

La inversión del sentido de giro resulta una operación muy sencilla en un motor de fase partida, pues basta para ello permutar la conexión de los terminales del arrollamiento de trabajo o del arrollamiento de arranque. La figura 1.57 muestra esquemáticamente el mismo motor representado en la figura 1.48 *a*, pero con la conexión de los terminales del arrollamiento de arranque permutada.

La mayoría de los motores de fase partida llevan una placa de bornes montada sobre uno de los escudos. En vez de hacer salir los terminales de los arrollamientos al exterior, éstos se conectan a sus respectivos bornes de la placa (fig. 1.58). En motores de este tipo, la parte fija del interruptor centrífugo suele estar también montada sobre la citada placa. Para invertir el sentido de giro de un motor con una sola tensión de servicio, provisto de placa, se permuta la conexión *a los bornes* de los terminales de uno cualquiera de ambos arrollamientos.

A veces es necesario conectar el motor de manera que gire siempre en un mismo sentido, por regla general el contrario al de las agujas de un reloj (mirando el motor por el extremo opuesto al de accionamiento). Esto puede conseguirse fácilmente recordando que el sentido de giro es el indicado por la sucesión de un polo del arrollamiento de arranque hacia el polo más próximo y de igual signo del arrollamiento de trabajo. La explicación de esto es que el campo magnético del arrollamiento de arranque se genera antes que el del arrollamiento de trabajo. Por consiguiente, todo sucede como si el campo magnético girase desde un polo del arrollamiento de arranque hacia el polo más próximo y de igual signo del arrollamiento de trabajo. Como el rotor es arrastrado por el campo magnético giratorio, su sentido de rotación coincide con el de éste.

Resulta, pues, facilísimo conectar los arrollamientos principal y auxiliar de modo que se consiga un determinado sentido de giro en el motor. La figura 1.47 muestra un motor tetrapolar con los arrollamientos conectados de forma que gire en el sentido de las agujas de un reloj (a derechas), y la figura 1.49 un motor hexapolar con los arrollamientos conectados de forma que gire a izquierdas. Obsérvense los sentidos de circulación de la corriente en uno y otro arrollamiento. A veces es necesario averiguar el sentido de giro de un motor cuyos devanados se han quemado, antes de proceder a la extracción de los mismos. Procúrese entonces identificar y seguir los terminales de los arrollamientos principal y auxiliar, teniendo presente el principio enunciado. Recuérdese además a este respecto que: 1, el hilo del arrollamiento de trabajo es más grueso que el del arrollamiento de arranque; 2, un extremo del arrollamiento de arranque suele estar conectado normalmente al interruptor centífugo; 3, el arrollamiento del arranque está generalmente dispuesto encima del de trabajo.

CONEXION DE LOS POLOS EN MOTORES DE FASE PARTIDA PARA DOS TENSIONES DE SERVICIO

La mayoría de los motores de fase partida están construidos para funcionar a una sola tensión de servicio. No obstante, en ciertos casos (por lo general, cuando así lo requiere una aplicación concreta) se fabrican también motores adecuados para su conexión a una cualquiera de dos tensiones distintas, normalmente 115 y 230 V. Los motores de este tipo poseen por lo general un arrollamiento principal formado por dos secciones y un arrollamiento auxiliar constituido por una sola sección. Para permitir el cambio de una tensión a otra es preciso llevar al exterior los cuatro terminales del arrollamiento de trabajo; si el sentido de giro tiene que poderse invertir desde el exterior, es necesario también que los dos terminales del arrollamiento de arranque salgan fuera.

Cuando el motor debe funcionar a 115 V, las dos secciones del arrollamiento principal se conectan en paralelo (fig. 1.59); cuando el motor debe trabajar a 230 V, las dos secciones se conectan en serie (véase parte inferior derecha de la misma figura). Tanto en uno como en otro caso, el arrollamiento auxiliar funciona siempre con la más baja de ambas tensiones, pues cuando se aplica la mayor queda conectada por un extremo en el punto medio del arrollamiento principal. Esto indica que el arrollamiento auxiliar está previsto para trabajar a una sola tensión.

Para bobinar un motor de doble tensión de servicio se ejecuta primero una de las secciones del arrollamiento principal, procediendo de modo idéntico al empleado para motores de una sola tensión. La segunda sección se bobina luego directamente encima de la primera utilizando hilo de igual diámetro y alojando el mismo número de espiras en las propias ranuras. Entonces se llevan al exterior los dos terminales de cada sección. Los dos de la primera sección se designan con las letras T_1 y T_2; los dos de la segunda, con las letras T_3 y T_4. El arrollamiento de arranque, de tipo corriente, se ejecuta en último término; sus terminales se designan respectivamente con las letras T_5 y T_8. La figura 1.60 muestra el esquema de conexiones simplificado de los arrollamientos de un motor tetrapolar para dos tensiones, con los terminales designados según las especificaciones anteriores. También puede ocurrir (más raramente) que el arrollamiento auxiliar esté formado por dos secciones, en cuyo caso se designarían los terminales de la primera con las letras T_5 y T_6, y los de la segunda con las letras T_7 y T_8.

Otro sistema consiste en bobinar ambas secciones simultáneamente, usando dos hilos independientes. Ello permite ahorrar un tiempo considerable.

En muchos talleres se emplea todavía un tercer sistema, según el cual las secciones de un arrollamiento se ejecutan de modo que cada una comprenda únicamente la mitad del número de polos. En un motor tetrapolar, por ejemplo, la primera sección (terminales T_1 y T_2) del arrollamiento principal se compondrá de dos polos conectados en serie, y la segunda sección (terminales T_3 y T_4), de los dos polos restantes, también unidos en serie. Para la tensión de servicio más baja se conectan ambas secciones en paralelo, y para la tensión de servicio más alta (fig. 1.61) se conectan en serie. En uno y otro caso, el arrollamiento auxiliar queda conectado en paralelo con una sola sección del arrollamiento principal.

Es muy importante arrollar los polos de cada sección de modo que sean alternativamente de signo contrario, pues de no hacerlo así, el motor no funcionará.

En la figura 1.62 se ha representado un motor tetrapolar, para dos tensiones de servicio y con sentido de giro reversible exteriormente, en el cual los dos polos de cada sección del arrollamiento principal están unidos mediante la llamada "conexión larga", "conexión arriba hacia abajo" o "conexión final a principio". La figura 1.61 muestra, por el contrario, un motor exactamente igual, pero en el que se ha empleado la "conexión corta", "conexión arriba hacia arriba" o "conexión final a final".* Con la conexión larga se logra una arranque más suave del motor.

*** La razón de estas designaciones es evidente. En el primer caso los dos polos de cada sección están opuestos (son del mismo signo), y en el segundo, contiguos (son de signo contrario). De ahí que en el primer caso la conexión entre ellos sea larga y vaya de arriba hacia abajo, mientras que en el segundo es corta y va de arriba hacia arriba (o de abajo hacia abajo, naturalmente). Por otra parte, con la conexión larga el final del primer polo está unido al principio del segundo, mientras que con la conexión corta, el final de primer polo está unido al final del segundo. (*N. del T.*)**

DISPOSITIVOS DE PROTECCION CONTRA SOBRECARGAS

La mayoría de los que se emplean en motores monofásicos son de efecto térmico, y sirven de protección contra sobrecalentamientos peligrosos provocados por sobrecargas, fallos en el arranque y temperaturas excesivas. El dispositivo se monta en cualquier punto apropiado situado en el interior de la carcasa del motor (normalmente sobre la placa del interruptor centrífugo), y consiste esencialmente en un elemento bimetálico conectado en serie con la línea de alimentación. El elemento está formado por dos láminas metálicas que poseen distinto coeficiente de dilatación. Como ambas láminas están unidas conjuntamente, se dilatan en diferente proporción al calentarse; entonces el elemento se curva y abre el circuito del motor (fig. 1.63 *a* y *b*). El calor que hace curvar al elemento puede provenir de los propios arrollamientos del motor, de una excesiva temperatura en el interior del mismo, o de un filamento auxiliar de caldeo situado debajo de las láminas y conectado en serie con los arrollamientos del motor.

Un tipo de dispositivo térmico muy corriente es el constituido por un disco bimetálico en forma de plato, provisto de dos contactos diametralmente opuestos que presionan contra los contactos fijos 1 y 2 (fig. 1.64).

Otra variante lleva montado directamente debajo del disco bimetálico mencionado, y muy próximo a él, un filamento auxiliar de caldeo. La figura 1.65 muestra el disco en sus posiciones de cierre y de apertura, respectivamente. Este dispositivo suele estar provisto, por regla general, de tres bornes, designados en la figura por las cifras 1, 2 y 3. Los bornes 1 y 2 corresponden a los contactos fijos, mientras que los bornes 2 y 3 son los del filamento de caldeo. Al producirse una sobrecarga, la corriente que circula por el filamento de caldeo genera en él un calor suficiente para provocar la deformación súbita del disco, que al separarse de los contactos interrumpe el circuito del motor y determina, por tanto, el paro del mismo.

En algunos tipos de protección, los contactos vuelven a cerrarse automáticamente en cuanto el elemento bimetálico se enfría. En otros, por el contrario, es preciso accionar manualmente un pulsador para que el motor se ponga nuevamente en marcha.

Este tipo de dispositivo térmico puede aplicarse indistintamente a motores de una sola tensión de servicio y a motores de dos. En el primer caso no se efectúa conexión alguna en el borne 2: el disco bimetálico y el filamento de caldeo quedan entonces conectados en serie con la totalidad del arrollamiento principal (fig. 1.66). En el segundo caso, el filamento de caldeo queda conectado en serie con sólo una sección del arrollamiento principal, cuando el motor funciona con la tensión más baja (fig. 1.67, esquema de la izquierda), y con todo el arrollamiento cuando el motor funciona con la tensión más elevada (fig. 1.67, esquema de la derecha). De este modo circula siempre la misma corriente por el filamento de caldeo.

Actualmente se emplean también otros tipos de dispositivo térmico. Uno de ellos (fig. 1.68) consiste en una unidad bimetálica calentada por la propia corriente que circula a su través. La apertura de los contactos se realiza por medio de una palanca articulada. La unidad va montada en la placa de bornes, con objeto de facilitar su conexión con los terminales de los arrollamientos. Su funcionamiento es el siguiente. Cuando por cualquier motivo la temperatura o la corriente aumentan excesivamente, el brazo bimetálico se calienta y, al curvarse, tiende a hacer abrir los contactos. Sin embargo, éstos permanecen cerrados hasta que el esfuerzo ejercido por el brazo bimetálico hacia abajo es suficiente para vencer el esfuerzo antagonista de la palanca articulada y provocar la apertura de los mismos.

Existen otros dispositivos térmicos de construcción especial que, convenientemente alojados en los arrollamientos estatóricos, protegen el motor de un calentamiento excesivo de estos últimos. Estas protecciones llevan un disco de apertura, cuyos contactos permanecen normalmente cerrados. El accionamiento del disco está gobernado por la corriente que circula a su través y por el calor que recibe del arrollamiento. Cuando la temperatura del disco alcanza un valor predeterminado, correspondiente al límite máximo compatible con la seguridad del arrollamiento, el disco abre los contactos e interrumpe el circuito. Tan pronto la temperatura del arrollamiento desciende a un valor admisible, el dispositivo vuelve a cerrar automáticamente los contactos.

Las protecciones térmicas se emplean mucho en los motores que están herméticamente cerrados. Se instalan en los arrollamientos más profundos de manera que reciban la máxima transferencia posible de calor. Es muy importante que su montaje sea ejecutado con esmero, ya que la conformación suplementaria que es preciso conferir al arrollamiento para la inserción de la protección puede dañar o debilitar el aislamiento de éste.

DESIGNACIONES NORMALIZADAS PARA LOS TERMINALES DE ARROLLAMIENTOS EN MOTORES MONOFASICOS

Las normas sobre designación de terminales que se exponen a continuación son las promulgadas por la "National Electrical Manufacturers Association" (NEMA) en su Standard Publication MG1 de 1968.

MG1 - 2.40 (Generalidades)

A. Dos tensiones de servicio

Independientemente de su tipo, en todo motor monofásico provisto de arrollamientos subdivididos en secciones susceptibles de ser conectadas en serie o en paralelo, a efectos de alimentación con dos tensiones distintas, se identificarán los terminales de los mismos mediante las designaciones que siguen.

El arrollamiento principal se supone dividido en dos mitades: a los terminales de la primera mitad se asignarán las letras T_1 y T_2, a los terminales de la segunda, las letras T_3 y T

El arrollamiento auxiliar (caso de que exista) se supone dividido en dos mitades: a los terminales de la primera mitad se asignarán las letras T_5 y T_6, a los terminales de la segunda, las letras T_7 y T_8.

Las polaridades se establecerán de manera que el motor gire en sentido normal (contrario al de las agujas de un reloj, visto desde el extremo opuesto al de accionamiento) cuando el terminal T_4 del arrollamiento principal y el terminal T_5 del arrollamiento auxilar están unidos, o bien cuando entre uno y otro arrollamiento existe una conexión circuital equivalente.

La disposición y designación de los arrollamientos es la indicada en el esquema siguiente:

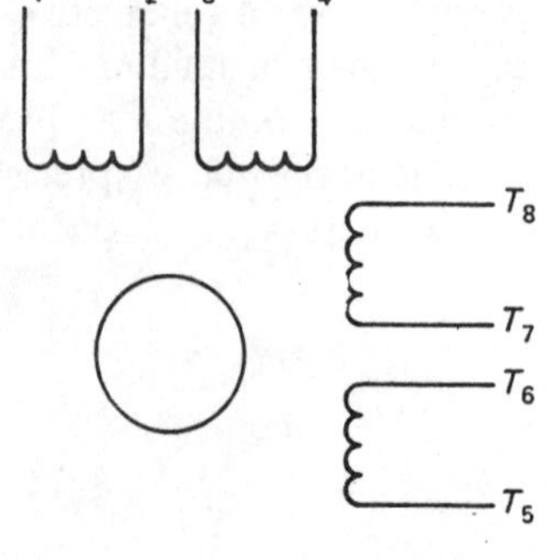

Nota I. — La aplicación de estas normas de designación de terminales ha resultado ser impracticable para algunos motores especiales.

Nota II. — Para motores de varias velocidades se ha renunciado a establecer normas generales relativas a la designación de terminales, dada la gran diversidad de sistema empleados para conseguir velocidades múltiples.

B. Una sola tensión de servicio

Todo motor monofásico previsto para una sola tensión de servicio, o en el cual cada arrollamiento pueda trabajar a una sola tensión, debe llevar en los terminales de sus arrollamientos las designaciones que siguen.

A los terminales del arrollamiento principal se asignarán las letras T_1 y T_4; a los terminales del arrollamiento auxiliar (caso de que exista), las letras T_5 y T_8. Las polaridades se establecerán de manera que el motor gire en sentido normal cuando T_4 y T_5 estén conectados a una de las líneas de alimentación, y T_1 y T_8 a la otra.

La disposición y designación de los arrollamientos es la indicada en el esquema siguiente:

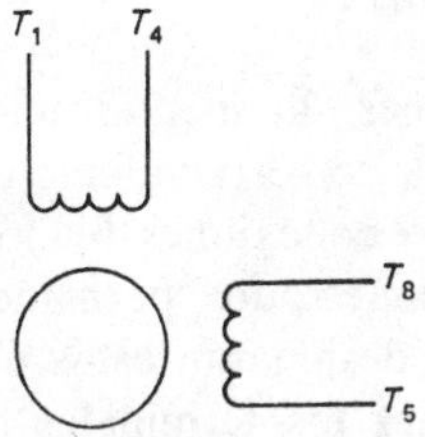

MG1 - 2.41 (Identificación de terminales mediante colores)

Cuando en motores monofásicos se empleen conexiones de color, en vez de letras y subíndices, para identificar los terminales de los arrollamientos, se asignarán a éstos los colores siguientes:

T_1 — azul	T_5 — negro
T_2 — blanco	T_8 — rojo
T_3 — naranja	P_1 — ningún color asignado
T_4 — amarillo	P_2 — castaño

MG1 - 2.42 (Dispositivos auxiliares en el interior del motor)

La presencia de un dispositivo (o dispositivo) auxiliar como condensador, interruptor centrífugo, protección térmica, etc., conectado permanentemente en serie entre un terminal del motor y la sección de arrollamiento sobre la cual actúa, no alterará la designación correspondiente, excepto si existe un terminal procedente del punto de unión. Si dicho terminal existe, la designación del mismo quedará determinada por la sección de arrollamiento a la cual está conectado. Cualquier otro terminal (o terminales) conectado al dispositivo en cuestión deberá identificarse mediante una letra que indique cuál es el dispositivo auxiliar (interior al motor) al cual está unido.

MG1 - 2.43 (Dispositivos auxiliares exteriores al motor)

Cuando los dispositivos auxiliares (condensadores, resistencias, inductancias, transformadores, etc.) están alojados fuera del motor, se emplearán para los terminales las designaciones correspondientes al dispositivo en cuestión.

MG1 - 2.44 (Placas de bornes)

En una placa de bornes, la identificación de cada uno de ellos quedará especificada por la correspondiente designación sobre la placa o bien por un esquema de conexiones fijado al motor. Cuando todos los arrollamientos están conectados permanentemente a sus respectivos bornes de la placa, se designarán estos últimos de acuerdo con las notaciones establecidas para los terminales correspondientes. Cuando los arrollamientos no están conectados permanentemente a los mismos bornes de la placa, se designarán estos últimos tan sólo con números, puesto que su identificación no debe coincidir necesariamente con la de los terminales de arrollamiento conectados a los mismos.

MG1 - 2.45 (Dispositivos auxiliares interiores conectados permanentemente a la placa de bornes)

Cuando en el proyecto del motor se prevé que el interruptor centrífugo, la protección térmica u otro dispositivo auxiliar cualquiera esté conectado permanentemente a un borne determinado, es preciso introducir algunas modificaciones en los esquemas de conexiones reproducidos en MG1 - 2.47, indicadas en MG1 - 2.53. Todas las modificaciones se ceñirán, no obstante, a las reglas especificadas en MG1 - 2.46.

MG1 - 2.46 (Principios generales para la designación de terminales en motores monofásicos)

Las normas relativas a designación y conexión de terminales que figuran en MG1 - 2.40 (complementadas en MG1 - 2.45) y en los esquemas de MG1 - 2.47 (complementadas en MG1 - 2.53) están basadas en los siguientes principios:

A. Primer principio

En todo motor monofásico se designarán los terminales del arrollamiento principal con las letras T_1, T_2, T_3 y T_4 y los del arrollamiento auxiliar con las letras T_5, T_6, T_7 y T_8,* al objeto de distinguirlos de los de un motor bifásico, en el que se emplean cifras pares para una fase e impares para la otra

B. Segundo principio

De acuerdo con el primer principio, para conectar en paralelo las dos secciones de un arrollamiento (tensión de servicio más baja) se unen entre sí los respectivos terminales pares y los respectivos terminales impares; por el contrario, para la conexión de ambas secciones en serie (tensión de servicio más elevada), se une el terminal par de una con el terminal impar de la otra.

C. Tercer principio

El rotor de todo motor monofásico se representa siempre por un círculo, incluso si carece de conexiones exteriores. El esquema del motor monofásico se diferencia así del esquema del motor bifásico, cuyo rotor no se representa nunca.

MG1 - 2.47 (Esquemas de conexiones con designación de terminales para motores de fase partida con una sola tensión de servicio y sentido de giro reversible)

Estos esquemas están reproducidos en la figura 1.69.

* En motores para dos tensiones de servicio, el arrollamiento auxiliar suele estar dimensionado para trabajar a la tensión más baja; sus terminales deben llevar entonces las designaciones T_5 y T_8. (*N. del A.*)

MOTORES DE FASE PARTIDA PARA DOS VELOCIDADES DE REGIMEN

Puesto que la velocidad de cualquier motor asíncrono es función del número de polos del mismo (para una frecuencia determinada), si se desea variar la velocidad de un motor de fase partida es preciso variar también su número de polos. Hay tres métodos para conseguir dos velocidades de régimen distintas: 1, disponer un arrollamiento de trabajo adicional, sin ningún arrollamiento de arranque suplementario; 2, disponer dos arrollamientos de trabajo y dos arrollamientos de arranque; 3, utilizar el llamado *principio de los polos consecuentes,* sin necesidad de arrollamiento adicional alguno.

Motores con dos arrollamientos de trabajo y uno solo de arranque

Este tipo de motores con doble velocidad de régimen llevan tres arrollamientos. Por regla general se bobinan con 6 y 8 polos, y alcanzan entonces unas velocidades aproximadas de 1.150 y 875 r.p.m., respectivamente.* Se usan principalmente para accionar ventiladores.

Al rebobinar estos motores es preciso volver a alojar cada bobina en las ranuras que le corresponden; por consiguiente, durante el desmontaje del arrollamiento original conviene anotar cuidadosamente la posición exacta de las bobinas.

La figura 1.70 representa el diagrama de pasos de un motor de tres arrollamientos, en el que se aprecia claramente la disposición relativa de estos últimos. La figura 1.71 reproduce el esquema de conexiones de los tres arrollamientos, y la figura 1.72 el esquema simplificado de los mismos. Un interruptor centrífugo de doble contacto, de acción semejante a la de un conmutador manual, conecta automáticamente el arrollamiento de trabajo octopolar a la red cuando se desea que el motor gire a la velocidad menor. Examinando el esquema de la figura 1.72 se ve que este tipo de motor arranca siempre con el arrollamiento de trabajo correspondiente a la velocidad mayor (6 polos), cualquiera que sea la posición del conmutador de velocidades. Sin embargo, cuando éste se halla en la posición "velocidad menor", el interruptor centrífugo efectúa, una vez alcanzada cierta velocidad, la desconexión del arrollamiento de trabajo hexapolar y la conexión inmediata del arrollamiento de trabajo octopolar.

* **Estos valores son válidos suponiendo que la frecuencia es de 60 Hz. A una frecuencia de 50 Hz corresponderían 960 y 730 r.p.m., respectivamente. (*N. del T.*)**

Motores con dos arrollamientos de trabajo y dos de arranque

Al rebobinar un motor de este tipo, con cuatro arrollamientos, deberá asimismo tenerse buen cuidado de alojar las bobinas de cada uno en las ranuras que le corresponden.

La figura 1.73 reproduce un típico diagrama de pasos perteneciente a un motor de cuatro arrollamientos (6 y 8 polos), y la figura 1.74 el esquema de conexiones de los arrollamientos de trabajo y de arranque de la parte hexapolar. Se observa que el arrollamiento de arranque se compone únicamente de tres polos, conectados de manera que todos sean del mismo signo. Al circular corriente por dicho arrollamiento se generará en el núcleo estatórico un polo magnético de signo opuesto entre cada par de aquéllos. Se forma, por consiguiente, un número de polos magnéticos doble que el de polos bobinados, por lo que todo ocurre como si el arrollamiento de arranque tuviese realmente seis polos. Cuando los polos se forman de esta manera se dice que el arrollamiento es *de polos consecuentes*.

En la parte octopolar del motor, los cuatro polos bobinados del arrollamiento de arranque están también conectados de manera que sean del mismo signo, y por la misma razón expuesta anteriormente, dan origen a cuatro polos magnéticos más de signo opuesto.

La figura 1.75 representa el esquema de conexiones simplificado de los arrollamientos del interruptor centrífugo y del conmutador de velocidades del motor en cuestión. Del examen del esquema se deduce que el interruptor centrífugo no tiene otro objeto que la desconexión de los arrollamientos de arranque una vez alcanzada cierta velocidad, ya que el motor puede arrancar y funcionar directamente a la velocidad menor (8 polos), sin necesidad de tener que arrancar previamente a la mayor (6 polos).

Motores con un solo arrollamiento de trabajo y uno solo de arranque (principio de los polos consecuentes)

Como ya se ha explicado anteriormente, cuando los polos de un arrollamiento se conectan de manera que todos ellos sean del mismo signo, se engendra un número de polos magnéticos igual al doble del número de polos bobinados. Es fácil percatarse de ello con sólo examinar la figura 1.76. Esto permite conseguir sin gran complicación que un motor pueda girar a dos velocidades distintas (simple y doble). Consideremos, para fijar ideas, un motor con cuatro polos bobinados en el arrollamiento de trabajo. Disponiendo un conmutador de manera que, cuando se halla en una de sus posiciones, las conexiones entre polos sean tales que determinen en ellos polaridades alternadas, el motor funcionará con cuatro polos efectivos (velocidad mayor); si la otra posición del conmutador corresponde a una conexión tal entre polos que determine en ellos polaridades idénticas, al colocarlo en dicha posición el motor funcionará con ocho polos efectivos (velocidad menor), en virtud del principio de los polos consecuentes.

En los esquemas de las figuras 1.77 *a* y *b,* el motor girará a la velocidad mayor (4 polos) cuando los terminales B y D se conecten a una de las líneas de alimentación y los terminales A y C se conecten a la otra. Obsérvese que, para esta velocidad, las dos secciones del arrollamiento de trabajo (compuesta cada una por dos polos en serie) están conectadas en paralelo. Por el contrario, el motor girará a la velocidad menor (8 polos) cuando se conecte el terminal A a una de las líneas de alimentación y los terminales C y D a la otra (el terminal B queda libre). En este caso, obsérvese que las dos secciones del arrollamiento de trabajo están conectadas en serie. Los dos polos del arrollamiento de arranque, por el contrario, permanecen simpre conectados en serie.

CALCULOS NECESARIOS PARA REBOBINAR Y PARA RECONEXIONAR UN MOTOR

Antes de pasar a la descripción de los cálculos necesarios para rebobinar o reconexionar un motor consideramos útil exponer unos breves detalles relativos al tamaño de los conductores de cobre normalizados. El tamaño de un conductor o hilo de cobre está indicado por el valor de su diámetro e identificado por un número de calibre. El diámetro, medido con un micrómetro, puede expresarse en pulgadas o en milésimas de pulgada; * el número de calibre viene dado por la escala de A.W.G. (American Wire Gauges).

Esta escala de calibres normalizados para conductores de cobre desnudos figura en la primera columna de la tabla I del Apéndice. La segunda columna contiene los diámetros que les corresponden, expresados en pulgadas, y la tercera, estos mismos diámetros expresados en

* En los países donde se emplea el sistema métrico decimal, los diámetros de los hilos de cobre se indican en milímetros o en fracciones de milímetro. Con objeto de facilitar la utilización de la tabla I del Apéndice en dichos países, se ha incluido en la misma, al lado de cada columna de valores expresados en unidades angloamericanas, la correspondiente columna de valores expresados en unidades métricas. (*N. del T.*)

milímetros. Así, por ejemplo, el calibre n.° 18 (leído en la primera columna) corresponde a un diámetro de hilo de 0,0403 pulgadas, equivalentes a 1,02 milímetros (valores leídos respectivamente en la segunda y tercera columnas). Si en vez de pulgadas se desea expresar el diámetro en milésimas de pulgada (*mils*), basta desplazar la coma tres lugares hacia la derecha en la cifra de pulgadas: en nuestro ejemplo resultarían 40,3 mils.

Puesto que en todos los cálculos relativos a rebobinados y reconexionados lo que interesa principalmente es comparar las secciones de conductor en el arrollamiento primitivo y en el nuevo, con objeto de no sobrepasar la densidad de corriente admisible, siempre que se opera con conductores redondos se prescinde del valor real de su sección circular y se utiliza el de su llamada *sección mayorada* equivalente. Esta sección se determina simplemente multiplicando el diámetro por sí mismo, es decir, elevando el diámetro al cuadrado. Si el diámetro se expresa en *mils,* la sección está dada en *milésimas circulares;* si se expresa en milímetros, la sección estará dada en milímetros cuadrados. Así, volviendo al ejemplo anterior y consultando las columnas 1 a 5 de la tabla I, se ve que a un hilo de calibre n.° 18 le corresponde una sección mayorada de 1.624 milésimas circulares (40,3 × 40,3), equivalentes a 1,04 mm^2 (1,02 × 1,02).

Del examen de la tabla I se deducen los importantes principios siguientes:

1. Cuanto mayor es el número de calibre tanto menor resulta el diámetro del conductor, y viceversa. Así, un hilo de calibre n.° 20 tiene un diámetro más pequeño que un hilo de calibre n.° 17.
2. Una diferencia de tres números de calibre corresponde aproximadamente al doble o a la mitad de la sección: si se suman tres números de calibre, la sección queda reducida a la mitad; si se restan tres números de calibre, la sección queda doblada. Así, un hilo de calibre n.° 17 tiene doble sección que un hilo de calibre n.° 20, y uno de calibre n.° 18 tiene la mitad de la sección de uno del n.° 15. Por consiguiente, dos hilos del calibre n.° 18 conectados en paralelo equivalen en sección a un hilo del calibre n.° 15.
3. Un hilo de calibre n.° 10 tiene aproximadamente un diámetro de 100 milésimas, una sección mayorada de 10.000 milésimas circulares y una resistencia de 1 Ω por 1.000 pies de longitud.*
4. Una diferencia de diez números de calibre equivale aproximadamente a una sección diez veces mayor o menor, según que el número de calibre disminuya o aumente. Así, por ejemplo, un hilo de calibre n.° 10 posee una sección diez veces mayor que la de un hilo de calibre n.° 20. Este principio y el prece-

* El equivalente de esta regla mnemotécnica en sistema métrico podría ser el siguiente: un hilo de calibre n.° 18 tiene aproximadamente un diámetro de 1 mm, una sección mayorada de 1 mm^2 y una resistencia de $18 + 1 + 1 = 20\ \Omega$ por 1.000 metros de longitud. (*N. del T.*)

dente permiten determinar en primera aproximación la sección mayorada de prácticamente cualquier hilo de calibre dado.

5. Una diferencia de tres números de calibre corresponde aproximadamente al doble o a la mitad de la resistencia por unidad de longitud, según que el número de calibre aumente o disminuya.

6. Una diferencia de tres números de calibre corresponde aproximadamente al doble o a la mitad del peso por unidad de longitud, según que el número de calibre disminuya o aumente.

Rebobinado para una nueva tensión de servicio

Cuando el motivo del rebobinado es meramente la modificación de la tensión de servicio, el cálculo y la ejecución del nuevo arrollamiento quedan muy simplificados, puesto que los únicos factores que varían son la sección del hilo y el número de espiras por bobina. Los pasos de las bobinas y las conexiones entre las mismas permanecen inalterados.

Las dos reglas a tener en cuenta son las siguientes:

Regla 1

$$\text{Número nuevo de espiras} = \frac{\text{tensión nueva}}{\text{tensión primitiva}} \times \text{número primitivo de espiras}$$

Regla 2

$$\text{Sección mayorada nueva} = \frac{\text{tensión primitiva}}{\text{tensión nueva}} \times \text{sección mayorada primitiva}$$

EJEMPLO. — Un motor tetrapolar de fase partida, con una tensión de servicio de 115 V, una potencia de 1/3 CV, y una velocidad de 1.425 r.p.m. a la frecuencia de 50 Hz, debe ser rebobinado para una tensión de servicio de 230 V, conservando la misma velocidad y la misma potencia. El estator posee 32 ranuras. Los datos de los arrollamientos existentes son:

Arrollamiento de trabajo

Pasos:	1-8	2-7	3-6
Números de espiras:	35	18	14
Calibre del hilo:	n.º 17		

Arrollamiento de arranque

Pasos:	1-8	2-7
Números de espiras:	75	42
Calibre del hilo:	n.º 22	

Calcúlese el número de espiras en cada bobina y el calibre del hilo necesario para los dos arrollamientos a ejecutar.

Se aplicará primero la Regla 1. Puesto que la tensión nueva es dos veces mayor que la primitiva, el número de espiras en cada bobina de los nuevos arrollamientos deberá doblarse. Por consiguiente, se tendrá:

	Números de espiras		
Arrollamiento de trabajo	70	36	28
Arrollamiento de arranque	150	84	

La aplicación de la Regla 2 nos dice ahora que la sección mayorada nueva debe ser igual a la mitad de la sección mayorada primitiva. En virtud del principio 2, una reducción de sección a la mitad corresponde a un aumento del número de calibre en tres unidades. Por consiguiente, los respectivos calibres de los nuevos arrollamientos serán:

	N.º de calibre
Arrollamiento de trabajo	$17 + 3 = 20$
Arrollamiento de arranque	$22 + 3 = 25$

El arrollamiento de arranque también podría sustituirse por otro idéntico al primitivo (mismos números de espiras e igual calibre de hilo), a condición de conectarlo en paralelo con sólo una sección (una mitad) del arrollamiento de trabajo: en tal caso, este último trabajará también como autotransformador. En efecto, puesto que la tensión que entonces queda aplicada entre dos polos del arrollamiento de trabajo es la mitad de la tensión de servicio, y el arrollamiento de arranque está conectado en paralelo con estos dos polos, es evidente que este último arrollamiento funcionará también a la mitad de la tensión de servicio.

Supóngase ahora que dicho motor debe ser rebobinado para que pueda trabajar indistintamente a las dos tensiones de servicio (115 y 230 V). Se procederá de la manera siguiente:

1. Rebobínese el arrollamiento de trabajo para una tensión de servicio de 230 V, de acuerdo con el cálculo anterior. Sin embargo, subdivídase en dos secciones y háganse salir hasta la placa de bornes los cuatro terminales, que permitirán efectuar la reconexión deseada (fig. 1.62).

2. Puesto que el arrollamiento de arranque está conectado en paralelo con una sola sección del arrollamiento de trabajo, no es preciso efectuar en él ningún cambio.

3. Para invertir el sentido de giro del motor bastará permutar los dos terminales del arrollamiento de arranque.

4. Para un servicio a 230 V bastará conectar exteriormente en serie las dos secciones del arrollamiento de trabajo; para un servicio a 115 V, es suficiente conectarlas en paralelo

Reconexionado para una nueva tensión de servicio

Toda posibilidad de reconexionado para una nueva tensión está siempre supeditada al principio siguiente: la tensión primitiva existente en cualquier polo de los arrollamientos debe permanecer inalterada a pesar del cambio de tensión de servicio. Así, un motor de fase partida provisto de un arrollamiento de trabajo tetrapolar subdividido en dos secciones iguales conectadas en serie, cuya tensión nominal de servicio es de 230 V, puede ser fácilmente adaptado a una tensión de servicio de 115 V mediante la simple reconexión de dichas secciones en paralelo. Obsérvese que en uno y otro caso la tensión aplicada a cada polo es la misma.

Los cambios de tensión de servicio por medio de meras reconexiones no siempre son posibles. Así, por ejemplo, el motor mencionado no admite ninguna reconexión para una tensión de servicio superior a 230 V, puesto que, con las dos secciones de su arrollamiento de trabajo conectadas en serie, cualquier aumento de la tensión de servicio supondría un aumento de la tensión aplicada a cada polo, y al exceder ésta de los límites para los cuales el polo ha sido previsto, las bobinas del mismo correrían el riesgo de quemarse. De modo análogo, un motor con arrollamiento de trabajo bipolar formado por dos secciones conectadas en paralelo no admite reconexión alguna para una tensión de servicio inferior a la que tiene, puesto que ya no es posible aumentar el número de ramas en paralelo.

Rebobinado para una nueva velocidad de régimen

Antes de exponer las reglas específicas relativas al rebobinado de un motor en vistas a conseguir una nueva velocidad de régimen, es necesario definir y explicar dos conceptos fundamentales para los cálculos inherentes a esta clase de conversión. Estos conceptos son: *número de espiras efectivas* y *factor de arrollamiento*. El número de espiras efectivas de una bobina suele diferir normalmente del número de espiras reales de la misma. La causa de ello es que el número de espiras efectivas depende del paso de la bobina. Las bobinas que tienen paso completo son el 100 % efectivas; las que tienen un paso inferior al completo (bobinas de paso acortado) son menos efectivas. Así, por ejemplo, una bobina de paso completo con 20 espiras reales tendrá también 20 espiras efectivas, mientras que una bobina de paso más pequeño con 20 espiras reales puede tener sólo 10 espiras efectivas.

Si se examina ahora el diagrama de pasos de la figura 1.20, se observará que cada polo del arrollamiento principal del motor en cuestión está integrado por 4 bobinas de paso distinto. Según lo que acabamos de decir se ve fácilmente que la bobina exterior de cada polo es más efectiva que las demás, puesto que es la que tiene el paso más grande. El grado de efectividad de una bobina depende del número de grados eléctricos abarcados por sus lados. Digamos a este respecto que el paso máximo (completo) que pueden poseer las bobinas de un polo abarca un ángulo central de 180° eléctricos.*

Para evaluar la efectividad de las bobinas de un polo, considérese nuevamente el diagrama de la figura 1.20. Puesto que cada polo abarca 9 ranuras, y puesto que estas ranuras deben corresponder a un ángulo central de 180° eléctricos, es evidente que cada par de ranuras contiguas abarca un ángulo de 20° eléctricos. La bobina exterior de cada polo posee un paso 1 a 9, es decir, abarca 8 ranuras, cuyo equivalente son $8 \times 20 = 160°$ eléctricos. El grado de efectividad que corresponde a un determinado ángulo central viene dado por el llamado *factor de arrollamiento,* que equivale numéricamente al valor del seno de la mitad del ángulo abrazado por la bobina. Con objeto de evitar al lector la necesidad de recurrir a tablas trigonométricas, se han agrupado en la tabla VIII del Apéndice los factores de arrollamiento correspondientes a los pasos y números de ranuras por polo más corrientes en la práctica. Multiplicando el número de espiras reales de una bobina por el factor de arrollamiento que indica la tabla VIII se obtiene el *número de espiras efectivas* de la misma.

Volviendo al ejemplo del motor precedente, donde el número de ranuras por polo es 9 y los pasos de las bobinas de cada polo son respectivamente 1-9, 1-7, 1-5 y 1-3, la tabla VIII indica que los factores de arrollamiento correspondientes son 0,98, 0,87, 0,64 y 0,34. El número de espiras efectivas de cada bobina se calculará multiplicando su número de espiras reales por el factor de arrollamiento respectivo.

* Véase notal final al pie de la página 10.

Estos cálculos se hallan resumidos en el cuadro siguiente:

Paso en ranuras	*Paso en grados eléctricos*	*Número de espiras reales por polo*	*Factor de arrollamiento*	*Número de espiras efectivas por polo*
1-9	160	30	0,98	29
1-7	120	30	0,87	26
1-5	80	18	0,64	12
1-3	40	20	0,34	7
		98		74

De modo análogo puede determinarse el número de espiras efectivas del arrollamiento de arranque.

Todos los cálculos relativos a rebobinados para la consecución de una nueva velocidad de régimen deben efectuarse siempre con los números de espiras efectivas (no de espiras reales) de los arrollamientos.

Supóngase, por ejemplo, que el motor de la figura 1.20 (4 polos, 1.750 r.p.m. a 60 Hz) debe ser rebobinado para que su velocidad de régimen pase a ser 1.150 r.p.m. a 60 Hz (6 polos).

El cálculo se desarrollará según las etapas siguientes:

Etapa 1. Calcúlese el número total de espiras efectivas del arrollamiento de trabajo.

Según el cuadro anterior, el número de espiras efectivas por polo es 74. Puesto que el motor tiene 4 polos, el número total de espiras efectivas será 74 × 4 = 296.

Etapa 2. Determínese el nuevo número de espiras efectivas para el rebobinado con 6 polos mediante la fórmula:

$$\begin{matrix}\text{Número nuevo}\\ \text{de espiras efectivas}\end{matrix} = \frac{\text{veloc. síncr. primitiva}}{\text{veloc. síncr. nueva}} \times \begin{matrix}\text{núm. primitivo}\\ \text{de espiras}\\ \text{efectivas}\end{matrix}$$

En nuestro caso se tiene, pues *

$$\begin{matrix}\text{Número nuevo}\\ \text{de espiras efectivas}\end{matrix} = \frac{1.800}{1.200} \times 296 = 444$$

Etapa 3. Determínese el nuevo número de espiras efectivas por polo

* Consúltese la tabla VII del Apédice. (*N. del T.*)

dividiendo la cifra total hallada anteriormente por el número de polos. En nuestro caso,

$$\frac{\text{Número nuevo de espiras}}{\text{efectivas por polo}} = \frac{444}{6} = 74$$

Puesto que el estator tiene 36 ranuras, cada polo ocupará 36/6 = 6. Se arrollarán 3 bobinas por polo, cuyos pasos respectivos serán 1-7, 1-5 y 1-3. La parte superior de la figura 1.73 muestra la disposición de dichas bobinas. Obsérvese que los lados adyacentes de dos bobinas exteriores contiguas están alojados en la misma ranura, uno encima del otro.

Etapa 4. La práctica demuestra que el número de espiras reales es aproximadamente un 25 % mayor que el número de espiras efectivas. Por consiguiente, para obtener el primero basta multiplicar el segundo por 1,25.

Aplicando esta regla a nuestro caso, cada polo deberá constar de 74 × 1,25 = 92 espiras reales.

Etapa 5. Puesto que las bobinas exteriores de dos polos contiguos tienen los lados adyacentes alojados (superpuestos) en la misma ranura, se arrollarán en ellas sólo la mitad de las espiras de las bobinas de paso 1-5. Las bobinas de paso 1-3 tendrán igual número de espiras que las exteriores.

Con estas premisas y el auxilio de la tabla VIII del Apéndice se puede establecer el cuadro siguiente:

Paso en ranuras	*Paso en grados eléctricos*	*Número de espiras reales por polo*	*Factor de arrollamiento*	*Número de espiras efectivas por polo*
1-7	180	23	1,00	23,0
1-5	120	46	0,87	40,0
1-3	60	23	0,50	11,5
		92		74,5

Como es lógico, el número de espiras efectivas por polo que aparece en la suma total del cuadro debe concordar lo más aproximadamente posible con el calculado anteriormente, como así sucede en nuestro caso.

Etapa 6. Calcúlese el número de espiras efectivas por polo y la distribución de las mismas para el arrollamiento de arranque, siguiendo un proceso análogo.

Etapa 7. Determínese el calibre de hilo necesario con auxilio de la fórmula:

$$\text{Sección mayorada nueva} = \frac{\text{veloc. síncr. nueva}}{\text{veloc. síncr. primitiva}} \times \text{sección mayorada primitiva}$$

Supongamos, en nuestro caso, que el calibre del hilo primitivo fuese el n.º 17, equivalente a una sección mayorada de 1,30 mm². Se tendría entonces:

$$\text{Sección mayorada nueva} = \frac{1.200}{1.800} \times 1{,}30 = 0{,}86 \text{ mm}^2$$

Esta sección mayorada corresponde aproximadamente a un hilo de calibre n.º 19.

Al efectuar una conversión de velocidad de régimen es muy importante no olvidar las características del interruptor centrífugo, ya que es necesario que éste siga desconectando el arrollamiento de arranque en el instante adecuado (es decir, cuando el motor alcanza aproximadamente el 75 % de su velocidad de régimen). Por consiguiente, al pasar, por ejemplo, de cuatro a seis polos, es preciso comprobar de antemano si el interruptor operará o no a la velocidad de 900 r.p.m.

DETECCION, LOCALIZACION Y REPARACION DE AVERIAS

Pruebas

Para detectar averías o defectos en un motor de fase partida deben someterse sus arrollamientos estatóricos a una serie de pruebas, con objeto de identificar la naturaleza de la avería, que puede consistir en: 1, contactos a masa, también llamados "tierras"; 2, interrupciones; 3, cortocircuitos, y 4, inversiones de polaridad.

Contactos a masa. Se dice que un arrollamiento está "a tierra" o en contacto a masa cuando existe un contacto eléctrico entre uno o varios puntos del mismo y el hierro (carcasa) del estator. Las tierras pueden estar provocadas por diferentes causas, de las cuales las más frecuentes son: 1, los pernos que sujetan los escudos del motor a la carcasa tocan el arrollamiento porque las cabezas de bobina de éste sobresalen excesivamente de las ranuras; 2, algunas espiras del arrollamiento hacen contacto con las planchas del núcleo en las aristas de las ranuras porque el aislamiento de las ranuras se ha desplazado, resquebrajado o desgarrado durante el proceso de bobinado; 3, el interruptor centrífugo hace contacto con el escudo donde está montado.

Para detectar posibles contactos a masa en un arrollamiento se utiliza una lámpara de prueba, uno de cuyos terminales se conecta al arrollamiento en cuestión, mientras con el otro se toca el núcleo del estator o la carcasa del motor (fig. 1.78 *a* y *b*). Si la lámpara se enciende es que hay contacto a masa.

Una vez detectada la existencia de un contacto a masa, se procurará ante todo localizarlo visualmente, es decir, inspeccionando detalladamente el arrollamiento para ver si alguna espira toca el núcleo. Si no se notase nada anormal, conéctese la lámpara de prueba de la manera indicada e inténtese mover las espiras del arrollamiento hacia uno y otro lado, observando al propio tiempo si la luz de la lámpara se extingue bruscamente y vuelve a reaparecer. Una oscilación de este tipo indica evidentemente que el contacto a masa ha sido interrumpido momentáneamente por el movimiento de vaivén. En tales casos suelen observarse chispas en el punto defectuoso.

Si esta prueba tampoco permite localizar la avería, será preciso deshacer los empalmes entre los terminales de los polos y comprobar cada polo por separado, hasta identificar el que tiene el defecto. Una vez hallado este polo y localizado el punto defectuoso, se eliminará el contacto disponiendo un aislamiento nuevo o bien efectuando el rebobinado completo. A veces es necesario deshacer todo el polo y volver a arrollarlo con mayor cuidado.

Interrupciones. La causa más corriente de una avería de esta índole en un motor de fase partida es el mal estado de una unión (contactos flojos o sucios) o la rotura de un conductor (en el arrollamiento principal, en el auxiliar o en el interruptor centrífugo).

Para detectar la existencia de una interrupción en el arrollamiento principal, se conectarán sus terminales a los de la lámpara de prueba, como muestra la figura 1.79. Si la lámpara se enciende, el arrollamiento no está interrumpido; si, por el contrario, la lámpara no se enciende, es señal evidente de que existe un punto de interrupción (fig. 1.80). La localización del polo defectuoso se efectúa conectando un terminal de la lámpara de prueba a un extremo del arrollamiento y tocando separadamente con el otro terminal las respectivas salidas de cada polo (puntos 1, 2, 3 y 4 de la figura 1.81). De esta forma, si la lámpara no se enciende cuando se toca el punto 1, el defecto se halla en el primer polo; si la lámpara se enciende cuando se toca el punto 1, pero no cuando se toca el punto 2, el defecto está localizado en el segundo polo; si la lámpara se enciende cuando se tocan los puntos 1 y 2, pero no cuando se toca el punto 3, es el tercer polo el defectuoso (caso de la figura 1.81). Obsérvese que entonces la lámpara tampoco se encendería al tocarse el punto 4. Una vez reparado el tercer polo, la lámpara debería encenderse cuando se toca el punto 4; de no ser así, el cuarto polo también está interrumpido, y debe procederse a su reparación. Continuando de esta manera se llega a localizar la interrupción cualquiera que sea el número de polos del motor.

Más difícil puede resultar la localización de una interrupción en el arrollamiento de arranque, ya que el circuito del mismo incluye además el interruptor centrífugo. Este dispositivo es, sin duda, el más frecuente responsable de averías de este tipo. En efecto, sus partes componentes se van desgastando y ensuciando con el tiempo, por lo que a la larga constituyen una unión de cierre imperfecta; por otro lado, una presión insuficiente entre las partes fija y giratoria puede impedir que los contactos se cierren, con la consiguiente interrupción del circuito.

Para detectar la existencia de una posible interrupción en un circuito de arranque (arrollamiento e interruptor centrífugo conectado en serie) desmontado del motor al cual pertenece, se procederá de la manera siguiente. Se conectan los terminales de la lámpara de prueba a los terminales del circuito de arranque. La lámpara no debería encenderse hasta que se cierren los dos contactos del interruptor ejerciendo presión sobre los mismos. Si al cerrar los contactos de la lámpara tampoco se enciende, es que existe una interrupción en el arrollamiento de arranque, en el propio interruptor o en ambos. Aplicando entonces los terminales de la lámpara directamente en los extremos del arrollamiento de arranque, se verá si el defecto radica en éste; caso de no ser así, es el interruptor el que está averiado. Entonces debe someterse a un detallado examen y procederse a la limpieza de todos sus contactos, así como al reajuste de la presión de la parte giratoria sobre la fija, si así conviniera.

En caso de qùe el circuito de arranque no estuviera desmontado del motor, se conectarán también los terminales de la lámpara de prueba a los extremos de dicho circuito, como muestra la figura 1.82. En condiciones normales, la lámpara debería encenderse; si permanece apagada, la causa más probable de ello es que los contactos del interruptor centrífugo no estén cerrados. En tal caso se empuja el rotor en dirección axial, contra el escudo frontal del motor. Esto puede provocar el cierre de los contactos, y entonces la lámpara se encenderá. Para subsanar esta anomalía, añádanse varias arandelas de fibra al extremo del árbol rotórico donde está montada la polea de accionamiento, a fin de que mantengan el rotor presionado hacia adelante; esto puede exigir la supresión simultánea de algunas de las arandelas existentes en el extremo frontal del árbol. En uno u otro caso conviene asegurarse de que el rotor quede bien centrado axialmente con respecto al estator.

Si esta prueba demuestra que el defecto no radica en el interruptor centrífugo, es evidente que se halla en el propio arrollamiento de arranque. La avería se localizará entonces en él siguiendo las mismas directrices que se han indicado para el arrollamiento de trabajo.

Cortocircuitos. Dos o más espiras contiguas en contacto eléctrico directo (es decir, por defectos en el aislamiento que las protege), determinan un cortocircuito. En un arrollamiento nuevo puede provocarse este defecto si los lados de bobina entran forzados en sus respectivas ranuras y es preciso introducirlos en las mismas golpeándolos fuertemente con la maza. Otras veces es el calentamiento excesivo debido a prolongadas sobrecargas el que deteriora el aislamiento y deja las espiras en contacto. Por regla general, la presencia de un cortocircuito entre espiras se advierte porque el arrollamiento humea mientras el motor está en servicio o porque éste absorbe una corriente excesiva cuando funciona sin carga.

Existen varios métodos prácticos para localizar bobinas con espiras cortocircuitadas en un motor de fase partida. Entre ellos figuran los siguientes:

1. Se pone el motor en marcha, se deja en funcionamiento durante algún tiempo y se van palpando luego con la mano las bobinas de los polos. La más caliente de todas suele se la que presenta el cortocircuito.
2. Utilizando una bobina inductora o de prueba. Esta no es más que una bobina cuyas espiras están arrolladas sobre un núcleo de chapas y que se alimenta a 115 V con una fuente de corriente alterna. Una vez desmontado el rotor, se coloca la bobina de prueba sobre el núcleo estatórico, por el interior del mismo, y se va desplazando de ranura en ranura. Se reconocerá que una bobina tiene espiras cortocircuitadas por las rápidas vibraciones de una cinta metálica (por ejemplo, una hoja de sierra) dispuesta en el otro extremo de la bobina, como muestra la figura 1.83 *a.* La figura 1.83 *b* reproduce el aspecto de una bobina de prueba.

3. Midiendo la caída de tensión. Se conecta el arrollamiento a una fuente de corriente continua de baja tensión, y se lee con un voltímetro la caída de tensión existente entre los extremos de cada polo. El polo al cual corresponde la caída más pequeña (menor lectura) es el que contiene la bobina defectuosa.

4. Evaluando indirectamente la intensidad del campo magnético. Aplicando una pieza de hierro contra el núcleo correspondiente a cada polo mientras circula corriente continua por el arrollamiento (conectado a una fuente de baja tensión), se notará en aquélla una fuerza atractiva menor cuando el polo en cuestión tenga espiras cortocircuitadas.

5. Por medio de un amperímetro. Este método se aplica cuando puede hacerse funcionar el motor sin carga. La corriente puede medirse cómodamente, sin necesidad de desconectar ningún terminal, con auxilio de un amperímetro de pinzas. Se cierran las pinzas del aparato alrededor de uno de los conductores de alimentación y se lee en la escala del instrumento la intensidad de la corriente que circula por el arrollamiento principal del motor. Si esta lectura es superior al valor correspondiente que figura en la placa de características del motor, puede admitirse la existencia de cortocircuitos entre espiras.

Para reparar un polo defectuoso es preciso deshacer la bobina donde se halla localizada la avería, reaislarla y volverla a arrollar, a menos que la zona de cortocircuito pueda ser descubierta por simple inspección visual y reaislada convenientemente sin desmontar nada.

Inversiones de polaridad. Son consecuencia de conexiones erróneas entre polos. La mejor manera de detectarlas es efectuar una comprobación de polaridades con auxilio de una brújula o, simplemente, de un clavo.

Si se dispone de brújula, el procedimiento a seguir es el que se describe a continuación. Se coloca el estator en posición horizontal y se conecta el arrollamiento en cuestión a una fuente de corriente continua de baja tensión. Se sitúa entonces la brújula en el interior del estator y se va desplazando lentamente frente a cada polo. Si las conexiones son correctas, la posición de la aguja de la brújula se invertirá cada vez que se pase de un polo al siguiente, como indica la figura 1.84. Si la orientación de la aguja no varía al pasar la brújula frente a dos polos contiguos, uno de los dos tiene las conexiones invertidas.

Si no se dispone de brújula, se deja el estator en posición normal y se coloca un clavo en la parte interior del núcleo de modo que sus extremos coincidan aproximadamente con los centros de dos polos consecutivos. Alimentando entonces el arrollamiento con una fuente de corriente continua o alterna, pero de baja tensión, se observa si el clavo es atraído por ambos polos o bien repelido por uno de ellos: en el primer caso la conexión entre estos polos es correcta, y en el segundo, incorrecta.

Cuando sólo hay un polo mal conectado, puede subsanarse fácilmente el defecto permutando los dos terminales del mismo. Si son varios los polos que tienen la polaridad invertida, será preciso reconectarlos de acuerdo con el esquema de principio de la figura 1.44.

Reparación de averías

Se describirán a continuación las diversas averías que pueden presentarse en los motores de fase partida y la manera de repararlas. Para su descripción, las averías se clasificarán en cuatro grupos distintos, que corresponden a los síntomas siguientes: 1, el motor no se pone en marcha; 2, el motor gira a una velocidad inferior a la normal; 3 el motor funciona, pero se calienta en exceso; 4, el motor funciona ruidosamente.

EL MOTOR NO SE PONE EN MARCHA. — Cuando el motor no arranca, a pesar de estar conectado a una red de alimentación adecuada y a la tensión de servicio correcta, pueden ser responsables de la anomalía las siguientes causas: 1, una interrupción en el arrollamiento de trabajo; 2, una interrupción en el circuito de arranque; 3, un arrollamiento con contactos a masa; 4, un arrollamiento quemado o con cortocircuitos entre espiras; 5, dispositivo de protección térmica con los contactos abiertos; 6, una sobrecarga excesiva; 7, cojinetes desgastados o agarrotados; 8, escudos montados de forma incorrecta; 9, eje del rotor curvado. A continuación se estudiarán estas causas por el mismo orden en que han sido enumeradas.

1. *Una interrupción en el arrollamiento de trabajo.* Este defecto puede detectarse verificando el arrollamiento con la lámpara de prueba: si ésta no se enciende, es señal de que existe una interrupción. La localización exacta del punto de interrupción se efectuará siguiendo las instrucciones especificadas en el epígrafe "Pruebas". La reparación puede exigir el rebobinado del arrollamiento.

2. *Una interrupción en el circuito de arranque.* Hay tres métodos prácticos para detectar la existencia de este defecto.

El primero consiste en conectar el motor a la red y observar si emite un zumbido característico; en caso afirmativo, el circuito de arranque está interrumpido.

El segundo consiste en hacer girar el rotor con la mano; basta para ello arrollar un cordel alrededor del extremo libre del eje y tirar de él con fuerza suficiente (fig. 1.85). Mientras el rotor está todavía en movimiento, se cierra el interruptor de alimentación de la red. Si el motor se pone entonces en marcha, indica que el circuito de arranque se halla interrumpido.

El tercero se basa en el empleo de la lámpara de prueba, de modo análogo al descrito para el arrollamiento de trabajo.

Si queda probado que existe una interrupción en el circuito de arranque, ésta se halla localizada en el interruptor centrífugo o bien en el propio arrollamiento de arranque.

Puesto que lo más probable es que la primera hipótesis sea la cierta, se examinará ante todo dicho interruptor. Para cerciorarse de que la anomalía no se debe a que los contactos del interruptor permanecen abiertos, empújese el rotor en dirección axial, hacia el escudo frontal del motor; si la causa era la supuesta, los contactos se cerrarán y la lámpara de prueba se encenderá. La explicación de esta anomalía puede ser que el rotor posea un juego axial excesivo, lo cual es fácil de comprobar moviéndolo simplemente hacia adelante y hacia atrás. El juego axial no debería exceder de 0,5 mm; si así ocurre, es preciso poner más arandelas de fibra en el eje, procurando sin embargo que el rotor y el estator permanezcan centrados en sentido longitudinal. Si se permite un juego axial exagerado puede suceder que el rotor se pare a cierta distancia del escudo frontal y deje los contactos del interruptor centrífugo separados.

Si el resultado de la prueba sigue siendo negativo, es preciso desmontar el motor y verificar detenidamente el funcionamiento del interruptor con auxilio de una lámpara de prueba. En caso de que dicho funcionamiento fuese defectuoso, se limpiarán cuidadosamente todas las partes del interruptor y se volverán a ajustar de nuevo.

Si el interruptor centrífugo se halla en buenas condiciones, será preciso verificar el arrollamiento de arranque. Primeramente se examinarán los terminales flexibles que unen los extremos del arrollamiento a los respectivos bornes de la placa, y se reemplazarán en caso de hallarse en mal estado. Si el defecto radica en el propio arrollamiento, se localizará la interrupción siguiendo las instrucciones especificadas en el epígrafe "Pruebas". Cuando el punto de rotura del hilo es de fácil acceso, puede repararse la avería simplemente efectuando el empalme necesario; por el contrario, cuando hay partes del arrollamiento quemadas o seriamente dañadas, no hay más remedio que proceder al rebobinado del mismo. En tal caso es aconsejable verificar a fondo el arrollamiento de trabajo antes de alojar encima de él el nuevo arrollamiento de arranque.

3. *Un arrollamiento con contactos a masa.* Un solo contacto a masa en un arrollamiento puede pasar inadvertido en un motor, en lo

que a la normalidad de su funcionamiento se refiere; pero dos o más contactos a masa determinan ya un cortocircuito, que según su importancia puede hacer saltar un fusible o únicamente humear el arrollamiento. Los contactos a masa se detectan y localizan conforme está indicado en el epígrafe "Pruebas"; la reparación del arrollamiento puede consistir en una simple renovación del aislamiento o bien exigir un rebobinado completo de aquél. Un arrollamiento con contacto a masa constituye en principio un peligro, pues cualquier persona que toque el motor puede recibir una descarga. Por este motivo es recomendable, en ciertos casos, que la carcasa del motor esté conectada a tierra.

4. *Un arrollamiento quemado o con cortocircuitos entre espiras.* Un defecto de esta importancia hará saltar por regla general un fusible cuando se conecta el motor a la red, o por lo menos humear el arrollamiento en cuestión. En uno y otro caso es preciso desmontar el motor. Un arrollamiento quemado es fácil de reconocer por su aspecto y por su olor característicos. El único remedio consiste en substituirlo por otro nuevo. Muchas veces sólo es el arrollamiento de arranque el que está quemado, y entonces basta rebobinar únicamente éste; de todas maneras, antes de montar el nuevo arrollamiento de arranque es aconsejable verificar si el de trabajo permanece en buen estado. Si el arrollamiento averiado presenta solamente algún cortocircuito entre espiras, se localiza y repara éste de la manera indicada en el epígrafe "Pruebas".

5. *Dispositivo de protección térmica con los contactos abiertos.* Algunos motores están provistos de un dispositivo de protección térmica contra sobrecargas, consistente en dos láminas metálicas que, al dilatarse desigualmente por la acción del calor, se curvan y abren los correspondientes contactos. El dispositivo está conectado en serie con el motor (fig. 1.86); si este último se halla sobrecargado, o si por una razón cualquiera circula una corriente excesiva a través de su arrollamiento principal, los contactos del dispositivo de protección se separan e interrumpen el circuito. Sin embargo, estos contactos deben volver a cerrarse automáticamente en cuanto el motor se ha enfriado un poco o la sobrecarga ha desaparecido. Si no ocurre así, es preciso examinar los contactos para ver si están sucios, deteriorados o chamuscados. En caso de hallarse en malas condiciones, es mejor reemplazarlos.

6. *Una sobrecarga excesiva.* Si se carga con exceso un motor desprovisto de dispositivo de protección, el motor empezará por zumbar y acabará calándose. Unas condiciones de servicio forzadas pueden ponerse fácilmente de manifiesto intercalando un amperímetro en el

circuito (fig. 1.87) y observando si acusa una intensidad de corriente superior a la que indica la placa de características. Puede utilizarse para ello un instrumento múltiple de pinzas (amperímetro, voltímetro y ohmímetro), como el de la figura 4.134. La causa de una corriente excesiva puede ser también un cortocircuio en un arrollamiento; sin embargo, aquí se supone que los arrollamientos ya han sido previamente comprobados y que no se ha encontrado en ellos defecto alguno.

7. *Cojinetes desgastados o agarrotados.* Las averías de cojinetes ocurren a menudo en motores que llevan mucho tiempo funcionando. Para averiguar si un cojinete de fricción está desgastado, inténtese mover con la mano el extremo libre del eje hacia arriba y hacia abajo, como indica la figura 1.88. Si el eje se mueve, es señal que el cojinete o el propio eje (fig. 1.89) están desgastados. En uno u otro caso es necesario substituir los cojinetes, pues basta un pequeño juego en los mismos para que el rotor pueda rozar contra el estator (fig. 1.90) e impedir así el arranque del motor. Ocurre a menudo que, por haberse acumulado la grasa y la suciedad en la parte desgastada de un cojinete, el eje no permite movimiento alguno ni hacia arriba ni hacia abajo. En tal caso es preciso desmontar el motor y dejar el rotor con un solo escudo; si este último se puede hacer bascular hacia adelante y hacia atrás, el cojinete o el eje están desgastados.

Para extraer el casquillo de un cojinete de su alojamiento en el escudo, se apoya en su borde una barra cilíndrica de diámetro apropiado y se comprime ésta contra el escudo mediante una prensa de husillo o de cualquier otro tipo. Es muy útil a este respecto disponer de una herramienta como la representada en la figura 1.91: no es más que una barra cilíndrica torneada con diversos diámetros, que corresponden a otros tantos tamaños normalizados de cojinetes. Al aplicar la presión conviene fijarse en que el casquillo del cojinete salga por el lado del escudo donde la abertura es mayor, y quitar previamente cualquier tornillo o mecha de engrase que pudieran dificultar la extracción.

El nuevo cojinete se monta en el escudo utilizando también la barra torneada y la prensa de husillo anteriormente citadas. La presión sobre el casquillo se ejercerá ahora por el lado del escudo donde la abertura es mayor, hasta dejarlo introducido a la profundidad requerida. Cuídese de que los orificios de engrase del cojinete coincidan exactamente con los canales del escudo correspondiente, y evítese dañar el casquillo durante el montaje.

Los cojinetes nuevos se expenden normalmente con un diámetro interior ligeramente más pequeño (unas pocas centésimas de milímetro) que el nominal, por cuyo motivo es preciso ensancharlos a la medida adecuada. La operación se efectúa mediante un escariador, antes de montar el eje rotórico en el motor. Para ello se fijan a la carcasa los dos escudos, una vez provistos de los cojinetes nuevos; entonces se pasa el escariador por uno de los casquillos. y se prosigue en dirección longitudinal a través del casquillo opuesto. De esta manera se consigue que ambos casquillos queden escariados al mismo diámetro y, además, bien alineados. Sin embargo, cuando el eje rotórico posee distintos diámetros en sus extremos será preciso emplear dos escariadores de diferente tamaño, uno para el cojinete del escudo frontal y otro para el del escudo posterior. También en este caso debe tenerse sumo cuidado en dejar los dos cojinetes perfectamente alineados.

Si el eje está desgastado, existe la posibilidad de desmontarlo y volverlo a tornear a un diámetro ligeramente inferior al primitivo; como es natural, entonces será preciso cambiar los cojinetes por otros de menor tamaño. Otra alternativa consiste en devolverle su diámetro original aplicando sobre la porción desgastada metal en fusión; este proceso recibe el nombre de *metalización.* En tal caso es preciso tornear luego la porción de eje metalizada al diámetro correcto, y reemplazar el cojinete correspondiente por otro de tamaño normalizado.

Cuando un cojinete trabaja "en seco" por falta de lubricación, el calor generado por el rozamiento dilata considerablemente el eje y puede llegar a soldarlo con el casquillo del cojinete. Entonces se dice que el cojinete está *agarrotado* o *recalentado.* Para reparar una avería de esta clase el preciso separar del eje el cojinete recalentado, juntamente con el escudo. La operación puede ejecutarse golpeando con un mazo o bien utilizando una lámpara de soldar.

A continuación se rectifica el eje y se procede a montar un cojinete nuevo.

8. *Escudos montados de forma incorrecta.* Cuando un escudo no está bien sujeto a la carcasa a lo largo de toda su periferia, como muestra la figura 1.92, los cojinetes no quedan alineados; entonces cuesta gran esfuerzo hacer girar el rotor a mano, o bien resulta imposible del todo. Se nota que un escudo está bien ajustado el estator en todos sus puntos cuando emite un sonido "limpio" al ser golpeado suavemente con un mazo de madera o de plomo. Si, por el contrario, suena "a hueco", es preciso aflojar todas las tuercas de los tornillos de sujeción y volverlas a apretar sucesivamente, pero poco cada vez, de modo que el escudo vaya manteniéndose paralelo a sí mismo hasta adaptarse con seguridad al estator. Al montar un escudo no debe nunca apretarse completamente la primera tuerca del mismo, luego la más próxima, y así sucesivamente por orden correlativo, pues entonces el lado de escu-

do opuesto a las primeras tuercas afianzadas no quedará bien ajustado a la carcasa.

9. *Eje del rotor curvado*. Cuando, a pesar de estar los escudos correctamente montados, resulta dificultoso o imposible hacer girar el rotor con la mano, lo más probable es que el eje del rotor se haya curvado, como muestra exageradamente la figura 1.93. Para comprobarlo es preciso desmontar el rotor y situar los extremos del eje entre las puntas de un torno. Haciendo girar el torno a poca velocidad, se notará generalmente un pequeño movimiento vertical del rotor si el eje está curvado. Para localizar la parte curvada puede utilizarse una galga especialmente diseñada a este propósito, que se aplica al eje mientras éste se halla girando en el torno. Si no se dispone de esta galga, basta mantener un trozo de tiza próximo al eje; al girar, la parte curvada del eje rozará la tiza y quedará así marcada.

Esta anomalía puede subsanarse asegurando sólidamente el eje entre las puntas del torno, y enderezando la parte curvada con auxilio de una barra o de un trozo de tubo suficientemente largos, dispuestos debajo de la misma a guisa de palanca. Es preciso controlar cuidadosamente la presión ejercida, procurando aplicarla poco a poco hasta que el eje esté completamente enderezado. Este sistema sólo se emplea con ejes pequeños, pues si no se dañarían las puntas del torno.

EL MOTOR GIRA A UNA VELOCIDAD INFERIOR A LA NORMAL. — Cuando un motor no alcanza la velocidad de régimen normal que le corresponde, es probable que tenga uno o varios de los defectos que se enumeran a continuación: 1, un cortocircuito en el arrollamiento de trabajo; 2, permanencia en servicio del arrollamiento de arranque; 3, inversiones de polaridad en el arrollamiento de trabajo; 4, otras conexiones estatóricas erróneas; 5, cojinetes desgastados; 6, barras rotóricas desprendidas de los anillos.

1. *Un cortocircuito en el arrollamiento de trabajo*. Este defecto hace que el motor gire a una velocidad inferior a la nominal y que emita un zumbido o ronquido característico. El polo donde se encuentra el cortocircuito (fig. 1.94) suele calentarse normalmente con exceso, e incluso puede humear si el motor funciona demasiados minutos.

Para localizar el polo defectuoso puede emplearse una bobina de prueba. Otras veces basta simplemente palpar con la mano para identificar la bobina más caliente. Una vez conocida la bobina defectuosa y localizado el cortocircuito, se procurará aislar las espiras convenientemente; si ello no es posible, deberá rebobinarse forzosamente dicha bobina o todo el polo entero.

2. *Permanencia en servicio del arrollamiento de arranque.* Los síntomas de esta anomalía son los mismos que los de un arrollamiento de trabajo con espiras en cortocircuito. Para poder discriminar de cuál de ambos casos se trata, desconéctese un terminal del arrollamiento de arranque y póngase el rotor en movimiento por un procedimiento mecánico como el indicado en la figura 1.85. Mientras el rotor todavía gira, conéctese el motor a la red de alimentación. Si éste funciona entonces a la velocidad de régimen normal, la causa de la anomalía es que el interruptor centrífugo no desconecta el arrollamiento de arranque.

En tal caso lo más probable es que los contactos del interruptor hayan quedado soldados o pegados uno al otro, que una avería mecánica cualquiera los mantenga cerrados, o que la parte giratoria del interruptor siga presionando sobre ellos porque hay demasiadas arandelas de fibra en el otro extremo del eje. Los remedios consisten respectivamente en reparar el interruptor según se ha explicado en páginas anteriores, reemplazarlo por uno nuevo, o bien distribuir arandelas de forma adecuada para que el interruptor pueda abrir y cerrar oportunamente.

3. *Inversiones de polaridad en el arrollamiento de trabajo.* Si las conexiones entre polos son erróneas, dando lugar a polaridades incorrectas, el motor girará lentamente, si es que llega a girar, y su marcha irá acompañada de un zumbido característico. Para localizar las conexiones erróneas será preciso desmontar el motor y verificar la polaridad de cada polo con auxilio de una brújula o de un simple clavo, como se ha explicado en el epígrafe "Pruebas". Una vez identificado el polo con polaridad invertida, se desconectan sus terminales, se permutan entre sí y se vuelven a conectar.

4. *Otras conexiones estatóricas erróneas.* Las conexiones erróneas entre los polos de arrollamiento de trabajo o los del arrollamiento de arranque pueden inducir corrientes en las bobinas de los mismos y originar sobrecalentamientos en ellas, con el peligro de que lleguen a humear e incluso a quemarse. En tal caso será necesario desmontar el motor, repasar detenidamente todas las conexiones estatóricas y rehacer las que sean erróneas, siguiendo las instrucciones especificadas en el epígrafe "Conexión de los polos". Los principiantes suelen cometer a menudo errores al conectar los polos de este tipo de motores. Uno de los más frecuentes consiste en conectar dos polos en serie y los restantes en circuito cerrado, como muestra la figura 1.95. Debe ponerse suma atención en conectar todos los polos exactamente de acuerdo con los datos recibidos.

5. *Cojinetes desgastados*. Todo motor cuyos cojinetes o cuyo eje están desgastados marcha ruidosamente y con dificultad, debido al roce del rotor contra el estator (fig. 1.90). La presunta existencia de estas anomalías queda confirmada por la posibilidad de mover el eje hacia arriba y hacia abajo si se tira de él con la mano, como muestra la figura 1.88. Tanto si el defecto radica en el eje como si está localizado en un cojinete, se subsanará procediendo de la manera indicada en páginas anteriores.

6. *Barras rotóricas desprendidas de los anillos*. Son síntomas de esta avería el zumbido que emite el motor y la poca potencia que desarrolla. Una vez desmontado el rotor, se inspeccionará detenidamente para descubrir posibles interrupciones en su circuito. Por regla general bastará un simple examen visual para localizar las barras desprendidas de los anillos, especialmente si se prueba a moverlas por sus extremos. Caso de no llegar a ningún resultado, se ensayará el rotor con un detector de interrupciones como el representado en la figura 1.96. Consiste esencialmente en un núcleo de chapas de hierro en forma de V, con una bobina arrollada en su parte central. En serie con dicha bobina va dispuesta una lámpara o un grupo de lámparas unidas en paralelo. Se conectan los terminales de la bobina a una fuente de corriente alterna, se dispone el rotor sobre la parte en V del núcleo, y se hace girar con la mano. Cualquier oscilación en la luz de las lámparas indicará la presencia de una interrupción. Una vez localizadas las barras que se han desprendido, se volverán a soldar o a remachar en los anillos de cortocircuito. Los rotores de jaula de ardilla a base de barras y anillos de aluminio fundidos conjuntamente en molde no presentan este defecto.

EL MOTOR FUNCIONA, PERO SE CALIENTA EN EXCESO. — Las causas de que un motor se caliente con exceso tras un corto período de funcionamiento pueden ser las siguientes: 1, un arrollamiento con espiras en cortocircuito; 2, un arrollamiento con contactos a masa; 3, un cortocircuito entre los arrollamientos de trabajo y de arranque; 4, cojinetes desgastados; 5, una sobrecarga.

1. *Un arrollamiento con espiras en cortocircuito*. Si en uno de los arrollamientos de un motor de fase partida existe alguna bobina con espiras en cortocircuito, el polo afectado se calentará en exceso al estar el motor en servicio; además, este último emitirá un zumbido característico. Si el motor se deja funcionar en estas condiciones, el arrollamiento defectuoso puede sobrecalentarse hasta el punto de dañar seriamente todo el motor. Los procedimientos para detectar posibles

cortocircuitos y para localizarlos ya han sido descritos en el epígrafe "Pruebas". A menos que el defecto pueda ser reparado y aislado convenientemente, será preciso rebobinar todo el polo afectado o todo el arrollamiento completo.

2. *Un arrollamiento con contactos a masa.* Dos o más contactos a masa en un arrollamiento son equivalentes a un cortocircuito entre espiras; las consecuencias son un sobrecalentamiento muy elevado del motor, con la consiguiente posibilidad de causar daños de importancia. Los contactos a masa se localizarán siguiendo las instrucciones expuestas en el epígrafe "Pruebas" y se repararán disponiendo nuevo aislamiento, siempre que ello sea posible; si no es posible o no resulta aconsejable reaislar los defectos, será preciso rebobinar todo el polo averiado.

Si el arrollamiento sólo tiene un contacto a masa, la carcasa quedará en tensión mientras el motor esté en servicio, cualquier persona u operario que la toque accidentalmente recibirá una descarga eléctrica. Esta posibilidad representa un evidente peligro, por cuyo motivo es necesario reparar la avería cuanto antes.

3. *Un cortocircuito entre los arrollamientos de trabajo y de arranque.* Cualquier cortocircuito entre ambos arrollamientos permitirá la circulación permanente de corriente a través de parte del arrollamiento de arranque mientras el motor se halle en servicio, lo cual acabará a la larga por quemar dicho arrollamiento. Para localizar el punto donde existe el cortocircuito, se desconectan los terminales de los arrollamientos de sus respectivos bornes, y se conecta un terminal de la lámpara de prueba al arrollamiento de trabajo y el otro terminal al arrollamiento de arranque. Si se conectan ahora a la red los bornes de alimentación de la lámpara, ésta se encenderá, puesto que circulará corriente de un arrollamiento al otro a través del cortocircuito entre ambos. Se procurará entonces mover el arrollamiento de arranque en diferentes puntos del estator, con objeto de separarlo del arrollamiento de trabajo: si en un instante dado la luz de la lámpara oscila bruscamente o se apaga, indica que se ha movido justamente el punto de cortocircuito. Si procediendo de esta manera no se llega al resultado apetecido, será preciso ir desmontando las bobinas del arrollamiento de arranque una por una hasta localizar el defecto.

El cortocircuito puede repararse, por regla general, disponiendo en la ranura correspondiente, y entre ambos arrollamientos, una tira de batista barnizada o de papel Armo.

4. *Cojinetes desgastados.* Cuando el desgaste de los cojinetes es tal que el rotor, al girar, roza con el estator, el motor se sobrecalienta

tras un corto período de funcionamiento. El desgaste de los cojinetes puede comprobarse fácilmente procurando mover sucesivamente los extremos del eje hacia arriba y hacia abajo, estando el motor montado: si dicho movimiento es posible, los cojinetes están desgastados. Si, una vez desmontado el rotor, se observan en su superficie zonas pulimentadas, lo más probable es que las haya provocado el roce del mismo con el estator. Esta anomalía se subsana reemplazando los cojinetes.

5. *Una sobrecarga.* Toda sobrecarga obliga al motor a absorber una corriente superior a la nominal, y por consiguiente incrementa el calentamiento del mismo. Para comprobar si existe una sobrecarga se intercala un amperímetro en uno de los conductores de alimentación del motor. Si de la lectura de este instrumento se deduce que la corriente absorbida es superior al valor nominal que figura en la placa de características, es preciso disminuir la carga del motor o bien substituir éste por otro de mayor potencia. Se supone que la sobrecarga del motor es de origen externo, es decir, mecánico.

EL MOTOR FUNCIONA RUIDOSAMENTE. — Las causas de que un motor de fase partida funcione con un ruido anormalmente elevado pueden ser diversas. Las más frecuentes son: 1, cortocircuitos en un arrollamiento; 2, conexiones erróneas entre polos; 3, barras rotóricas desprendidas de los anillos; 4, cojinetes desgastados; 5, interruptor centrífugo deteriorado; 6, juego axial excesivo; 7, presencia de cuerpos extraños en el motor.

Las tres primeras causas dan lugar a un zumbido magnético cuando el motor está en marcha. La percepción de este zumbido es señal segura de la existencia de uno de estos tres defectos. Con anterioridad han sido ya descritas otras pruebas más concluyentes para detectarlos y localizarlos, así como la manera de repararlos.

4. *Cojinetes desgastados.* Unos cojinetes muy gastados pueden originar también un ruido notable al permitir que rotor y estator rocen mutuamente durante el funcionamiento del motor. Las pruebas necesarias para detectar esta anomalía y la forma de subsanarla han sido ya expuestas en páginas anteriores.

5. *Interruptor centrífugo deteriorado.* Toda avería que se produzca en el interruptor centrífugo es susceptible de causar un ruido notorio mientras el motor esté en marcha. En efecto, la parte móvil del interruptor es solidaria del rotor, y por tanto gira a gran velocidad; cualquier pieza suelta de dicha parte móvil puede entonces chocar o frotar contra un punto del estator y producir el ruido en cuestión. Siempre que se sospeche la posibilidad de una anomalía de este tipo,

deberá desmontarse el rotor del estator y examinar detenidamente el interruptor centrífugo. Se procurará reparar las piezas averiadas; si ello no resulta factible, se reemplazará todo el interruptor.

6. *Juego axial excesivo.* Cuando el juego axial del rotor excede de 0,4 mm, la marcha del motor puede ser ruidosa. Este defecto se remedia disponiendo arandelas de fibra en puntos apropiados del eje rotórico.

7. *Presencia de cuerpos extraños en el motor.* Ocurre a veces que un cuerpo extraño, tal como un trozo de material aislante o de conductor, queda incrustado en una ranura o en un arrollamiento y, al sobresalir con exceso, frota contra el rotor en marcha y origina un ruido molesto. El cuerpo extraño puede descubrirse desmontando el rotor e inspeccionando cuidadosamente la totalidad de los arrollamientos y de las ranuras. La extracción se efectúa, por regla general, con auxilio de uno alicates o de un destornillador. Al retirar el cuerpo extraño téngase sumo cuidado en no dañar el aislamiento de los conductores o el dispuesto entre arrollamientos.

CAPÍTULO II

Motores con condensador

GENERALIDADES

Los motores con condensador trabajan con corriente alterna monofásica, y se construyen para potencias que oscilan entre 1/20 CV a 10 CV. Su empleo se ha extendido ampliamente para el accionamiento de frigoríficos, compresores, quemadores de aceites pesados, lavadoras, bombas y acondicionadores de aire.

El motor con condensador es de construcción similar a la del motor de fase partida estudiado en el capítulo precedente; de hecho, sólo difiere de este último por la presencia de un elemento adicional, llamado *condensador,* conectado en serie con el arrollamiento auxiliar o de arranque. El condensador suele ir montado encima del motor, como muestra la figura 2.1, pero puede estar también situado en otros puntos exteriores del motor e incluso dentro de la carcasa del mismo. En la fotografía de la figura 2.2 puede verse el aspecto de dos condensadores junto con las bridas de montaje y varios accesorios.

Según las normas de la NEMA, edición 1968, el motor con condensador está definido de la manera siguiente: motor de inducción monofásica provisto de un arrollamiento principal apto para ser conectado directamente a una fuente de alimentación, y de un arrollamiento auxiliar conectado en serie con un condensador. Cabe distinguir tres tipos de motores con condensador:

1. MOTOR CON CONDENSADOR DE ARRANQUE. — Es un motor en el cual el condensador y el arrollamiento donde está conectado sólo actúan durante el período de arranque.

2. MOTOR CON CONDENSADOR PERMANENTE. — Es un motor en el cual el condensador está conectado permanentemente en el circuito, es decir, tanto durante el período de arranque como durante el de servicio.

3. MOTOR CON DOBLE CONDENSADOR. — Es un motor como el precedente, pero con la particularidad de que la capacidad inserta en el circuito durante los períodos de arranque y de servicio, respectivamente, no tiene el mismo valor.

CONDENSADORES

Dos folios metálicos, generalmente de aluminio, separados por una o varias láminas de material aislante, como por ejemplo papel o tela, constituyen un condensador. Para usos prácticos se arrolla este paquete de hojas sobre sí mismo, en forma de unidad compacta, y se aloja dentro de una envoltura hermética de metal o de plástico. Esta puede tener configuración cilíndrica o prismática, e ir montada encima, dentro o fuera del motor. El condensador está provisto de dos bornes para su conexión al circuito exterior.

Todos los condensadores poseen la propiedad fundamental de almacenar energía eléctrica en mayor o menor grado, según su *capacidad,* y de absorber corriente adelantada de la fuente de alimentación.* Desde el punto de vista eléctrico, todos los condensadores son, pues, idénticos; la única diferencia estriba en la construcción mecánica de los mismos.

Condensadores con impregnación de aceite

Están previstos para prestar un servicio permanente y se emplean, por consiguiente, en motores de tipo 2 y 3. El dieléctrico de los mismos está constituido por varias hojas de papel impregnadas de aceite. A igualdad de capacidad, ocupan un volumen sensiblemente mayor que los de tipo electrolítico. Los diversos fabricantes utilizan distintas clases de aceite o de líquidos sintéticos como substancia de impregnación. Se construyen con capacidades comprendidas entre 2 y 50 micro-

* Es decir, corriente desfasada y en avance de 90° con respecto a la tensión aplicada. Puesto que el condensador está conectado en el arrollamiento de arranque, éste absorberá también corriente adelantada. El desfase eléctrico entre las corrientes que recorren unos y otro arrollamiento, combinado con el desplazamiento espacial relativo entre los polos de ambos, origina justamente el campo magnético giratorio que permite el arranque del motor. (*N. del T.*)

faradios (μF). La figura 2.3 muestra varios condensadores de distinto tamaño impregnados a base de *askarel* (nombre comercial de una clase de líquido sintético)

Condensadores electrolíticos

Están diseñados para prestar únicamente un servicio intermitente de breve duración (unos cuantos segundos), por cuyo motivo encuentran aplicación en motores de tipo 1 y 3. Consisten en dos folios de aluminio separados por una finísima película de óxido de aluminio, obtenida previamente por vía electrolítica, que constituye el medio aislante o dieléctrico del condensador. Estos folios se arrollan también sobre sí mismos y se introducen en una envoltura de aluminio o de plástico, de la cual sobresalen los bornes para la conexión al circuito exterior (fig. 2.4).

Capacidad

La capacidad de los condensadores se mide e indica en microfaradios (μF). Los condensadores empleados para el arranque de motores tienen una capacidad que puede oscilar entre 2 y 800 μF (e incluso más), según su aplicación, tamaño y tipo. La capacidad de un condensador puede experimentar cierta disminución por efecto de un servicio excesivamente prolongado, de sobrecalentamientos o de otras circunstancias desfavorables. Cuando esto ocurra será preciso reemplazarlo por otro nuevo, cuya tensión nominal y capacidad sean lo más aproximadamente posible iguales a los respectivos valores primitivos, pues de lo contrario podría faltar al motor el par de arranque necesario.

Al substituir un condensador defectuoso o inapropiado por otro nuevo conviene asegurarse de que la tensión nominal de este último es *por lo menos* igual a la del primero. En todo caso siempre es preferible utilizar un condensador de tensión nominal superior.

Ya se ha dicho anteriormente que existen tres tipos de motores con condensador; cada uno de ellos utiliza el tipo de condensador más apropiado para la finalidad perseguida. Los motores con condensador de arranque utilizan un condensador de tipo electrolítico, y poseen un par de arranque relativamente elevado. Como este condensador no puede prestar servicio permanente, es preciso que un interruptor lo deje automáticamente fuera de servicio en cuanto el motor alcance una determinada velocidad. Los motores con condensador permanente emplean un condensador del tipo de papel impregnado en aceite, y poseen un par de arranque relativamente pequeño. Como indica su nombre, el condensador que llevan no queda nunca desconectado del servicio. Los motores con doble condensador están provistos de un condensador de tipo electrolítico y uno del tipo de papel impregnado. Inicialmente ambos condensadores están conectados en paralelo, lo cual confiere al motor un elevado par de arranque; una vez el motor ha alcanzado cierta velocidad prevista, el condensador electrolítico es desconectado del circuito, y sólo permanece en servicio el otro condensador.

MOTORES CON CONDENSADOR DE ARRANQUE

Construcción

Si se exceptúa la presencia del condensador, la construcción de estos motores es análoga a la de los motores de fase partida. Las partes principales de un motor de este tipo son: 1, un estator ranurado, provisto de un arrollamiento de trabajo y un arrollamiento de arranque; 2, un rotor de jaula de ardilla; 3, dos escudos o placas terminales; 4, un interruptor, normalmente centrífugo, compuesto por una parte fija, montada en el escudo frontal o en la carcasa, y una parte móvil, solidaria del rotor; 5, un condensador, por regla general de tipo electrolítico.

Comparado con un motor de fase partida de igual tamaño, el motor monofásico con condensador posee un par de arranque más grande y absorbe una corriente de arranque más pequeña.

Funcionamiento

La figura 2.5 muestra el esquema de conexiones simplificado de un motor con condensador de arranque. Como se aprecia, el arrollamiento de arranque está conectado en serie con el interruptor centrífugo y con el condensador. Este interruptor se halla cerrado durante el período de arranque, con lo cual tanto el arrollamiento principal como el auxiliar quedan alimentados en paralelo por la tensión de la red.

Cuando el motor ha alcanzado aproximadamente el 75 % de su velocidad de régimen, el interruptor centrífugo se abre y desconecta con ello el arrollamiento de arranque y el condensador; el arrollamiento de trabajo, por el contrario, permanece en servicio.

Para que un motor de inducción monofásico pueda arrancar por sí solo es preciso generar en su interior un campo magnético giratorio. Eso se consigue, por una parte, gracias al desplazamiento geométrico de 90° eléctricos existente entre los polos de un arrollamiento y los del otro, y por otra, gracias al desfase eléctrico de 90° entre las corrientes que circulan por los respectivos arrollamientos, debido al efecto dei condensador. Como ya se ha expuesto en páginas anteriores, los condensadores tienen la propiedad de absorber una corriente desfasada y en avance de 90° con respecto a la tensión aplicada. Puesto que el condensador está unido en serie con el arrollamiento de arranque, éste absorberá también una corriente adelantada de 90° con respecto a la corriente que circula por el arrollamiento de trabajo (dicho en otras palabras, la corriente del arrollamiento de arranque pasará por su valor máximo cuando la corriente del arrollamiento de trabajo empieza apenas a crecer).

El campo magnético giratorio así engendrado en el estator induce corrientes en las barras y anillos rotóricos, las cuales generan a su vez otro campo magnético. La reacción de un campo sobre el otro determina la rotación del motor.

Identificación y localización de averías

Puesto que la construcción del motor con condensador es similar a la del motor de fase partida, para identificar y localizar las averías que puedan presentarse se efectuarán las mismas pruebas que ya se indicaron en el capítulo I, y que fundamentalmente son las siguientes: 1, inspección visual para descubrir posibles defectos de índole mecánica; 2, verificación de los cojinetes; 3, investigar la existencia de posibles contactos a masa, cortocircuitos, etc.; 4, comprobación del comportamiento en servicio en cuanto a velocidad, ruido, etc. A estas pruebas deberá añadirse la verificación del condensador de arranque.

Rebobinado

El tipo más corriente de motor con condensador de arranque posee dos arrollamientos estatóricos, uno de trabajo y otro de arranque, exactamente como el motor de fase partida. El arrollamiento de trabajo va siempre alojado en el fondo de las ranuras; el de arranque va dispuesto encima del de trabajo, dentro de las mismas ranuras, pero con los polos desplazados 90° eléctricos respecto a los de este último. Dicho en otras palabras, cada polo del arrollamiento de arranque está situado en el punto medio entre dos polos contiguos del arrollamiento de trabajo. Por otra parte, el arrollamiento auxiliar suele bobinarse con hilo de diámetro ligeramente inferior al del hilo empleado para el arrollamiento principal.

Igual que en los motores de fase partida, los arrollamientos pueden ejecutarse indistintamente a mano, a base de bobinas premoldeadas o a base de madejas, según convenga en cada caso particular. La manera de disponerlos en las ranuras es idéntica a la que ya se ha expuesto en el capítulo I.

El rebobinado de un motor con condensador de arranque que tenga un arrollamiento averiado comprende también varias operaciones independientes e idénticas a las que se describieron en páginas anteriores para los motores de fase partida: 1, toma de datos; 2, extracción del arrollamiento defectuoso; 3, aislamiento de las ranuras; 4, rebobinado; 5, conexión del nuevo arrollamiento; 6, verificación eléctrica del mismo; 7, impregnación y secado.

A estas operaciones debe añadirse evidentemente la de conectar el condensador.

Tipos de motores con condensador de arranque

Existen muchos tipos de motores con condensador de arranque, de los cuales se mencionarán y describirán algunos a continuación. Cada uno de ellos posee su propia conexión característica de los arrollamientos. Algunos están diseñados para una sola tensión de servicio o una sola velocidad de régimen; otros son aptos, en cambio, para trabajar a dos tensiones de servicio distintas o a dos velocidades de régimen diferentes. En varios de ellos es posible invertir el sentido de giro exteriormente, en otros no es posible hacerlo a menos de permutar conexiones internas. La lista siguiente permite formarse una idea de estas diversas características:

1. Una sola tensión de servicio, con sentido de giro reversible exteriormente.

2. Una sola tensión de servicio, con sentido de giro irreversible.

3. Una sola tensión de servicio, con sentido de giro reversible exteriormente y con protección térmica contra sobrecargas.

3 *a.* Una sola tensión de servicio, sentido de giro irreversible y caja de bornes con condensador incluido.

4. Una sola tensión de servicio, con sentido de giro irreversible y relé de corriente.

4 *a.* Como el anterior, pero con relé de tensión en vez de relé de corriente.

5. Dos tensiones de servicio, con sentido de giro irreversible.

6. Dos tensiones de servicio, con sentido de giro reversible exteriormente.

7. Dos tensiones de servicio, con protección térmica contra sobrecargas.

8. Una sola tensión de servicio, con tres terminales libres y sentido de giro reversible exteriormente.

9. Una sola tensión de servicio, con inversión del sentido de giro mediante conmutador con relé o sin él.

10. Dos velocidades de régimen, con un solo arrollamiento y condensador de arranque.

11. Dos velocidades de régimen, con doble arrollamiento y condensador de arranque.

En todos los esquemas de estos motores se representarán los terminales de los arrollamientos como si salieran fuera del motor. Ello no corresponde forzosamente a la realidad, ya que en la mayoría de los motores dichos terminales suelen estar conectados a unos bornes situados en la cara interna del escudo frontal o en la parte fija del interruptor centrífugo. Para la designación de los terminales se seguirán las normas especificadas en la página 32, capítulo I.

Todos los condensadores representados en los esquemas son de tipo electrolítico.

1. Una sola tensión de servicio, con sentido de giro reversible exteriormente. — En este tipo de motor salen fuera de la carcasa cuatro terminales, dos procedentes del arrollamiento de trabajo y dos del de arranque. Estos cuatro terminales libres al exterior son indispensables si se desea que el sentido de giro del motor pueda invertirse exteriormente. El arrollamiento de arranque está conectado interiormente en serie con el condensador y con el interruptor centrífugo. Las figuras 2.6 y 2.7 muestran los esquemas simplificados de conexión de los arrollamientos para que el motor gire respectivamente en el sentido de las agujas de un reloj o en sentido contrario. Como se desprende del examen de ambas figuras, para invertir el sentido de la marcha basta permutar los terminales del arrollamiento de arranque con respecto a los del arrollamiento de trabajo (o viceversa).

Como en todos los motores asíncronos, la velocidad está condicionada por el número de polos: cuanto mayor es el número de polos tanto menor es la velocidad, y cuanto menor es el número de polos tanto mayor es la velocidad. Igual que en los motores de fase partida, los polos pueden conectarse en serie o en paralelo; al efectuar el conexionado entre polos también es preciso asegurarse que las polaridades sucesivas vayan alternando de signo.

Por ser el motor tetrapolar el más corriente entre los de este tipo, nos valdremos de él para ilustrar los ejemplos que siguen. La figura 2.8 muestra el esquema de conexiones lineal de un motor tetrapolar, con condensador de arranque, en el cual los polos de cada arrollamiento están conectados en serie; la figura 2.9 reproduce el esquema de conexiones circular del mismo motor. Los esquemas lineal y circular de las figuras 2.10 y 2.11 corresponden a otro motor tetrapolar del mismo tipo en el cual los polos de cada arrollamiento están subdivididos en dos series de dos, unidas en paralelo. En la figura 2.9 los terminales T_1 y T_8 están conectados conjuntamente al conductor de alimentación L_1, y los terminales T_4 y T_5 al otro conductor de alimentación L_2, lo cual determina un giro del motor a izquierdas. En la figura 2.11 los terminales T_1 y T_5 están conjuntamente unidos a L_1, y los terminales T_4 y T_8 a L_2, lo cual determina un giro del motor a derechas.

2. UNA SOLA TENSIÓN DE SERVICIO, CON SENTIDO DE GIRO IRREVERSIBLE. — Cuando los terminales del arrollamiento de arranque ya están conectados a los del arrollamiento de trabajo en el interior del motor, el sentido de giro de este último no puede invertirse (a menos que se desmonte el rotor y se permuten las conexiones). Se construyen motores de este tipo porque hay determinadas aplicaciones que requieren precisamente un solo sentido de rotación. La figura 2.12 muestra el esquema simplificado de uno de ellos; obsérvese que sólo salen al exterior dos terminales de conexión. Modernamente se prefiere, sin embargo, dejar siempre los cuatro terminales libres, de modo que la inversión del sentido de giro pueda conseguirse cuando se desee.

3. UNA SOLA TENSIÓN DE SERVICIO, CON SENTIDO DE GIRO REVERSIBLE EXTERIORMENTE Y CON PROTECCIÓN TÉRMICA CONTRA SOBRECARGAS. — Los motores con condensador de arranque suelen ir a menudo equipados con un *dispositivo de protección térmica,* cuyo objeto es protegerlos contra los efectos de sobrecargas, sobrecalentamientos, cortocircuitos, etc. Este dispositivo consiste esencialmente en dos láminas metálicas con distinto coeficiente de dilatación, soldadas íntimamente una a la otra. Al calentarse en exceso por cualquier motivo, las dos láminas se dilatan desigualmente, el elemento formado por ellas se curva y abre entonces unos contactos insertos en el circuito de ali-

mentación. Normalmente uno de los extremos del elemento es fijo, y el otro constituye el contacto propiamente dicho. El dispositivo de protección está intercalado en uno de los conductores de la red, y suele ir montado en el interior del motor; sin embargo, algunos motores previstos para finalidades específicas llevan el dispositivo fuera de los mismos.

Las figuras 2.13 *a* y *b* muestran respectivamente los esquemas de conexiones simplificado y lineal de un motor tetrapolar provisto de protección térmica a base de elemento bilámina. Cuando por el motor circula una corriente excesiva durante un breve intervalo de tiempo, el elemento de protección experimenta un calentamiento anormal y se curva lo suficiente para abrir los contactos, con lo cual deja el circuito interrumpido. En algunos tipos de protecciones los contactos vuelven a cerrarse automáticamente en cuanto el elemento empieza a enfriarse; en otro, por el contrario, es preciso oprimir manualmente un pulsador para poner nuevamente el motor en servicio. Finalmente, existen todavía otros tipos de protecciones en los que el elemento bilámina recibe indirectamente el calor generado por un filamento de caldeo, conectado en serie con uno de los conductores de alimentación. Cuando circula una sobreintensidad de corriente por dicho filamento, éste se pone rápidamente en incandescencia y calienta el elementos bilámina, que a su vez se curva y abre los contactos.

En todos los motores provistos de protección térmica es preciso asegurarse que el elemento, o en su defecto el filamento de caldeo, está conectado en serie con un conductor de alimentación. La figura 2.14 reproduce el esquema de conexiones circular de un motor bipolar con condensador de arranque y dispositivo de protección.

3 *a*. UNA SOLA TENSIÓN DE SERVICIO, SENTIDO DE GIRO IRREVERSIBLE Y CAJA DE BORNES CON CONDENSADOR INCLUIDO. — Algunos motores antiguos para frigoríficos llevan el condensador incluido dentro de una caja de bornes (fig. 2.15). Esta tiene cuatro bornes, de los cuales tres están designados con las letras T, TL y L. Los conductores de alimentación L_1 y L_2 se conectan a los bornes L y TL, y los terminales del termostato, situado en el interior del frigorífico, a los bornes TL y T (fig. 2.16). El condensador está alojado en el interior de la caja: por un lado va unido al borne L, y por el otro al cuarto borne, que carece de designación. La figura 2.16 representa el esquema simplificado de un motor de este tipo.

4. UNA SOLA TENSIÓN DE SERVICIO, CON SENTIDO DE GIRO IRRE-

VERSIBLE Y RELÉ DE CORRIENTE. — Muchos motores de fase partida o con condensador de arranque destinados a prestar servicio en frigoríficos, acondicionadores de aire, bombas, máquinas de oficina, etc., están protegidos con una carcasa de cierre hermético. En tales casos resulta prácticamente imposible el empleo de interruptor centrífugo en los mismos, dadas las dificultades existentes para su entretenimiento o eventual substitución, y por este motivo se recurre entonces al auxilio de un relé electromagnético exterior. Dicho relé puede estar montado encima del motor o bien próximo a él, y puede ser del tipo "de corriente" o bien del tipo "de tensión". Sea cual fuere su tipo, el relé asume la función del interruptor centrífugo, es decir, desconectar del circuito de alimentación el arrollamiento de arranque cuando la velocidad del motor alcanza aproximadamente el 75 % de su valor de régimen.

El funcionamiento del relé se basa en el hecho de que la corriente que circula por el arrollamiento de trabajo durante el período inicial de arranque es de dos a tres veces superior a la que lo atraviesa en régimen de servicio. El relé electromagnético consiste simplemente en una bobina con un núcleo móvil que en condiciones normales ocupa la posición inferior y deja abiertos dos contactos (fig. 2.17 *a*). La bobina está conectada en serie con el arrollamiento de trabajo, y los contactos están interpuestos en el arrollamiento de arranque. Al aplicar tensión al motor, la bobina del relé se excita lo suficiente para levantar el núcleo y cerrar los contactos, con lo cual tanto el arrollamiento de trabajo como el de arranque quedan en servicio, y el motor se pone en marcha; sin embargo, tan pronto como la corriente ha descendido casi a su valor normal por efecto del incremento de velocidad, la excitación de la bobina resulta insuficiente para mantener el núcleo en su posición superior, y éste se separa de los contactos, con lo cual el arrollamiento auxiliar queda desconectado. El motor funciona entonces únicamente con el arrollamiento principal.

La figura 2.17 *b* reproduce otro tipo usual de relé de corriente, similar en esencia al anterior.

Las figuras 2.18 *a* y 2.19 *a* muestran los esquemas de conexiones simplificado y circular de un motor tetrapolar provisto de relé de corriente del primer tipo. Se observa que el relé y el condensador de arranque están alojados conjuntamente y fuera del motor. En las figuras 2.18 *b* y 2.19 *b* el relé empleado es del segundo tipo; por otra parte, el condensador de arranque está alojado separadamente. Estos motores no permiten la inversión del sentido de giro; para ello sería preciso que salieran cuatro terminales fuera del motor.

Un inconveniente de este tipo de motores es la posibilidad de que la bobina del relé actúe, estando el motor ya en servicio, por efecto de una sobrecarga, y vuelva a conectar con ello el arrollamiento de arranque. Recordando que dicho arrollamiento sólo está dimensionado para trabajar unos cuantos segundos, una inclusión excesivamente larga o frecuente en el circuito podría quemarlo. Esta eventualidad puede evitarse, sin embargo, utilizando un dispositivo térmico de protección.

La figura 2.20 muestra el esquema de un motor con condensador de arranque provisto de relé de corriente y de una protección térmica de dos bornes (completamente similar a una de tres, excepto que el borne 2 se deja libre).

4 *a.* UNA SOLA TENSIÓN DE SERVICIO, CON SENTIDO DE GIRO IRREVERSIBLE Y RELÉ DE TENSIÓN. — Igual que un relé de corriente, la función de un relé de tensión es desconectar el arrollamiento auxiliar de la red cuando el motor ha alcanzado cierta velocidad. Este relé consiste en una bobina conectada permanentemente en paralelo con el arrollamiento de arranque, y en dos contactos interpuestos en dicho arrollamiento, que normalmente permanecen cerrados. Al conectar el motor a la red, ambos arrollamientos quedan puestos en servicio y el motor arranca. A medida que aumenta la velocidad del motor, crece también la tensión existente entre los terminales del arrollamiento de arranque; cuando la velocidad llega aproximadamente al 75 % del valor de régimen, dicha tensión es suficientemente elevada para excitar la bobina del relé, lo cual determina la apertura de los contactos y la consiguiente desconexión del circuito de arranque. Los contactos permanecerán abiertos mientras el motor continúe en servicio, puesto que en tales condiciones la bobina del relé seguirá excitada. La figura 2.21 reproduce el esquema simplificado de un motor tetrapolar con condensador de arranque, dispositivo térmico de protección y relé de tensión. Nótese que sólo se utilizan dos bornes del dispositivo de protección. Los esquemas de las figuras 2.22 y 2.23 son similares al anterior; la única diferencia es que ahora se utilizan los tres bornes del dispositivo de protección. Como se ve en dichos esquemas, la corriente entra por el borne 1, pasa a través del elemento bilámina y se bifurca en el borne 2, desde el cual va directamente al arrollamiento de trabajo; por el contrario, la corriente que circula por el arrollamiento de arranque, mientras los contactos del relé permanecen cerrados, pasa previamente por el filamento de caldeo. De esta forma, en caso de sobrecarga el calor adicional generado en dicho filamento hace abrir los contactos del dispositivo de protección mucho más rápidamente de lo que sucedería si se utilizara el elemento bilámina solo.

No estará de más añadir que el uso de un relé de tensión implica a veces la conexión de una pequeña resistencia en paralelo con el condensador electrolítico: ésta suele estar constituida por una substancia resistente depositada entre los bornes del mismo, y sirve para impedir que el relé vibre o que sus contacto queden soldados entre sí, y para permitir la descarga del condensador.

5. DOS TENSIONES DE SERVICIO, CON SENTIDO DE GIRO IRREVERSIBLE. — Los motores de este tipo pueden funcionar indistintamente a una cualquiera de dos tensiones de servicio, generalmente 115 ó 230 V; disponen a tal efecto de un arrollamiento de trabajo, subdividido en dos secciones iguales, y de un arrollamiento de arranque, constituido por una sola sección. La posibilidad de reconexión para una u otra tensión de servicio exige que sean accesibles exteriormente los cuatro terminales del arrollamiento principal (dos por cada sección). Los terminales de la primera sección llevan las designaciones T_1 y T_2; los de la segunda, T_3 y T_4.

Cuando el motor debe trabajar a 115 V, dichas secciones se conectan en paralelo; el arrollamiento de arranque, por otra parte, está siempre conectado en paralelo con una de las secciones del arrollamiento principal (figs. 2.24 y 2.25). Por ser esta conexión interna, no se podrá invertir el sentido de giro del motor, a menos de desmontar este último.

Cuando el motor debe trabajar a 230 V, las dos secciones del arrollamiento principal se conectan en serie (figs. 2.26 y 2.27), con lo cual queda aplicada a cada una la mitad de la tensión de servicio, o sea 115 V. Puesto que el arrollamiento de arranque permanece conectado en paralelo con una de dichas secciones, es evidente que seguirá trabajando a 115 V. Por consiguiente, sea cual fuera la tensión de servicio del motor, el arrollamiento de arranque trabaja siempre a la menor de las dos.

Rebobinado. Como se ha visto, el arrollamiento auxiliar de un motor con condensador de arranque, previsto para dos tensiones distintas de servicio, es idéntico al de un motor análogo previsto para una sola tensión de servicio, y se ejecuta exactamente como el de este último. El arrollamiento de trabajo, por el contrario, se compone de dos secciones iguales, y difiere por tanto del que lleva un motor normal. Su ejecución puede llevarse a cabo según tres métodos distintos.

El primer método consiste en bobinar cada sección separadamente, como si se tratara de un arrollamiento completo. Se empieza por ejecutar la primera sección igual que para un motor con una sola tensión de servicio, es decir, cubriendo todos los polos previstos. Luego se ejecuta de igual manera la segunda sección, a base del mismo número de espiras y diámetro de hilo, dispuesta encima de la primera y alojada en las mismas ranuras. Finalmente se bobina encima el arrollamiento de arranque, teniendo cuidado de desplazarlo geométricamente 90° eléctricos. En realidad, pues, los arrollamientos del motor quedan dispuestos verticalmente uno sobre el otro formando tres capas, con el debido aislamiento interpuesto entre ellas. Las figuras 2.28 y 2.29 muestran respectivamente los esquemas de conexiones lineal y circular correspondientes a un motor tetrapolar con condensador de arranque y dos tensiones de servicio, cuyos arrollamientos han sido ejecutados de la manera indicada.

El segundo método consiste en bobinar simultáneamente las dos secciones del arrollamiento de trabajo utilizando dos hilos independientes, en vez de uno. Este sistema permite una notable economía de tiempo. Como contrapartida, y puesto que en tal caso resulta imposible interponer placas de material aislante entre los lados de bobina de cada sección alojados en la misma ranura, es absolutamente necesario que el recubrimiento de los conductores sea de elevada calidad.

El tercer método consiste en bobinar todos los polos del arrollamiento de trabajo como en un motor para una sola tensión, y luego conectar los polos de manera que cada mitad de los mismos constituya una sección. De modo análogo a lo que se expuso en el capítulo I para los motores de fase partida, las uniones entre polos pueden ejecutarse utilizando la "conexión larga" (también llamada "conexión final a principio") o la "conexión corta" (también llamada "conexión final a final"). Las figuras 2.30 y 2.31 reproducen respectivamente los esquemas circular y lineal de un motor tetrapolar para dos tensiones de servicio, en el cual las dos secciones del arrollamiento de trabajo se han formado uniendo polos contiguos, o sea mediante "conexión corta". Los esquemas circular y lineal de las figuras 2.32 y 2.33 corresponden a un motor de tipo idéntico al precedente, pero con las secciones formadas por la unión de polos diametralmente opuestos, o sea mediante "conexión larga". Se recuerda nuevamente que la conexión larga es preferible a la conexión corta.

Independientemente del método empleado para el rebobinado, el arrollamiento de arranque queda siempre conectado en paralelo con una sección del arrollamiento de trabajo (fig. 2.34).

6. Dos tensiones de servicio, con sentido de giro reversible exteriormente. — Este tipo permite la inversión del sentido de giro

desde el exterior gracias a la salida de dos terminales suplementarios procedentes del circuito de arranque. Las figuras 2.35 y 2.36 representan los esquemas simplificados de un motor con condensador de arranque y dos tensiones de servicio, conectado de manera que pueda trabajar a la tensión menor (115 V) y girar respectivamente en el sentido de las agujas de un reloj y en sentido contrario. La figura 2.37 muestra los esquemas lineal y simplificado de un motor tetrapolar de este mismo tipo, conectado de manera que trabaje a la tensión mayor (230 V) y gire a derechas. Los esquemas lineal y simplificado de la figura 2.38 corresponden al mismo motor precedente, con la sola salvedad de que el sentido de giro es ahora a izquierdas.

7. DOS TENSIONES DE SERVICIO, CON PROTECCIÓN TÉRMICA CONTRA SOBRECARGAS. — Estos motores van equipados con un dispositivo termostático de protección contra sobrecargas, constituido por un tipo de relé a base de un disco o elemento bilámina, provisto de tres bornes; entre los bornes 2 y 3 está conectado un filamento auxiliar de caldeo.

A continuación se indican algunos datos relativos a un motor típico de esta clase que fue rebobinado. Se trataba de un motor tetrapolar de 3/4 CV, 36 ranuras y arrollamientos dispuestos en tres capas. Las dos capas inferiores correspondían a otras tantas secciones del arrollamiento de trabajo, alojadas en las mismas ranuras y con aislamiento interpuesto entre ellas; la capa superior correspondía al arrollamiento de arranque, desplazado 90° eléctricos con respecto a las dos secciones del arrollamiento de trabajo. Cada una de estas secciones estaba formada por dos series de dos polos unidas en paralelo; por el contrario, los cuatro polos del arrollamiento de arranque estaban conectados en serie. Del motor salían cinco terminales para permitir la reconexión de 115 V a 230 V o viceversa. Para invertir el sentido de giro era preciso desmontar el escudo frontal y permutar los terminales del arrollamiento de arranque en la placa de bornes del interruptor centrífugo. La figura 2.39 muestra el esquema simplificado de la conexión entre arrollamientos para una tensión de servicio de 115 V. El conexionado interior de los polos puede verse en el esquema lineal de la figura 2.40. Finalmente, la figura 2.41 reproduce el diagrama de pasos y la disposición relativa de las bobinas. En él están indicados además los números de espiras de cada bobina y los números de calibre del hilo empleado. Todos estos datos fueron anotados durante la extracción de los arrollamientos antiguos.

El motor fue rebobinado con los mismos números de espiras y calibres de hilo, pero empleando el segundo método anteriormente descrito, es decir, devanando las dos secciones del arrollamiento de trabajo simultáneamente con dos hilos independientes. Además, con objeto de poder invertir fácilmente el sentido de giro sin tener que desmontar el escudo frontal, se sacaron al exterior los dos terminales del circuito de arranque. La figura 2.42 muestra el esquema de conexiones simplificado correspondiente al nuevo motor rebobinado.

8. UNA SOLA TENSIÓN DE SERVICIO, CON TRES TERMINALES LIBRES Y SENTIDO DE GIRO REVERSIBLE EXTERIORMENTE. — El sentido de giro de los motores normales con condensador de arranque no es reversible exteriormente si sólo salen hacia la placa de bornes tres terminales (dos del arrollamiento de trabajo y uno del circuito de arranque). Sin embargo, esta operación resulta sumamente sencilla si se subdivide el arrollamiento de trabajo en dos secciones, como en los motores para dos tensiones de servicio. Estas dos secciones están permanentemente unidas en serie; los dos terminales extremos del arrollamiento salen hacia la placa de bornes para la conexión a la red (fig. 2.43). Uno de los terminales del circuito de arranque está unido interiormente al punto medio del arrollamiento de trabajo, y el otro sale libre al exterior.

De esta manera, según que se conecte este terminal libre a uno u otro de los bornes de alimentación, el circuito de arranque quedará conectado en paralelo con la sección 1 (fig. 2.43) o con la sección 2 (fig. 2.44) del arrollamiento de trabajo. El examen de ambas figuras indica claramente que el sentido de circulación de la corriente por el circuito de arranque es contrario en los dos casos, y por consiguiente también el sentido de giro del motor.

La figura 2.45 muestra el esquema simplificado de este motor con tres terminales libres para la inversión del sentido de giro.

9. UNA SOLA TENSIÓN DE SERVICIO, CON INVERSIÓN DEL SENTIDO DE GIRO MEDIANTE CONMUTADOR, CON RELÉ O SIN ÉL. — En condiciones normales de funcionamiento, si se quiere invertir el sentido de giro de un motor con condensador de arranque es preciso desconectarlo previamente de la red y esperar a que se haya detenido por completo, ya que el interruptor centrífugo no puede cerrar sus contactos hasta que la velocidad del motor es casi nula. Como el circuito de arranque se halla fuera de servicio mientras los contactos del interruptor centrífugo permanecen abiertos, la permutación de los terminales de dicho circuito durante la marcha del motor no ejerce efecto alguno sobre esta última.

Algunos tipos de motores con condensador de arranque están provistos de un conmutador de inversión, conectado según muestra el esquema de la figura 2.46. Este conmutador no es más que un interruptor tripolar (de tres cuchillas) que puede adoptar dos posiciones, a cada una de las cuales corresponde un sentido de rotación del motor. El desplazamiento del conmutador de una posición de trabajo a la otra determina la permutación de los terminales del circuito de arranque, como se ve fácilmente examinando la figura 2.46.

Para efectuar la inversión es preciso esperar que el motor haya aminorado su velocidad lo suficiente para permitir el cierre de los contactos del interruptor centrífugo y la consiguiente conexión del circuito de arranque. La operación se ejecuta normalmente con auxilio de pulsadores que accionan arrancadores electromagnéticos de conmutación o de tambor.

Inversión instantánea. En ciertos trabajos, el tiempo que se perdería esperando que el motor hubiese aminorado suficientemente la marcha para poder proceder a la inversión del sentido de giro sería excesivo. Con objeto de conseguir una inversión instantánea mientras el motor todavía funciona a plena velocidad, se inserta en el circuito un relé que ejecuta las funciones de cortocircuitar el interruptor centrífugo y conectar el arrollamiento de arranque con polaridad opuesta.

La figura 2.47 muestra el esquema de un motor con condensador de arranque provisto de relé y comutador tripolar para la inversión instantánea del sentido de giro. Con el motor en reposo, el interruptor centrífugo de doble contacto se halla en posición de *arranque,* es decir, mantiene conectados en serie el arrollamiento y el condensador de arranque; al propio tiempo la bobina del relé (cuyos contactos están normalmente cerrados) queda conectada en paralelo con el condensador. Al poner el conmutador manual en la posición *sentido directo,* queda aplicada la tensión de la red al arrollamiento de trabajo y también a la derivación formada por el arrollamiento de arranque y el condensador.

Por otra parte, la tensión que aparece en bornes del condensador está también aplicada a la bobina del relé, cuyos contactos, normalmente cerrados, se abren. Puesto ya el motor en marcha, cuando su velocidad alcanza el valor prefijado el interruptor centrífugo se dispara y pasa a la posición de *servicio,* con lo cual desconecta el condensador del circuito y deja en tensión únicamente la derivación formada por el arrollamiento de arranque y la bobina del relé, unidos en serie. Debido a la elevada resistencia de esta bobina, por el arrollamiento de arranque circula tan sólo la corriente necesaria para mantener abiertos los contactos del relé.

Durante la fracción de segundo que invierte el paso del conmutador tripolar de la posición *sentido directo* a la posición *sentido inverso* no circula corriente alguna por la bobina del relé, y por consiguiente los contactos de éste se cierran. Así que el conmutador se halla en la posición *sentido inverso* vuelve a circular corriente por el arrollamiento de arranque (a través de los contactos cerrados del relé), pero ahora de polaridad contraria a la de antes. Ello da lugar a un par de sentido opuesto al que determinaba el giro del motor, y en consecuencia este último se para inmediatamente. Puesto que al bajar la velocidad del motor el interruptor centrífugo vuelve a su posición de *arranque,* el condensador queda nuevamente conectado en serie con el arrollamiento de arranque, y por tanto el motor inicia el giro en sentido inverso.

Tanto los arrollamientos como el rotor de esta clase de motores están diseñados para resistir las solicitaciones mecánicas y eléctricas provocadas por la inversión instantánea de marcha.

10. DOS VELOCIDADES DE RÉGIMEN, CON UN SOLO ARROLLAMIENTO Y CONDENSADOR DE ARRANQUE. — Una manera de variar la velocidad de un motor con condensador de arranque consiste en modificar el número de polos del arrollamiento de trabajo. A tal efecto se alojan en las ranuras estatóricas dos arrollamientos de trabajo independientes, que por regla general suelen ser de seis y de ocho polos, respectivamente. Por el contrario, no existe más que un solo arrollamiento de arranque, previsto para funcionar siempre con el arrollamiento de trabajo correspondiente a la velocidad mayor. El interruptor centrífugo es en este caso de doble acción (dos contactos en el lado correspondiente a la posición de arranque, y uno sólo en el lado correspondiente a la de servicio). El cambio de velocidad se efectúa con auxilio de un conmutador exterior. La figura 2.48 muestra el esquema de conexiones simplificado de un motor de este tipo.

Este motor arranca siempre con el arrollamiento de trabajo de menor número de polos (velocidad mayor), cualquiera que sea la posición del conmutador de cambio. Si dicho conmutador se halla en la posición correspondiente a la velocidad menor, tan pronto como el motor alcanza cierta velocidad el interruptor centrífugo desconecta el arrollamiento de arranque y el de trabajo para la velocidad mayor, y conecta en seguida el arrollamiento de trabajo para la velocidad menor.

Los tres arrollamientos de este motor están dispuestos en las ranuras de modo que las posiciones de sus respectivas bobinas guarden una determinada relación entre sí. La figura 2.49 reproduce un típico diagrama de pasos perteneciente a un motor de 36 ranuras.

11. DOS VELOCIDADES DE RÉGIMEN, CON DOBLE ARROLLAMIENTO Y CONDENSADOR DE ARRANQE. — Este tipo de motor lleva dos arrollamientos de trabajo, dos arrollamientos de arranque y dos condensadores, uno para el arranque con la velocidad mayor y el otro para el arranque con la velocidad menor. Un interruptor centrífugo doble se encarga de desconectar del circuito los arrollamientos de arranque, una vez el motor puesto en marcha. La figura 2.50 muestra el esquema de conexiones simplificado de este tipo de motor.

Esquemas de conexiones de motores con condensador de arranque

Los esquemas de conexiones de la figura 2.51 han sido extraídos de la NEMA Standards Publication MG1 de abril de 1968 y reproducidos por cortesía de dicha entidad. En estos esquemas están especificadas las designaciones de los terminales de los arrollamientos en motores con condensador de arranque, de una y de dos tensiones de servicio, con sentido de giro reversible, provistos o no de protección térmica. En el capítulo I, página 32, se hallarán datos sobre la conexión de los terminales.

MOTORES CON CONDENSADOR PERMANENTE

En estos motores el condensador está conectado en el circuito tanto durante el período de arranque como durante el de servicio. Son similares a los motores con condensador de arranque, excepto en los siguientes puntos:

1. El condensador y el arrollamiento de arranque se hallan conectados permanentemente en el circuito.
2. El condensador es generalmente del tipo con impregnación de aceite.
3. No hace falta ningún interruptor centrífugo u otro mecanismo de desconexión cualquiera.

Estos motores se caracterizan por su marcha suave y silenciosa, y suministran un par comparativamente bajo. Se fabrican de diversos tipos, entre los cuales cabe mencionar los que poseen las siguientes características:

1. Una sola tensión de servicio, con dos terminales al exterior.
2. Dos tensiones de servicio.

3. Una sola tensión de servicio, con tres termianles al exterior para la inversión del sentido de giro

4. Una sola tensión de servicio y dos velocidades de régimen.

5. Una sola tensión de servicio y tres velocidades de régimen.

Estos diferentes tipos, junto con sus esquemas de conexiones respectivas, se describen a continuación.

1. UNA SOLA TENSIÓN DE SERVICIO, CON DOS TERMINALES AL EXTERIOR. — Este tipo es completamente similar al motor con condensador de arranque, excepto por el hecho de estar desprovisto de interruptor centrífugo. Lleva dos arrollamientos, uno de trabajo (principal) y otro de arranque (auxiliar), dispuestos a 90º eléctricos uno del otro. El condensador puede ir montado encima del propio motor o bien estar situado separadamente. Su capacidad es generalmente pequeña (del orden de 3 a 25 μF); el dieléctrico suele ser papel impregnado con aceite o con líquido sintético.

La pequeña capacidad del condensador es causa de que el par de arranque sea reducido. Por consiguiente, ese motor sólo puede emplearse en aplicaciones que satisfagan dicha condición (quemadores de fuel, reguladores de tensión, ventiladores, etc.).

La conexión de los arrollamientos es idéntica a la de los motores con condensador de arranque; la única diferencia estriba en la supresión del interruptor centrífugo. La figura 2.52 muestra el esquema de conexiones simplificado de un motor de este tipo.

Si se desea invertir el sentido de giro del motor descrito, es preciso desmontar el escudo correspondiente y permutar los terminales del arrollamiento de arranque con respecto a los del arrollamiento de trabajo. Para evitar esta operación cada vez que se quiera invertir la marcha, hay que sacar los cuatro terminales al exterior y conectarlos a la placa de bornes (fig. 2.53).

2. DOS TENSIONES DE SERVICIO. — Este tipo (fig. 2.54) sólo difiere del motor con condensador de arranque y dos tensiones de servicio por el hecho de estar desprovisto de interruptor centrífugo. Lleva un arrollamiento de arranque normal y un arrollamiento de trabajo subdividido en dos secciones iguales, que se conectan entre sí en serie o en paralelo según que se desee la tensión de servicio mayor o la menor. En cualquiera de ambos casos el arrollamiento de arranque queda siempre conectado en paralelo con una de las secciones del arrollamiento de trabajo. Igual que en los motores con condensador

de arranque y dos tensiones de servicio, las dos secciones del arrollamiento de trabajo pueden bobinarse a mano, sea sucesivamente o bien simultáneamente (tomando dos conductores en vez de uno). También es posible utilizar la mitad de los polos del devanado para una sección, y la otra mitad para la segunda sección.

3. UNA SOLA TENSIÓN DE SERVICIO, CON TRES TERMINALES AL EXTERIOR PARA LA INVERSIÓN DEL SENTIDO DE GIRO. — Este tipo de motor tiene un par de arranque reducido; se emplea preferentemente para el gobierno de válvulas y reóstatos. Lleva dos arrollamientos principales, dispuestos a 90° eléctricos uno del otro. Ambos arrollamientos son idénticos: uno de ellos actúa como arrollamiento de trabajo y el otro como arrollamiento de arranque para un determinado sentido de giro. Si el motor debe girar en sentido opuesto, las funciones de ambos arrollamientos también se invierten: el que antes actuaba como arrollamiento de arranque pasa a ser ahora arrollamiento de trabajo, y viceversa. Ambos arrollamientos pueden ejecutarse de forma análoga a los de un motor con condensador de arranque.

El sentido de giro del rotor de estos motores es siempre el que se obtiene al pasar de un polo del arrollamiento de arranque al polo más próximo de igual signo del arrollamiento de trabajo. Siguiendo el esquema de la figura 2.55 se ve que, cuando el conmutador se halla en la posición *sentido directo,* quedan conectados a la tensión de la red el arrollamiento *b,* por un lado, y la serie formada por el condensador y el arrollamiento *a,* por el otro. Por consiguiente, el arrollamiento *a* funciona como arrollamiento de arranque y el *b* como arrollamiento de trabajo, lo cual hace girar el rotor en un determinado sentido. Si el conmutador está en la posición *sentido inverso,* el arrollamiento *a* es el de trabajo y el *b* el de arranque; el motor girará en sentido opuesto.

4. UNA SOLA TENSIÓN DE SERVICIO Y DOS VELOCIDADES DE RÉGIMEN. — A diferencia del motor con condensador de arranque y dos velocidades de régimen, en este tipo de motor no es preciso mentar el número de polos para conseguir una disminución de la velocidad. En vez de esto se aprovecha el principio de todo motor asíncrono, según el cual la velocidad del rotor es siempre algo inferior a la del campo magnético giratorio engendrado por los arrollamientos estatóricos. La diferencia porcentual entre ambas velocidades de giro se llama *deslizamiento.* Ahora bien, la debilitación de la intensidad de dicho campo magnético incrementa el deslizamiento, y por tanto determina una disminución de velocidad en el rotor.

La debilitación del campo se consigue aplicando una tensión reducida al arrollamiento de trabajo, para lo cual se conecta en serie con este último otro arrollamiento auxiliar, alojado en las mismas ranuras que el de trabajo. El arrollamiento de arranque está dispuesto a 90° eléctricos del de trabajo.

En el esquema de la figura 2.56 puede apreciarse cómo, al situar el conmutador en la posición de *velocidad menor,* el arrollamiento auxiliar y el de trabajo quedan conectados en serie a la tensión de la red. En tales condiciones la tensión de la red se distribuye entre ambos, y al arrollamiento de trabajo sólo queda aplicada una fracción de la tensión total. Esto determina una debilitación del campo magnético generado por dicho arrollamiento, con la consiguiente disminución de la velocidad del rotor. Por su parte el arrollamiento de arranque y el condensador, unidos en serie, están también conectados a la red.

Cuando el conmutador se halla en la posición de *velocidad mayor,* el arrollamiento de trabajo queda conectado directamente a la red, puesto que el arrollamiento auxiliar está unido en serie con el de arranque y con el condensador. Por hallarse ahora el arrollamiento de trabajo alimentado a la plena tensión de la red, genera un campo magnético más intenso, lo cual reduce el deslizamiento del rotor y aumenta por consiguiente la velocidad de este último.

La figura 2.57 reproduce el esquema de conexiones simplificado de este tipo de motor.

El arrollamiento auxiliar puede ejecutarse con conductor de sección distinta a la del empleado para el arrollamiento de trabajo, pero siempre debe estar alojado en las mismas ranuras que éste. El bobinado se efectúa introduciendo primero en las ranuras el arrollamiento de trabajo, luego el auxiliar y finalmente el de arranque, a 90° eléctricos de los dos primeros. Debe disponerse un aislamiento adecuado entre arrollamientos.

Para invertir el sentido de giro de este motor basta permutar los terminales del arrollamiento de arranque.

La figura 2.58 muestra el esquema de conexiones lineal de un motor hexapolar de este tipo, correspondiente a la velocidad de régimen mayor.

5. UNA SOLA TENSIÓN DE SERVICIO Y TRES VELOCIDADES DE RÉGIMEN. — Este motor es similar al descrito anteriormente, salvo por el hecho que el arrollamiento auxiliar lleva una derivación o toma central (fig. 2.59). Está, pues, constituido por un arrollamiento de trabajo,

un arrollamiento auxiliar subdividido en dos secciones 1 y 2, y un arrollamiento de arranque.

El esquema simplificado de la figura 2.59 muestra también cómo quedan conectados dichos arrollamientos para cada una de las tres velocidades. Para la velocidad mayor el arrollamiento de trabajo queda conectado a la red, y los arrollamientos auxiliares 1-2 y el de arranque en serie. Para la velocidad intermedia quedan unidos en serie el arrollamiento de trabajo y la sección 1 del auxiliar, por un lado; por el otro, también la sección 2 del arrollamiento auxiliar y el de arranque. Para la velocidad menor, el arrollamiento de arranque queda conectado a la red, y el de trabajo en serie con las dos secciones del auxiliar. En los tres casos el condensador permanece unido en serie con el arrollamiento de arranque.

En la figura 2.60 puede verse el esquema de conexiones lineal y en la figura 2.61 el diagrama de pasos y la disposición relativa de las bobinas típicos de un motor de esta clase.

Identificación de los terminales de los arrollamientos en motores con condensador permanente para una sola tensión de servicio y varias velocidades de régimen

La figura 2.62 indica los colores que permiten identificar los terminales de los arrollamientos en motores de este tipo de fracción de caballo, destinados al accionamiento de ventiladores para condensadores de acondicionamiento de aire o para evaporadores. Estas normas han sido reproducidas por cortesía de la NEMA.

MOTORES CON DOBLE CONDENSADOR

Estos motores arrancan siempre con una elevada capacidad en serie con el arrollamiento de arranque, lo cual se traduce en un par inicial muy grande, indispensable en determinadas aplicaciones (compresores, cargadores para alimentación de hornos, etc.). Una vez alcanzada cierta velocidad, el interruptor centrífugo substituye esta elevada capacidad por otra capacidad menor. Tanto el arrollamiento de trabajo como el de arranque están conectados permanentemente en el circuito.

Estos dos valores diferentes de capacidad se consiguen normalmente mediante dos condensadores distintos, de los cuales uno queda unido en paralelo con el otro durante la fase de arranque, pero es desconectado tan pronto como el motor alcanza una velocidad próxima a la de régimen (de ahí el nombre con que se designan los motores de este tipo).

Sin embargo, en algunos motores antiguos todavía en uso se consigue un efecto semejantes con auxilio de un solo condensador, alimentado a través de un autotransformador. Este artificio permite aumentar durante el arranque la energía almacenada por el condensador, y en consecuencia obtener un par de arranque más elevado.

Empleo de autotransformador y condensador. La misión del autotransformador es elevar la tensión que se aplica al condensador durante la fase de arranque; una vez el motor en marcha, un interruptor centrífugo modifica el circuito de alimentación de modo que la tensión de servicio quede reducida nuevamente a su valor nominal. La sobretensión de arranque sólo puede aplicarse al condensador durante muy pocos segundos, pues de lo contrario provocaría la perforación del dieléctrico del condensador, con el consiguiente cortocircuito.

Un autotransformador no es más que un núcleo de chapas de hierro sobre el cual se ha arrollado una bobina de hilo de cobre provista de varias tomas (fig. 2.63). El condensador se conecta normalmente entre las tomas *a* y *d,* extremos de dicho arrollamiento (fig. 2.64). Si la toma *b* se halla exactamente en el centro de la bobina y se conectan las tomas *a* y *b* a la red de alimentación, la tensión que quedará aplicada en bornes del condensador será el doble de la tensión de la red.

Cuando se aplica al condensador una tensión superior a la normal, la energía almacenada por el mismo aumenta con el cuadrado de la relación entre tensiones del autotransformador. Si esta última es de 2 : 1, como hemos supuesto anteriormente, la energía almacenada aumentará $2 \times 2 = 4$ veces. Desde el punto de vista del arranque, ello equivale a cuadruplicar la capacidad del condensador. Empleando un condensador de 4 μF se consigue, pues, merced a este artificio, una capacidad efectiva de $4 \times 4 = 16$ μF en el momento del arranque.

Si el número de espiras comprendidas entre *a* y *b* fuese una cuarta parte del número total (entre *a* y *d*), la relación entre tensiones del autotransformador sería 4 : 1 y la energía almacenada por el condensador aumentaría $4 \times 4 = 16$ veces. Un condensador de 4 μF se comportaría, pues, como uno de $4 \times 16 = 64$ μF, y uno de 6 μF como uno de $6 \times 16 = 96$ μF, valor este último suficiente para garantizar un elevado par de arranque.

La figura 2.65 muestra el esquema simplificado de un motor con condensador y autotransformador. El interruptor centrífugo varía automáticamente la relación de transformación (pasando de una toma a otra) cuando el motor alcanza aproximadamente el 75 % de su plena velocidad de régimen; a partir de entonces el motor trabaja con la capacidad normal del condensador.

Para esta clase de motores se utilizan generalmente condensadores de papel impregnado con aceite, de capacidad comprendida entre 4 y 16 μF. Condensador y autotransformador van encerrados en una caja rectangular de hierro, estanca a la humedad y montada sobre el mismo motor. En la figura 2.66 puede verse el esquema de conexiones circular de un motor como el descrito. Esta clase de motor tuvo mucha aceptación durante la década de los cuarenta.

Tipos de motores con doble condensador

Ambas variantes (dos condensadores o bien condensador y autotransformador) incluyen los tipos siguientes:

1. Una sola tensión de servicio, con sentido de giro irreversible exteriormente.

2. Una sola tensión de servicio, con sentido de giro reversible exteriormente.

3. Dos tensiones de servicio, con sentido de giro irreversible exteriormente.

4. Dos tensiones de servicio, con sentido de giro reversible exteriormente.

5. Dos tensiones de servicio, con protección térmica contra sobrecargas.

A continuación se describen someramente estos tipos.

1. Una sola tensión de servicio, con sentido de giro irreversible exteriormente. — Este motor sólo posee dos arrollamientos, uno de trabajo y otro de arranque, dispuestos a 90° eléctricos uno del otro. Ambos condensadores van montados sobre el motor: uno de ellos, de elevada capacidad, es del tipo electrolítico; el otro, de pequeña capacidad, es del tipo de papel impregnado. Durante la fase de arranque ambos condensadores, unidos en paralelo entre sí, quedan conectados en serie con el arrollamiento de arranque (fig. 2.67). Cuando el motor alcanza aproximadamente el 75 % de su velocidad de régimen, el interruptor centrífugo desconecta el condensador electrolítico, dejando únicamente en servicio el condensador de papel impregnado. El arrollamiento de trabajo está conectado directamente a la red.

Variante con relé de tensión (en vez de interruptor centrífugo) y dispositivo de protección térmica. La figura 2.68 muestra el esquema de un motor como el anteriormente descrito, pero provisto de un rele de tensión, que hace las funciones del interruptor centrífugo, y de un dispositivo de protección térmica de dos bornes. Nótense los siguientes puntos:

1. La bobina del relé está conectada en paralelo exclusiva y directamente con el arrollamiento de arranque.

2. Se emplean asimismo dos condensadores, uno de papel impregnado y otro electrolítico.

3. El condensador de papel impregnado está conectado permanentemente en serie con el arrollamiento de arranque.

4. El condensador electrolítico sólo está conectado en paralelo con el condensador de papel impregnado mientras el relé de tensión tiene cerrados sus contactos.

5. El dispositivo de protección está intercalado en la línea que alimenta el extremo común de ambos arrollamientos, es decir, el borne 1 está conectado a la línea L_1 y el borne 3 al extremo común C. Cuando el motor alcanza una velocidad predeterminada, la excitación de la bobina del relé es suficiente para determinar la apertura de los contactos del mismo (normalmente cerrados); entonces queda desconectado el condensador electrolítico, y el motor sigue funcionando con el condensador de papel impregnado inserto en el arrollamiento de arranque.

El esquema de la figura 2.69 es idéntico al de la figura anterior, con la sola diferencia de que el dispositivo de protección empleado es ahora de 3 bornes. El borne 1 está conectado a la línea L_1 de la red. Entre el borne 2 y la línea L_2 están conectados: por un lado, el arrollamiento de trabajo; por el otro, el arrollamiento de arranque en serie con el condensador de papel impregnado. Entre el borne 3 y el extremo S del arrollamiento de arranque se halla conectado el condensador electrolítico, a través de los contactos del relé. Nótese que la bobina del relé está conectada en paralelo con el arrollamiento de arranque. Como en el caso anterior, cuando el motor adquiere suficiente velocidad los contactos del relé se abren, y la derivación que contiene el condensador electrolítico queda fuera de servicio.

Caso de emplear un dispositivo de protección de dos bornes, desconéctese el conductor del borne 2 y conéctese al borne 3. Los relés de tensión y los dispositivos de protección pueden conectarse al motor de diferentes maneras. Unos y otros deberían ser substituidos siempre por elementos de idéntico número de tipo.

2. UNA SOLA TENSIÓN DE SERVICIO, CON SENTIDO DE GIRO REVERSIBLE EXTERIORMENTE. — Este tipo de motor posee los mismos arrollamientos que el de la figura 2.67, pero utiliza un solo condensador, alimentado a través de un autotransformador (fig. 2.70). Con objeto de permitir la inversión del sentido de giro salen al exterior cuatro terminales, dos procedentes del arrollamiento de trabajo y dos procedentes del circuito del arrollamiento de arranque. La inversión se efectúa permutando simplemente los terminales T_5 y T_8.

3. DOS TENSIONES DE SERVICIO, CON SENTIDO DE GIRO IRREVERSIBLE EXTERIORMENTE. — Este motor es parecido al de condensador de arranque con dos tensiones de servicio, excepto por la particularidad de cambiar dos condensadores para el arranque en vez de uno solo. Está dotado de un arrollamiento de trabajo subdividido en dos secciones iguales, y de un arrollamiento de arranque. El circuito de este último está siempre conectado en paralelo con una de las secciones del arrollamiento de trabajo. La figura 2.71 muestra el esquema de conexiones simplificado de este motor para la tensión de servicio menor (por ejemplo, 115 V), y la figura 2.72 el mismo esquema para la tensión de servicio mayor (por ejemplo, 230 V).

Durante el arranque, ambos condensadores quedan conectados en paralelo entre sí y en serie con el arrollamiento de arranque. El condensador electrolítico está conectado en serie con el interruptor centrífugo. Cuando el motor alcanza aproximadamente el 75 % de su plena velocidad de régimen, el interruptor centrífugo se abre y desconecta con ello el condensador electrolítico. El otro condensador permanece, sin embargo, en servicio, junto con el arrollamiento de arranque.

En este tipo de motor el sentido de giro es irreversible exteriormente. Si quiere hacerse reversible es preciso sacar al exterior los dos terminales del circuito de arranque (fig 2.73).

Algunos motores de esta clase se caracterizan por tener los dos condensadores agrupados en una sola unidad compacta, gracias a su especial configuración. El condensador electrolítico tiene, en efecto, la forma de un cilindro hueco, dentro del cual está encajado el condensador de papel impregnado (fig. 2.74). El conjunto está dispuesto en el interior de una caja con cierre hermético. La figura 2.75 reproduce el esquema de un motor como el descrito, con la unidad constituida por ambos condensadores montada sobre el mismo.

4. DOS TENSIONES DE SERVICIO, CON SENTIDO DE GIRO REVERSIBLE EXTERIORMENTE. — Este tipo de motor se diferencia del anterior por

emplear un solo condensador, en conjunción con un autotransformador, en vez de los dos condensadores habituales. Durante la fase de arranque el interruptor centrífugo, de doble contacto, eleva la tensión aplicada al condensador, con lo cual aumenta también la energía almacenada por el mismo; como sabemos, ello equivale a un aumento de su capacidad efectiva. Cuando el motor ha alcanzado cierta velocidad, dicho interruptor transfiere el contacto a la posición de servicio, y el condensador vuelve a recibir la tensión normal. La figura 2.76 muestra el esquema de este motor. El sentido de giro del mismo puede invertirse permutando extriormente los terminales del circuito de arranque.

5. DOS TENSIONES DE SERVICIO, CON PROTECCIÓN TÉRMICA CONTRA SOBRECARGAS. — Este motor lleva un arrollamiento de trabajo subdividido en dos secciones, un arrollamiento de arranque, dos condensadores (uno de papel impregnado y otro electrolítico) y un dispositivo de protección térmica de tres bornes (fig. 2.77).

Como es normal en motores para dos tensiones, el circuito de arranque queda siempre conectado permanentemente en paralelo con una sola sección del arrollamiento de trabajo. Permutando exteriormente los terminales de dicho circuito se invierte el sentido de giro del motor. El interruptor centrífugo, de tipo normal, deja fuera de servicio el condensador electrolítico cuando el motor alcanza una velocidad determinada.

La corriente de la línea de alimentación P_1 entra por el borne 1 del dispositivo de protección y pasa al borne 2, a través del elemento bimetálico del mismo. Aquí se subdivide en dos: una que circula por la sección 1 del arrollamiento de trabajo, y otra que atraviesa la sección 2 de dicho arrollamiento tras pasar por el filamento de caldeo y el borne 3.

Estos motores se rebobinan siguiendo las instrucciones detalladas en la página 73.

Designación de los terminales de los arrollamientos (según NEMA) en motores con doble condensador y con condensador permanente, para una sola tensión del servicio y con sentido de giro reversible

Estas designaciones, propuestas y recomendadas por la NEMA, han sido reproducidas en los esquemas de conexiones de la figura 2.78 por cortesía de dicha entidad.

CALCULOS NECESARIOS PARA REBOBINAR Y PARA RECONEXIONAR UN MOTOR

Rebobinado para una nueva tensión de servicio

Será de gran utilidad al lector consultar cuanto se ha expuesto sobre este particular al tratar de los motores de fase partida (pág. 38). Igual que entonces, la modificación de la tensión de servicio no supone cambios complicados. Sólo varían la sección del hilo, el número de espiras por bobina y, en algunos casos, la capacidad del condensador. Los pasos de las bobinas y las conexiones entre ellas permanecen inalterados.

Las tres reglas a considerar son:

Regla 1

$$\text{Número nuevo de espiras} = \frac{\text{tensión nueva}}{\text{tensión primitiva}} \times \text{número primitivo de espiras}$$

Regla 2

$$\text{Sección mayorada nueva} = \frac{\text{tensión primitiva}}{\text{tensión nueva}} \times \text{sección mayorada primitiva}$$

Regla 3

$$\text{Nueva capacidad} = \left(\frac{\text{tensión primitiva}}{\text{tensión nueva}}\right)^2 \times \text{capacidad primitiva}$$

EJEMPLO DE APLICACIÓN. — Un motor con condensador de arranque de características idénticas al del ejemplo de la página 40 debe ser rebobinado para una tensión de servicio de 230 V. La capacidad del condensador de arranque es de 120 μF. Calcúlese el número de espiras por bobina, el calibre del hilo y la capacidad del condensador que serán necesarios.

Los dos primeros datos ya han sido determinados en el ejemplo citado (pág. 40). La capacidad se calculará con auxilio de la regla 3:

$$\text{Nueva capacidad} = \left(\frac{115}{230}\right)^2 \times 120 = \frac{1}{4} \times 120 = 30\ \mu\text{F}$$

Se ve que esta capacidad equivale al 25 % de la primitiva. Al encargar el nuevo condensador de esta capacidad, debe especificarse también la nueva tensión de servicio.

Sin embargo, al estudiar el rebobinado del motor de fase partida ya se vio que para la conversión de 115 a 230 V no era preciso modificar en absoluto las características del arrollamiento de arranque si éste se conectaba en paralelo con una sola sección del arrollamiento de trabajo. Lo propio puede aplicarse evidentemente al motor de nuestro caso. Y puesto que el condensador forma parte del circuito de arranque, tampoco será precisa variar la capacidad del primero. Al rebobinar el arrollamiento de trabajo se tendrá, pues, cuidado de sacar al exterior una toma central. El circuito de arranque se conectará entre dicha toma y uno u otro de los conductores de alimentación, según el sentido de giro que se desee.

Si el motor en cuestión debe rebobinarse de modo que pueda trabajar indistintamente a 115 o a 230 V, se efectuarán con él las operaciones indicadas en la página 41. Ni el arrollamiento de arranque ni el condensador experimentarán cambio alguno.

Reconexionado para una nueva tensión de servicio

Esta operación sólo es posible a condición de que la tensión en cualquier polo de los arrollamientos no varíe, sea cual fuere la tensión de alimentación. Así, por ejemplo, un motor con condensador provisto de arrollamiento de trabajo tetrapolar (4 polos unidos en serie) y alimentado a 230 V puede ser reconexionado para 115 V conectando los polos en dos derivaciones de dos polos cada una, ya que la tensión aplicada a cada polo será idéntica en ambos casos. La capacidad del condensador deberá modificarse de acuerdo con la Regla 3, excepto si el circuito de arranque primitivo estaba conectado en paralelo con la mitad del arrollamiento de trabajo.

Rebobinado para una nueva velocidad de régimen

Esta operación se efectúa siguiendo las mismas instrucciones ya expuestas al tratar de los motores de fase partida (página 42). Es muy importante asegurarse de que el interruptor centrífugo ha sido substituido por otro adecuado a la nueva velocidad de régimen, o en su defecto ajustado a la misma.

CAUSAS CORRIENTES DE ANOMALIAS EN EL FUNCIONAMIENTO

1. **Contactos del condensador de arranque y del interruptor o relé adheridos o fundidos. — Consecuencia de ello es la aplicación permanente de ten-**

sión al condensador de arranque. Si tal es el caso substitúyanse estos contactos por otros nuevos y conéctese entre los bornes del condensador una resistencia de unos 15.000 Ω y 2 W para que se descargue la energía almacenada en cuanto el interruptor o relé ponga dicho condensador fuera de servicio. Esto evita también chispas en los contactos cuando tiene lugar la inserción del condensador en el circuito.

2. Cojinetes del motor desgastados o agarrotados.

3. Motor excesivamente cargado. — Esto le impide arrancar o alcanzar su plena velocidad de régimen.

4. Condensador de capacidad incorrecta. — La capacidad de un condensador de arranque está calculada de modo que la corriente absorbida por el arrollamiento donde se halla intercalado sea la necesaria para crear el par de arranque máximo. Este valor de la capacidad no es muy crítico, pero un condensador excesivamente grande o pequeño determina una disminución del par de arranque posible. Es conveniente, pues, adoptar el valor recomendado por el fabricante del motor. Esta capacidad suele estar especificada, como también la tensión nominal de servicio, en el condensador suministrado conjuntamente con el motor.

5. Condensador de tensión nominal incorrecta. — Los condensadores defectuosos deben reemplazarse siempre por otros nuevos que tengan la tensión nominal especificada por el fabricante del motor (pueden utilizarse condensadores de tensión nominal superior a la prescrita si el espacio lo permite). La tensión nominal del condensador suele ser a menudo mucho más elevada que la del motor, *pero esto no representa ningún coeficiente de seguridad*: lo que cuenta es la tensión realmente aplicada al condensador. Este puede imaginarse como conectado en paralelo con los arrollamientos de trabajo y de arranque unidos, que simulan conjuntamente el arrollamiento completo de un autotransformador. Por consiguiente, y en virtud de la propia concepción del motor, la tensión aplicada al condensador puede alcanzar incluso 330 V aun cuando la tensión de alimentación sea de sólo 110 V. Como ya se ha dicho anteriormente, pueden reemplazarse los condensadores defectuosos por otros de tensión nominal superior. Así, por ejemplo, es posible substituir un condensador de 110 V por otro de 330 V sin pérdida alguna de eficacia, siempre que se disponga de espacio suficiente para albergar el mayor tamaño de este último.

6. Tensión de alimentación baja. — Puede ser causa de que el motor siga girando con el arrollamiento de arranque conectado o de que el interruptor o el relé actúen a intermitencias. Ambos efectos tienen por resultado mantener el condensador en servicio más tiempo del admisible, con el consiguiente riesgo de destrucción. Una baja en la tensión de servicio proviene a menudo de la insuficiencia de sección de los conductores de alimentación del motor o de una sobrecarga de los mismos.

7. Envolvente del condensador en contacto a masa. — Si el condensador va alojado en una envolvente metálica, es preciso aislar ésta de masa. Por esta razón se recubren siempre exteriormente dichas envolventes metálicas con tubos de cartón fuerte.

DETECCION, LOCALIZACION Y REPARACION DE AVERIAS

Pruebas

Con frecuencia los condensadores constituyen la principal fuente de averías en estos motores. Las anomalías consisten generalmente en cortocircuitos, interrupciones o defectos internos que determinan una variación de capacidad. Un cortocircuito en el condensador puede ser causa de la quema de los arrollamientos del motor. Una variación de capacidad o una interrupción pueden provocar un par de arranque insuficiente o un funcionamiento incorrecto del motor.

Aunque para motores de este tipo se emplean indistintamente condensadores electrolíticos y condensadores de papel impregnado, encuentran aplicación más frecuente los primeros. Unos y otros se prueban de la misma manera. Se empieza por quitar del condensador todos los terminales procedentes de los arrollamientos del motor, y seguidamente se conecta aquél a una red de corriente alterna de 115 V, teniendo la precaución de intercalar en serie un fusible de 10 A (fig. 2.79). Si el fusible salta, es que existe un cortocircuito en el condensador, y éste deberá ser reemplazado. Si el fusible no salta, el condensador quedará "cargado" en pocos segundos, transcurridos los cuales puede desconectarse de la red. Se tendrá la precaución de no tocar directamente los bornes del condensador tras este proceso, pues ello puede entrañar grave peligro.

Una vez separado el condensador de la red de alimentación, se unirán sus bornes con auxilio de un destornillador provisto de mango de madera (fig. 2.80), cuidando de asirlo únicamente por el mango: ello debe originar una brusca y ostensible descarga (chispa) entre ambos. Si no se observa chispa alguna, lo más probable es que la capacidad del condensador haya disminuido considerablemente o que éste tenga una interrupción. De todos modos es conveniente repetir varias veces esta prueba para estar seguro de que el condensador ha quedado suficientemente cargado por la corriente alterna de la red.

Sin embargo, la producción de una chispa no garantiza necesariamente el buen estado del condensador, pues aunque éste haya sufrido una mengua de capacidad es susceptible todavía de seguir generando una débil descarga visible. Esto es particularmente válido para los condensadores electrolíticos, que a causa de modificaciones en su constitución química se deterioran fácilmente y alteran el valor de su capacidad.

Si el resultado de esta prueba hace presumir que el condensador es defectuoso, es aconsejable substituirlo por otro. A dicho efecto conviene disponer siempre de condensadores de recambio. Si una vez efectuada la substitución se observa que el motor arranca y posee el par adecuado, no cabrá duda de que el condensador eliminado se hallaba en mal estado.

Esta prueba puede realizarse también en el laboratorio. No obstante, si se desea averiguar con precisión la clase de avería que sufre el condensador, es necesario someterlo a cuatro pruebas para medir su capacidad y detectar la posible existencia de cortocircuitos, interrupciones o contactos a masa.

Medición de la capacidad. Para determinar la capacidad de un condensador puede emplearse un voltímetro y un amperímetro, ambos de corriente alterna. Si el condensador está montado encima del motor, se desconectarán ante todo de sus bornes los terminales de los arrollamientos. A continuación se une el condensador en serie con el amperímetro y con un fusible adecuado, y se alimenta el conjunto con una tensión alterna a 115 V; finalmente, se conecta el voltímetro directamente a los bornes del condensador (fig. 2.81). Si éste es electrolítico se procurará mantenerlo bajo tensión durante el tiempo justo para leer las indicaciones de ambos instrumentos.

La capacidad buscada se obtendrá entonces aplicando la fórmula

$$\text{Capacidad } (\mu\text{F}) = \frac{159300}{\text{frecuencia (Hz)}} \times \frac{\text{corriente (amperios)}}{\text{tensión (voltios)}}$$

Cuando la frecuencia es de 50 Hz, como es normal en Europa, la fórmula anterior se convierte en la siguiente:

$$\text{Capacidad } (\mu\text{F}) = 3180 \times \frac{\text{amperios}}{\text{voltios}}$$

Si las lecturas efectuadas son, por ejemplo, 110 V y 2,6 A, la capacidad será de 61 μF.

El valor deducido de la fórmula debe coincidir aproximadamente con la capacidad especificada en el condensador. Si resulta inferior a dicha capacidad en más de un 20 %, es preciso reemplazar el condensador.

A igualdad de tensión, la capacidad aumenta proporcionalmente con la potencia del motor. Así, un motor de 1/6 de caballo necesita, a 115 V, un condensador de capacidad comprendida entre 88 y 108 μF, y un motor de 1/3 de caballo, a la misma tensión, un condensador de capacidad comprendida entre 160 y 180 μF.

Prueba de cortocircuito. Si al efectuar la prueba anterior salta el fusible es debido a que el condensador presenta un cortocircuito interior. También es posible detectar esta clase de avería conectando en serie con el condensador una lámpara normal de incandescencia y aplicando al conjunto una tensión continua de 115 V (fig. 2.82). Si la lámpara se enciende, es señal que existe un cortocircuito en el condensador. Esta prueba no puede ejecutarse con corriente alterna, pues la lámpara se encendería aunque el condensador se hallase en buen estado.

Prueba de interrupción. Esta prueba coincide con la de medición de la capacidad. Si al intentar llevarla a término se observa que el amperímetro no indica desviación alguna, el condensador sufre una interrupción y debe ser reemplazado.

Prueba de contacto a masa. Esta prueba puede realizarse también con una lámpara normal, y es indiferente que la alimentación sea con corriente continua o con corriente alterna. Uno de los terminales del circuito de prueba se pone en contacto con uno de los bornes del condensador, y con el otro terminal se toca la envolvente de aluminio del condensador (fig. 2.83). El encendido eventual de la lámpara denota la presencia de un contacto a masa. La prueba debe repetirse con el otro borne del condensador.

Ante el menor indicio de defecto en el condensador, evidenciado por las pruebas precedentes, es conveniente la substitución inmediata del mismo, pues de lo contrario el funcionamiento del motor puede dejar de ser correcto.

Comprobación de los arrollamientos. Si una vez substituido el condensador (o verificado su buen estado) el motor continúa sin arrancar o funciona defectuosamente, es preciso comprobar los arrollamiento del mismo. Puesto que los arrollamientos del motor con condensador son esencialmente idénticos a los del motor de fase partida, las pruebas a efectuar son las ya descritas en el capítulo I (pág. 46). El objeto de las mismas es la detección de eventuales contactos a masa, cortocircuitos, interrupciones e inversiones de polaridad. Es preferible ejecutar dichas operaciones en el taller de reparación, y no en el propio emplazamiento de trabajo

Reparación de averías

Una buena norma a seguir en la verificación de motores con condensador consiste en reemplazar este último por uno nuevo y observar si el motor funciona entonces satisfactoriamente. Es recomendable llevar siempre a cabo esta prueba si la simple inspección visual no revela ninguna anormalidad.

Motores con condensador de arranque. Si el motor no arranca, la causa de la anomalía puede ser debida en principio a un defecto del condensador o a un fusible fundido, pero también cabe atribuirla a una interrupción en los arrollamientos o en el interruptor centrífugo, a un cortocircuito en los primeros, al desgaste de los cojinetes o a una sobrecarga. El detalle de estas averías y la forma de repararlas ya han sido expuestos en el capítulo I.

Si tras conectar el motor a la red éste emite un zumbido y poco después salta un fusible, es probable que exista un defecto (cortocircuito, interrupción o pérdida de capacidad) en el condensador. En tal caso el circuito de arranque permanece inactivo y el motor no puede ponerse en marcha.

Para tener la seguridad de que el defecto radica efectivamente en el condensador, substitúyase por otro de igual capacidad y tensión nominales (fig. 2.84). Si el motor arranca entonces en buenas condiciones, es innecesario proseguir la búsqueda.

Caso de no disponerse de ningún condensador de recambio, hágase girar el motor por cualquier procedimiento mecánico y luego ciérrese el interruptor de alimentación. Si el motor continúa girando ahora por sí solo, la avería se halla localizada en el circuito de arranque (arrollamiento de arranque y condensador). Aunque esto no constituye prueba concluyente de avería en el condensador, es indicio bastante seguro de la presencia de dicho defecto.

Descartada ya la posibilidad de avería en el condensador, será preciso verificar el arrollamiento de arranque y el interruptor centrífugo. El modo de comprobarlos y la descripción de las posibles averías que los afectan se han expuesto detalladamente en el capítulo I.

Motores con condensador permanente. Las pruebas que se acaban de mencionar son asimismo aplicables a este tipo de motores, con la única salvedad de quedar descartada la posibilidad de avería en el interruptor centrífugo por no emplearse en los mismos dicho dispositivo.

Motores con doble condensador. La causa más probable de anomalía en los mismos es un defecto en el condensador electrolítico, lo cual impide el arranque del motor. Si éste sigue girando por sí mismo tras haber sido puesto en marcha con auxilio de cualquier procedimiento mecánico, se reemplazará el condensador electrolítico por otro nuevo y se verificará si el par de arranque es el correcto. Si tras el impulso mecánico el motor no continúa funcionando con normalidad, será preciso reemplazar también el condensador de régimen permanente.

Cuando los dos condensadores están agrupados en una sola unidad compacta, también es el condensador electrolítico el que suele averiarse con mayor frecuencia. Como éste se halla dispuesto en la parte exterior de la unidad, en caso de avería del mismo es preciso reemplazar toda la unidad entera, si bien económicamente puede resultar más aconsejable añadir otro condensador electrolítico que lo substituya.

Otro recurso para soslayar la anomalía consiste en desmontar toda la unidad y reemplazarla por un solo condensador electrolítico de capacidad aproximadamente igual a la de dicho unidad. El motor queda entonces convertido en uno del tipo con condensador de arranque. Esta alteración reduce ligeramente el rendimiento del motor, pero no influye sensiblemente en su funcionamiento.

Si el condensador defectuoso es el de régimen permanente, el modo más simple de solventar el problema consiste en desconectar dicho condensador del circuito, como muestra la figura 2.85. El motor dispone entonces de un solo condensador (para el arranque) y puede seguir funcionando como antes, si bien su rendimiento es ligeramente inferior. Se supone que el resto del motor se halla en buen estado.

Motores con condensador y autotransformador. Cuando un motor de este tipo no funciona, la avería suele residir en la unidad condensador / autotransformador. Si el par de arranque es muy débil o insuficiente para poner el motor en marcha, existe probablemente una perforación en el condensador, en el autotransformador o en ambos a la vez. Reparar el autotransformador no es recomendable, pues ello supone un proceso largo y engorroso. Resultará más ventajoso desmontarlo y substituirlo por un condensador electrolítico, como muestran las figuras 2.86 y 2.87. Con esto el motor quedará convertido en uno con doble condensador (suponiendo que el condensador primitivo de papel impregnado se halla en buenas condiciones). Otro recurso consiste en suprimir el condensador y el autotransformador y reemplazarlos por un condensador electrolítico cuya capacidad sea igual a la capacidad efectiva del grupo. El motor funciona entonces con un solo condensador, pero su par de arranque no habrá variado; por el contrario, el rendimiento descenderá ligeramente y la marcha resultará algo más irregular. Como la determinación de dicha capacidad puede ser difícil, lo más conveniente es elegir un condensador igual que los que se emplean normalmente en motores de la misma potencia. Una vez el motor está provisto del nuevo condensador, se pondrá en marcha y se observará cuidadosamente si el par y la corriente de arranque se mantienen dentro de los límites exigidos.

Algunos talleres de reparaciones poseen un juego múltiple de condensadores que permite la inserción sucesiva de distintas capacidades en el circuito del motor. Un amperímetro conectado en serie mide la intensidad de la corriente absorbida. El condensador más apropiado para el motor será generalmente el que determina el par máximo con la corriente mínima. Dicho juego de condensadores resulta particularmente útil cuando es preciso reparar un motor con arranque por condensador desprovisto de este último.

Las demás averías que pueden presentarse en motores con doble condensador son análogas a las que ocurren en motores de fase partida.

A continuación se expone una relación de las anomalías que suelen observarse en motores con condensador y de las causas típicas a que obedecen. El modo de reparar estas averías ya ha sido descrito anteriormente en este mismo capítulo y en el precedente.

1. El motor posee un par de arranque exiguo o arranca con dificultad. Causas probables:

a) Condensador(es) defectuoso(s).
b) Cojinetes desgastados.
c) Cortocircuitos en los arrollamientos.
d) Conexionado erróneo.

2. Los fusibles saltan cuando se conecta el motor a la red. Causas probables:

a) Cortocircuitos en los arrollamientos.
b) Cortocircuitos en el (los) condensador(es).
c) Interrupción en un arrollamiento.
d) Un arrollamiento con contacto a masa.
e) Sobrecarga.
f) Cojinetes muy desgastados.
g) Interruptor centrífugo defectuoso.

3. El motor zumba, pero no arranca. Causas probables:
   a) Condensador(es) defectuoso(s).
   b) Interrupción en un arrollamiento.
   c) Sobrecarga.

4. El motor humea al girar. Causas probables:
   a) Cortocircuitos en los arrollamientos.
   b) El interruptor centrífugo no abre el circuito de arranque.
   c) Cojinetes defectuosos.
   d) Sobrecarga.
   e) Autotransformador averiado.

Capítulo III

Motores de repulsión

CLASIFICACION

De un modo general estos motores pueden ser clasificados en tres tipos distintos: 1, motores de repulsión propiamente dichos; 2, motores de repulsión sólo en el arranque; 3, motores de repulsión e inducción. En razón de su característica común se les conoce también con el nombre de *motores monofásicos de rotor bobinado,* y están definidos por la NEMA en los términos siguientes:

Motor de repulsión. Es un motor monofásico provisto de un arrollamiento estatórico destinado a ser conectado a una red de alimentación, y de un arrollamiento rotórico unido a un colector. Las escobillas que frotan sobre el colector están unidas en cortocircuito y dispuestas de manera que el eje del campo magnético creado por el arrollamiento rotórico esté inclinado respecto al eje del campo magnético estatórico. Este tipo de motor tiene una característica de velocidad muy variable con la carga (característica serie).

Motor de repulsión sólo en el arranque. Es un motor monofásico provisto de los mismos arrollamientos que uno de repulsión, pero en el cual, al alcanzarse una velocidad predeterminada, el arrollamiento rotórico queda puesto en cortocircuito o bien conectado de forma que resulte equivalente a uno en jaula de ardilla. Este tipo arranca como motor de repulsión, pero una vez en régimen de servicio funciona como motor de inducción, es decir, con una característica de velocidad casi constante (característica derivación).

Motor de repulsión e inducción. Es un motor monofásico cuyo rotor lleva, además del arrollamiento propio de un motor de repulsión, otro de jaula de ardilla. Este tipo funciona simultáneamente como motor de repulsión y como motor de inducción, y su característica de velocidad puede ser variable o constante.

El principiante suele confundir a menudo estos tres tipos, dada la semejanza de sus nombres. Sin embargo, cada una difiere de los demás por sus características propias y aplicaciones específicas. La única característica que comparten en común es la presencia de un devanado rotórico unido a un colector. La figura 3.1 muestra el aspecto exterior de un motor de repulsión sólo en el arranque. Estos motores se alimentan con corriente monofásica procedente de una red de iluminación o de fuerza, según la potencia de los mismos.

Constitución

La mayoría de los motores de repulsión constan de las siguientes partes:

1. Un estator similar al de un motor de fase partida o al de uno con condensador, provisto de un arrollamiento, normalmente subdividido en dos secciones y análogo al de trabajo que llevan los motores de los tipos citados para dos tensiones de servicio. La figura 3.2 muestra el estator y el arrollamiento estatórico de un motor de repulsión sólo en el arranque.
2. Un rotor, consistente en un núcleo de chapas de hierro ranuradas donde va alojado un arrollamiento unido a un colector. Este rotor es similar, en cuanto a construcción, al inducido de un motor de corriente continua, y por este motivo será designado indistintamente con los nombres de rotor o inducido. Las ranuras suelen estar algo inclinadas con respecto al eje rotórico para conseguir que el par de arranque no dependa de la posición del rotor y para reducir el zumbido magnético. La figura 3.3 reproduce el inducido de un motor de repulsión e inducción. El colector puede ser de dos tipos: axial, con delgas en forma de barra paralelas al eje (fig. 3.3), o bien radial, con delgas en forma de cuñas perpendiculares al eje (figs. 3.4 y 3.5).
3. Dos escudos provistos de los cojinetes donde se apoya el eje del inducido.
4. Escobillas del carbón encajadas en sendos portaescobillas, que al rozar las delgas del colector permiten la circulación de corriente por el inducido.
5. Portaescobillas, montados sobre el escudo o sobre el eje rotórico, según el tipo del motor.

MOTOR DE REPULSION SOLO EN EL ARRANQUE

Estos motores monofásicos, que se fabrican con potencias comprendidas entre 1/4 y 10 CV, poseen un par de arranque elevado y una característica de velocidad constante. Se utilizan en frigoríficos, compresores, bombas y otras aplicaciones en las que se requiere un par de arranque elevado.

Existen dos modalidades constructivas diferentes, según que las escobillas permanezcan o no en contacto con las delgas del colector. En variante con *escobillas separables,* éstas se separan automáticamente del colector cuando el motor ha alcanzado aproximadamente el 75 % de su plena velocidad de régimen. El colector suele ser normalmente de tipo radial (figs. 3.5 y 3.24). En la variante con *escobillas no separables* éstas, como su nombre indica, permanecen siempre en contacto con el colector. El colector suele ser en tal caso de tipo axial (fig. 3.3). Por lo que respecta al resto del funcionamiento ambas variantes son absolutamente idénticas.

Funcionamiento del motor con escobillas separables

Para conseguir que un motor monofásico de inducción pueda arrancar con un par elevado, se bobina un arrollamiento en el rotor del mismo. Al conectar el arrollamiento estatórico a la red, la corriente que circula por él engendra un flujo magnético, y éste induce a su vez una tensión en el arrollamiento rotórico. Como dicho arrollamiento queda cerrado por las escobillas, circula corriente a su través, la cual origina otro flujo magnético. Los polos magnéticos creados en el estator y en el rotor son del mismo signo, y por tanto dan lugar a un par de repulsión; de ahí el nombre que reciben estos motores.

Cuando el motor alcanza aproximadamente el 75 % de su plena velocidad de régimen, las delgas del colector quedan puestas en cortocircuito por la acción de un mecanismo centrífugo, y las escobillas son separadas automáticamente del colector. El inducido se convierte entonces en un rotor de jaula de ardilla, y el motor sigue girando como uno de inducción (exactamente igual que los de fase partida descritos en el capítulo I).

Mecanismo centrífugo

Se compone de las piezas siguientes (fig. 3.5), situadas todas ellas en el rotor: 1, masas centrífugas; 2, collar de cortocircuito; 3, tambor elástico; 4, muelle; 5, varillas de empuje; 6, portaescobillas y escobillas; 7, arandelas de presión. La figura 3.6 muestra el orden y la forma en que van montadas sobre el rotor.

Cuando el inducido alcanza aproximadamente el 75 % de su velocidad de régimen, las masas centrífugas se separan radialmente y desplazan con ello las varillas hacia adelante; éstas empujan entonces el tambor elástico hacia el hueco central del colector, cuyo collar entra en contacto con las delgas y las pone en cortocircuito. Al propio tiempo los portaescobillas se separan axialmente del colector con objeto de evitar el desgaste inútil de las delgas y las escobillas, así como para eliminar el ruido producido por el roce mutuo.

Al montar el mecanismo centrífugo es preciso poner cada pieza en su posición correcta, siguiendo el orden indicado en la figura 3.6. Obsérvese que los portaescobillas giran solidariamente con el rotor.

Algunos fabricantes emplean piezas no exactamente iguales a las descritas, pero en el fondo todas cumplen esencialmente la misma función y están montadas de forma análoga. Cuando el mecanismo está completamente montado en el motor, se dejará una separación aproximada de 0,8 mm entre los portaescobillas y el colector. Esta distancia puede variar, sin embargo, según el tamaño y la marca del motor.

En muchos motores de este tipo los portaescobillas no son solidarios del rotor, sino que van montados en el escudo frontal. Su funcionamiento es, no obstante, absolutamente análogo. La única diferencia es que ahora no se separan los portaescobillas, sino solamente los muelles de los mismos, lo cual también equivale, en definitiva, a separar las escobillas del colector. Igual que antes, el mecanismo es accionado por unas masas centrífugas, que al impulsar las varillas hacia adelante obligan al collar a poner las delgas en cortocircuito.

En vez de usar una arandela de presión, es posible también conseguir la fijación del mecanismo con auxilio de una tuerca, roscada sobre el eje. Cuando se desmonta el mecanismo es muy importante contar el número de filetes de rosca que se recorren antes de sacar la tuerca, para que al rehacer el montaje pueda volverse a comprimir el muelle con la misma presión. En la figura 3.7 puede verse la posición de cada pieza y el orden de montaje que debe seguirse en este caso.

Funcionamiento del motor con escobillas no separables

Este tipo de motor posee un colector axial (fig. 3.8), y las escobillas se apoyan sobre la superficie longitudinal de las delgas.

El mecanismo centrífugo más corrientemente empleado en tal caso consiste en un serie de segmentos de cobre, sostenidos por un muelle circular que los une (fig. 3.9). El conjunto va dispuestos en el hueco central del colector, de forma que, por efecto de la fuerza centrífuga, los segmentos pongan en cortocircuito las delgas del colector cuando el motor alcanza una velocidad predeterminada. Cuando se para el motor, los segmentos vuelven a su posición inicial, accionados por el muelle circular, y dejan de establecer contactos con el colector. Mientras las delgas se hallan en cortocircuito el motor funciona como uno de inducción.

Existen diversos tipos de mecanismos centrífugos aptos para este motor, pero su principio de funcionamiento es básicamente el mismo.

En este tipo de motores, una vez alcanzada la velocidad que hace entrar en acción el mecanismo centrífugo ya no circula corriente alguna por las escobillas, a pesar de permanecer en contacto con el colector. El número de escobillas varía generalmente en función del número de polos del motor: así, un motor tetrapolar suele llevar cuatro escobillas (fig. 3.10). Sin embargo, pueden ser suficientes dos si el arrollamiento del inducido es ondulado o el colector lleva conexiones equipotenciales (fig. 3.11), como se explicará más adelante en este mismo capítulo. Obsérvese en las figuras 3.10 y 3.11 que todas las escobillas están unidas entre sí en cortocircuito. Esta condición se cumple para todos los motores de repulsión, sea cual fuere el número de polos o de escobillas de los mismos. Las escobillas no están nunca conectadas a ningún circuito exterior ni al arrollamiento estatórico.

Arrollamiento estatórico y sus distintas conexiones entre polos

El estator de estos motores lleva un arrollamiento idéntico al de trabajo de un motor de fase partida o con condensador. Las bobinas que componen cada polo son concéntricas, y se alojan en las ranuras estatóricas de forma exactamente igual que en los motores de fase partida. Como el bobinado a base de madejas resulta poco práctico, dados el gran número de espiras y la considerable sección del conductor empleado, se prefiere generalmente ejecutar el arrollamiento a mano o bien recurrir a bobinas moldeadas. En las ranuras se dispone asimismo aislamiento de dimensiones y espesor adecuados, para evitar posible contactos a masa.

Dos tensiones de servicio. La mayoría de los motores de repulsión sólo en el arranque se fabrican para trabajar a dos tensiones distintas, independientemente del número de polos y de la frecuencia de alimentación. El método usual consiste en conectar todos los polos en serie para el funcionamiento a la tensión mayor, y en dos series iguales, unidas en paralelo, para la tensión menor. La figura 3.12 A muestra el esquema circular de un arrollamiento estatórico tetrapolar para dos tensiones de servicio (115 y 230 V), conectado para funcionar a 230 V. Obsérvese que los polos de cada sección de arrollamiento están unidos entre sí mediante la llamada "conexión corta" (ver pág. 29). En los esquemas de la figura 3.12 B puede verse la designación de los respectivos terminales y la manera de conectarlos entre sí. Los cuatro terminales que salen al exterior quedan identificados por las letras T_1, T_2, T_3 y T_4. Para el funcionamiento a 230 V se unen T_2 y T_3 mediante un conductor aislado; las dos líneas de alimentación se conectan a T_1 y T_4. Para el funcionamiento a 115 V se conectan T_1 y T_3 a una línea de alimentación y T_2 y T_4 a la otra. La figura 3.13 muestra el esquema del mismo estator representado en la figura 3.12 A, pero conectado para 115 V; obsérvese también que los polos de cada sección de arrollamiento están unidos ahora mediante la llamada "conexión larga"

Todos los motores previstos para dos tensiones de servicio tienen cuatro terminales con objeto de poder efectuar exteriormente la reconexión necesaria.

Algunos motores tetrapolares de este tipo llevan los polos unidos interiormente en paralelo dos a dos. Según que estos grupos se conecten exteriormente entre sí en serie o en paralelo, el motor trabajará con la tensión mayor o con la tensión menor (véanse figuras 3.14 y 3.15).

La mayoría de los motores de repulsión sólo en el arranque son tetrapolares, es decir, están previstos para una velocidad de régimen de unas 1.450 r.p.m.,* pero también se fabrican de seis y de ocho polos. Para que el lector se familiarice con los distintos tipos de conexiones que se emplean en dichos motores, se reproducen varios esquemas clásicos. Las figuras 3.16 a 3.18 corresponden a un motor hexapolar, la figura 3.19 a uno octapolar.

Toma de datos. Antes de rebobinar el arrollamiento estatórico defectuoso de un motor de repulsión sólo en el arranque, es preciso tomar nota de los datos fundamentales de aquél, como son el paso de cada bobina, el número de espiras de la misma, el diámetro del hilo, etc. Es sumamente importante anotar la posición de los polos en el estator. Las bobinas de cada polo deben volver a alojarse, en efecto, en las mismas ranuras donde estaban las del arrollamiento primitivo. Si se disponen en ranuras distintas puede ocurrir que el inducido no gire, o que si gira no desarrolle el par deseado.

El método más simple para anotar la posición del arrollamiento

* A la frecuencia de 50 Hz (véase tabla VII del Apéndice). (*N. del T.*)

original consiste en marcar con un punzón sobre el estator la ranura o las ranuras que se hallan en el centro de cada polo (fig. 3.20). Otro método consiste en hacer un dibujo donde quede señalada la posición de los polos en el estator. Algunos motores tienen las ranuras estatóricas dispuestas de manera que sea imposible cometer ningún error al rebobinar: la separación entre las dos ranuras centrales de cada polo es, en efecto, mayor que la que existe entre las demás (fig. 3.21).

Por ser el arrollamiento estatórico de estos motores similar al arrollamiento de trabajo de los de fase partida, la forma de desmontarlo para la toma de datos se ejecutaría como se explica en el capítulo I.

El diagrama de la figura 3.22 indica la manera de anotar los pasos de las bobinas en un motor típico de repulsión con 4 polos y 24 ranuras. Reproducimos un modelo de hoja para la toma de datos.

MODELO DE HOJA DE DATOS PARA MOTORES DE REPULSION

Firma constructora

Potencia (CV)	Velocidad (r.p.m.)	Tensión (V)	Corriente (A)
Frecuencia	Tipo	Cifra clave	Factor sobrecarga
Calentamiento adm.	Modelol	Número serie	Fases

Rotor	Número delgas	Núm. ranura	Paso bobinas	ondulado / imbricado
Paso colector	Núm. espiras	Bobinas/ranura	Diámetro cond.	
Paso conexiones equipotenciales				

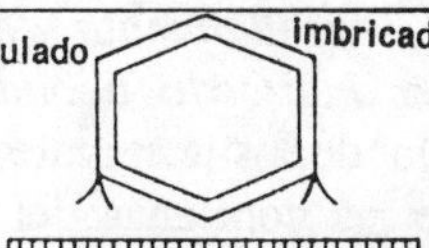

Estator	Número polos	Número ranuras	Diámetro cond.	Número secciones

Ranura núm.	1	2	3	4	5	6	7	8	9	10	11	12	13	14	15	16	17	18	19	20	21	22	23	24	25	26	27	28	29	30	31	32	33	34	35	36	1
Arrollamiento																																					

Inducido

El tipo de arrollamiento que lleva el rotor o inducido de estos motores se describe detalladamente en el capítulo VI (arrollamientos de inducidos de corriente continua). A pesar de ello se expondrán aquí algunas cuestiones importantes, de interés general para todos los motores de repulsión, relativas a este tema.

Construcción del inducido. Las partes constituyentes del rotor o inducido están representadas en la figura 3.23. El núcleo se compone de un paquete de chapas de acero recocido de alta calidad magnética, sólidamente prensadas entre sí y luego asentadas a presión en el eje. Las ranuras del núcleo son generalmente inclinadas con respecto a la dirección del eje, a fin de reducir el zumbido magnético y de evitar fluctuaciones del par de arranque según la posición inicial del rotor.

Los colectores de tipo radial están ajustados a presión sobre el eje o bien roscados en él, según el fabricante y el tipo del motor. La primera variante (fig. 3.24) suele adoptarse en motores pequeños, y la segunda (fig. 3.25) en los grandes. Al ajustar un colector en el eje debe procurarse que la presión se reparta uniformemente sobre éste, pues si así no ocurre el colector quedará algo ladeado y será preciso tornearlo casi íntegramente para asegurar su perfecta redondez.

En algunos colectores es posible reponer el aislamiento, prèvio desmontaje de las delgas, pero la mayoría de ellos no permiten dicha operación, ya que están constituidos por un compuesto a base de bakelita u otro material similar, muy propenso a resquebrajarse cuando queda sometido a un calentamiento excesivo, por ejemplo a causa de un cortocircuito. Por regla general, la reparación de un motor de repulsión quemado comprende, no sólo el rebobinado de sus arrollamientos, sino también la substitución del colector.

Arrollamiento del inducido. El arrollamiento del inducido puede ser *imbricado* u *ondulado*. Un arrollamiento es imbricado (fig. 3.26) cuando los terminales inicial y final de cada bobina van conectados a dos delgas contiguas del colector. En un arrollamiento ondulado, la separación entre las delgas a las cuales van unidos los terminales inicial y final de cada bobina es de unos 180° geométricos (extremos opuestos del colector) para un motor tetrapolar (fig. 3.27), de unos 120° para un motor hexapolar y de unos 90° para uno octopolar.

Puesto que a cada delga van conectados los terminales de dos lados de bobinas diferentes, el número de delgas del colector es siempre igual al número de bobinas del arrollamiento. Si cada par de ranuras aloja una sola bobina, habrá también doble número de ranuras que de delgas. En tal caso se obtiene un arrollamiento con *un lado de bobina por ranura* (figs. 3.26 y 3.27). Pero puede haber también dos bobinas alojadas en cada par de ranuras. En tal caso se tendrá el mismo número de ranuras que de delgas, y el arrollamiento será con *dos lados de bobina por ranura* (figs. 3.28 y 3.29). Este tipo es el más corriente en motores pequeños. Finalmente, cuando en cada par de ranuras van alojadas tres bobinas, los números de ranuras y de delgas estarán en la proporción 2 : 3. Se tiene entonces un arrollamiento con *tres lados de bobina por ranura* (figs. 3.30 y 3.31). Obsérvese el paso de las bobinas, que en todas las figuras anteriores es 1 a 8. Todas las bobinas de un inducido poseen el mismo paso, el mismo número de espiras y el mismo diámetro de conductor.

Rebobinado con arrollamiento imbricado. Supóngase que es preciso rebobinar un inducido de 28 ranuras con un arrollamiento imbricado tetrapolar de dos lados de bobina por ranura. Se procederá del modo siguiente:

1. Mediante un punzón o una lima se marcan sobre el núcleo las ranuras donde van alojados los dos lados de una misma bobina, y se señalan también las dos delgas del colector a las cuales van conectados los terminales de la bobina en cuestión. Seguidamente se cuenta el número de delgas que deben recorrerse, hacia la izquierda o la derecha de una de dichas ranuras, para alcanzar las delgas unidas a los terminales de la bobina. Esto exige la identificación previa de la delga que se halla justamente frente a la ranura elegida, lo cual se efectúa haciendo pasar por el centro de esta ranura un cordel tirante en dirección al colector, y viendo cuál es la delga que queda alineada con él (fig. 3.32).

A continuación se extrae el arrollamiento del inducido, teniendo buen cuidado de anotar todos los datos necesarios para el rebobinado, como son el paso de bobina, el número de espiras de cada una, la clase de arrollamiento (imbricado u ondulado), el número de lados de bobina por ranura (uno, dos o tres), el paso en el colector, el diámetro del conductor, etc. Estas operaciones se explican con detalle en el capítulo VI, página 218.

Una vez extraído el arrollamiento y anotados los datos pertinentes, se prueba el estado del colector. Si es preciso substituirlo y es de tipo radial, habrá que perforar y ensanchar probablemente el hueco central del nuevo colector, donde va alojado el mecanismo de cortocircuito, a fin de que el collar del tambor encaje bien en aquél. Esta operación se ejecuta en el torno, antes o después de rebobinar, con auxilio de una herramienta de mandrinar. Debe procederse con sumo cuidado, pues el colector es un órgano delicado y puede romperse fácilmente.

Antes de disponer aislamiento nuevo en las ranuras es preciso extraer íntegramente el viejo. Para motores de potencia inferior a 3 CV basta generalmente un grueso de aislamiento de 0,2 a 0,4 mm. Dicho aislamiento, provisto de dobleces en los cuatro extremos, debe sobresalir unos 6 mm por ambos lados del núcleo y cortarse algo por debajo la parte superior de la ranura. Generalmente se substituye el aislamiento original por otro de calidad y espesor idénticos.

2. Se monta luego el inducido sobre dos caballetes (fig. 3.33 *a*) o en un soporte especial (fig. 3.33 *b*), y se empieza a bobinar a mano con dos hilos de igual calibre. Para evitar tener que verificar el terminal que corresponde a cada uno al efectuar las conexiones a las delgas, es muy conveniente identificar los hilos por medio de manguitos de diferente color o bien cortando los respectivos terminales de distinta longitud. Otras veces se emplean a tal efecto hilos con aislamientos de color diferentes.

Los terminales iniciales de ambos hilos se introducen entonces en las muescas de las dos delgas del colector que, en virtud de los datos tomados, les corresponden. Dichos terminales suelen presionarse ligeramente con un punzón para asegurarlos en sus respectivas muescas. Como es natural, convendrá cerciorarse previamente de que los extremos de los mismos están desprovistos de aislamiento. Seguidamente se bobina el número de espiras previstos, se cortan ambos terminales, dejándolos suficientemente largos para que puedan conectarse sin dificultad a las delgas, y se doblan luego hacia atrás, sobre el núcleo.

3. Se empiezan a continuación las dos bobinas siguientes de la misma manera, es decir, introduciendo los dos extremos iniciales del hilo, desnudos, en las muescas de las dos delgas contiguas, y haciendo pasar el hilo por las dos ranuras libres más próximas a las ya ocupadas (fig. 3.34). Una vez arrolladas las espiras necesarias, se cortan los terminales y se doblan hacia atrás, exactamente igual como se hizo con las bobinas anteriores. El proceso se va repitiendo hasta que todo el inducido queda bobinado.

4. Concluido ya todo el devanado, los terminales finales de las diversas bobinas, que se hallan dobladas sobre el núcleo, quedan listos para ser conectados a sus respectivas delgas. A este fin se inserta el terminal final de cada bobina en la muesca de la delga contigua a aquella donde va conectado el terminar inicial de la misma bobina (fig. 3.35). Cada muesca contiene, pues, dos terminales: uno inicial, en el fondo, y otro final, arriba.

El rebobinado se concluye encajando cuñas en la parte superior de las ranuras para evitar que el arrollamiento alojado en ésta sea proyectado al exterior por la fuerza centrífuga que genera el giro del inducido.

Cuando el arrollamiento no se ejecuta a mano, sino a base de bobinas moldeadas, listas ya para su introducción en las ranuras del inducido, el método a seguir difiere ligeramente del expuesto. En tal caso se aloja primero un solo lado de bobina en el fondo de cada ranura, y a continuación el lado restante en la parte superior de la ranura que le corresponde. En otras palabras, cada ranura aloja dos lados de bobinas diferentes, dispuestos uno encima del otro.

Antes de soldar los terminales finales a las delgas se comprobará que estén conectados correctamente, pues de no ser así se obtendrían bobinas con la polaridad invertida. Tras haber verificado eléctricamente el arrollamiento del inducido, se impregnará. Finalmente se procederá a tornear el colector.

Conexiones equipotenciales. Son conexiones cortas de hilo aislado que, como su nombre indica, unen entre sí aquellas delgas del colector que se hallan a idéntico potencial. En un motor tetrapolar las delgas a unir están desplazadas 180° geométricos unas de otras; en un motor hexapolar, lo están de 120° geométricos. Estas conexiones se efectúan generalmente por detrás del colector con hilo de calibre igual al del empleado para ejecutar el arrollamiento. Los colectores nuevos se suministran ya a menudo con las conexiones equipotenciales incluidas.

Prácticamente todos los inducidos de motores de repulsión cuyo arrollamiento es imbricado están provistos de conexiones equipotenciales. De esta forma se reduce notablemente la circulación de corrientes de compensación debidas a desigualdades en el entrehierro existente entre estator y rotor. Tal es lo que sucede, por ejemplo, cuando a causa del desgaste de los cojinetes la parte inferior del inducido queda más próxima al estator que la parte superior. Además, la presencia de conexiones equipotenciales en un motor tetrapolar permite emplear únicamente dos escobillas, en vez de cuatro. En algunos inducidos el circuito de estas conexiones se cierra a través del núcleo.

Un colector puede tener todas las delgas provistas de conexión equipotencial, o sólo la mitad de ellas. Recibe el nombre de *paso de conexión* el número de delgas que quedan comprendidas entre los dos extremos de una misma conexión equipotencial. El paso de conexión se calcula mediante la fórmula siguiente:

$$\text{Paso de conexión} = \frac{\text{número total de delgas}}{\text{número de pares de polos}}.$$

Por ejemplo, en un motor tetrapolar (dos pares de polos) cuyo colector posea 50 delgas, el paso de conexión será 50 : 2 = 25 delgas. Si todas sus delgas deben ir provistas de conexión, es evidente que la primera de estas últimas se conectará entre las delgas 1 y 26, la segunda entre las delga 2 y 27, etc. Suponiendo ahora que el motor fuese hexapolar y el colector tuviera 81 delgas, el paso de conexión sería 81 : 3 = = 27 y las conexiones se efectuarían entre los pares de delgas 1 y 28, 2 y 29, 3 y 30, etc.

Las figuras 3.36, 3.37 y 3.38 muestran el esquema de un colector de 36 delgas provisto de conexiones equipotenciales, para un arrollamiento de cuatro, seis y ocho polos respectivamente.

Cuando el arrollamiento es imbricado y el colector está desprovisto de conexiones equipotenciales, el número de escobillas debe ser necesariamente igual al número de polos del arrollamiento; si, por el contrario, el colector lleva dichas conexiones, bastan dos escobillas, aunque pueden emplearse también más.

Al tratar de localizar posibles cortocircuitos en las bobinas de un inducido provisto de conexiones equipotenciales con auxilio de una bobina inductora, la hoja de sierra vibrará evidentemente en cualquier punto de la periferia del inducido que se sitúe, denotando la presencia del cortocircuito provocado por dichas conexiones. Para detectar la posible existencia de un cortocircuito interior en el arrollamiento es preciso recurrir entonces a instrumentos de medida. En la página 119 se describen otros métodos para localizar cortocircuitos.

Rebobinado con arrollamiento ondulado. El método para rebobinar un inducido con un arrollamiento ondulado es análogo al que se sigue en el caso anteriormente descrito de ser el arrollamiento imbricado, con la sola diferencia de que los terminales de las bobinas van conectadas de modo distinto a las delgas.

La figura 3.39 muestra un colector de 45 delgas correspondiente a un inducido de 46 ranuras. Supóngase que es preciso rebobinar dicho inducido con un arrollamiento ondulado no cruzado de 4 polos, a base de 2 lados de bobina por ranura. Se procederá del modo siguiente:

1. Se anotan todos los datos necesarios, teniendo buen cuidado de no olvidar el paso en el colector. Este se determina (para un arrollamiento no cruzado) con auxilio de la fórmula:

$$\text{Paso en el colector} = \frac{\text{número total de delgas} - 1}{\text{número de pares de polos}}$$

En nuestro caso se tendrá:

$$\text{Paso en el colector} = \frac{45 - 1}{2} = 22$$

o sea, de la delga 1 a la 23, de la 23 a la 45, de la 45 a la 2, etc.

Obsérvese que todo inducido provisto de arrollamiento ondulado tetrapolar debe tener un número impar de delgas en el colector. Si el número de delgas es par, es necesario unir dos de ellas en cortocircuito.

En un arrollamiento con 2 lados de bobina por ranura, el número de ranuras, bobinas y delgas debe ser idéntico. Puesto que el número de ranuras es 46, habrá también 46 bobinas; sin embargo, como el colector dispone únicamente de 45 delgas, sólo podrán conectarse al mismo 45 bobinas. Por consiguiente, la bobina restante quedará forzosamente fuera de circuito. A pesar de ello, esta bobina muerta se aloja también en el inducido, con el fin de no desequilibrarlo mecánicamente (fig. 3.40).

Si, por el contrario, fuese el número de delgas el que excediera al de bobinas en una unidad, sería preciso añadir una bobina suplementaria en forma de puente de conexión. Suponiendo que el inducido tuviera, por ejemplo, 44 ranuras en vez de 46, es evidente que sólo podrían alojarse en las mismas 44 bobinas; sin embargo, como son 45 las que hacen falta, se substituiría la restante por un conductor puente conectado entre las dos delgas que normalmente estarían reservadas a la bobina n.º 45 (fig. 3.41).

2. Se empieza seguidamente el rebobinado a mano tomando dos hilos simultáneamente y teniendo cuidado de alojar los dos terminales iniciales en las muescas de las delgas que, según los datos anotados, les corresponden. Dichas delgas no coinciden aproximadamente con el centro de las bobinas, sino que quedan a un lado de las mismas (fig. 3.42), como es norma general en la mayor parte de los arrollamientos ondulados.

Después de arrollar el número de espiras previsto en cada bobina se cortan los terminales finales, uno largo y otro corto a efectos de identificación, y se doblan hacia atrás, sobre el núcleo.

Si el arrollamiento se ejecuta con bobinas ya moldeadas es muy conveniente poner manguitos de distinto color en ambos terminales, con objeto de identificarlos, antes de montar las bobinas en el inducido.

3. A continuación se introducen los terminales iniciales de las dos bobinas siguientes (3 y 4) en las muescas de las delgas correspondientes, y se arrollan las espiras que componen dichas bobinas (fig. 3.43). Si el arrollamiento se efectúa a base de bobinas moldeadas, primero se procederá a montar éstas en las ranuras, y luego a alojar sus terminales en las muescas de las delgas.

4. Una vez concluido todo el bobinado se introducen los terminales finales en las muescas de las delgas correspondientes, encima de los terminales iniciales ya alojados en las mismas (fig. 3.44). El primer terminal final suele verificarse para tener la seguridad de que se ha dispuesto en la delga correcta. Los demás terminales se van conectando por orden de sucesión, puesto que cada uno queda identificado por su longitud o por su color. Es sumamente importante no equivocarse en el paso sobre el colector, pues cualquier error en tal sentido impediría el funcionamiento del motor. En un arrollamiento ondulado los terminales inicial y final de cada bobina se separan uno de otro; en un arrollamiento imbricado, por el contrario, se aproximan uno al otro.

5. A partir de aquí, el procedimiento a seguir es el que se expone en el capítulo VI, al tratar de inducidos para corriente continua. El ensayo eléctrico del arrollamiento para la detección de posibles cortocircuitos puede ejecutarse como se indica en la página 226.

Inversión del sentido de giro

Si una bobina cerrada, susceptible de pivotar alrededor de un eje, se sitúa frente a un polo de un electroimán excitado con corriente alterna, de modo que el plano de dicha bobina esté inclinado con respecto a la dirección del campo magnético inductor (fig. 3.45, posición 1), la bobina girará sobre su eje hasta quedar dispuesta perpendicularmente al citado campo, es decir, vertical (fig. 3.45, izquierda). En efecto, la corriente inducida en la bobina por el campo inductor alterno determina en ella otro campo magnético alterno de la misma polaridad instantánea que el del electroimán. Puesto que entre dos polos de igual signo existe un esfuerzo de repulsión, la bobina girará hasta alcanzar la posición vertical.* Por otra parte, si el plano de la bobina coincidiera exactamente con la dirección del campo inductor (posición horizontal), no se induciría corriente alguna en la bobina ni se crearía tampoco ningún par de repulsión; por consiguiente, esta última permanecería en reposo.

En la figura 3.46 la bobina cerrada está reemplazada por el arrollamiento del inducido de un motor de repulsión bipolar. Supóngase que

* Esta posición es de equilibrio, porque en ella los esfuerzos de repulsión ejercidos por el campo inductor sobre los extremos superior e inferior de la bobina son iguales y del mismo sentido, y por consiguiente los pares que determinan respecto al eje de ésta se anulan recíprocamente. (*N. del T.*)

las dos escobillas, unidas entre sí en cortocircuito, se hallan en la posición indicada en la figura con líneas de trazo seguido. Como ya sabemos, el campo generado por el arrollamiento estatórico induce corrientes en las dos ramas en que queda cerrado el arrollamiento rotórico por las escobillas, y estas corrientes crean a su vez un campo en el núcleo del inducido, cuyos polos son de igual signo que los polos estatóricos frente a los cuales se encuentran. A uno y otro lado del inducido se originan, pues, esfuerzos de repulsión; sin embargo, como tales esfuerzos son horizontales y su dirección pasa por el eje del inducido no se produce par alguno, es decir, el motor permanece en reposo.

Por el contrario, si las escobillas se desplazan de esta posición hacia la derecha o hacia la izquierda (como indican las posiciones dibujadas con líneas de trazos), el inducido se pondrá en marcha, exactamente igual que ocurría en el caso de la bobina cerrada. Si las escobillas se desplazan en el sentido de las agujas de un reloj, el inducido girará también en este sentido (a derechas); si el desplazamiento de las escobillas es en sentido contrario al de las agujas de un reloj, el inducido girará también a izquierdas. Basta, por consiguiente, desplazar las escobillas unos 15° para que se invierta el sentido de giro del motor. En realidad, lo que se desplaza sobre el colector es el conjunto de ambos portaescobillas, unidos por un brazo común. Por regla general, en la parte exterior de uno de los escudos del motor (fig. 3.47) están marcadas las dos posiciones del brazo móvil que corresponden a uno y otro sentido de giro del motor. Para invertir el sentido de giro basta aflojar una pequeña tuerca que mantiene sujeto el brazo portaescobillas contra el escudo, desplazar dicho brazo a la posición opuesta, y volver a afianzar la tuerca. Este sistema de inversión se aplica tanto a los motores con escobillas separables como a los que no las tienen separables.

Portaescobillas fijos. Muchos motores de repulsión, en particular los de escobillas no separables, no poseen juego de portaescobillas móvil. En efecto, tales portaescobillas suelen estar fundidos conjuntamente con el escudo que los soporta, y por consiguiente son fijos. Al objeto de poder invertir el sentido de giro en estos motores, la carcasa polar de los mismos está montada de modo que los ejes de los polos inductores queden algo inclinados con respecto a los ejes de los pares de portaescobillas. Es evidente que si ahora se invierte la posición de la carcasa entera, los ejes polares quedarán inclinados hacia el lado opuesto y se habrá conseguido el mismo efecto que si se hubieran desplazado los portaescobillas en sentido contrario. Las figuras 3.48 y 3.49 muestran estas dos posiciones de la carcasa polar. En muchos de estos motores el estator está ya provisto de un doble juego de taladros para la fijación mediante pernos de la carcasa polar, en una y otra posición. Para invertir el sentido de giro de los mismos basta entonces desmontar ambos escudos, dar media vuelta a la carcasa polar alrededor de su eje vertical y volver a montar el motor.

Portaescobillas de cartucho. En otro tipo de motores de esta clase el colector lleva dos portaescobillas excéntricos llamados de cartucho, dispuestos a uno y otro lado del eje del campo inductor, que se accionan independientemente. Para invertir el sentido de giro del motor basta hacer girar cada portaescobillas 180° sobre sí mismo. Esto puede realizarse simplemente sacándolos de su sitio, dándoles media vuelta y volviéndolos a montar. En otros modelos los portaescobillas pueden pivotar sobre un eje excéntrico provisto de una cabeza en la cual suele estar ya marcada una flecha indicadora del sentido de rotación que asumirá el motor (figs. 3.50 y 3.51). Aflojando un pequeño tornillo de fijación puede darse a cada portaescobillas un giro de 180° alrededor de su eje, con auxilio de un destornillador. Este giro corre una delga la posición de las escobillas sobre el colector, en uno u otro sentido, lo cual basta para determinar la inversión de la marcha del motor.

Motores con sentido de giro irreversible. Existen motores construidos para girar únicamente en un solo sentido, en los cuales no es posible, naturalmente, desplazar ni los portaescobillas ni la carcasa. Un buen sistema para conseguir en ellos la inversión es desoldar los terminales que van al colector y desplazarlos todos de varias delgas; sin embargo, esta operación no es siempre factible. Otro sistema consiste en rebobinar el estator de modo que el centro de cada polo quede corrido por lo menos de una ranura con respecto a su posición original.

La conversión de un arrollamiento rotórico no cruzado en otro cruzado no suele determinar la inversión del sentido de giro, como sucede en inducidos para motores de corriente continua, pero puede resultar efectiva en ciertos casos.

Escobillas. Las escobillas se construyen de tamaños, formas y materiales diversos, según el tipo de motor al cual están destinadas. Como además de permitir el paso de la corriente frotan sobre las delgas del colector, están sujetas a un doble desgaste mecánicc y eléctrico, y por consiguiente deben reemplazarse periódicamente. Es una buena norma substituir siempre las escobillas gastadas por otras nuevas de tipo y clase idénticos. Los recambios pueden obtenerse fácilmente de las casas suministradoras si, al efectuar el pedido, se indican los datos que figuran en la placa de características.

La mayoría de las escobillas se fabrican a base de carbón o de grafito. Estos materiales se someten normalmente a ciertos tratamientos, con objeto de conferirles las cualidades más apropiadas para el servicio que deben desempeñar. Estos tratamiento, que consisten en la aplicación de presiones y temperaturas elevadas, permiten obtener escobillas de características físicas (dureza, conductividad eléctrica y térmica, resistencia) muy diversas. También se fabrican con escobillas compuestas por una mezcla de grafito y polvillo metálico, las cuales pueden soportar mayor densidad de corriente que las integradas por grafito solo.

Las escobillas, de configuraciones muy variadas, suelen estar unidas a un cable terminal de conexión, de poca longitud, formado por conductores de cobre trenzados. Su objeto es conducir la corriente que va hacia cada escobilla o que sale de ella, y puede ir conectado o no al correspondiente portaescobillas, según el tipo de motor. En motores de repulsión sólo en el arranque provistos de colector radial las escobillas tienen una sección en forma de cuña, es decir, ancha por arriba y más estrecha por debajo, análoga a la de las delgas sobre las cuales deslizan. Estas escobillas acostumbran suministrarse en grupos de dos (fig. 3.52), unidas entre sí por un solo cable terminal, y no están en contacto eléctrico con los portaescobillas.

Localización del eje neutro. Para poder marcar sobre el escudo de un motor las posiciones de las escobillas que corresponden a uno y otro sentido de giro, es necesario ante todo localizar el eje neutro de referencia para el decalado de éstas. Cuando el juego de escobillas se halla en el eje neutro el motor no gira en ningún sentido. Ahora bien, en motores ordinarios de repulsión sólo en el arranque existen dos ejes neutros: uno correcto y otro falso. Para determinar la posición del primero se empieza por desplazar el juego de escobillas hasta que el motor no gira en ningún sentido. Entonces se mueve ligeramente dicho juego en el sentido de las agujas de un reloj. Si el eje neutro hallado es correcto, el motor girará también en el sentido de las agujas de un reloj. La prueba puede ejecutarse asimismo desplazando el juego de escobillas en sentido contrario al de las agujas de un reloj. En definitiva, cuando el sentido del desplazamiento coincide con el sentido de giro, el eje neutro hallado es el correcto; cuando ambos sentidos son opuestos, el eje neutro es el falso.

MOTOR DE REPULSION PROPIAMENTE DICHO

Este motor se diferencia del de repulsión sólo en el arranque porque siempre es del tipo de escobillas no separables y porque no lleva mecanismo centrífugo alguno. Tanto en la fase de arranque como en la de servicio funciona exclusivamente por el principio de repulsión. Al igual que el motor serie de corriente continua, posee un par de arranque elevado y una característica de velocidad muy variable con la carga. Para la inversión del sentido de giro se desplazan los portaescobillas hacia uno u otro lado del eje neutro. Su velocidad puede reducirse alejando todavía más los portaescobillas del eje neutro.

Su estator es exactamente igual al del motor de repulsión sólo en el arranque, y los polos de su arrollamiento estatórico van también conectados de manera idéntica. Generalmente se ejecuta con cuatro, seis u ocho polos, y suelen sacarse cuatro terminales al exterior para que pueda funcionar con dos tensiones diferentes.

El rotor es constructivamente idéntico a un inducido de corriente continua, o sea a base de un núcleo formado por chapas magnéticas; las ranuras son normalmente inclinadas con respecto al eje. Las bobinas del arrollamiento pueden ser moldeadas o ejecutadas a mano, y el devanado puede ser de tipo imbricado u ondulado. El colector es de tipo axial. Las escobillas, que permanecen continuamente en contacto con el colector, están unidas conjuntamente en cortocircuito, como en el motor de repulsión sólo en el arranque. La figura 3.53 muestra el esquema circular de un motor de repulsión tetrapolar.

Arrollamiento de compensación

Algunos motores de repulsión llevan un arrollamiento adicional, llamado *de compensación,* cuyo objeto es elevar el factor de potencia y permitir un mejor ajuste de la velocidad. El arrollamiento de compensación, mucho más pequeño que el principal, suele estar alojado en las ranuras centrales de cada polo principal y conectado en serie con el devanado del inducido. El esquema circular de la figura 3.54 muestra la disposición de dichos arrollamientos en un motor tetrapolar para dos tensiones de servicio. El colector va provisto de cuatro escobillas: dos de ellas, contiguas, están unidas en cortocircuito, y las dos restantes están conectadas a los terminales del arrollamiento de compensación. Para invertir el sentido de giro de este motor es preciso, además de desplazar un juego de portaescobillas, permutar los terminales del arrollamiento de compensación.

La figura 3.55 reproduce un diagrama de pasos típico que permite observar la disposición relativa de las bobinas estatóricas en un motor hexapolar de esta clase con 36 ranuras.

MOTOR DE REPULSION E INDUCCION

En muchos casos es imposible distinguir, sólo por su aspecto exterior, si un motor es de repulsión o bien de repulsión e inducción. No obstante, si es posible observar uno de este último tipo por dentro se verá que el inducido lleva, además del arrollamiento normal, otro de barras (jaula de ardilla), dispuesto debajo de las ranuras donde va alojado el primero (fig. 3.56). El arrollamiento normal suele ser imbricado, y el colector está provisto de conexiones equipotenciales.

Para saber de qué tipo de motor se trata sin necesidad de desmontarlo, basta conectarlo a la red y dejar que alcance su plena velocidad de régimen. Entonces se levantan todas las escobillas, de modo que dejen de efectuar contacto con el colector. Si el motor sigue girando a su velocidad de régimen, es uno de repulsión e inducción.

Los motores de este tipo se fabrican hasta potencias de unos 10 CV y para dos tensiones de servicio. Encuentran aplicación general, y dentro del campo de los motores de repulsión han alcanzado mucha popularidad a causa de su buena característica de velocidad, comparable a la del motor compound de corriente continua. La figura 3.57 representa el esquema circular de un motor de repulsión e inducción conexionado para trabajar a 230 V.

La ventaja de estos motores es que no utilizan ningún mecanismo centrífugo de puesta en cortocircuito. El efecto de repulsión les confiere un elevado par de arranque, y el efecto de inducción (arrollamiento en jaula de ardilla) les permite mantener un régimen de velocidad casi constante. Se construyen también con arrollamiento de compensación a fin de elevar el factor de potencia en el circuito. La figura 3.5 muestra el esquema circular de un motor de repulsión e inducción compensado, con el arrollamiento estatórico reconexionado para trabajar a 115 V.

MOTORES DE REPULSION REVERSIBLES ELECTRICAMENTE

El método más usual para invertir el sentido de giro en un motor de repulsión consiste, como hemos visto, en desplazar mecánicamente los portaescobillas unos 15° a uno u otro lado del eje neutro. Pero también puede conseguirse el mismo efecto desplazando el eje del campo magnético inductor en vez de los portaescobillas, en cuyo caso éstos permanecen evidentemente en una posición fija. Para ello es preciso disponer dos arrollamientos en el estator, en vez de uno solo. Ambos arrollamientos deben estar desfasados 90° eléctricos uno del otro, exactamente igual que los de un motor de fase partida.

Hay varios sistemas de ejecución para lograr la inversión eléctrica del sentido de giro. Uno de ellos consiste en bobinar el primer arrollamiento estatórico (siguiendo las instrucciones expuestas en capítulos anteriores) y luego el segundo, desfasado, como se ha dicho, 90° eléctricos. A continuación se conectan ambos arrollamientos en serie, y el motor queda dispuesto para funcionar en un determinado sentido de giro. Si se desea invertirlo basta simplemente permutar los terminales de uno cualquiera de dichos arrollamientos.

Otro sistema consiste en subdividir el segundo arrollamiento estatórico en dos secciones iguales, pero bobinadas en sentidos opuestos. El primer arrollamiento, desfasado 90° con respecto al segundo, tiene un extremo conectado en el punto de unión de dichas secciones. La tensión de alimentación se aplica entre el otro extremo del primer arrollamiento estatórico y el extremo libre de una cualquiera de las secciones del segundo: según se elija una u otra sección, el motor girará en uno u otro sentido. En efecto, por ser opuesta la polaridad magnética de ambas secciones, el eje del campo magnético resultante queda desplazado hacia uno u otro lado del eje de las escobillas, y determina la rotación del motor en el sentido correspondiente.

En la figura 3.59 se reproducen varios esquemas de conexiones (según normas de la NEMA) relativos a estos y a los demás tipos de motores de repulsión.

REBOBINADO Y RECONEXIONADO DE MOTORES DE REPULSION

Rebobinado para una nueva tensión de servicio

Es la única transformación que no implica excesivo coste. Sólo es preciso rebobinar el arrollamiento estatórico. Las reglas que deben tenerse en cuenta al efectuar dicha operación son análogas a las que rigen para el arrollamiento principal de motores de fase partida o de condensador.

Regla 1

$$\text{Número nuevo de espiras} = \frac{\text{tensión nueva}}{\text{tensión primitiva}} \times \text{número primitivo de espiras}$$

Regla 2

$$\text{Sección mayorada nueva} = \frac{\text{tensión primitiva}}{\text{tensión nueva}} \times \text{sección mayorada primitiva}$$

EJEMPLO. — Un motor de repulsión para 115/230 V debe ser rebobinado de modo que pueda trabajar a 230/460 V.

Aplicando la regla 1 se tendrá:

$$\text{Número nuevo de espiras} = \frac{230}{115} \times \text{número primitivo de espiras} =$$

$$= 2 \times \text{número primitivo de espiras.}$$

Se ve, pues, que será preciso doblar el número de espiras de cada bobina.

Según la regla 2:

$$\text{Sección mayorada nueva} = \frac{115}{230} \times \text{sección mayorada primitiva} =$$

$$= \frac{1}{2} \times \text{sección mayorada primitiva.}$$

Por consiguiente, la sección mayorada del nuevo conductor deberá ser la mitad de la del conductor primitivo. Por ejemplo, si el hilo primitivo era de calibre n.º 16, el nuevo deberá ser de calibre n.º 19 (véase página 39 y tabla I del Apéndice).

En el rotor del motor no es necesario efectuar modificación alguna.

DETECCION, LOCALIZACION Y REPARACION DE AVERIAS

Pruebas

Igual que los demás motores ya estudiados, los de repulsión deben someterse también a diferentes pruebas cuando, por estar averiados, es de presumir la existencia de contactos a masa, cortocircuitos, interrupciones o inversiones de polaridad en los arrollamientos. Estas pruebas se aplicarán tanto a los devanados estatóricos como a los rotóricos.

Contactos a masa. El método más corriente para detectar posibles contactos a masa en los arrollamientos estatóricos es el de la lámpara de prueba. Se conecta para ello uno de los terminales de la lámpara a la carcasa del estator, y el otro a cualquier borne del arrollamiento en cuestión. El encendido eventual de la lámpara denota la presencia de uno o varios contactos a masa. El modo de localizar y reparar esta avería ya ha sido expuesto al tratar de los motores de fase partida y de los motores con condensador.

De manera exactamente igual se procede con los arrollamientos rotóricos y con el colector. Algunos tipos de motores tienen los portaescobillas solidariamente unidos a uno de los escudos; antes de verificar la prueba es, pues, necesario, separar las escobillas del colector. Si la lámpara denota la presencia de un contacto a masa en el rotor, se localizará la situación del mismo con auxilio de un milivoltímetro (véase detalles en capítulo VI). A veces es suficiente aplicar una tensión de unos 1.000 V entre arrollamiento y masa, pues se produce un chispazo en el punto de contacto a masa que permite su localización visual.

Cortocircuitos. La existencia de posibles cortocircuitos en arrollamientos estatóricos puede detectarse utilizando una bobina de prueba, midiendo la caída de tensión en cada polo, midiendo la resistencia de cada polo o estimando al tacto el calentamiento excesivo de la bobina defectuosa, tras un breve período de funcionamiento del motor. También es posible detectar la existencia de cortocircuitos en un polo aplicando una tensión continua a todo el arrollamiento y comprobando indirectamente la intensidad del campo magnético creado en cada uno de ellos, con auxilio de una pieza de hierro. El polo que ejerce la mínima atracción sobre la pieza de hierro es el que contiene la bobina defectuosa. Por otra parte, las bobinas quemadas o carbonizadas suelen localizarse fácilmente por simple inspección visual.

El arrollamiento del inducido se comprueba mediante un milivoltímetro, o también con auxilio de una bobina de prueba si es de tipo ondulado. Es preciso hacer observar que los inducidos con arrollamiento imbricado y colector provisto de conexiones equipotenciales no pueden verificarse con la bobina de prueba. Como se indica detalladamente en el capítulo VI, las bobinas con espiras en cortocircuito dan lugar a una caída de tensión mínima, que se traduce en una menor desviación de la aguja del milivoltímetro; verificadas con la bobina de prueba, determinan una acusada vibración de la hoja de sierra.

La figura 3.60 muestra un método excelente para detectar la presencia de un posible cortocircuito en el arrollamiento del inducido de un motor de repulsión. Consiste en quitar o levantar las escobillas del motor, de modo que no puedan ejercer contactos algunos con las delgas del colector. Seguidamente se conecta el motor a su línea normal de alimentación; como las escobillas están separadas, el motor no arranca. Hágase girar entonces el inducido con la mano. Si existe en él alguna bobina con espiras en cortocircuito, se notará que tiene tendencia a detenerse en determinados puntos; si no hay ningún cortocircuito en el arrollamiento, el inducido girará sin dificultad. Esta prueba sólo tiene sentido si los cojinetes del motor se hallan en perfecto estado.

Interrupciones e inversiones de polaridad. El modo de efectuar estas pruebas en el arrollamiento estatórico es idéntico al descrito en los capítulos anteriores. Para ejecutarlas en el inducido deben seguirse las instrucciones especificadas en el capítulo VI.

Reparación de averías

Cuanto se expone a continuación es válido para los tres tipos de motores de repulsión. Al principio de cada párrafo, encabezado por el número de orden correspondiente, figuran los síntomas de averías más corrientes en la práctica. Precedidas de la correspondiente letra de orden se enumeran seguidamente las causas posibles de la anomalía. Cada clase de avería va acompañada de una cifra, que permite buscar, en la exposición final, las instrucciones relativas a su reparación.

Por ser el motor de repulsión sólo en el arranque el único que va provisto de mecanismo centrífugo de puesta en cortocircuito, siempre que se mencione dicho mecanismo se sobreentenderá que se hace referencia a este tipo de motor.

1. **El motor no arranca tras cerrar el interruptor de conexión a la red.**

   a) **Un fusible quemado.**
   b) **Cojinetes desgastado, 1.**
   c) **Escobillas atascadas en los portaescobillas, 9.**
   d) **Escobillas desgastadas, 9.**
   e) **Arrollamiento estatórico o rotórico interrumpido, 2.**
   f) **Posición errónea de los portaescobillas, 5.**
   g) **Cortocircuito en el inducido, 3.**
   h) **Suciedad en el colector, 9, 12, 17.**
   i) **Conexión errónea de los terminales, 6.**
   j) **Inducido puesto en cortocircuito por el collar, 11.**

2. El motor no arranca correctamente.
   a) Cojinetes desgastados, 1.
   b) Suciedad en el collar o en colector, 9, 12.
   c) Levantamiento prematuro de las escobillas, 10.
   d) Montaje incorrector del mecanismo centrífugo, 14.
   e) Posición errónea de los portaescobillas, 5.
   f) Mecanismo de puesta en cortocircuito desgastado, roto o incorrectamente montado, 14.
   g) Masas centrífugas atascadas, 15.
   h) Tensión inadecuada del muelle, 16.
   i) Cortocircuito en el inducido, 3.
   j) Excesivo juego axial de los portaescobillas, 8.
   k) Sobrecarga del motor, 7.
   l) Cortocircuito en el arrollamiento estatórico, 4.
   m) Borde desgastado en los portaescobillas, 18.

3. Calentamiento excesivo del motor.
   a) Motor conexionado para trabajar a 115 V, pero alimentado a 230 V
   b) Cortocircuito en los arrollamientos rotórico o estatórico, 3, 4.
   c) Sobrecarga del motor, 7.
   d) Cojinetes desgastados, 1.
   e) Collar de cortocircuito roto o quemado, 12, 13.
   f) Posición errónea de los portaescobillas, 5.

4. Funcionamiento ruidoso del motor.
   a) Cojinetes o eje desgastados, 1.
   b) Mecanismo centrífugo flojo, 14.
   c) Cortocircuito en el arrollamiento estatórico, 4.
   d) Excesivo juego axial de los portaescobillas, 8.
   e) Suciedad en el mecanismo de puesta en cortocircuito, 12.

5. Los fusibles saltan al conectar el motor a la red.
   a) Contacto a masa del arrollamiento estatórico, 19
   b) Conexión errónea de los terminales, 6.
   c) Escobillas sin contacto con el colector, 9.
   d) Cortocircuito en el inducido, 3.
   e) Desplazamiento incorrecto de las escobillas, 5.
   f) Cojinetes agarrotados.

6. El motor zumba, pero no arranca.
   a) Conexión errónea de los terminales, 6.
   b) Cojinetes desgastados, 1.
   c) Desplazamiento incorrecto de las escobillas, 5.
   d) Cortocircuito en el inducido, 3.
   e) Cortocircuito en el arrollamiento estatórico, 4.
   f) Contacto a masa del arrollamiento estatórico, 19.
   g) Escobillas atascadas o sin efectuar contacto con el colector, 9.
   h) Suciedad en el colector, 9, 12.

7. El motor no consigue alcanzar su velocidad de régimen.
   a) Presión incorrecta del muelle sobre las escobillas, 10, 16.

b) Collar de cortocircuito sucio o quemado, 12.
c) Suciedad en el colector, 9.
d) Cortocircuito en el inducido, 3.
e) Cortocircuito en el arrollamiento estatórico, 4.
f) Cojinetes desgastados, 1.
g) Varillas de empuje demasiado largas, 10.

8. Se observan chispazos en el interior del motor.

a) Interrupción en el arrollamiento del inducido, 2.
b) Suciedad en el colector, 9.
c) El aislamiento de mica entre delgas sobresale, 20.
d) Escobillas atascadas o sin efectuar contacto con el colector, 9.

1. *Cojinetes desgastados.* Si los cojinetes están desgastados hasta el punto de que el rotor roza contra el estator, cuando se cierra el interruptor de alimentación el motor emite un zumbido característico e intenta iniciar el giro, pero no llega a arrancar. Para cerciorarse de ello, desconéctese el motor de la red y verifíquense los cojinetes probando de mover el eje en sentido vertical. Si se consigue moverlo es señal de que los cojinetes están desgastados, en cuyo caso será preciso reemplazarlos por otros nuevos. Esta anomalía suele quedar también puesta de manifiesto por el aspecto pulimentado que el desgaste confiere a las zonas del núcleo del inducido que rozan contra el estator. Si el grado de desgaste de los cojinetes no es tan elevado el motor se pondrá en marcha, pero su funcionamiento será ruidoso, su calentamiento excesivo y, eventualmente, su número de revoluciones inferior al normal.

2. *Arrollamiento estatórico o rotórico interrumpido.* Para detectar la posibilidad de interrupción en arrollamiento estatórico se empleará la lámpara de prueba, siguiendo las instrucciones especificadas en el capítulo I. Una vez localizada la avería se reparará el devanado o se rebobinará de nuevo, según exijan las circunstancias.

Como la mayoría de los motores de repulsión están previstos para funcionar con dos tensiones de servicio, llevan dos arrollamientos estatóricos, cuyos cuatro terminales salen al exterior al objeto de poder efectuar la conexión pertinente. Para que la prueba resulte segura es preciso, pues, cerciorarse de que han sido verificados ambos arrollamientos.

Las interrupciones en el arrollamiento rotórico se detectan y localizan mediante un milivoltímetro, igual que en motores de corriente continua. Por regla general, la bobina interrumpida queda identificada por un punto de ignición en la correspondiente delga del colector. La reparación consiste en empalmar de nuevo el conductor cortado o bien, si el punto de interrupción es de difícil acceso, en rebobinar el arrollamiento entero o solamente la bobina afectada.

3. *Cortocircuito en el inducido.* Cuando el arrollamiento del inducido tiene la mayor parte de sus bobinas con cortocircuitos, el motor no hará más que intentar el arranque y zumbar, pero no llegará a ponerse en marcha. Si solamente son una o dos las bobinas con cortocircuitos, el motor se pondrá en marcha, pero su par de arranque será muy exiguo. La bobina defectuosa se calentará fuertemente durante el arranque del motor, y puede incluso humear si éste se prolonga excesivamente.

Un buen sistema para detectar la presencia de posibles cortocircuitos en las bobinas de un inducido consiste en retirar las escobillas y en hacer girar a mano el inducido tras haber conectado el estator a la red de alimentación. Si el inducido gira libremente, sin tendencia a detenerse en ningún punto, es señal de que se halla en buen estado. Por regla general basta una simple inspección visual del arrollamiento rotórico para descubrir la existencia de bobinas con cortocircuito, ya que el inducido suele estar completamente quemado o carbonizado y se percibe el olor característico del aislamiento chamuscado.

No es buena norma dejar fuera de servicio las bobinas defectuosas.

En motores de repulsión no es buena norma prescindir de las bobinas defectuosas, limitándose únicamente a dejarlas fuera de servicio; aunque éstas sean sólo una o dos, es aconsejable rebobinar todo el arrollamiento. Antes de efectuar esta operación conviene asegurarse de que el colector se halla en perfectas condiciones.

4. *Cortocircuito en el arrollamiento estatórico.* Se caracteriza porque determina el funcionamiento del motor a una velocidad inferior a la de régimen y la emisión de un zumbido continuo. Además, las bobinas defectuosas se calientan mucho y desprenden humo. A veces el motor no alcanza la velocidad necesaria para que el mecanismo centrífugo entre en acción, con lo cual la corriente absorbida crece excesivamente y acaba por hacer saltar un fusible. La detección de esta avería se efectúa con auxilio de una bobina de prueba.

5. *Posición errónea de los portaescobillas.* En los motores de repulsión es preciso que los portaescobillas ocupen una posición bien definida, puesto que si se decalan más allá de la misma, en uno u otro sentido, el motor arranca con un par muy exiguo o bien no arranca en absoluto, en cuyo caso saltan los fusibles por exceso de corriente. Los portaescobillas suelen desplazarse de su posición correcta porque el tornillo de ajuste que los mantiene sujetos se afloja. Inconvenientes análogos surgen cuando, tras rebobinar el inducido, no se conectan los terminales de las bobinas a las delgas que les corresponden. Es evidente que si dichos terminales se conectan una o dos delgas más allá de las correctas, la posición del eje neutro ya no será la misma de antes, y habrá que determinarla de nuevo.

Lo propio sucede cuando, al rebobinar el estator, se alojan los lados de bobina una ranura más allá de la que ocupaban anteriormente. También en este caso es preciso determinar la posición del nuevo eje neutro y, una vez conocida, la que corresponde a la marcha normal del motor en uno y otro sentido de giro. Ambas posiciones se encuentran fácilmente desplazando los portaescobillas hacia la derecha y hacia la izquierda del eje neutro, hasta que el motor posee el par adecuado.

6. *Conexión errónea de los terminales.* Las figuras 3.61 y 3.62 muestran dos errores típicos en que suelen incurrir los principiantes al conectar los cuatro terminales exteriores del arrollamiento estatórico de un motor de repulsión para dos tensiones de servicio. En ambos casos el motor zumbará cuando se le aplique tensión, pero no arrancará. Para subsanar la anomalía basta permutar los terminales T_3 y T_4.

Otro error muy frecuente es el de conectar los terminales T_1 y T_2 a la línea de alimentación L_1, y los terminales T_3 y T_4 a la otra línea L_2 (fig. 3.63). El examen de dicha figura muestra que el resultado de esta conexión errónea es dejar el arrollamiento estatórico interrumpido. En tales condiciones el motor tampoco arranca, y ni siquiera zumba.

7. *Sobrecarga del motor.* Cuando un motor está sobrecargado no puede funcionar a la velocidad de régimen requerida y, además, absorbe una corriente excesiva. En motores de repulsión sólo en el arranque puede ocurrir entonces que, por ser la velocidad insuficiente, el mecanismo centrífugo no llegue a entrar en acción y no ponga por tanto en cortocircuito el arrollamiento rotórico. En tal caso dichos motores seguirán ciertamente prestando servicio como motores de repulsión propiamente dichos, pero su funcionamiento será ruidoso y su calentamiento excesivo.

8. *Excesivo juego axial de los portaescobillas.* En ciertos motores de repulsión sólo en el arranque provistos de colector radial, un excesivo juego axial de los portaescobillas puede originar una separación demasiado grande entre delgas y escobillas, la cual se traducirá por una presión insuficiente de estas últimas sobre el colector, que provocará la formación de chispas y puede incluso impedir que el motor vaya acelerándose. Por tales motivos procurará que dicho juego axial no exceda de 0,4 mm, disponiendo si es necesario las pertinentes arandelas de presión en el eje del inducido. Dicho operación debe efectuarse de manera que el núcleo del inducido permanezca bien alineado con respecto al del estator. Con frecuencia un juego excesivo es también causa de un funcionamientor ruidoso.

9. *Escobillas sin contacto con el colector.* Cuando las escobillas han quedado atascadas o bien están muy gastadas, pueden dejar de ejercer contacto con el colector, en cuyo caso el motor se halla en la imposibilidad de arrancar. Lo mismo sucede si hay suciedad en el colector o si la presión del muelle de las escobillas es insuficiente. Suponiendo que el motor llegue a arrancar, se producirá una intensa formación de chispas. Todas estas anomalías quedan fácilmente detectadas por inspección visual, y se subsanan limpiando a fondo el colector, reponiendo las escobillas o los muelles, o bien substituyendo ambos a la vez.

10. *Levantamiento prematura de las escobillas.* Como es sabido, el motor de repulsión sólo en el arranque funciona como tal hasta que alcanza aproximadamente el 75 % de su plena velocidad de régimen; a partir de este momento pasa a trabajar como motor monofásico de inducción, y sigue aumentando su velocidad en estas condiciones. Por consiguiente, si las escobillas se separan del colector antes de que el motor alcance las revoluciones de conmutación, es evidente que éste no podrá ya continuar acelerándose hasta su plena velocidad de régimen. Por el contrario, su velocidad empezará a disminuir y el mecanismo centrífugo acabará finalmente por hacer descansar de nuevo las escobillas sobre el colector. Este ciclo de levantamiento y descenso de las escobillas puede repetirse indefinidamente.

El levantamiento prematuro de las escobillas puede ser debido a una presión insuficiente del muelle del mecanismo. Si el motor es del tipo que lleva los portaescobillas montados en el inducido, puede ser necesario substituir el muelle en cuestión; si el motor es del otro tipo, será posible aumentar la presión del muelle apretando la tuerca dispuesta a tal efecto.

Cuando las varillas de empuje son demasiado largas, los portaescobillas quedan excesivamente separados del colector. La distancia entre unos y otro debe ser, antes de iniciar el arranque, de unos 0,8 mm. Si esta distancia es superior a la indicada es conveniente acortar las varillas de empuje, operación que puede efectuarse al tornear el colector.

Un montaje incorrecto del mecanismo centrífugo puede ser también causa del levantamiento prematuro de las escobillas.

11. *Inducido puesto en cortocircuito por el collar.* La causa principal de esta anomalía es frecuentemente un montaje erróneo del mecanismo de puesta en cortocircuito. Este error puede remediarse fácilmente desmontando dicho mecanismo y volviendo a montar todas sus piezas siguiendo el orden especificado en la figura 3.6. En motores de repulsión sólo en el arranque, del tipo con escobillas no separables, puede ocurrir que los segmentos de puesta en cortocircuito queden soldados a las delgas del colector o que se produzcan en éstas un contacto a masa.

12. *Suciedad en el collar de cortocircuito o en el colector.* Si el collar está sucio o roto, o bien si está sucia la parte de colector que entra en contacto con el collar, es evidente que el colector no quedará puesto íntegramente en cortocircuito cuando llegue el momento. El motor funcionará por tanto de modo parecido a uno con rotor de jaula de ardilla, pero con el circuito de las barras interrumpido. En tales condiciones el motor es incapaz de impulsar carga alguna; su velocidad va decreciendo gradualmente, su funcionamiento es ruidoso, y se calienta en exceso. Si el motor es del tipo de escobillas separables, cuando la velocidad se haya reducido suficientemente para hacer entrar en acción el mecanismo centrífugo, las escobillas volverán a descender sobre el colector y el inducido se acelerará de nuevo. Sin embargo, en cuanto se aplique carga al motor volverá a disminuir su velocidad inmediatamente. Este proceso se irá repitiendo hasta que salte un fusible.

La solución consiste en desmontar todo el mecanismo de puesta en cortocircuito y limpiar el collar. Si hubiera piezas en mal estado, se reemplazarán por otras nuevas. También es muy aconsejable llevar a cabo una limpieza a fondo del colector.

13. *Collar de cortocircuito roto, quemado o montado erróneamente.* Si el collar es del tipo constituido por numerosos segmentos individuales de cobre mantenidos conjuntamente mediante un muelle circular que pasa a través de un taladro practicado en cada unidad, hay que asegurarse de que el collar queda montado sobre su soporte de modo que los taladros se hallen dispuestos hacia la parte trasera del colector. Cada segmento está provisto además de un resalte que debe quedar en posición adecuada para que haga contacto con el colector.

Si el collar es de una sola pieza, su construcción será tal que le permita curvarse. Es de suma importancia montarlo sobre su tambor de modo que se adapte perfectamente a la curvatura de éste.

Cuando el collar está roto, quemado o montado erróneamente, el inducido puede quedar imperfectamente puesto en cortocircuito al alcanzar la velocidad de conmutación, y el motor seguirá funcionando como uno de repulsión. Esta anomalía se subsana reemplazando el collar por otro nuevo, o bien montándolo correctamente.

14. *Montaje incorrecto del mecanismo centrífugo.* Si el collar está montado de forma que mantenga siempre en cortocircuito las delgas del colector, el motor no podrá evidentemente arrancar. Si, por otra parte, el tambor elástico ha sido montado de modo inadecuado, el mecanismo se atascará. Una tensión incorrecta del muelle será causa de un levantamiento prematuro o tardío de las escobillas. Lo propio puede ocurrir si, a consecuencia de un montaje defectuoso, el mecanismo se afloja durante la marcha del motor.

Siempre que se sospeche del buen estado del mecanismo centrífugo procédase a desmontarlo completamente, límpiense todas sus piezas, compruébese si cada una de ellas se halla en perfectas condiciones y, en caso afirmativo, vuélvase a montar correctamente según indica la figura 3.6.

15. *Masas centrífugas atascadas.* Si las masas centrífugas están atascadas dejarán de accionar a las varillas de empuje, y por tanto todo el mecanismo de puesta en cortocircuito quedará inactivo. El motor funcionará permanentemente como uno de repulsión; su marcha será ruidosa y su par muy exiguo. Además, las escobillas frotarán continuamente sobre el colector.

16. *Tensión inadecuada del muelle.* Si la tensión del muelle es insuficiente, el colector quedará puesto en cortocircuito cuando la velocidad del motor es todavía pequeña, y al propio tiempo las escobillas se levantarán prematuramente del colector. Esto dará lugar a un par de arranque bajo, y el motor será incapaz de alcanzar la velocidad necesaria para pasar del estado inicial de arranque (repulsión) al de régimen (inducción). En tal caso será preciso reemplazar el muelle o bien ajustarlo a una tensión superior.

Si, por el contrario, la tensión del muelle es excesiva, ni las escobillas se separarán del colector ni el inducido quedará puesto en cortocircuito cuando se alcance la velocidad de conmutación. Por consiguiente, el motor funcionará en permanencia como uno de repulsión, produciendo ruido y chispas. La solución consiste en ajustar la tuerca de modo que la tensión del muelle se reduzca al valor adecuado.

17. *Suciedad en el colector.* Caso similar al de escobillas atascadas; en efecto, no circulará corriente alguna por el inducido si la suciedad del colector impide que las escobillas hagan contacto con las delgas. En tales condiciones el motor zumbará y se producirán chispas entre el colector y las escobillas. El remedio es frotar bien el colector con un paño limpio y repasarlo luego con papel de esmeril de grano fino.

18. *Borde desgastado en los portaescobillas.* Es causa frecuente de anomalías, en particular cuando el portaescobillas es de metal blanco. En efecto, el desgaste de un borde permite la trepidación del portaescobillas, y el contactos de la escobilla con las delgas es entonces defectuoso e intermitente. La solución es cambiar los portaescobillas que no reúnan buenas condiciones.

19. *Contacto a masa del arrollamiento estatórico.* Si el arrollamiento estatórico tiene un punto de contacto a masa y la carcasa del motor no está puesta a tierra, cualquier persona que toque el motor mientras éste se halla conectado a la red experimentará una sacudida. Si, de acuerdo con las normas de seguridad vigentes, la carcasa del motor ha sido puesta a tierra, la existencia del defecto mencionado hará saltar un fusible. Dos o más contactos a masa en el arrollamiento estatórico equivalen a un cortocircuito, que determinará casi siempre el salto de un fusible. El motor puede permancer zumbando un momento antes de que esto último suceda.

20. *El aislamiento de mica entre delgas sobresale.* Este inconveniente ocurre siempre que las delgas de un colector se desgastan más aprisa que los segmentos de mica interpuestos entre las mismas. La excesiva altura de dicho aislamiento impide entonces que las escobillas puedan establecer buen contactos con el colector, con la consiguiente formación de chispas. El remedio consiste en tornear el colector nuevamente y rebajar luego el aislamiento ligeramente por debajo de las delgas.

CAPÍTULO IV

Motores polifásicos de inducción

Son motores de corriente alterna previstos para ser conectados a redes de alimentación trifásicas o bifásicas. Ambos tipos son de construcción análoga, y sólo difieren en las conexiones internas de sus arrollamientos.

MOTORES TRIFASICOS

Estos motores se fabrican de las más diversas potencias, desde una fracción de caballo hasta varios miles de caballos. Tienen una característica de velocidad sensiblemente constante, y una característica de par que varía ampliamente según los diseños. Hay motores trifásicos que poseen un elevado par de arranque; otros, en cambio, lo poseen reducido. Hay tipos diseñados para que absorban una corriente de arranque más bien moderada, y otros que están previstos para absorber una corriente de arranque elevada. Se los construye para prácticamente todas las tensiones y frecuencias de servicio normalizadas, y muy a menudo están equipados para trabajar a dos tensiones nominales distintas. Los motores trifásicos se emplean para accionar máquinas - herramienta, bombas, montacargas, ventiladores, grúas, maquinaria elevada, sopladores, etc.

Constitución de un motor trifásico

La figura 4.1 muestra el aspecto exterior de un motor trifásico. Se compone de tres partes principales: estator, rotor y escudos. Constructivamente es similar al motor de fase partida, pero está desprovisto de interruptor centrífugo.

El estator (fig. 4.2) consiste en una carcasa de fundición, un núcleo formado por chapas magnéticas, idéntico al empleado en motores de fase partida y de repulsión, y un arrollamiento constituido por bobinas individuales alojadas en las ranuras del núcleo. El rotor puede ser del tipo de jaula de ardilla, a base de barras y aros de aluminio fundidos conjuntamente en molde, o bien bobinado. Tanto un tipo como el otro están provistos de un núcleo de chapas magnéticas ajustado a presión sobre el eje. La figura 4.3 muestra el aspecto exterior de un motor de jaula de ardilla, el cual es completamente similar al de un motor de fase partida. Como su nombre indica, el rotor bobinado (fig. 4.4) lleva un arrollamiento especial, dispuesto en las ranuras del núcleo, cuyos terminales están conectados a tres anillos de fricción solidarios del eje.

Igual que en los demás motores, los dos escudos se afianzan firmemente, uno a cada lado de la carcasa, con auxilio de pernos. En ellos van montados los cojinetes sobre los cuales se apoya y gira el eje del rotor. A tal efecto se emplean indistintamente cojinetes de bolas y cojinetes de resbalamiento.

Funcionamiento del motor trifásico

Las bobinas alojadas en las ranuras estatóricas están conectadas de modo que formen tres arrollamientos independientes iguales, llamados *fases*. En la figura 4.5 se han representado esquemáticamente las tres fases o arrollamientos de un motor. Dichos arrollamientos están distribuidos y unidos entre sí de tal manera que, al aplicar a sus terminales la tensión de una red de alimentación trifásica, se genera en el interior del estator un campo magnético giratorio que arrastra el rotor y lo obliga a girar a determinada velocidad.

Rebobinado de un motor trifásico

El rebobinado de un motor trifásico comprende varias operaciones independientes, que son:

1. Toma de datos.
2. Extracción del arrollamiento antiguo.
3. Aislamiento de las ranuras estatóricas.
4. Confección de las bobinas.
5. Colocación de las bobinas en las ranuras.
6. Conexión de las bobinas entre sí.
7. Verificación eléctrica del nuevo arrollamiento.
8. Secado e impregnación.

Toma de datos. Los datos que deben anotarse son los siguientes: 1, los que figuran en la placa de características del motor; 2, el número de ranuras estatóricas; 3, el número de bobinas; 4, la clase de conexión entre bobinas; 5, el número de espiras de cada bobina; 6, la forma y las dimensiones de cada bobina; 7, el paso de bobina; 8, la clase de aislamiento empleado en las ranuras; 9, la sección del conductor y el espesor de su aislamiento.

Estos datos deben ser lo más completos y claros posible, al objeto de que pueda procederse al rebobinado del motor sin pérdida de tiempo. El mejor procedimiento es reunirlos en una hoja de datos como la que se expone a continuación.

MODELO DE HOJA DE DATOS PARA MOTORES POLIFASICOS

Firma constructora

Potencia (CV)	Velocidad (r.p.m.)	Tensión (V)	Corriente (A)
Frecuencia	Tipo	Cifra clave	Factor sobrecarga
Temperatura adm.	Modelo	Número serie	Fases

Número bobinas	Número ranuras	Conexión
Diámetro conductor	Espiras/bobina	Número grupos
Bobinas/grupo	Número polos	Paso bobinas

La figura 4.6 muestra esquemáticamente la disposición más corriente de las bobinas estatóricas en un motor trifásico.

La figura 4.7 reproduce el aspecto que ofrecería parte del arrollamiento trifásico mencionado si se cortara el estator por un punto cualquiera de su periferia y se desarrollase sobre una superficie plana, en el supuesto de que todas las bobinas se hubiesen confeccionado individualmente. Las bobinas ofrecerían, en cambio, el aspecto de la figura 4.8, si hubiesen sido confeccionadas por grupos, como es normal en la mayoría de los motores de pequeño y mediano tamaño. Este tipo de bobinado se explica más adelante (pág. 132).

Cuando las bobinas se ejecutan individualmente, una vez alojadas en el estator es preciso unir un número predeterminado de ellas en serie para formar cada grupo respectivo. En la figura 4.9 puede verse un grupo constituido por tres bobinas conectadas en serie. Todas las bobinas de un motor trifásico poseen el mismo número de espiras y el mismo paso.

Del examen de las figuras 4.7 y 4.8 se deduce que el número de bobinas coincide con el de ranuras. Algunos motores tienen doble número de ranuras que de bobinas: son los que llevan el arrollamiento llamado *de fondo de cesta.* En este capítulo se tratará únicamente de arrollamientos con igual número de bobinas que de ranuras.

Extracción del arrollamiento antiguo. En el transcurso de esta operación pueden tomarse los datos restantes necesarios para el rebobinado. Antes de extraer el arrollamiento estatórico de las ranuras es preciso determinar y anotar de qué modo están unidos entre sí los diversos polos o las diversas ramas de arrollamiento, y cuál es la clase de conexión entre fases. Los motores trifásicos están normalmente previstos para trabajar a una o dos tensiones de servicio y para girar a dos, tres o cuatro velocidades de régimen, lo cual exige una gran variedad de conexiones (en triángulo, en estrella, en serie, en paralelo y todas las combinaciones posibles entre éstas). La fácil identificación de tales conexiones requiere un conocimiento previo de los tipos más usuales de arrollamiento trifásico y de las diferentes conexiones básicas que los caracterizan. Antes de proceder a esta tarea recomendamos, pues, al lector, el estudio de cuanto se expone en el apartado "Conexiones fundamentales de los motores trifásicos" (pág. 135), y en especial de la sección "Manera de identificar la conexión" (pág. 141).

Los motores trifásicos de gran tamaño tienen las ranuras estatóricas abiertas (fig. 4.10 A). Para extraer el arrollamiento de los mismos basta simplemente quitar las cuñas que cierran las ranuras e ir sacando las bobinas una tras otra. En los motores de pequeño y mediano tamaño las ranuras estatóricas son, por el contrario, semicerradas (fig. 4.10 B), lo cual puede suponer una mayor dificultad para la extracción de las bobinas. Puesto que los arrollamientos han sido sometidos normalmente a un proceso de secado para conferirles rigidez, y algunos han sido además "encapsulados" (cubiertos con un barniz a base de resina "expoxy", como protección adicional), casi siempre es necesario carbonizar previamente el aislamiento que llevan. Esto se efectúa introduciendo el estator en una estufa adecuada y ajustando convenientemente la temperatura de la misma. En muchos talleres se cortan todas las bobinas por un lado del estator y luego se extraen por el otro tirando de ellas, tras haber carbonizado el aislamiento (figs. 4.11 *a* y *b*).

Se conservara intacta una de las bobinas extraídas, a fin de que su forma y dimensiones sirvan de modelo para la ejecución de las nuevas.

Durante la extracción del arrollamiento se procederá a anotar el paso de las bobinas (véase fig. 4.7), el número de espiras de cada bobina, el tamaño de las bobinas y el calibre y la clase de aislamiento del conductor empleado.

Antes de sacar las bobinas de las ranuras es también muy importante medir y anotar la distancia que las cabezas de bobina sobresalen por ambos lados del estator. Al confeccionar las bobinas nuevas se tendrá buen cuidado de evitar que dicha distancia sea rebasada.

Aislamiento de las ranuras estatóricas. El aislamiento original será reemplazado por otro de igual calidad y espesor. Es muy usual el empleo de aislamiento con los bordes doblados (fig. 4.12) para motores de tamaño pequeño o mediano; el material elegido varía para cada clase particular de motor. Otras veces se prefiere utilizar aislamiento liso y aplicar tiras dobladas en sus bordes. El aislamiento con bordes doblados se expende en rollos de anchuras normalizadas. Se corta al tamaño conveniente con auxilio de una cizalla, y luego se le da la forma necesaria para que encaje bien en los lados de las ranuras. Muchos talleres emplean con este objeto un pequeño dispositivo llamado *molde* u *horma del aislamiento.*

Confección de las bobinas. Las bobinas utilizadas en motores de cierto tamaño tienen forma hexagonal, es decir, seis lados (fig. 4.13); sin embargo, en motores más pequeños es corriente encontrar bobinas inicialmente rectangulares, dos de cuyos lados han sido ligeramente doblegados (véase a este respecto la figura 4.16). Sea cual fuere su forma inicial, digamos ya que las bobinas de los motores polifásicos se confeccionan siempre con auxilio de hormas (llamadas también gálibos, plantillas o moldes), y sólo una vez construidas se alojan en las ranuras correspondientes. Para motores con potencias hasta unos 75 CV se emplean bobinas tipo "madeja", es decir, bobinas en las cuales las espiras arrolladas quedan dispuestas más bien al azar que no en capas.

Los motores trifásicos de gran tamaño suelen llevar ranuras abiertas, por cuyo motivo las bobinas acostumbran encintarse completamente (fig. 4.13). La cinta normalmente empleada a este respecto es la de algodón, si bien resulta preferible el uso de batista barnizada o de cinta de fibra de vidrio. Utilícese siempre un tipo de cinta compatible con la clase de aislamiento que lleva el motor.

Las bobinas destinadas a motores de tamaño mediano no pueden dejarse completamente encintadas, ya que por estar dichos motores provistos generalmente de ranuras semicerradas, es corriente tener que introducir las espiras de cada bobina una por una en su respectiva ranura. En tal caso sólo se encintan las cabezas de bobina, es decir, las partes de bobina que sobresalen a ambos lados del núcleo (fig. 4.14). Muchos talleres ni siquiera encintan las bobinas, sino que se limitan a sujetarlas por las cabezas posteriores y los terminales con auxilio de un cordel o de una tira de papel adhesivo (fig. 4.15), para evitar que se deshagan.

Las bobinas de motores de pequeño tamaño pueden confeccionarse inicialmente de forma rectangular y convertirse luego en hexagonales tirando por el centro de los lados mayores (fig. 4.16): los dos lados rectos son los que se alojan en las ranuras, y los dos lados doblados constituyen las cabezas. Estas cabezas de bobina tienen la ventaja de sobresalir poco. Por supuesto, tales bobinas pueden también ejecutarse directamente de forma hexagonal, o con cabezas redondeadas. La mayor parte de los talleres utilizan la horma ajustable de la figura 4.17 para devanar bobinas hexagonales pequeñas y la de figura 4.18 para confeccionar bobinas con cabezas redondeadas.

Los bobinas pueden ejecutarse individualmente (uno sola vez), o bien por grupos (varias cada vez). La mayoría de los motores polifásicos, exceptuando tan sólo los de gran tamaño y los que tienen ranuras abiertas, llevan bobinas devanadas por grupos. El número de bobinas de que consta cada grupo depende del número de ranuras estatóricas y del número de polos del motor, como se verá más adelante. Con el *devanado por grupos* se ejecutan varias bobinas consecutivamente, es decir, sin cortar el conductor. Esto supone un ahorro de tiempo, ya que evita la necesidad de conectar luego los terminales de las bobinas entre sí.

La figura 4.19 muestra una horma ajustable montada sobre una devanadora de banco. El hilo se arrolla sobre seis rodillos giratorios provistos de gargantas de guía. En la figura 4.20 puede verse otro tipo de horma bastante usado: cuatro manivelas solidarias del mecanismo permiten ajustar simétricamente con respecto al centro la posición de cada par de brazos de guía opuestos. Con esta horma pueden confeccionarse bobinas tipo "madeja" para toda clase de motor trifásico hasta 75 CV. Las bobinas, una vez concluidas, se extraen sin dificultad y tirando ligeramente de los brazos y dándoles un giro de 180°, de modo que las guías miren hacia el interior; al quedar aflojada la tensión de la horma, las bobinas pueden hacerse deslizar hacia fuera sin esfuerzo alguno. La figura 4.21 indica el modo cómo se ejecuta el devanado por grupos.

Los dos tipos de bobinas mencionados anteriormente son los que se emplean en estatores provistos de ranuras semicerradas. Estas bobinas se encintan o no de acuerdo con las normas observadas en cada taller o la costumbre de cada operario. Son muchos los talleres donde no se encintan las bobinas destinadas a motores de tamaño pequeño o mediano; en tal caso, al alojar las bobinas en las ranuras se dispone generalmente entre los primeros elementos acanalados de separación o bien aislamiento de anchura y espesor adecuados. Entre bobinas pertenecientes a fases distintas (véase más adelante el significado de esta designación), la interposición de aislamiento es imprescindible.

La ejecución de bobinas destinadas a estatores con ranuras abiertas exige el uso de moldes especiales. Al objeto de que los lados de bobina se adapten perfectamente a la forma de las ranuras, deben ser de sección cuadrada o rectangular. Una vez conformadas convenientemente, dichas bobinas se encintan por completo, sea a mano, sea con auxilio de una máquina de encintar.

Para encintar una bobina puede procederse como se indica a continuación. Se empieza el encintado por un punto próximo a uno de los terminales (fig. 4.22), y se va prosiguiendo a lo largo de toda la bobina hasta alcanzar el otro terminal. Hay que asegurarse de que cada vuelta de cinta quede parcialmente superpuesta sobre la vuelta anterior, aproximadamente en la mitad del ancho de la cinta. Se encinta entonces el segundo terminal en una longitud de 2 a 3 cm sobre su manguito, y se continúa con la bobina hasta alcanzar el primer terminal, que se encintará de forma idéntica al segundo. Se proseguirá la operación con el resto de la bobina, hasta llegar al punto de partida, y se asegura bien el extremo con cinta adhesiva.

Las bobinas previstas para alojar en ranuras semicerradas se encintan de forma similar, pero solamente por ambas cabezas; las partes de cada bobina que deben quedar insertadas en las ranuras (o sea, los lados) se dejan libres. Estas bobinas también pueden encintarse a mano o bien mediante máquinas adecuadas.

Colocación de las bobinas en las ranuras. En ranuras semicerradas es preciso introducir las espiras de cada bobina una por una. Una vez alojada ésta en las ranuras correspondientes suelen encintarse las dos cabezas de la misma, si bien la mayoría de los talleres prescinden de esta última operación.

La figura 4.23 indica el modo de proceder. Se separa un poco el haz de espiras de uno de los lados de la bobina, y se mantiene ésta inclinada el ángulo conveniente para que todas las espiras puedan penetrar en la ranura. Es preciso asegurarse de que todas ellas quedan alojadas en el interior del aislamiento de la ranura, pues si por descuido cae alguna entre éste y el núcleo estatórico, puede originarse un contacto a masa. Seguidamente se empuja dicho lado de bobina hacia el fondo de la ranura, hasta que todas sus espiras hayan quedado dispuestas en él. El otro lado de la bobina se deja fuera, como muestra la figura 4.24. Obsérvese que cada lado de bobina ocupa solamente la mitad de una ranura.

A continuación se aloja un lado de la segunda bobina en la ranura contigua a la primera ya ocupada, como indica la figura 4.25, y se procede de igual manera con las bobinas sucesivas, hasta que todas las ranuras abarcadas por un paso completo de bobina contengan un lado de cada bobina en su mitad inferior. El segundo lado de cada bobina se deja fuera hasta que el fondo de la ranura que le corresponde ha sido ocupado por el primer lado de otra bobina, a partir de cuyo momento puede alojarse ya en la parte superior de dicha ranura. En la práctica, sin embargo, no suele llevarse a cabo esta última operación hasta que el devanado estatórico se halla casi concluido. Cuando las bobinas se confeccionan por grupos, el operario ejecuta siempre cada vez un grupo completo, el cual se dispone en las ranuras del modo explicado anteriormente e indicado en la figura 4.26. Se procurará que los lados de bobina sobresalgan suficientemente por ambos extremos de las ranuras, a fin de evitar que los codos puedan presionar contra los bordes de éstas.

Como se observa, con este tipo de devanado, llamado en dos capas, cada bobina tiene un lado alojado en el fondo de una ranura (lado inferior) y el otro en la parte superior de otra ranura (lado superior), distanciada de la primera un número de ranuras equivalente al paso del bobinado.

Puesto que los dos lados de bobina alojados en una misma ranura suelen pertenecer a una fase distinta, es preciso aislarlos convenientemente entre sí. Para ello puede procederse de la manera indicada en la figura 4.27, aplicable tanto a ranuras abiertas como a ranuras semicerradas. Antes de alojar el lado superior de bobina en cada ranura se inserta sobre el inferior una tira doblada de material aislante, de espesor comprendido entre 0,25 y 0,4 mm, cortada de modo que se adapte al ancho de la ranura y que sobresalga unos 12 mm por ambos extremos de ésta. Una vez introducido el lado superior de bobina, se cierra la ranura con una cuña de madera o de fibra prensada, al objeto de inmovilizar el devanado. La cuña, de sección rectangular o redonda, debe sobresalir unos 3 mm por ambos extremos de la ranura.

La figura 4.28 muestra un estator trifásico durante el proceso de colocación de las bobinas e inserción del aislamiento entre grupos.

Esta última operación se ha efectuado a medida que se iba alojando cada grupo de bobinas en sus ranuras, disponiendo un grueso reforzado de aislamiento sobre los lados inferiores y cubriendo los superiores con una pieza aislante en forma de U. El material empleado acostumbra ser batista o tela barnizada, tejido de fibra de vidrio, etc. Obsérvese que las bobinas han sido confeccionadas arrollando simultáneamente tres hilos en paralelo.

Conexión de las bobinas entre sí. Esta cuestión se trata extensamente en el apartado siguiente.

Verificación eléctrica del nuevo arrollamiento. Véase el apartado "Pruebas" al final de este capítulo (pág. 168).

Secado e impregnación. Consúltese a este respecto lo expuesto en el capítulo I.

Conexiones fundamentales de los motores trifásicos

Fases. Casi todos los motores trifásicos están provistos de un arrollamiento estatórico en doble capa, es decir, con igual número de bobinas que de ranuras. Las bobinas van conectadas formando tres arrollamientos independientes llamados *fases,* las cuales se designan generalmente con las letras A, B y C (*fase* A, *fase* B, *fase* C). Puesto que cada fase debe estar constituida por el mismo número de bobinas, éste será igual a un tercio del número total de bobinas existentes en el estator. En términos generales, la regla a aplicar es la siguiente:

REGLA 1. — Para determinar el número de bobinas por fase, se divide el número total de bobinas estatóricas por el número de fases del motor.

Ejemplo: en un motor trifásico provisto de 36 bobinas, habrá:

$$\frac{36 \text{ bobinas}}{3 \text{ fases}} = 12 \text{ bobinas por fase.}$$

Las tres fases de un motor trifásico están siempre conectadas *en estrella* o *en triángulo.* En la conexión en estrella, los finales de las fases están unidos conjuntamente en un punto común (*centro de estrella*), y cada principio de fase va conectado a una de las líneas de alimentación de la red (fig. 4.29). El nombre de *estrella* con que se designa dicha conexión es debido a la forma que adoptan las fases en el esquema de la misma, y se representa abreviadamente por el símbolo Y.

La conexión es *en triángulo* cuando el final de cada fase está unido al principio de la siguiente. En el esquema de la figura 4.30, que muestra esta conexión, se aprecia que el final de la fase A está unido al principio de la fase B, el final de la fase B al principio de la fase C, y el final de la fase C al principio de la fase A. De cada punto de unión o vértice parte una conexión hacia la red. También se habría obtenido una conexión en triángulo uniendo el final de la fase A al principio de la fase C, el final de la fase C al principio de la fase B, y el final de la fase B al principio de la fase A.

El examen de la figura 4.30 justifica el nombre dado a esta conexión, que abreviadamente se representa por el símbolo $\triangle$.

Polos. Las bobinas de un motor trifásico están también conectadas de modo que en el estator del mismo se forme un determinado número de polos iguales. Por consiguiente, se tendrá:

REGLA 2. — Para determinar el número de bobinas por polo, se divide el número total de bobinas estatóricas por el número de polos del motor.

Ejemplo: en un motor trifásico tetrapolar provisto de 36 bobinas, habrá:

$$\frac{36 \text{ bobinas}}{4 \text{ polos}} = 9 \text{ bobinas por polo.}$$

Esta distribución de bobinas es la representada esquemáticamente en la figura 4.31. Desarrollando el devanado sobre un plano, el aspecto verdadero de las bobinas sería el reproducido en el esquema de la figura 4.32. Este esquema puede simplificarse si se suprimen las bobinas del dibujo y se dejan solamente en él los dos terminales de cada una (fig. 4.33).

Grupos. Se llama *grupo* a un determinado número de bobinas contiguas conectadas en serie. Los motores trifásicos llevan siempre tres grupos iguales de bobinas en cada polo: uno por fase. Dicho en otros términos, un grupo pertenece a la fase A, otro a la fase B, y el tercero a la fase C. Es evidente que un grupo define el ***número de bobinas por polo y fase.***

En el motor del caso anterior se ha visto que hay 9 bobinas por polo; por consiguiente, cada polo estará subdividido en 3 grupos, y cada grupo estará constituido por 3 bobinas (fig. 4.34).

Como se ha indicado al principio, las bobinas de cada grupo van siempre conectadas en serie. Así, en el grupo de la figura 4.35 el final de la bobina 1 va unido al principio de la bobina 2, y el final de la bobina 2 al principio de la bobina 3. El principio de la bobina 1 y el final de la bobina 3 constituyen los terminales del grupo. La figura 4.36 *a* muestra una vista frontal de esta conexión entre bobinas.

Las bobinas de un grupo sólo deben ser conectadas entre sí cuando se confeccionan por separado; con el sistema de devanado por grupos (fig. 4.21), éstos ya quedan formados automáticamente y no es preciso efectuar conexión interior alguna. La mayoría de los motores están bobinados por grupos. La figura 4.36 *b* reproduce el aspecto frontal de 3 bobinas ejecutadas en grupo.

Para poder conectar entre sí las bobinas estatóricas de un motor polifásico es preciso determinar ante todo el número de grupos de que consta el arrollamiento. Se utiliza para ello la Regla 3.

REGLA 3. — Para determinar el número de grupos de bobinas, se multiplica el número de polos por el número de fases del motor.

Ejemplo: en el motor trifásico tetrapolar que nos sirve de referencia, habrá:

$$4 \text{ polos} \times 3 \text{ fases} = 12 \text{ grupos de bobinas.}$$

Si el motor fuese hexapolar, habría que contar con $6 \times 3 = 18$ grupos de bobinas.

A continuación se calcula el número de bobinas de cada grupo por medio de la Regla 4.

REGLA 4. — Para determinar el número de bobinas por grupo, se divide el número total de bobinas del motor por el número de grupos.

Ejemplo: en el motor trifásico de referencia, se tendrán:

$$\frac{36 \text{ bobinas}}{12 \text{ grupos}} = 3 \text{ bobinas por grupo.}$$

Si el motor fuese hexapolar y tuviera 54 bobinas, le corresponderían también:

$$\frac{54 \text{ bobinas}}{18 \text{ grupos}} = 3 \text{ bobinas por grupo.}$$

Una vez conocido el número de bobinas por grupo puede procederse a conectar éstas en grupos (fig. 4.37), suponiendo que sean de confección individual, o bien a ejecutarlas directamente en grupos (fig. 4.21), con objeto de ahorrarse dichas conexiones interiores. Esta importante cuestión vale la pena de ser tenida en cuenta. Como es evidente, todos los grupos deben constar del mismo número de bobinas.

Conexión en estrella. Supóngase que se trata de conectar en estrella las tres fases del motor ya considerado (4 polos, 36 bobinas estatóricas). Se procederá como sigue:

1. Se conectan primero todas las bobinas en grupos. Las tres bobinas de cada grupo se unen en serie, como indica la figura 4.37. Si dichas bobinas han sido confeccionadas en grupo no será precisa esta operación, puesto que ya habrán quedado conectadas automáticamente.

2. Se conectan seguidamente entre sí todos los grupos que pertenecen a la fase A (fig. 4.38). La conexión debe efectuarse de manera que por el primer grupo circule la corriente en sentido de las agujas de un reloj, por el segundo grupo en sentido contrario, por el tercero nuevamente en el sentido horario, etc. De esta forma se obtendrán polaridades sucesivas de signo alterno.

El principio de la fase A se empalma a un terminal flexible, que se lleva al exterior; el final de dicha fase se unirá posteriormente a los finales de las fases B y C. Esta unión se encintará convenientemente.

3. Se conectan ahora entre sí los grupos de la fase C, exactamente igual que los de la fase A (fig. 4.39). El primer grupo libre, perteneciente a la fase B, ha sido "saltado" intencionadamente con objeto de que la ejecución del conexionado entre grupos pueda ser idéntica para las tres fases.

4. Finalmente, se conectan los grupos de la fase B del mismo modo que se ha procedido con los de las fases A y C, pero empezando por el segundo de dicha fase, es decir, el quinto a partir del principio (fig. 4.40). Gracias a este artificio, llamado *conexión con grupo "saltado"*, las flechas representativas del sentido de circulación de la corriente que figuran debajo de cada grupo señalan sucesivamente direcciones opuestas: así, la primera flecha indica el sentido de las agujas de un reloj, la segunda el sentido contrario, la tercera el mismo sentido que la primera, la cuarta el mismo que la segunda, etc. Este es uno de los métodos que permiten comprobar si la polaridad de cada grupo es correcta.

Con el fin de simplificar el esquema de la figura 4.40 puede substituirse cada grupo de bobinas por un pequeño rectángulo (fig. 4.41). En vez del esquema lineal así obtenido es costumbre emplear también un esquema circular (fig. 4.42).

En todos los esquemas anteriores se ha supuesto el mismo sentido de corriente a la entrada (alimentación) de cada una de las tres fases, como indican las flechas representadas junto a las designaciones A, B y C. En realidad, la corriente entra en un momento dado por una de estas fases y sale por las otras dos, para entrar un instante después por otras dos fases y salir por la tercera, según un ciclo rotativo. El sentido ficticio (las tres flechas señalando hacia dentro) atribuido a las corrientes en dichos esquemas tiene por objeto facilitar la verificación del conexionado en motores trifásicos. Obsérvese a este respecto que las flechas correspondientes a los grupos de la fase intermedia B son siempre de sentido contrario a las de los grupos A y C contiguos.

El diagrama esquemático de la figura 4.43 permite poner más claramente de manifiesto la clase y las características de conexión del motor considerado hasta ahora. El número de fases y la disposición de las mismas, con un extremo común o centro de estrella, muestran inmediatamente que estamos en presencia de un devanado trifásico conectado en estrella. Puesto que cada fase está integrada por cuatro grupos de bobinas, se trata de un devanado de cuatro polos, es decir, tetrapolar. De los esquemas precedentes se deduce, en efecto, que cada fase se compone de tantos grupos iguales como polos tiene el motor. Por consiguiente, para saber el número de polos de un motor cuyo diagrama esquemático es conocido basta contar el número de grupos de cada fase. Finalmente, el diagrama indica también que los grupos de cada fase están conectados en serie entre sí. En resumen, se trata de un motor trifásico tetrapolar conectado en estrella / serie (1 Y).

Conexión en triángulo. Examinemos ahora el diagrama esquemático reproducido en la figura 4.44. Puesto que no existe en él ningún centro de estrella y las tres fases están unidas de modo que el final de la A coincida con el principio de la C, el final de la C con el principio de la B, y así sucesivamente, no cabe duda que la conexión es en triángulo. Observando además que cada fase está formada por cuatro grupos de bobinas, y que dichos grupos se hallan unidos en serie entre sí, se podrá concluir que el diagrama corresponde ahora a un devanado trifásico tetrapolar conectado en triángulo / serie (1 $\triangle$).

Supóngase ahora que las bobinas del devanado representado en las figuras 4.31 ó 4.32 deben conectarse de acuerdo con el diagrama esquemático de la figura 4.44.

Igual que se procedió con la conexión en estrella, la primera operación será unir las bobinas en grupos. Como el motor es trifásico y tiene 4 polos, deberán formarse $3 \times 4 = 12$ grupos de 3 bobinas cada uno. Se obtendrá entonces el esquema de la figura 4.37. Este esquema puede simplificarse reemplazando por un pequeño rectángulo las 3 bobinas en serie que constituyen cada grupo. Es una buena norma poner encima de cada grupo la letra característica de la fase a la cual pertenece, y debajo de él la flecha indicativa del sentido de circulación de la corriente. La conexión entre grupos y fases se llevará a cabo del modo siguiente:

1. Los grupos pertenecientes a la fase A se unen entre sí de igual manera que se hizo con la conexión en estrella, es decir, alternando el signo de sus polaridades (fig. 4.45). Si previamente se ha dibujado debajo de dichos grupos una serie de flechas sucesivas que vayan indicando alternativamente sentido horario y sentido antihirario, se verá fácilmente cómo deben irse ejecutando las uniones.

2. Se unen ahora los grupos de la fase C exactamente igual que se ha procedido con los de la fase A, es decir, de modo que el signo de sus polaridades vaya alternando sucesivamente y coincida siempre con el del grupo A correspondiente (fig. 4.46). Para verificar que no ha habido error, compruébese que las dos flechas indicativas del sentido de la corriente a la entrada de las fases A y C señalan hacia el interior del devanado. Conéctese entonces el final de la fase A con el principio de la fase C.

3. Se une a continuación el final de la fase C con el principio del segundo grupo perteneciente a la fase B (fig. 4.47). Los grupos que componen dicha fase tendrán también polaridades alternadas y siempre de signo contrario a las de los grupos contiguos pertenecientes a las otras dos fases. Una vez unidos entre sí dichos grupos del modo indicado, se conecta el final de la fase B al principio de la fase A, y el devanado queda concluido.

El esquema circular de la figura 4.48 es exactamente equivalente al esquema lineal representado en la figura 4.47, pero tiene la ventaja de indicar la posición real de los diversos grupos de bobinas en el estator.

Como se desprende de las explicaciones precedentes, la manera de unir los grupos de cada fase entre sí es idéntica en caso de conexión en estrella que en caso de conexión en triángulo; lo único que difiere en ambas es la forma de empalmar los extremos de las fases respectivas. En la conexión en estrella, los finales de las tres fases están unidos conjuntamente para formar el punto neutro o centro de estrella; en la conexión en triángulo, el final de cada fase va unido al principio de la siguiente, de modo que si se sigue el circuito formado, empezando por ejemplo por el principio de la fase A, se llega de nuevo al punto de partida tras haber recorrido íntegra y sucesivamente las fases A, C y B.

Los devanados anteriores, tanto los conectados en estrella como los conectados en triángulo, han sido ejecutados por el método del grupo "saltado", es decir, pasando de la fase A a la fase C y dejando la fase B para el final. Pero también es posible realizar el mismo trabajo por el método de grupos sucesivos, o sea siguiendo el orden natural A - B - C de las tres fases (fig. 4.49).

Si bien ambos métodos son absolutamente equivalentes, muchos operarios prefieren el primero por resultar más sencillo.

Conexiones en paralelo. Muchos motores trifásicos están concebidos de manera que cada una de sus fases esté subdividida en varias ramas o derivaciones iguales, unidas entre sí en paralelo. Según el número de derivaciones existentes en cada fase se tiene una conexión de *dos ramas* (o *doble paralelo*), *tres ramas* (o *triple paralelo*), etc.

En las figuras 4.50 y 4.51 se han representado, a título comparativo, los diagramas esquemáticos de una conexión en estrella / serie (1 Y) y de una conexión en estrella / doble paralelo (2 Y), respectivamente. Una y otra constan del mismo número de grupos por fase, pero la disposición de los mismos es tal, que mientras la primera no ofrece más que una sola vía al paso de la corriente, la segunda presenta dos.*

El esquema lineal de la figura 4.52 permite visualizar la conexión de los 4 grupos de la fase A en doble paralelo. Se empieza por conectar uno de los terminales de alimentación al principio de los grupos 1.º y 3.º de la fase A. Seguidamente se une el final del grupo 1.º con el final del grupo 2.º y el final del grupo 3.º con el final del grupo 4.º Los principios de los grupos 2.º y 4.º quedarán libres para su conexión posterior al centro de estrella o punto neutro. Terminada ya la fase A, se procederá de forma absolutamente idéntica con los grupos de la fase C (fig. 4.53), y finalmente con los de la fase B. Entonces se conectan conjuntamente los seis terminales libres para formar el punto neutro.

La figura 4.54 muestra el esquema lineal completo de la conexión representada en la figura 4.51, y la figura 4.55 el esquema circular equivalente.

Manera de identificar la conexión

Como ya se ha mencionado en la página 130, antes de proceder a la extracción del devanado de un motor trifásico es preciso identificar el tipo de conexión del mismo. Esta cuestión es de suma importancia y requiere un conocimiento previo de los diferentes casos que pueden presentarse (véase a este respecto el apartado anterior). Sólo si el bobinador u operario encargado de la reparación tiene en la mente los diversos diagramas esquemáticos estudiados anteriormente podrá llegar con relativa facilidad al objetivo propuesto, partiendo de unos pocos datos de observación.

Para la identificación de la conexión es conveniente observar varias normas preventivas, que pueden resultar de notoria utilidad. En primer

* De ahí el número que precede al signo Y en las respectivas designaciones simbólicas. (*N. del T.*)

lugar, no deben cortarse terminales ni extraerse bobinas del arrollamiento hasta estar seguro del tipo de conexión del mismo. Luego léanse y anótense los datos que figuran en la placa de características: en ella estará normalmente indicado si el motor ha sido previsto para girar a una o a dos velocidades de régimen o para trabajar a una o a dos tensiones de servicio, e incluso, a veces, si está conectado en estrella o en triángulo. La velocidad de un motor figura siempre en la placa de características. Puesto que la velocidad depende del número de polos, es fácil determinar este último en función de la misma (véase más adelante). Recuérdese también que el número de polos es siempre igual al número de grupos de bobinas que integran cada fase. Cuando el motor está previsto para trabajar a dos tensiones de servicio salen generalmente al exterior nueve terminales, que son los que permiten unir grupos de cada fase en serie o en paralelo, tanto si la conexión entre fases es en estrella como si es en triángulo (véase pág. 145). Cuando el motor tiene dos velocidades de régimen, salen normalmente seis terminales al exterior.

Reteniendo en la memoria estas características particulares y los diagramas esquemáticos descritos en el apartado anterior, poco esfuerzo costará identificar la conexión en cuestión. Bastará para ello proceder como sigue.

Se empieza por considerar una cualquiera de las líneas o terminales de alimentación y determinar cuántos grupos de bobinas están unidos a dicha línea. Si no hay más que un solo grupo, estamos en presencia de una conexión en estrella / serie: es ésta, en efecto, la única conexión trifásica que cumple tal requisito. En el diagrama esquemático de la figura 4.56 se observa justamente que cada línea de alimentación se halla unida a un solo grupo: se trata, por consiguiente de una conexión estrella / serie. De hecho, el diagrama corresponde a un motor trifásico bipolar 1 Y, seguramente el más simple de todos los motores trifásicos existentes. Por presentar idéntica peculiaridad, el diagrama de la figura 4.57 se ve que corresponde también a una conexión estrella / serie (motor trifásico tetrapolar 1 Y). La única diferencia entre ambos motores estriba en el número de polos (número de grupos por fase). Como ya sabemos, un motor bipolar lleva siempre 2 grupos por fase ($2 \times 3 = 6$ en total), un motor tetrapolar, 4 grupos por fase ($4 \times 3 = 12$ en total), etc. El número de grupos puede deducirse siempre en función de la velocidad (dato que figura en la placa de características), y a veces, contando éstos directamente. No debe olvidarse que al dibujar un diagrama con objeto de identificar la conexión de un motor, puede prescindirse eventualmente del número de polos del mismo; este dato se determinará más tarde. Lo importante es dilucidar el tipo de conexión entre fases (estrella o triángulo) y el número de vías en paralelo por fase (1, 2, 3, etc.).

Cuando son dos los grupos de bobinas unidos a cada línea o terminal de alimentación, hay la posibilidad de que la conexión sea en triángulo / serie (1 △) o bien en estrella / doble paralelo (2 Y). En la figura 4.58 se han representado estos dos casos conjuntamente, a fines comparativos. Para resolver la cuestión se averiguará si existe algún centro de estrella, es decir, un punto común al cual estén unidos seis grupos; en caso afirmativo, se trata de la conexión 2 Y, y en caso contrario, de la conexión 1 △. Es conveniente recordar que a veces pueden encontrarse no uno, sino dos centros de estrella separados, a cada uno de los cuales van conectados tres grupos (fig. 4.69).

Si a cada línea de alimentación van unidos tres grupos de bobinas (fig. 4.59), estamos en presencia de una conexión en estrella / triple paralelo (3 Y). No existe ninguna otra conexión que cumpla también esta condición.

Cuando son cuatro los grupos unidos a cada línea de alimentación (fig. 4.60), existen dos posibilidades: la conexión es en triángulo / doble paralelo (2 △) o bien en estrella / cuádruple paralelo (4 Y). Se tratará de la segunda si se encuentra un punto común al cual estén unidos doce grupos, y de la primera si no se encuentra dicho punto.

Bastan estos ejemplos para demostrar que un conocimiento previo de los diagramas esquemáticos anteriormente expuestos facilita extraordinariamente la identificación del tipo de conexión de un motor dado.

Para determinar el número de polos pueden emplearse varios métodos. Si la velocidad del motor es conocida, el problema no tiene dificultad, ya que en todo motor asíncrono existe una relación bien definida entre el número de polos y el de revoluciones (véase a este respecto el capítulo I, página 9, y la tabla VII del Apéndice). Así, por ejemplo, si en la placa de características figura una velocidad de 1.725 r.p.m., el motor es tetrapolar si figura una velocidad de 1.150 r.p.m. el motor es hexapolar, etc.*

Un segundo método consiste en contar el número total de grupos de bobinas; dividiendo éste por el número de fases, se hallará el número de polos buscado. Por ejemplo, si en un motor trifásico se han encontrado 12 grupos de bobinas, el número de polos será $\frac{12}{3} = 4$.

* Estas relaciones son válidas para una frecuencia de alimentación de 60 Hz. A la frecuencia normal en Europa (50 Hz), las velocidades correspondientes a 4 y 6 polos son respectivamente del orden de 1.425 y 950 r.p.m. (*N. del T.*)

Los grupos se distinguen fácilmente porque cada uno tiene dos terminales de conexión.

También puede saberse el número de polos contando el número de puentes de conexión existentes entre grupos de una misma vía, suponiendo previamente determinados el tipo de conexión y el número de vías en paralelo. Así, por ejemplo, si se ha averiguado que un motor está conectado en estrella / doble paralelo y se han contado seis puentes de unión entre grupos (fig. 4.61), no cabe duda que dicho motor es tetrapolar. En el diagrama esquemático de la figura, las cifras indican el número correlativo de orden de cada puente.

Motores trifásicos para doble tensión de servicio

La mayoría de los motores trifásicos de tamaño pequeño y mediano se construyen de manera que puedan conectarse a dos tensiones de alimentación distintas. La finalidad de ello es hacer posible el empleo de un mismo motor en localidades con red de suministro eléctrico a diferente tensión.

Por regla general, la unión conveniente de los terminales exteriores del motor permite conseguir una conexión en serie de los arrollamientos parciales (correspondiente a la tensión de servicio mayor) o una conexión en doble paralelo de los mismos (correspondiente a la tensión de servicio menor).

La figura 4.62 muestra cuatro grupos iguales de bobinas unidos en serie y conectados a una red de alimentación de 460 V corriente alterna. A cada grupo quedan aplicados 115 V, y se supondrá que ésta es su tensión normal de trabajo. Si se unen ahora dichos grupos en doble paralelo, como indica la figura 4.63, y se conectan a una red de 230 V, es evidente que cada grupo seguirá trabajando a la misma tensión de antes, es decir, 115 V. La figura 4.64 muestra todavía una tercera posibilidad de unión de los grupos: en cuádruple paralelos, con una tensión de alimentación de 115 V. Se observa que la tensión en cada grupo es también de 115 V. Por consiguiente, a pesar de ser distinta la tensión de la red en los tres casos precedentes, la diferente conexión de los grupos deja invariable la tensión aplicada individualmente a cada uno. Todas las máquinas previstas para dos tensiones de servicio se basan en este principio. Supóngase, por ejemplo, que se desea que un motor monofásico tetrapolar pueda trabajar indistintamente a 460 V y a 230 V. Bastará para ello sacar al exterior los dos terminales extremos y dos terminales centrales, con lo cual el arrollamiento quedará subdividido en dos mitades de dos polos cada una, y conectar luego ambas mitades en serie (fig. 4.65) o en paralelo (figura 4.66), según que la tensión de servicio sea 460 V ó 230 V.

Con los motores trifásicos se opera de modo análogo. Supóngase que el motor tetrapolar de la figura 4.67, conectado en estrella / serie (1 Y), está previsto para trabajar con una tensión de 460 V entre fase y neutro. Si se desea alimentarlo con una tensión de 230 V, bastará subdividir cada fase en dos mitades y unirlas entre sí en paralelo, es decir, conectarlo en estrella / doble paralelo (2 Y). Esta conexión puede efectuarse manteniendo el punto neutro primitivo (fig. 4.68) o bien creando otro nuevo (fig. 4.69). Una y otra variante son exactamente equivalentes.

Motores conectados en estrella. Casi todos los motores trifásicos previstos para doble tensión de servicio llevan nueve terminales exteriores, que se identifican con las designaciones normalizadas T_1 hasta T_9. La figura 4.70 reproduce estas designaciones, aplicadas al caso de motores conectados en estrella. En esta clase de motores se forman cuatro circuitos: tres con dos terminales y uno con tres terminales. Este dato será utilizado más adelante, al describir la manera de identificar terminales desprovistos de designación.

Obsérvese que cada fase se halla subdividida en dos mitades, las cuales se unen en serie o en paralelo según que la alimentación sea con la tensión mayor o con la tensión menor. En el primer caso se procede del modo siguiente (fig. 4.71): primero se empalman los terminales T_6 y T_9, luego los terminales T_4 y T_7, y finalmente los terminales T_5 y T_8. Una vez encintados dichos empalmes, se conectan los terminales restantes T_1, T_2 y T_3 a las respectivas líneas L_1, L_2 y L_3 de la red trifásica de alimentación. En el segundo caso se procede del modo indicado en la figura 4.72: primero se une el terminal T_7 al T_1, y éste a la línea L_1; luego el terminal T_8 al T_2, y éste a la línea L_2; a continuación, el terminal T_3 al T_9, y éste a la línea L_3; finalmente, se enlazan los terminales T_4, T_5 y T_6 para formar un centro de estrella exterior.

La figura 4.73 muestra el esquema lineal del motor trifásico tetrapolar para doble tensión, conectado en estrella / serie, cuyo diagrama esquemático se ha representado en la figura 4.71.

Motores conectados en triángulo. La figura 4.74 reproduce las designaciones normalizadas $T_1 \ldots T_9$ de los nueve terminales exteriores que llevan los motores trifásicos para doble tensión de servicio, en caso de conexión en triángulo. Nótese que los circuitos formados son ahora solamente tres, provisto cada uno de tres terminales.

Para alimentar el motor a la tensión mayor es preciso unir las dos mitades de cada fase en serie, como indica el diagrama esquemático de la figura 4.75. Esto se lleva a término empalmando sucesivamente los terminales T_4 y T_7, T_5 y T_8, T_6 y T_9; luego se conectan los terminales T_1, T_2 y T_3 a las respectivas líneas L_1, L_2 y L_3 de la red.

Para alimentar el motor a la tensión menor se procede según el diagrama de la figura 4.76: basta conectar los terminales T_1, T_7 y T_6 a la línea L_1, los terminales T_2, T_4 y T_8 a la línea L_2, y los terminales T_3, T_5 y T_9 a la línea L_3.

La figura 4.77 muestra el esquema lineal de un motor trifásico tetrapolar conectado en triángulo. Las dos mitades de cada fase están unidas en serie. El motor se halla así dispuesto para trabajar a la tensión mayor.

Motores conectados en estrella / triángulo. Ciertos motores para dos tensiones de servicio tienen los terminales previstos de modo que el arrollamiento entero pueda conectarse en estrella (tensión mayor) o bien en triángulo (tensión menor). En tal caso las tensiones mayor y menor deben hallarse en la relación $\sqrt{3} : 1$ (en vez de $2 : 1$, como en los demás tipos).

La figura 4.78 indica la designación normalizada de los terminales y la manera de unirlos entre sí para conseguir una u otra clase de conexión. Obsérvese que ahora son seis los terminales que salen al exterior, dos de cada fase.

Conexiones cortas y conexiones largas entre grupos. En todos los esquemas representados hasta ahora se ha hecho uso de las llamadas "conexiones cortas", también conocidas por las designaciones "final a final", "principio a principio" y "arriba hacia arriba". Esta conexión, ya mencionada en la página 29, se caracteriza porque con ella se une siempre el final de un grupo con el final del grupo siguiente, perteneciente a la misma fase. Así lo muestra claramente el esquema lineal de la figura 4.79, en el que para mayor simplicidad se ha representado únicamente una sola fase de un motor en estrella.

Se emplea la "conexión larga", "arriba hacia abajo", "final a principio" o "principio a final" cuando se une el final de un grupo con el principio del grupo más próximo de idéntica polaridad, perteneciente a la misma fase. En el esquema lineal de la figura 4.80 se observa, por ejemplo, cómo el final del primer grupo está unido al principio del tercero (ambos de igual polaridad) de la misma fase, el final del segundo al principio del cuarto, etc.

Las conexiones largas se utilizan principalmente en motores para dos velocidades de régimen o para uniones en paralelo.

Placas de características. La figura 4.81 muestra una placa de características típica: corresponde a un motor trifásico en estrella, previsto para dos tensiones de servicio. En ella están claramente especificadas las conexiones a efectuar con los terminales, según que se desee una u otra tensión de trabajo. El examen detenido de la misma suministra además otros datos importantes: las tensiones nominales de funcionamiento (220/440 V), la frecuencia normal de trabajo (60 Hz), la potencia (5 CV) y la velocidad (1.750 r.p.m.) del motor, etc. En la placa figuran también, sin embargo, algunas características importantes cuya lectura no es de comprensión directa. Dada la utilidad que el conocimiento y la interpretación correcta de las mismas puede tener para el personal dedicado a reparación de motores, se explica a continuación el significado de dichos conceptos.

DISEÑO. — Los motores de inducción polifásicos con rotor de jaula de ardilla, de potencia inferior a una decena de caballos, han sido clasificados en cuatro diseños, designados por las letras A, B, C y D. Estos motores permiten su conexión directa a la red, es decir, están previstos para soportar la plena corriente de arranque. Los motores de diseño A, B o C tienen un deslizamiento inferior al 5 %, a la carga nominal; para los motores de diseño D, el deslizamiento es igual o superior al 5 %. Los motores de diseño A o B con diez o más polos pueden tener, sin embargo, un deslizamiento igual o superior al 5 %, a la carga nominal. El par de arranque y el par crítico desarrollados, así como también la corriente de arranque absorbida, varían según el diseño.

En la publicación *Motor Standards* de la NEMA figuran tablas con dichos valores.

TIPO. — Los fabricantes de motores utilizan determinados símbolos para designar abreviadamente ciertas características constructivas de protección. En nuestro ejemplo, "EP1" denota un motor completamente cerrado, desprovisto de ventilación.

CIFRA CLAVE. — Para motores de potencia inferior a 10 CV, esta cifra indica dos dimensiones externas características del motor: la distancia D entre el eje geométrico del árbol y el plano inferior de los pies o base de soporte, y la distancia F entre el eje de simetría de la base del motor y el eje de los taladros de los pies destinados a los espárragos de fijación. Ambas cotas pertenecen a una vista lateral del motor. En el ejemplo de la figura 4.81, los dos primeros dígitos (21) de la cifra clave (215) suministran, divididos por 4, la distancia D en pulgadas (5 $^1/_4$); el tercer dígito (5), es función de la distancia F.

SERVICIO. — El dato que precede a este concepto indica el período de tiempo durante el cual el motor puede funcionar desarrollando su plena potencia, a la tensión y frecuencia especificadas en su placa de características, sin que su calentamiento exceda del límite señalado en dicha placa. En nuestro ejemplo, el símbolo PERM denota que el motor puede prestar servicio permanente.

CALENTAMIENTO. — Es el incremento sobre la temperatura ambiente que experimenta el motor cuando trabaja a su carga nominal. Este incremento se mide en grados centígrados. Los motores de tipo abierto y uso general, provistos de aislamiento clase A, pueden prestar servicio permanente sin que su calentamiento exceda en general de 40° C. En motores completamente cerrados el calentamiento no suele ser superior a 55° C, a igualdad de las demás condiciones.

LETRA CLAVE. — Es una letra que indica, de acuerdo con un código preestablecido, la potencia aparente en KVA (kilovoltamperios) absorbida por el motor en el momento del arranque (o sea con el rotor parado) por caballo de potencia útil. Existen tablas que suministran, para cada letra clave, los valores entre los que debe estar comprendida esta relación de potencias. Por ejemplo, para la letra clave H (fig. 4.81), dicha relación puede oscilar entre 6,3 y 7,1 KVA / CV. Puesto que el motor es de 5 CV, la potencia aparente absorbida al arrancar no debe exceder de $5 \times 7{,}1 = 35{,}5$ KVA. De este valor es fácil deducir el de la corriente de arranque, el cual es necesario para calcular la capacidad con que es preciso dimensionar los dispositivos de protección contra sobrecorrientes a insertar en el circuito del motor.

FACTOR DE SOBRECARGA. — Es el factor por el cual debe multiplicarse la potencia nominal para hallar la potencia (carga) máxima admisible que puede suministrar el motor a la tensión, frecuencia y temperatura especificadas en la placa de características. Así, un factor de 1,15 indica que el motor puede sobrecargarse hasta 1,15 veces su potencia nominal.

Motores de arranque con arrollamiento parcial. Según la definición de la NEMA, se designa así todo motor de inducción o síncrono concebido de manera que sólo una parte de su arrollamiento primario quede conectada a la red en el momento del arranque; transcurrido este período inicial, se pone en servicio el resto de dicho arrollamiento, sea de una vez o bien en fases sucesivas. El objeto de esta medida es reducir los valores de la corriente de arranque absorbida por el motor o del par de arranque desarrollado por el mismo. En la práctica, los motores normales de inducción de esta clase están previstos de modo que inicialmente sólo quede conectada a la red la primera mitad de su arrollamiento primario, y luego también la segunda, en cuyo caso una y otra se reparten equitativamente la carga.

Si bien los motores asíncronos de arranque con arrollamiento parcial están previstos para una sola tensión de servicio, existen algunos motores trifásicos para dos tensiones de servicio (por ejemplo, 220/440 V) susceptibles de funcionar como los primeros a la tensión menor (en el caso mencionado, 220 V). Para ello basta, en efecto, insertar a la red una sola mitad de cada fase durante el arranque, y conectar luego la otra mitad en paralelo (período de servicio). Estos motores pueden estar conectados en estrella o en triángulo, y por regla general tienen 9 terminales al exterior.

Observando el diagrama esquemático en estrella de la figura 4.82 se ve que la unión conjunta de los terminales T_4, T_5 y T_6 forma un segundo punto neutro o centro de estrella. Conectando ahora los terminales T_1, T_2 y T_3 a las respectivas líneas de alimentación L_1, L_2 y L_3, es evidente que el motor arrancará con sólo la mitad de su arrollamiento primario. Uniendo finalmente los terminales T_7, T_8 y T_9 a T_1, T_2 y T_3 (o L_1, L_2 y L_3) entrará también en servicio la segunda mitad del arrollamiento. Ambas trabajan en paralelo, y por cada una circulará la mitad de la corriente de carga. Si el motor sólo tiene 6 terminales exteriores, significa que los tres terminales restantes (T_4, T_5 y T_6) ya están unidos permanentemente en el interior del motor.

Cuando el motor está conectado en triángulo (fig. 4.83), se insertará en la red la primera mitad de su arrollamiento uniendo T_1 y T_6 a L_1, T_2 y T_4 a L_2, T_3 y T_5 a L_3. Para poner también en servicio la segunda mitad, en paralelo con la primera, bastará unir T_7 a T_1 y T_6, T_8 a T_2 y T_4, T_9 a T_3 y T_5. Se ha supuesto, como antes, que el motor tiene 9 terminales exteriores. Pero puede tener sólo 6 terminales exteriores, si las uniones T_1 - T_6, T_2 - T_4 y T_3 - T_5 ya están efectuadas permanentemente en el interior del motor, en cuyo caso éste se halla dispuesto para el arranque. La segunda mitad de arrollamiento quedará también puesta en servicio si se une T_7 con T_1 y T_6, T_8 con T_2 y T_4, T_9 con T_3 y T_5. Habrá asimismo 6 terminales exteriores si las uniones internas son T_4 - T_8, T_5 - T_9 y T_6 - T_7; las conexiones a efectuar serán entonces las indicadas en el cuadro de la derecha (fig. 4.83).

En la práctica todas las conexiones exteriores entre terminales se efectúan automáticamente con auxilio de *combinadores* expresamente concebidos para este fin. En el capítulo V se describe el funcionamiento de dichos aparatos de maniobra.

Los motores de arranque con arrollamiento parcial se bobinan dejando nueve terminales exteriores, es decir, igual que los motores para dos tensiones de servicio estudiados anteriormente, aunque en realidad estén previstos para una sola tensión de trabajo. El esquema lineal de sus arrollamientos es, pues, análogo a los representados en las figuras 4.73 y 4.77, según que la conexión de las fases sea en estrella o en triángulo. En ambos esquemas se ha hecho uso de "conexiones cortas" entre grupos de una misma fase, pero pueden adoptarse también "conexiones largas", como en la figura 4.80. En tal caso el motor tendría tendencia a funcionar más suavemente durante la primera etapa.

Manera de identificar los nueve terminales (sin designación) de un motor trifásico para doble tensión de servicio. Para efectuar las pruebas pertinentes es preciso disponer del siguiente equipo:

1. Un voltímetro para corriente alterna, con escala hasta unos 460 V.
2. Una fuente de alimentación trifásica a 220 ó 230 V.
3. Una lámpara de prueba, un zumbador con su batería u otro instrumento comprobador de circuitos cualquiera.
4. Un ohmímetro.

La primera operación consiste en averiguar si el motor en cuestión está conectado en estrella o en triángulo. Para ello se efectúa una prueba de continuidad entre cada uno de los nueve terminales y todos los demás. Esta prueba, que se lleva a cabo fácilmente con auxilio de una lámpara, un zumbador u otro aparato análogo cualquiera, tiene por objeto determinar el número de circuitos interiores que componen el arrollamiento primario. Si se encuentra *cuatro circuitos* independientes —tres de dos terminales y uno de tres terminales— el motor estará conectado *en estrella;* si sólo se encuentran *tres circuitos* de tres terminales cada uno, el motor estará conectado en triángulo.

Supongamos ahora que nos hallamos en el primer caso, puesto que la lámpara de prueba acaba de acusar la presencia de cuatro circuitos (fig. 4.84 A). Evidentemente, el circuito con tres terminales será el que forma el centro de la estrella, y los otros tres circuitos de dos terminales constituirán los extremos de la misma. Se procederá de acuerdo con las etapas siguientes.

1. Márquense los cuatro circuitos. El de tres terminales llevará

la designación *definitiva* T_7, T_8, T_9; los de dos terminales llevarán las designaciones *provisionales* T_1 - T_4, T_2 - T_5 y T_3 - T_6, puesto que no se sabe todavía si cada uno está provisto de la designación que le corresponde.

2. Suponiendo el motor de 230/460 V y en buenas condiciones, conéctense sus terminales T_7, T_8, T_9 (circuito central) a una red de alimentación trifásica a 230 V. Los demás terminales deben permanecer libres. El motor —al cual no tiene que aplicarse carga alguna— se pondrá en marcha.

3. Mídase por medio del voltímetro la tensión existente entre los terminales de cada uno de los tres circuitos restantes (fig. 4.84 B). La tensión leída debe ser, en este caso, de $230 / \sqrt{3} = 130$ V aproximadamente.

4. Conéctense entre sí los terminales *provisionalmente señalados* como T_6 y T_9 y mídanse con el voltímetro las tensiones existentes entre T_3 y T_7 y entre T_3 y T_8 (fig. 4.84 C). Si ambas tensiones tienen idéntico valor, 340 V aproximadamente, la conexión de T_6 a T_9 es correcta y la designación provisional de los terminales T_3, T_6 y T_9 pasa a ser la definitiva. Si las dos lecturas también son iguales, pero sólo de 130 V, es preciso permutar las designaciones provisionales de T_3 y T_6. Si ambas tensiones son diferentes, conéctese T_9 con un terminal cualquiera de los dos circuitos exteriores restantes, y repítanse las operaciones anteriores hasta hallar dos lecturas iguales de 340 V.

5. Identifíquense por el mismo procedimiento los seis terminales restantes, es decir, conectando T_5 a T_8 y midiendo las tensiones T_2 - T_7 y T_2 - T_9, o bien conectando T_4 a T_7 y midiendo las tensiones T_1 - T_8 y T_1 - T_9.

6. Compruébese el resultado final conectando el motor para funcionar a la tensión menor (como indica el esquema que figura en la placa de características) y alimentando el mismo con una red trifásica a dicha tensión. Si las conexiones entre terminales son correctas, el motor será capaz de arrastrar una carga normal, y sus tres fases absorberán una corriente igual y poco distinta del valor nominal especificado.

Supóngase ahora que la lámpara de prueba ha revelado la presencia de tres circuitos de tres terminales (fig. 4.85 A), lo cual permite establecer que el motor en cuestión se halla conectado en triángulo. El proceso a seguir es el siguiente:

1. Márquense los tres circuitos con las designaciones provisiona-

les respectivas A, B y C; las correspondientes designaciones de los terminales de cada circuito son las que muestra la figura 4.85 A.

2. Identifíquese el terminal central del circuito A midiendo con el ohmímetro las resistencias entre uno cualquiera de sus terminales y los otros dos (fig. 4.85 B). Si las dos lecturas del instrumento son distintas, los dos terminales entre los cuales se haya medido mayor resistencia serán los extremos, y se designarán provisionalmente como T_4 y T_9; el terminal restante es el central, y queda identificado definitivamente con la designación T_1. Si las dos lecturas son iguales, el terminal común en ambas será el terminal central. Obsérvese que la resistencia entre T_4 y T_9 es doble de la existente entre T_1 y T_4 o T_1 y T_9.

3. Repítanse las mismas mediciones con los circuitos B y C, al objeto de identificar los terminales centrales T_2 y T_3.

4. Conéctese el circuito A a una red trifásica de alimentación a 230 V. El motor —que se habrá dejado sin carga— se pondrá en marcha, a pesar de faltarle una fase (fig. 4.85 C).

5. Unase el terminal que suponemos ser T_4 con uno de los extremos del circuito B.

6. Mídase con el voltímetro de tensión existente entre T_1 y T_2. Si la lectura es de unos 460 V, los terminales que se han unido pueden marcarse definitivamente con las designaciones T_4, el del circuito A, y T_7, el del circuito B. Con ello habrán quedado identificados simultáneamente T_9 y T_5.

7. Si la indicación del voltímetro es aproximadamente de 390 V, la unión efectuada es errónea, es decir, se trata de T_4 - T_5, T_9 - T_7 ó T_9 - T_5. En tal caso será preciso ir probando las combinaciones restantes, hasta que el instrumento señale los 460 V; entonces se habrán identificado finalmente T_4 y T_7.

8. Repítase el mismo procedimiento con el circuito C, para identificar T_6 y T_8.

Al efectuar cada permutación de terminales se tendrá cuidado de desconectar previamente el motor de la red.

Si no se dispone de voltímetro pueden emplearse también en su lugar lámparas de prueba, siempre que sea posible conectar en serie un número suficiente de ellas y apreciar una diferencia de brillo en las mismas, como consecuencia de la mayor o menor tensión aplicada al verificar cada circuito.

Motores trifásicos para dos o más velocidades de régimen

Ya se dijo en otro lugar que la velocidad de un motor trifásico de inducción depende de su número de polos y de la frecuencia de la red de alimentación. Como esta última permanece constante, para variar la velocidad de dicho motor será preciso modificar su número de polos. Existen varios métodos para conseguir tal alteración. Uno de ellos consiste en substituir la conexión normal entre los grupos de cada fase por otra que origine la formación de polos consecuentes (*conexión para polos consecuentes*). El principio de este fenómeno ha sido ya expuesto en el capítulo I (página 37 y figura 1.76), y aquí nos limitaremos a aclararlo con un ejemplo. La figura 4.86 representa el esquema lineal de la fase A de un motor trifásico. Los cuatro grupos de bobinas están conectados de manera normal, es decir, formando cuatro polos de signo alternado (las flechas indicativas cambian alternativamente de sentido). Admitiendo una frecuencia de 50 Hz, el motor girará a una velocidad ligeramente inferior a 1.500 r.p.m. (tabla VII del Apéndice). Conectando ahora los cuatro grupos de modo que la corriente circule por ellos en el mismo sentido (fig. 4.87), se formarán cuatro polos adicionales más (uno entre cada par de polos principales consecutivos); el motor tendrá, por tanto, un total de ocho polos magnéticos, y girará a una velocidad próxima a 750 r.p.m.

Los motores trifásicos que utilizan el principio de los polos consecuentes para conseguir, con un solo arrollamiento, dos velocidades de régimen distintas, se conectan de diferente manera según que se desee mantener el par constante a ambas velocidades, conservar la potencia constante a ambas velocidades, o bien conseguir un par variable a cada velocidad.

Cuando se quiere mantener el par constante, la conexión empleada es generalmente estrella / doble paralelo (2 Y) para la velocidad *mayor* y triángulo / serie (1 $\triangle$) para la velocidad *menor*. La figura 4.88 muestra las conexiones internas entre los grupos de la fase A de un motor trifásico de par constante y 4/8 polos. Siguiendo el circuito desde el terminal de alimentación T_6, se observa que el sentido de la corriente varía alternativamente al saltar de un grupo al grupo contiguo; se forman por consiguiente 4 polos, que corresponden a la velocidad *mayor* del motor. Suponiendo los terminales T_1 y T_2 unidos en el centro de la estrella, se nota también que la fase queda subdividida en dos ramas en paralelo. En el esquema lineal de la figura 4.89, correspondiente al mismo motor de antes, las conexiones entre grupos son exactamente las mismas; sin embargo, la alimentación tiene lugar ahora por el terminal T_1. Suponiendo el terminal T_2 unido al principio de la fase siguiente, y el terminal T_6 aislado, se ve que los grupos quedan unidos en serie y que el sentido de circulación de la corriente es ahora idéntico en todos ellos. Al formarse por este motivo cuatro polos consecuentes, el motor cuenta con un total de ocho polos efectivos y gira a la velocidad *menor*.

La figura 4.90 A muestra el esquema lineal completo del motor en cuestión, y la figura 4.90 B el diagrama esquemático del mismo. Se observa que del motor salen seis terminales al exterior. El cuadro adjunto indica las conexiones a efectuar con dichos terminales para el régimen a velocidad mayor y para el régimen a velocidad menor. En el primer caso se conectan T_4, T_5, T_6 a la red de alimentación trifásica, tras unir conjuntamente y encintar T_1, T_2, T_3. En el segundo caso son T_1, T_2, T_3 los terminales a conectar a la red trifásica; T_4, T_5, T_6 se dejan separados y se encintan individualmente.

Cuando la característica que se desea mantener constante al pasar de una a otra velocidad no es el par, sino la potencia, se procede de modo inverso al de antes, es decir, se conecta el motor en triángulo / serie (1 $\triangle$) para la velocidad mayor, y en estrella / doble paralelo (2 Y) para la menor. Las figuras 4.91 y 4.92 representan respectivamente para ambos casos las conexiones internas entre los grupos de la fase A de un motor trifásico de potencia constante a sus dos regímenes de velocidad (4/8 polos). Se nota que dichas conexiones internas son absolutamente las mismas. Sin embargo, en la figura 4.91 la alimentación se efectúa por T_4, mientras T_1 permanece aislado. Los cuatro grupos quedan unidos en serie, y la corriente circula por ellos con sentidos alternados; se forman, pues, cuatro polos, que corresponden a la velocidad mayor. En la figura 4.92, por el contrario, la alimentación tiene lugar a través de T_1, y T_4 se supone unido con T_6 en el centro de estrella. Los grupos constituyen ahora dos ramas iguales en paralelo, y la corriente circula por ellos en el mismo sentido; se forman, pues, ocho polos efectivos, que corresponden a la velocidad menor.

La figura 4.93 A reproduce el esquema lineal completo del motor que acabamos de tratar, y la figura 4.93 B su diagrama esquemático. También en este caso son seis los terminales exteriores. El cuadro que acompaña al diagrama aclara el modo de conectar dichos terminales según que se desee el régimen a velocidad mayor o a velocidad menor. Para conseguir el primer régimen se aíslan separadamente T_1, T_2, T_3 y se conectan T_4, T_5, T_6 a la red trifásica de alimentación; para conseguir el segundo basta unir y encintar conjuntamente T_4, T_5, T_6, y conectar T_1, T_2, T_3 a la red trifásica.

Cuando es indiferente que el par varíe al pasarse de uno a otro régimen de velocidad, suele conectarse el motor en estrella / doble paralelo (2 Y) para la velocidad mayor, y en estrella / serie (1 Y) para la menor. Los detalles de esta conexión pueden verse en la columna 1.ª, fila 3.ª, del cuadro de la figura 4.94.

Los esquemas reproducidos hasta aquí muestran que en todos los motores donde se consigue más de una velocidad con un solo arrollamiento (gracias al principio de los polos consecuentes) es preciso hacer uso de "conexiones largas".

Como es natural, también puede lograrse un motor de doble velocidad disponiendo en el mismo dos arrollamientos independientes con distinto número de polos. Según que se conecte a la red uno u otro arrollamiento se obtendrán para el motor dos velocidades diferentes. En el cuadro de la figura 4.94 (filas 1.ª, 2.ª y 3.ª de la columna central) pueden verse varias disposiciones mutuas de ambos arrollamientos, que en función de las características de cada uno permiten conseguir unas condiciones de par constante, par variable o potencia constante. Obsérvese que las dos conexiones en triángulo tienen un punto de interrupción. Esta interrupción permite dejar abierto el circuito cuando es el otro arrollamiento el que presta servicio, al objeto de impedir la circulación de corrientes inducidas.

Si a uno de estos arrollamientos independientes del motor puede aplicarse la conexión para polos consecuentes, es evidente que dicho motor podrá funcionar a tres velocidades distintas. La 3.ª columna del cuadro de la figura 4.94 muestra diversas disposiciones mutuas de ambos arrollamientos e indica la manera de conectar los respectivos terminales para conseguir los tres regímenes de velocidad en condiciones de potencia constante o de par constante. Por el mismo motivo que antes, el arrollamiento "de dos velocidades" tiene un punto de interrupción, lo cual eleva a siete el número de terminales exteriores. Según que el motor trabaje con este arrollamiento o con el de una sola velocidad, se cierra o se deja abierto el primero.

Si el segundo arrollamiento es también "de dos velocidades", el motor podrá girar a cuatro velocidades diferentes.

Arrollamientos trifásicos con grupos desiguales de bobinas

En todos los ejemplos precedentes de arrollamientos trifásicos se ha supuesto sin excepción que los grupos que integran cada fase son iguales, es decir, están constituidos por idéntico número de bobinas. Esto sucede siempre que el número total de bobinas del motor es exactamente divisible por el número de fases, y siempre que el número de bobinas por fase es a su vez exactamente divisible por el número de polos, ya que entonces ambos cocientes son cifras enteras.

Cuando se cumple la primera de tales condiciones, pero no la segunda, cabe normalmente la posibilidad de ejecutar el arrollamiento a base de *grupos desiguales*, es decir, grupos con distinto número de bobinas. Cuando no se cumple ni siquiera la primera, es preciso dejar fuera de servicio las bobinas sobrantes.

Son datos conocidos el número total de bobinas, el número de polos y el número de fases del motor. Para determinar en cada caso concreto el número y la composición de los grupos necesarios, se procederá como se indica a continuación.

1. Calcúlese el número de bobinas por fase dividiendo el número total de bobinas del motor por el número de fases. Si este cociente resultara fraccionario, se reducirá el número total de bobinas a la cifra inferior más próxima que hace dicho cociente entero.

2. Calcúlese el número total de grupos multiplicando el número de polos por el número de fases.

3. Calcúlese el número de bobinas por grupo dividiendo el número total efectivo de bobinas por el número de grupos. El cociente (que se supone fraccionario) se expresará en forma de número mixto, es decir, como suma de una parte entera y un quebrado cuyo denominador es igual al número de grupos.

4. Unos grupos constarán de tantas bobinas como indica la parte entera del número mixto en cuestión, y otros de tantas bobinas como indica dicha parte entera más uno.

5. El numerador del quebrado indica el número de grupos que contienen el número mayor de bobinas. Los grupos restantes tendrán todos el número menor de bobinas.

Unos ejemplos ayudarán a aclarar lo expuesto.

Ejemplo 1. Motor trifásico con 54 bobinas y 4 polos.

1. Número de bobinas por fase:

$$\frac{54}{3} = 18 \text{ (entero).}$$

2. Número total de grupos:

$$4 \times 3 = 12.$$

3. Número resultante de bobinas por grupo:

$$\frac{54}{12} = 4 + \frac{6}{12} \text{ (fraccionario).}$$

Parte entera: 4.
Numerador del quebrado: 6.

4. Número real de bobinas por grupo:

$$4 \text{ y } 4 + 1 = 5.$$

5. El arrollamiento constará, pues, de 6 grupos de 5 bobinas y de 12 — 6 = 6 grupos de 4 bobinas. Como comprobación:

$$\begin{array}{l} 6 \times 5 = 30 \text{ bobinas} \\ 6 \times 4 = 24 \text{ bobinas} \\ \hline \text{Total} = 54 \text{ bobinas} \end{array}$$

La siguiente operación consiste ahora en distribuir estos grupos simétricamente y de modo que cada fase cuente con el mismo número de bobinas, o sea 18. Dibújense para ello los 12 grupos como indica la figura 4.95, y márquense con una A los cuatro grupos que corresponden a dicha fase. Atribuyendo, por ejemplo, 4 bobinas al primer grupo, 5 al segundo, 4 al tercero y 5 al cuarto, se habrá completado el total exigido de 18 bobinas. El mismo procedimiento puede emplearse para la fase B, con la única excepción de proceder por orden inverso, es decir, empezando por un grupo de 5 bobinas. La fase C queda agrupada exactamente igual que la fase A. El orden sucesivo de los grupos será: 4-5-4, 5-4-5, 4-5-4, 5-4-5.

Ejemplo 2. Motor trifásico con 48 bobinas y 6 polos.

1. Número de bobinas por fase:

$$\frac{48}{3} = 16 \text{ (entero).}$$

2. Número total de grupos:

$$6 \times 3 = 18.$$

3. Número resultante de bobinas por grupo:

$$\frac{48}{18} = 2 + \frac{12}{18} \text{ (fraccionario).}$$

Parte entera: 2.

Numerador del quebrado: 12.

4. Número real de bobinas por grupo:

$$2 \text{ y } 2 + 1 = 3.$$

5. El arrollamiento constará de 12 grupos de 3 bobinas y de 18 — 12 = 6 grupos de 2 bobinas. Comprobación:

$$\begin{aligned} 12 \times 3 &= 36 \text{ bobinas} \\ 6 \times 2 &= 12 \text{ bobinas} \\ \hline \text{Total} &= 48 \text{ bobinas} \end{aligned}$$

El mejor sistema para distribuir los grupos consiste en atribuir en principio 3 bobinas a cada uno y luego restar una de cada polo, teniendo cuidado de que cada vez corresponda a una fase diferente siguiendo un orden determinado (por ejemplo A - C - B):

A B C	A B C	A B C	A B C	A B C	A B C
3 3 3	3 3 3	3 3 3	3 3 3	3 3 3	3 3 3
1	1	1	1	1	1
—	—	—	—	—	—
2 3 3	3 3 2	3 2 3	2 3 3	3 3 2	3 2 3

Ejemplo 3. Motor trifásico con 32 bobinas y 4 polos.

1. Número de bobinas por fase:

$$\frac{32}{3} = 10 + \frac{2}{3} \text{ (fraccionario)}$$

Se considerarán 10 bobinas efectivas por fase, con lo cual el número total de éstas quedará reducido a 10 × 3 = 30. Deberán dejarse, por consiguiente, 32 — 30 = 2 bobinas fuera de servicio. Estas dos bobinas se elegirán diametralmente opuestas sobre la periferia del estator, como muestra la figura 4.96. De hecho se alojarán en sus respectivas ranuras, pero con los terminales encintados, sin conectar.

2. Número total de grupos:

$$4 \times 3 = 12.$$

3. Número resultante de bobinas por grupo:

$$\frac{30}{12} = 2 + \frac{6}{12} \text{ (fraccionario).}$$

Parte entera: 2.
Numerador del quebrado: 6.

4. Número real de bobinas por grupo:

$$2 \text{ y } 2 + 1 = 3.$$

5. El arrollamiento constará de 6 grupos de 3 bobinas y de 12 — 6 = 6 grupos de 2 bobinas. Comprobación:

$$6 \times 3 = 18 \text{ bobinas}$$
$$6 \times 2 = 12 \text{ bobinas}$$
$$\text{Total} = 30 \text{ bobinas}$$

La distribución de los grupos será evidentemente la siguiente:

A B C	A B C	A B C	A B C
2 3 2	3 2 3	2 3 2	3 2 3

Advertencia. Cuando se ejecutan arrollamientos con grupos desiguales de bobinas para motores polifásicos con varias ramas en paralelo por fase (como por ejemplo motores trifásicos en doble estrella o doble triángulo), es imprescindible que cada rama contenga el mismo número de bobinas. Como es muy fácil cometer errores en tal sentido al bobinar esta clase de motores, una vez listo el arrollamiento convendrá verificar todas las ramas del mismo a fin de asegurarse de que en cada una hay igual número de bobinas.

MOTORES BIFASICOS

Los motores bifásicos son en muchos aspectos análogos a los trifásicos. La diferencia fundamental es que las bobinas y los grupos de bobinas están conectados en ellos de modo que se formen *dos* arrollamientos estatóricos independientes, en vez de tres.* Estos dos arrollamientos se designan normalmente con los nombres de fase A y fase B.

Como en todo motor polifásico, el número de grupos de bobinas se obtiene multiplicando el número de polos por el número de fases (en este caso, dos), y el número de bobinas por grupo dividiendo el número

*** Ambos arrollamientos, desplazados geométricamente 90° eléctricos uno del otro, están previstos para ser conectados a una red bifásica de alimentación, con lo cual las respectivas corrientes que los recorren se hallan a su vez desfasadas 90°. Se engendra así el campo magnético giratorio necesario para impulsar el rotor. (*N. del T.*)**

total de bobinas por el número de grupos. Así, por ejemplo, en un motor bifásico tetrapolar con 48 bobinas habrá:

$$4 \times 2 = 8 \text{ grupos}$$

de bobinas, y cada grupo constará de:

$$\frac{48}{8} = 6 \text{ bobinas.}$$

La designación y sucesión de estos grupos son las indicadas en el esquema de la figura 4.97. Obsérvese que el sentido de circulación de la corriente no varía al pasar de un grupo A a un grupo B, pero sí al pasar de un grupo B a un grupo A. Dicho en otros términos, si las dos primeras flechas miran hacia la derecha, las dos siguientes mirarán hacia la izquierda, y así sucesivamente. Esta regla es válida para todos los motores bifásicos, sea cual fuere el número de polos a considerar.

La figura 4.98 muestra el esquema lineal de conexiones completo del motor en cuestión. Se observa que, en cada fase, los diversos grupos consecutivos están unidos entre sí de igual manera. Por otra parte, las conexiones son idénticas a las de un motor de fase partida: la conexión de la fase A es análoga a la del arrollamiento de trabajo, y la conexión de la fase B análoga a la del arrollamiento de arranque. El motor bifásico no lleva, sin embargo, interruptor centrífugo alguno, puesto que sus dos arrollamientos permanecen continuamente en servicio.

Los motores bifásicos pueden tener los grupos de cada fase conectados en serie, como ocurre en la figura 4.98, o bien en paralelo, según convenga. La figura 4.99 muestra el esquema simplificado de un motor bifásico tetrapolar con conexión serie, y la figura 4.100 el del mismo motor, pero con conexión doble paralelo. Los respectivos esquemas circulares se han reproducido en las figuras 4.101 y 4.102.

Reconexionado de motores bifásicos para servicio trifásico

Los motores bifásicos se transforman muy a menudo en trifásicos por resultar más económico su servicio en estas condiciones.

La conversión puede llevarse a cabo ejecutando la conexión Scott (o en T), la reconexión trifásica o bien un nuevo rebobinado.

Conexión Scott. La conexión en T o Scott se efectúa uniendo el final de la fase A con el punto medio de la fase B (fig. 4.103), tras haber dejado fuera de servicio el 16 % aproximadamente de las bobinas de la fase A. Estas bobinas se suprimirán equitativamente de todos los grupos que componen dicha fase. Como se ve en el diagrama esquemático de la conexión, la mitad de la fase B pasa a ser la tercera face C.

Un ejemplo numérico contribuirá a aclarar la forma de proceder. Supongamos que se trata de convertir en trifásico un motor bifásico tetrapolar con 48 bobinas, conexión serie. La figura 4.104 muestra el esquema lineal simplificado de dicho motor antes de la conversión.

Se empezará por dejar fuera de servicio aproximadamente el 16 % de las bobinas de la fase A. Puesto que el motor tiene un total de 48 bobinas, corresponderán $\frac{48}{2} = 24$ bobinas a la fase A. El 16 % de 24 son $3{,}8 \approx 4$ bobinas. Por consiguiente, se desconectará y dejará fuera de servicio una bobina de cada uno de los 4 grupos que constituyen la fase A; a continuación se unirá el final de dicha fase al punto medio de la primitiva fase B (fig. 4.105). Los tres terminales libres podrán conectarse ahora a una red de alimentación trifásica.

La conversión por conexión Scott sólo es recomendable a título provisional, y nunca debe considerarse, pues, como una solución definitiva. Por otra parte, únicamente resulta práctica si las bobinas no están devanadas por grupos (página 132).

Reconexión trifásica. Es el procedimiento más recomendable, que describiremos valiéndonos del mismo ejemplo numérico anterior.

La primera operación consiste en eliminar todas las conexiones entre grupos. Se obtiene así el esquema representado en la figura 4.106. Seguidamente se determinará el número de bobinas que deben quedar fuera de servicio, que en principio es del orden de un 16 % del número total de ellas. La cifra obtenida se redondeará al entero más próximo, superior o inferior, que sea divisible por 3. Las bobinas se suprimirán equitativamente de las tres fases, y con las restantes se ejecutará el nuevo devanado trifásico, a base de grupos iguales o desiguales (véase página 155).

Aplicando estas instrucciones a nuestro ejemplo, se tendrán que suprimir $0{,}16 \times 48 = 7{,}68$ bobinas. Los números enteros más próximos a 7,68 y divisibles por 3 son 6 y 9. Por consiguiente, la conversión puede efectuarse dejando indistintamente 6 ó 9 bobinas fuera de servicio, con resultados análogos. Adoptando la primera alternativa, quedará un total de $48 - 6 = 42$ bobinas efectivas, y se tendrá:

1. Número de bobinas por fase:

$$\frac{42}{3} = 14.$$

2. Número total de grupos:

$$4 \times 3 = 12.$$

3. Número resultante de bobinas por grupo:

$$\frac{42}{12} = 3 + \frac{6}{12}.$$

4. Número real de bobinas por grupo:

$$3 \text{ y } 3 + 1 = 4.$$

5. Habrá, por consiguiente, 6 grupos de 3 bobinas y 12 — 6 = = 6 grupos de 4 bobinas.

La figura 4.107 muestra la composición y sucesión de los grupos de las tres fases, según los datos anteriormente calculados. Las bobinas desconectadas (2 por fase) están simétricamente distribuidas a lo largo de cada una. Las fases se conectarán, por fin, en estrella / serie.

Rebobinado. El tercer procedimiento para convertir un motor bifásico en trifásico consiste en volver a rehacer todo el arrollamiento tomando un 20 % menos de espiras por bobina y utilizando hilo del calibre inmediato inferior. En esta conversión se respetará el número de bobinas por grupo y fase. Así, por ejemplo, si en el motor bifásico hay 30 espiras por bobina y el hilo empleado es del calibre n.º 21, habrá que tomar ahora hilo del calibre n.º 20 y confeccionar con él un 50 % más de bobinas de 24 espiras.

El cálculo no ofrece dificultad. Puesto que en el nuevo arrollamiento habrá 3 fases en vez de 2, serán necesarios 3 : 2 = 1,5 veces más grupos que antes. Si se suprime el 20 % de espiras por bobina, deberá dejarse el 80 %, y el 80 % de 30 es 24. El hilo de calibre inmediatamente inferior al n.º 21 es el de calibre n.º 20 (de sección aproximadamente un 25 % mayor).

El número de derivaciones o ramas por fase (si hubiese más de una), debe permanecer invariable.

RECONEXIONADO Y REBOBINADO DE MOTORES POLIFASICOS

Reconexionado para una nueva tensión de servicio

Es frecuente llevar un motor al taller con objeto de reconexionarlo para que pueda trabajar a una tensión de servicio distinta de la indicada en su placa de características. Puede convenir, por ejemplo, que un motor polifásico de 220 V deba prestar servicio a 440 V.

El reconexionado necesario para ello varía según la clase de conexión original y la relación entre las tensiones de servicio primitiva y actual, y no siempre es posible. Si la conexión original era serie y la nueva tensión de servicio es la mitad de la primitiva, podrá efectuarse fácilmente la conversión pasando a una conexión doble / paralelo. Inversamente, si el motor estaba conectado inicialmente en doble / paralelo y la nueva tensión de servicio es el doble de la primitiva, bastará reconectar sus arrollamientos en serie. Así, un motor trifásico hexapolar en estrella / serie, para 440 V de servicio, podrá convertirse a 220 V reconectándolo en estrella / doble paralelo. De modo análogo, un motor trifásico hexapolar en estrella / doble paralelo, para 220 V de servicio, podrá adaptarse a 440 V sin más que reconectarlo en estrella / serie.

Como es natural, las mismas conversiones pueden efectuarse si, en vez de una conexión en estrella, se trata de una conexión en triángulo. El principio general que rige para todo reconexionado es siempre el mismo: que la tensión en cada grupo de bobinas permanezca invariable, a pesar del cambio de tensión en la red. Esta cuestión ya se estudió al tratar de los motores para doble tensión de servicio (pág. 144).

En motores trifásicos es también posible variar la tensión de servicio permutando su conexión básica, es decir, pasando de estrella a triángulo o viceversa. Esta reconexión implica diversas variantes: por ejemplo, de triángulo / serie a estrella / doble paralelo, de triángulo / doble paralelo a estrella / serie, etc. Sin embargo, tales reconexiones suponen a menudo para el motor una nueva tensión de servicio que no es múltiplo ni submúltiplo exacto de la primitiva. Así, una reconexión de estrella a triángulo supone una disminución de tensión del 58 %, mientras que una reconexión de triángulo a estrella eleva la tensión en un 173 %.

Ejemplo. ¿Qué tensiones deberán aplicarse a un motor de 220 V en triángulo / doble paralelo, según que se reconecte en triángulo / serie o en estrella / serie?

Solución. En el primer caso la tensión será evidentemente $2 \times 220 = 440$ V, y en el segundo, $440 \times 1{,}73 = 760$ V.

No insistiremos más sobre esta cuestión por haber excelentes tratados que la estudian con todo detalle, a los cuales remitimos al lector. Digamos, no obstante, que no siempre es posible conseguir la adaptación a una nueva tensión de servicio por medio de reconexionados. Por ejemplo, un motor en estrella / serie no admite reconexión alguna que le permita trabajar a una tensión mayor que la suya propia, ya que en cualquier caso la corriente que circulará por sus arrollamientos será superior a la nominal, y las bobinas de los mismos se quemarán. De modo análogo, un motor en estrella / serie cuádruple paralelo no puede reconectarse para una tensión de servicio menor que la suya propia, porque al aumentar el número de ramas en paralelo variaría a su vez el número de polos.

Rebobinado para una nueva tensión de servicio

La tensión de servicio puede también modificarse rebobinando los arrollamientos del motor. Este procedimiento es más costoso que el anterior, y sólo se recurrirá a él cuando no exista otra solución más simple. Los únicos parámetros que deben variarse son el número de espiras por bobina y la sección del hilo empleado.

Se tendrá:

$$\text{Número nuevo de espiras} = \text{Número primitivo de espiras} \times \frac{\text{Tensión nueva de servicio}}{\text{Tensión primitiva de servicio}}$$

$$\text{Sección nueva de hilo} = \text{Sección primitiva de hilo} \times \frac{\text{Tensión primitiva de servicio}}{\text{Tensión nueva de servicio}}$$

Ejemplo. Un motor trifásico de 220 V, con 40 espiras por bobina, de hilo de calibre n.º 17 (1,30 mm²), debe ser rebobinado para trabajar a 440 V.

Solución:

$$\text{Número nuevo de espiras} = 40 \times \frac{440}{220} = 80.$$

$$\text{Sección nueva de hilo} = 1{,}30 \times \frac{220}{440} = 0{,}65 \text{ mm}^2.$$

El nuevo hilo será, pues, de calibre n.º 20.

Reconexionado y rebobinado para una nueva velocidad de régimen

Ya se ha dicho anteriormente que la velocidad de un motor polifásico de inducción puede variarse modificando el número de polos del mismo, o bien alimentándolo con una red de frecuencia distinta. Para modificar el número de polos de un motor es casi siempre preciso rebobinarlo por completo variando el paso de las bobinas primitivas. Sin embargo, a veces es posible conseguir un resultado más o menos equivalente reconectando simplemente grupos y fases. Cuando la tensión de alimentación no varía y se desea un par sensiblemente igual, es necesario mantener la proporcionalidad entre el número de bobinas (o de espiras) por fase y el número de polos.

Ejemplo. Un motor trifásico hexapolar, en triángulo / doble paralelo, para funcionamiento a 220 V, debe reconectarse de modo que pase a ser tetrapolar (velocidad 150 % mayor). Se supone que la tensión de servicio y el par no sufren variación. ¿Qué conexión será preciso adoptar?

Solución. Se procederá como sigue.

1. Se reconectarán los grupos de modo que en cada rama de cada fase queden dos en serie, dando así un total de 3 fase × 4 polos = 12 grupos. El número de bobinas por grupo será igual que el primitivo, al objeto de cumplir la condición de proporcionalidad indicada.

2. Si las fases se conectaran como antes, es decir, en triángulo, cada grupo quedaría sometido a una tensión de $\frac{220}{2} = 110$ V. Dicha tensión excede en un 50 % a la primitiva ($\frac{220}{3} = 73{,}3$ V) y resulta, por tanto, inadmisible.

3. Conectando, por el contrario, las fases en estrella, cada una recibirá solamente $\frac{220}{\sqrt{3}} = 127$ V, de los cuales corresponderán $\frac{127}{2} = 63{,}5$ V por grupo.

La solución no es muy satisfactoria, puesto que los arrollamientos trabajarán al 86,6 % de su tensión nominal, pero tiene la indudable ventaja de no exigir la alteración del paso del bobinado.

Cuando se desee variar el número de polos de un motor por medio de un rebobinado, hay que proceder como se indica a continuación:

1. Se calcula el paso de las bobinas a ejecutar dividiendo el número total de ranuras por el número de polos.

2. Se ejecutan dichas bobinas dando a cada una un número de espiras igual a:

$$\frac{\text{Número nuevo de polos}}{\text{Número primitivo de polos}} \times \text{número primitivo de espiras.}$$

3. El hilo empleado tendrá una sección mayorada de:

$$\frac{\text{Número primitivo de polos}}{\text{Número nuevo de polos}} \times \text{sección mayorada primitiva.}$$

4. Se respetará el tipo de conexión primitiva.

Supóngase que el motor del ejemplo anterior tiene 48 ranuras. El rebobinado de 6 a 4 polos se efectúa de acuerdo con los siguientes datos:

1. Paso: $\frac{48}{4} = 12$ de 1 a 13, etc.

2. Número nuevo de espiras:

$$\frac{4}{6} \times \text{número primitivo de espiras} = 66\ \%\ \text{de las espiras primitivas.}$$

3. Nueva sección mayorada:

$$\frac{6}{4} \times \text{sección mayorada primitiva} = 150\ \%\ \text{de la sección primitiva.}$$

4. Se respetará la conexión triángulo / doble paralelo.

Reconexionado y rebobinado para una nueva frecuencia de alimentación

Los motores polifásicos pueden adaptarse también a una nueva frecuencia de alimentación por medio de un reconexionado o rebobinado, si bien generalmente es necesario un rebobinado. A veces es posible conectar sin más un motor a una red de frecuencia distinta, si simultáneamente varía a su vez la tensión de servicio en la misma proporción. Así, por ejemplo, un motor previsto para trabajar a 220 V y 50 Hz puede también funcionar a 110 V y 25 Hz. La única diferencia es que girará aproximadamente a la mitad del número de revoluciones original. Si se desea que la velocidad no varíe sensiblemente a pesar del cambio de frecuencia, es preciso rebobinar el motor. Los datos necesarios para ello se deducen como sigue:

1. Se determina el nuevo número de polos a devanar mediante la fórmula:

$$\frac{\text{Frecuencia nueva}}{\text{Frecuencia primitiva}} \times \text{número primitivo de polos.}$$

Si esta cifra no fuera entera, se redondeará al número entero y par superior o inferior inmediatamente.

2. Se calcula el paso de las bobinas a ejecutar dividiendo el número total de ranuras por el nuevo número de polos.

3. Se ejecutan dichas bobinas dando a cada una igual número de espiras que antes, si la cifra hallada en 1 era entera, o multiplicando dicho número por la relación:

$$\frac{\text{Cifra redondeada}}{\text{Cifra real}}$$

cuando tal cifra tuvo que ser redondeada.

4. El hilo empleado tendrá igual sección mayorada que antes, si la cifra hallada en 1 era entera; caso de no ser así, se multiplicará dicha sección por la relación:

$$\frac{\text{Cifra real}}{\text{Cifra redondeada}}.$$

Ejemplo. Se trata de adaptar para servicio a 60 Hz, sin variación notable de velocidad, un motor tetrapolar previsto para funcionar a 25 Hz, con las siguientes características: 48 ranuras, 50 espiras por bobina e hilo de calibre n.° 18 (1,04 mm^2 sección mayorada).

Solución:

1. Nuevo número de polos:

$$\frac{60}{25} \times 4 = 9{,}6.$$

Por ser esta cifra fraccionaria, se redondeará a 8 (8 polos).

2. Paso:

$$\frac{48}{8} = 6 \text{ (1 a 7)}.$$

3. Número de espiras por bobina:

$$50 \times \frac{8}{9{,}6} \cong 42.$$

4. Sección mayorada del hilo:

$$1{,}04 \times \frac{9{,}6}{8} = 1{,}25 \text{ mm}^2.$$

Se tomará hilo del calibre n.° 17.

INVERSION DEL SENTIDO DE GIRO EN MOTORES BIFASICOS Y TRIFASICOS

La figura 4.108 muestra el esquema de un motor trifásico con sus tres terminales conectados a un interruptor. Al cerrar éste sobre la línea de alimentación trifásica, el motor gira en el sentido de las agujas de un reloj. Para invertir el sentido de giro del motor basta únicamente permutar entre sí dos terminales cualesquiera del mismo, como indica la figura 4.109, o bien dos fases cualesquiera de la red de alimentación.

En los motores bifásicos la inversión se efectúa permutando entre sí los terminales de una de las fases. La figura 4.110 muestra el esquema de un motor bifásico previsto para girar a derechas, y la figura 4.111 el del mismo motor, previsto para girar a izquierdas. Se observa que los terminales de la fase B han sido permutados. Si el motor bifásico es trifilar (tiene tres terminales en vez de cuatro), para la inversión de su sentido de giro basta permutar los dos terminales exteriores (designados por 1 y 2 en la figura 4.112).

DETECCION, LOCALIZACION Y REPARACION DE AVERIAS

Pruebas

Tras la reparación o el rebobinado de un motor trifásico es preciso someter sus arrollamiento a determinadas pruebas, con objeto de detectar la presencia de posibles defectos. Dichos defectos pueden consistir en contactos a masa, interrupciones, cortocircuitos e inversiones de polaridad.

Contactos a masa. Para detectarlos se usa la lámpara de prueba, del modo indicado en la figura 4.113. Se conecta un terminal de la lámpara a la carcasa del motor, y el otro a uno de los bornes de éste. Si la lámpara se enciende, es señal de que una de las fases del motor está en contacto a masa. Para mayor seguridad se repite la operación con los tres bornes del motor.

Si la lámpara delata la existencia de este defecto, es preciso localizarlo y subsanarlo antes de proceder a nuevas pruebas. Igual que en motores de otros tipos, se intentará localizar primero el defecto por simple inspección. Caso de no conseguirlo, habrá que desconectar cada fase y comprobarla por separado. Si el motor está conectado en estrella, se desunirán las fases por el punto neutro y luego se verificará cada una individualmente, como indica la figura 4.114. Si el motor estuviera conectado en triángulo, se separan las fases por los puntos de alimentación y luego se comprueban sucesivamente (fig. 4.115).

Una vez conocida la fase defectuosa, será preciso localizar la bobina donde reside la avería. Para ello se empieza por desempalmar las conexiones entre los grupos de la fase defectuosa (fig. 4.116), y luego se verifica cada grupo separadamente, con auxilio de la lámpara de prueba. Una vez identificado el grupo defectuoso, podrá localizarse fácilmente la bobina averiada desuniendo todas las del citado grupo (figura 4.117) y verificándolas sucesivamente. Conocida ya la bobina que se halla en contacto a masa, se reemplazará por otra nueva o bien se aislará convenientemente, renovando al propio tiempo el aislamiento de la ranura correspondiente.

Una causa frecuente de contacto a masa la constituye el desplazamiento eventual de una chapa del núcleo, que al sobresalir de la ranura presiona sobre el devanado y corta el recubrimiento del mismo con su agudo canto. Esto encuentra fácil remedio haciendo retroceder dicha chapa hasta que vuelve a ocupar su posición correcta. Otras veces es el propio aislamiento de la ranura el que presenta algún defecto o bien el que, por haberse deslizado, deja las chapas de la ranura al descubierto. Finalmente, la causa de la avería puede ser también debida a la colocación errónea de varias espiras entre el fondo de la ranura y el aislamiento de la misma.

Interrupciones. Pueden ser causadas por la rotura del hilo en una bobina o por una conexión floja entre bobinas o entre grupos. Para detectar la posibilidad de una interrupción en un motor trifásico se emplea también la lámpara de prueba. Si el motor está conectado en estrella, se une un terminal de la lámpara al punto neutro y se van tocando sucesivamente con el otro los extremos de cada fase, como muestra la figura 4.118. La lámpara debe encenderse cada vez. Si al tocar el extremo de una fase la lámpara no se enciende, indica que dicha fase está interrumpida. En caso de que el motor estuviese conectado en triángulo, es preciso desconectar previamente las fases entre sí y luego verificarlas por separado (fig. 4.119). Igual que antes, la lámpara no se encenderá cuando la fase comprobada sea la que tiene la interrupción.

Una vez conocida la fase defectuosa, resulta sumamente sencillo localizar el punto de interrupción. Suponiendo que dicha fase sea la A, basta unir un terminal de la lámpara de prueba al principio de aquélla e ir tocando sucesivamente con el otro las conexiones entre grupos (fig. 4.120). Si la lámpara se enciende al tocar con el terminal el final de un grupo, pero permanece apagada cuando se toca el final del grupo siguiente, el defecto reside en este último. Repitiendo la prueba con todos los puntos de conexión, se llegará a identificar el grupo averiado. Cabe la posibilidad de que la interrupción resida precisamente en alguna de estas conexiones entre grupos; en tal caso será preciso rehacer la unión y luego soldarla. Identificado ya el grupo defectuoso, se desconectarán los empalmes que unen entre sí las bobinas del mismo, y se verificará cada bobina por separado (fig. 4.121). Cuando la causa de la avería radica en la rotura del hilo de una bobina, se substituirá ésta por otra nueva o bien se dejará provisionalmente fuera de servicio; cuando la interrupción se debe a una conexión floja entre bobinas o entre grupos, se soldarán los terminales sueltos y se encintará la unión.

Si el motor estuviera conectado en estrella / doble paralelo, será preciso determinar en cuál de las ramas se halla localizada la interrupción. Para ello basta conectar un terminal de la lámpara de prueba al punto neutro de la estrella e ir tocando sucesivamente con el otro los extremos de todas las ramas, seis en este caso (fig. 4.122). Como se ve, el procedimiento no difiere substancialmente del empleado en caso de estrella simple. Si la conexión del motor fuese triángulo / doble paralelo, es necesario desempalmar los extremos de todas las ramas (seis también, en este caso) y verificarlas independientemente.

Cortocircuitos. Se deben principalmente a la poca pericia del operario encargado de devanar el motor, el cual, al alojar las bobinas en sus respectivas ranuras, fuerza excesivamente el aislamiento del hilo y lo deteriora. Los cortocircuitos entre espiras se localizan de la manera ya explicada al estudiar los motores de fase partida (capítulo I). El método más corriente consiste en desplazar una bobina de prueba por el interior del estator (fig. 4.123) e ir observando si una delgada cinta metálica u hoja de sierra, situada sobre el otro extremo de la bobina o del grupo de bobinas explorados, se pone en rápida vibración. Esto es indicio de la presencia de un cortocircuito. Hay que tener presente que este método es ineficaz cuando hay varias ramas conectadas en paralelo; en tal caso, por tanto, es preciso desempalmar todas las derivaciones antes de aplicar la bobina de prueba al estator. Si ésta se deja algunos minutos inmóvil sobre la bobina o bobinas con espiras cortocircuitadas, se apreciará cierto calentamiento en las mismas.

Otra manera de localizar la bobina con cortocircuito consiste en poner en marcha el motor y dejarlo funcionar unos cuantos minutos.

La bobina defectuosa se calentará mucho más que las restantes y podrá detectarse fácilmente con el tacto.

También es posible detectar la presencia de un cortocircuito entre espiras conectando el motor a la red y midiendo la corriente que absorbe cada fase con auxilio de un amperímetro (preferiblemente del tipo de pinzas). Estas corrientes deben ser sensiblemente iguales si el sistema está equilibrado, es decir, si no hay avería en el motor. Si la indicación del instrumento es muy superior para una de las fases que para las demás, es señal de que la primera tiene espiras en cortocircuito.

Inversiones de polaridad. Son debida a conexiones erróneas de bobinas, grupos o fases, y tienen siempre por causa descuidos eventuales del bobinador o falta de competencia del mismo en su labor.

INVERSIONES DE BOBINAS. — En todos los motores polifásicos, las bobinas pertenecientes a un mismo grupo deben estar conectadas de manera que la corriente circule por todas ellas en igual sentido. Si el operario ha ejecutado una o varias de estas conexiones erróneamente, la corriente circulará por las bobinas afectadas en sentido contrario al debido, con las consiguientes inversiones de la polaridad. Efectuando el devanado por grupos no puede cometerse evidentemente este error, a menos que las bobinas se alojen en las ranuras al revés.

El mejor método para localizar bobinas con la polaridad invertida es examinarlas visualmente todas una por una; sin embargo, ello no es siempre posible. Un sistema de comprobación muy seguro consiste en alimentar separadamente cada fase con una fuente de corriente continua a baja tensión, por ejemplo una batería, y recorrer con una brújula todo el estator, junto al bobinado. A medida que la brújula pasa frente a cada polo de un misma fase, la aguja de la misma irá acusando alternativamente el cambio de polaridad: primero señalará un norte, luego un sur, seguidamente otro norte, etc. Si al hallarse ante un polo, la aguja se mantiene en una posición más bien indefinida, habrá probablemente una bobina con las conexiones invertidas en dicho polo. Esta bobina crea un campo magnético de sentido opuesto al creado por las demás, lo cual debilita el campo resultante y el efecto de éste sobre la aguja de la brújula.

INVERSIONES DE GRUPOS. — Se supondrá primero que el motor está conectado en estrella. Para identificar grupos con la polaridad invertida se aplicará un terminal de una fuente de corriente continua a baja tensión al centro de la estrella, y el otro al extremo de cada fase, por orden sucesivo. Seguidamente se mueve una brújula por el interior del estator, y se observa la indicación de la aguja cuando aquélla pasa frente a cada grupo. Si la aguja magnética se invierte cuando se pasa de un grupo al siguiente de la misma fase, ello indica que dichos grupos están correctamente conectados entre sí. La figura 4.124 muestra el esquema de un motor trifásico bipolar, cada una de cuyas fases ha sido verificada con auxilio de la brújula. Se observa que los dos grupos de cada fase acusan polaridad contraria.

Cuando el motor está conectado en triángulo, se abre el circuito por un punto cualquiera y se aplican a ambos extremos los terminales de la fuente de corriente continua a baja tensión. Si la aguja de la brújula se invierte siempre al pasar de un grupo al siguiente, las polaridades de todos son correctas.

INVERSIONES DE FASES. — Un error que se comete muy a menudo al conectar las fases de un motor es invertir la polaridad de la fase intermedia. Este error puede detectarse fácilmente con auxilio de la brújula. Suponiendo conectado el motor en estrella, se aplicará ante todo una fuente de corriente continua a baja tensión entre el punto neutro y el extremo de cada fase, por orden sucesivo. Seguidamente se verifican los grupos uno por uno como se ha explicado anteriormente, y se anotan las polaridades respectivas. Si, como en el caso de la figura 4.125, la aguja indica tres polos norte consecutivos, tres polos sur consecutivos, etc., es señal de que la fase intermedia B está mal conectada y su polaridad debe ser, por consiguiente, invertida.

Secado y barnizado

Una vez verificado eléctricamente el arrollamiento, se introduce el motor en una estufa a unos 120° C y se deja en ella durante dos o tres horas. Entonces se impregnan las bobinas por espacio de unos cinco minutos con barniz de buena calidad, y se dejan escurrir. Finalmente, el motor se introduce de nuevo en la estufa, donde permanecerá unas tres horas a la misma temperatura de antes.

Averías más frecuentes y reparación de las mismas

A continuación se indican los síntomas de avería más frecuentes en motores bifásicos y trifásicos. Debajo de cada uno se enumeran las diversas causas que pueden haberlo producido. La cifra que figura después de cada avería sirve de referencia para buscar en las páginas siguientes la correspondiente reparación.

1. El motor no arranca.
   a) Fusible fundido, 1.
   b) Cojinetes desgastados, 2.
   c) Sobrecarga, 3.
   d) Fase interrumpida, 4.
   e) Bobina o grupo de bobinas con cortocircuito entre espiras, 5.
   f) Barras rotóricas flojas, 6.
   g) Conexiones internas erróneas, 7.
   h) Cojinetes agarrotados, 8.
   i) Combinador defectuoso, 9.
   j) Arrollamiento con contacto a masa, 10.
2. El motor no funciona correctamente.
   a) Fusible fundido, 1.
   b) Cojinetes desgastados, 2.
   c) Bobina con cortocircuito entre espiras, 5.
   d) Fase con la polaridad invertida, 11.
   e) Fase interrumpida, 4.
   f) Conexión en paralelo interrumpida, 12.
   g) Arrollamiento con contacto a masa, 10.
   h) Barras rotóricas flojas, 6.
   i) Tensión o frecuencia incorrectas.
3. El motor gira despacio.
   a) Bobina o grupo de bobinas con cortocircuito entre espiras, 5.
   b) Bobinas o grupos de bobinas con la polaridad invertida, 7.
   c) Cojinetes desgastados, 2.
   d) Sobrecarga, 3.
   e) Fase con la polaridad invertida, 11.
   f) Barras rotóricas flojas, 6.
4. El motor se calienta excesivamente.
   a) Sobrecarga, 3.
   b) Cojinetes desgastados, 2; o ajustados con exceso, 8.
   c) Bobina o grupo de bobinas con espiras en cortocircuito, 5.
   d) Funcionamiento como monofásico, 4.
   e) Barras rotóricas flojas, 6.

1. *Fusible fundido.* Se quita cada fusible y se verifica con la lámpara de prueba, según indica la figura 4.126. Si la lámpara se enciende, el fusible es bueno; en caso contrario, está fundido y debe ser reemplazado.

Para verificar los fusibles sin necesidad de sacarlos de los portafusibles, se aplican los dos terminales de la lámpara de prueba sobre los extremos de cada fusible, como muestra la figura 4.127. Si al cerrar el interruptor de alimentación se enciende la lámpara, el fusible verificado está interrumpido.

Cuando salta un fusible mientras un motor trifásico está en marcha, el motor sigue funcionando como uno monofásico (figs. 4.128 y 4.129). Sin embargo, puesto que sólo trabaja parte del arrollamiento, ésta deberá soportar toda la carga. Por consiguiente, si el motor continúa girando en estas condiciones, aunque sea por poco tiempo, la parte activa de su arrollamiento se calentará intensamente y acabará por quemarse. Además, el motor tendrá una marcha ruidosa y dificultades para impulsar la carga.

Para comprobar si se trata efectivamente de dicha anomalía, párese el motor e inténtese volverlo a poner en marcha. Si el motor no arranca, señal de que uno de los fusibles está quemado.

Si el motor está conectado en estrella / doble paralelo, en la fase interrumpida se inducirá una corriente que acelerará la destrucción del arrollamiento. Se evitará esta eventualidad siempre que sea posible.

2. *Cojinetes desgastados.* Cuando los cojinetes están desgastados, el rotor roza contra el estator y la marcha del motor es ruidosa. Si el desgaste de los cojinetes es tal que el rotor queda descansando plenamente sobre el núcleo estatórico, la rotación del motor es imposible. Si el motor es pequeño, para detectar esta anomalía se trata de mover un extremo del eje del rotor hacia arriba y hacia abajo, como indica la figura 4.130. Si dicho movimiento resulta posible, uno de los cojinetes está desgastado. En tal caso, desmóntese el rotor e inspecciónese detenidamente el núcleo del mismo para ver si presenta señales de roce con el estator. Esto confirmará el mal estado de uno o ambos cojinetes, que deberán ser forzosamente reemplazados.

Cuando el motor es grande, el estado de los cojinetes se comprueba mediante un calibre de láminas como el representado en la figura 4.131. Si los cojinetes se hallan en buenas condiciones, el entrehierro (espacio de aire existente entre el rotor y el estator) debe ser el mismo en cualquier punto de la periferia (figura 4.132). Si se encuentran diferencias, es que los cojinetes están desgastados. Se procederá entonces a su substitución.

3. *Sobrecarga.* Para saber si el motor trabaja sobrecargado, quítese la correa del motor y trátese de hacer girar a mano el árbol al que va acoplada la carga (fig. 4.123). Es frecuente que dicho árbol no pueda girar por haber algún mecanismo roto o sucio que lo impide.

Otro sistema consiste en conectar un amperímetro en serie con cada línea de alimentación. Si la indicación del instrumento es superior al valor que figura en la placa de características, el motor trabaja probablemente sobrecargado. Muchos talleres y operarios emplean instrumentos de pinzas combinados (a la vez amperímetro, voltímetro y ohmímetro) para verificar la corriente que absorbe cada fase del motor. Las corrientes que circulan por las fases deben ser sensiblemente iguales entre sí y próximas al valor indicado en la placa de características. Si la lectura correspondiente a una fase es excesivamente elevada y distinta de las otras dos, es de presumir la existencia de espiras en cortocircuito en dicha fase. Este instrumento combinado, que se usa para medir la tensión, la corriente y la resistencia, encuentra aplicación en toda clase de motores, desde los de fase partida hasta los trifásicos. Puede emplearse para identificar terminales sin designación en motores de fase partida, con auxilio de la escala ohmimétrica, y también para comprobar la tensión entre partes componentes de motores y arrancadores. La figura 4.134 indica la forma de medir la corriente en cada línea de alimentación de un motor trifásico.

4. *Fase interrumpida.* Si se produce alguna interrupción en un arrollamiento mientras el motor se halla en marcha, éste continuará funcionando, aunque desarrollará menos potencia; si tiene lugar mientras el motor está parado, no será posible volver a arrancarlo. La interrupción puede estar localizada en una bobina o en la conexión entre dos grupos de bobinas. Normalmente está ocasionada por la rotura del hilo o por un contacto flojo en una conexión.

Si la interrupción radica en una bobina, será preciso substituir ésta por otra nueva. Si fuese imposible disponer de una bobina de recambio, puede solucionarse el problema dejando fuera de servicio la antigua. Para ello, una vez localizada la bobina defectuosa, se pone en cortocircuito por medio de un puente que une el principio y el fin de la misma (figs. 4.135 y 4.136). Esta solución es puramente provisional y sólo debe aplicarse cuando el rebobinado es impracticable. Por otra parte, no puede utilizarse si las bobinas están confeccionadas por grupos.

Como se ve, los efectos de una fase interrumpida sobre la marcha o el arranque del motor son completamente análogos a los de un fusible fundido.

5. *Bobina o grupo de bobinas con espiras en cortocircuito.* Los cortocircuitos entre espiras determinan una marcha ruidosa del motor y el desprendimiento de humo. Tras localizar las bobinas defectuosas, sea por inspección visual, sea midiendo la corriente absorbida por cada fase, se substituirán por otras nuevas o se dejarán fuera de servicio.

Cuando el esmalte aislante que protege el hilo se resquebraja, entran varias espiras en contacto directo y la bobina afectada se calienta intensamente, hasta que termina por quemarse. Por el mismo motivo pueden quemarse otras bobinas, con lo cual un grupo entero de ellas o incluso una fase resultarán averiados.

Las bobinas con cortocircuitos se dejan fuera de servicio de modo distinto que las interrumpidas. Primero se localiza la bobina defectuosa por medio de una bobina exploradora o bien visualmente (el aspecto y el olor delatan casi siempre el punto de quema). Luego se secciona íntegramente la bobina por la cabeza opuesta a las conexiones y se retuercen a cada lado los hilos cortados sobre sí mismos, como indican las figuras 4.137 y 4.138. Antes de retorcerlos, es preciso asegurarse de que los hilos cortados están desprovistos de aislamiento. El mismo método se aplica a las bobinas confeccionadas por grupos. Cuando se ha quemado un grupo completo de bobinas es necesario rehacer todo el arrollamiento del motor.

6. *Barras rotóricas flojas.* Dan lugar a un funcionamiento ruidoso del motor, a una pérdida de potencia en el mismo y a la producción de chispas entre las barras y los aros frontales de la jaula de ardilla. En motores con rotor de jaula, las barras rotóricas quedan puestas en cortocircuito por ambos extremos mediante dos aros de cobre. Si alguna o varias de estas barras se aflojan (fig. 4.139) y dejan de establecer buen contacto con dichos aros, el motor funciona en malas condiciones e incluso puede no funcionar del todo.

Las barras rotóricas flojas pueden descubrirse por simple inspección visual o bien haciendo girar el rotor por encima de una bobina de prueba. Cada vez que pasa una barra se notará una vibración de la hoja de sierra; de no ser así, la barra no efectúa contacto con uno de los aros. El remedio consiste en volver a soldar todas las barras flojas.

Estas observaciones no son aplicables a los rotores de aluminio, en los que barras y aros han sido fundidos de una sola pieza.

7. *Conexiones internas erróneas.* Un buen sistema para saber si las conexiones internas de un motor polifásico son correctas o no, consiste en desmontar el rotor, colocar una bola de cojinete de gran tamaño en el interior del estator y cerrar el interruptor de alimentación del arrollamiento estatórico. Si las conexiones internas son correctas, la bola girará por el interior del núcleo del estator, como muestra la figura 4.140; si las conexiones internas son erróneas, la bola permanecerá en reposo.

Cuando el motor es de tamaño mediano o grande conviene utilizar una tensión de alimentación reducida, pues de lo contrario puede saltar un fusible.

8. *Cojinetes agarrotados.* Cuando la parte de eje que gira dentro de un cojinete está falta de lubricación, el eje se calienta intensamente y se dilata hasta el punto de quedar inmovilizado en el cojinete. En muchos casos el propio cojinete se funde y queda soldado con el eje, haciendo con ello imposible el movimiento de éste. Entonces se dice que los cojinetes están *agarrotados.*

Para solventar las anomalías, pruébese a desmontar ambos escudos; el que cueste más de sacar será el que lleva el cojinete defectuoso. Desmóntese este escudo junto con el rotor, manténgase este último en posición fija y hágase girar el escudo hacia adelante y hacia atrás. Si esta operación resulta imposible, aflójese el tornillo que mantiene al cojinete en su alojamiento y pruébese a extraer conjuntamente rotor y cojinete, teniendo cuidado de no arrastrar el anillo de engrase. El cojinete podrá luego separarse del eje golpeándolo con un martillo. Probablemente seré necesario tornear después el eje a un diámetro algo menor y adaptarle otro cojinete. Si el cojinete es de bolas, se substituirá por otro nuevo.

9. *Combinador defectuoso.* Si los contactos del combinador no cierran bien, el motor no arrancará. La localización y reparación de esta avería se explica en el capítulo V.

10. *Arrollamiento con contacto a masa.* Este defecto se nota por la sacudida que se recibe al tocar cualquier parte metálica del motor mientras se halla conectado. Si los contactos a masa son más de uno, se produce un cortocircuito, el cual quema el arrollamiento o eventualmente hace saltar un fusible. La presencia de esta avería se detecta con la lámpara de prueba. La reparación se efectúa rebobinando el arrollamiento entero o bien reemplazando la bobina defectuosa.

11. *Fase con la polaridad invertida.* Esta anomalía queda puesta de manifiesto porque el motor gira a una velocidad inferior a la de régimen y emite un ronquido característico. Se comprobarán todas las conexiones mediante el esquema correspondiente, y se reharán las que sean erróneas.

12. *Conexión en paralelo interrumpida.* Se traduce por un zumbido característico del motor y por la dificultad que éste experimenta a arrastrar la plena carga. Verifíquense cuidadosamente todos los circuitos en paralelo.

CAPÍTULO V

Arranque y maniobra de motores de corriente alterna

Si se arranca un motor de corriente alterna conectándolo directamente a la plena tensión de la red, absorberá inicialmente una corriente de dos a seis veces mayor que la corriente normal de régimen. En caso de que el motor esté diseñado y construido para resistir este choque de corriente inicial, no experimentará daño alguno; sin embargo, cuando se trata de motores de cierto tamaño, por lo general es conveniente tomar algunas medidas para reducir la corriente de arranque, pues de otro modo el golpe brusco de la puesta en marcha podría dañar mecánicamente la máquina impulsada por el motor, y el aumento súbito de corriente podría perturbar seriamente el funcionamiento de otros motores alimentados por la misma red.

Para el arranque de motores pequeños, o también para el de motores mayores, cuando la carga es capaz de soportar el choque inicial de arranque y no son de temer grandes perturbaciones en la red, pueden emplearse interruptores normales de accionamiento manual o bien automático. Como estos interruptores conectan el motor directamente a la red, se les llama *arrancadores de conexión directa* o *a plena tensión.*

Cuando se trata de motores grandes o conviene que el par de arranque se desarrolle paulatinamente, es preciso efectuar la conexión a través de un aparato que reduzca la tensión inicial aplicada al motor. Este aparato, que recibe el nombre genérico de *arrancador a tensión reducida,* puede llevar incorporado un grupo de autotransformadores o de resistencias, o bien consistir básicamente en un modificador de conexiones. Según sea el caso se le designa respectivamente con la denominación de *compensador, reóstato* o *combinador.* En realidad, los combinadores se emplean más bien para invertir el sentido de giro del motor, para cambiar su velocidad y para protegerlo de sobrecargas, sobrecalentamientos y subtensiones.

A continuación se describirán los tipos más corrientes de aparellaje de arranque y maniobra: contactores de pulsadores para motores pequeños, contactores magnéticos de conexión directa, reóstatos, compensadores, arrancadores estrella / triángulo y de arrollamiento parcial, combinadores de tambor para inversión de la marcha, para dos velocidades y para frenado rápido.

APARELLAJE DE ARRANQUE Y MANIOBRA

Contactores de pulsadores para motores pequeños

Son simples interruptores que conectan el motor directamente a la red. El contactor dispone de dos pulsadores, uno para el arranque y otro para el paro del motor. Al oprimir el primero, los contactos interiores del interruptor se cierran y el motor queda conectado a la red; al oprimir el segundo, los contactos se vuelven a abrir e interrumpen la alimentación del motor. Este tipo de contactor es el que representa la figura 5.1.

El tipo más normal de contactor de pulsadores está provisto de un relé térmico de sobrecarga conectado en serie con una de las líneas de alimentación. Su objeto es dejar el motor fuera de circuito cuando una sobrecarga persiste durante cierto tiempo. La figura 5.2 muestra un tipo de relé térmico que consiste en un pequeño cilindro relleno de una aleación fusible. Embutido en dicha aleación se encuentra un pequeño eje, sobre cuyo extremo va montada una rueda de trinquete. Al oprimir el pulsador de ARRANQUE, un muelle actúa sobre el gatillo de la rueda de trinquete, y ésta queda inmovilizada junto con el eje. Si ahora circula por el relé una corriente excesiva, la aleación funde, la rueda y el eje giran y el gatillo arrastra al muelle, con lo cual el pulsador de ARRANQUE salta de su posición y corta la alimentación del motor. Antes de volver a arrancar hay que esperar varios segundos a que la aleación se haya enfriado y endurecido.

En otro tipo de contactor, el relé térmico está formado por una bobina de hilo para resistencias, conectada en serie en una de las líneas de alimentación, y que lleva en su interior una delgada lámina de material de soldar. Cuando la bobina se calienta en exceso a causa de una sobrecarga de la línea, la lámina se funde y dispara un gatillo, el cual abre los contactos principales

La mayoría de estos contactores pueden emplearse para motores monofásicos, bifásicos o trifásicos. La figura 5.1 muestra el esquema de un contactor aplicado a un motor monofásico, y la figura 5.3 el de un contactor aplicado a un motor trifásico. En esta última, al oprimir el pulsador de ARRANQUE se cierran los contactos L_1, L_2, L_3 y el motor queda conectado a la red. Si ocurre una sobrecarga, el relé térmico actúa sobre el mecanismo de disparo que, al abrir los contactos, determina el paro del motor. Para volver a cargar el mecanismo de disparo hay que oprimir, por regla general, el pulsador de PARO. Cuando el motor está funcionando y se desea detenerlo, basta oprimir también el pulsador de PARO.

La fotografía de la figura 5.4 muestra varios tipos de contactores de accionamiento manual.

Contactores magnéticos de conexión directa

Son interruptores de accionamiento magnético que conectan el motor directamente a la plena tensión de la red. Las figuras 5.5 y 5.6 muestran esquemáticamente sendos contactores magnéticos previstos para funcionar con motores trifásicos. Algunos de los símbolos que aparecen en estos y otros esquemas se han agrupado en la figura 5.7, junto con el significado de los mismos.

Como se ve en las figuras 5 y 6, estos interruptores están provistos de tres contactos principales, normalmente abiertos, que al cerrarse conectan el motor directamente a la red de alimentación. También llevan una bobina de retención, que cuando está excitada cierra y mantiene cerrados los tres contactos principales, así como otro contacto auxiliar, normalmente abierto, que permite mantener la circulación de la corriente de excitación por la bobina cuando se deja de oprimir el pulsador de ARRANQUE. Los contactos principales y auxiliar están unidos mecánicamente mediante una barra aislante, al objeto de que al excitar la bobina se cierren simultáneamente. No hace falta decir que cualquier contactor, por grande que sea, puede gobernarse excitando la bobina con una corriente muy pequeña. Los contactores suelen ir equipados con bobinas de retención previstas para dos tensiones de alimentación. En tal caso cada bobina se compone de dos ramas iguales, que se unen en serie cuando se aplica la tensión mayor, y en paralelo cuando se aplica la menor.

Obsérvese que el contactor de la figura 5.5 dispone únicamente de dos relés de sobrecarga. Sin embargo, la mayoría de los contactores trifásicos se construyen de modo que pueda acoplárseles un tercer relé, como muestra el esquema de la figura 5.6. Las razones que motivan el empleo de dos o tres relés de sobrecarga se explican más detalladamente en la página 182.

Puesto que la bobina de retención de un contactor magnético como el descrito está excitada con corriente alterna, su fuerza atractiva no es constante, sino que oscila al ritmo de la frecuencia de alimentación. Para evitar esta vibración continua y el ruido molesto que origina, se introduce en el extremo del núcleo de la bobina una pequeña espira de cobre, llamada "espira de sombra", cuyo objeto es engendrar un flujo desfasado. La corriente inducida en esta espira basta para mantener los contactos cerrados durante los breves instantes de inversión de la corriente de excitación.

La figura 5.8 reproduce el aspecto exterior y el esquema de un contactor magnético para motor trifásico. La principal ventaja de los contactores magnéticos sobre los de accionamiento manual es la comodidad de maniobra que suponen, ya que basta tan sólo aprimir un pulsador, que puede hallarse a cierta distancia del motor y del propio contactor. Esta ventaja se hace más notoria cuando se considera con qué facilidad y seguridad puede arrancarse o detenerse un motor desde uno o varios puntos alejados, especialmente si es de alta tensión, en cuyo caso la maniobra a mano constituiría un serio peligro.

Relés de sobrecarga. Casi todos los contactores magnéticos están equipados con relés de sobrecarga, cuyo objeto es proteger el motor de una corriente excesiva. Se utilizan dos tipos de relés: magnéticos o térmicos.

Los relés térmicos pueden ser de bilámina o de aleación fusible. Las figuras 5.9 *a* y 5.9 *b* muestras dos construcciones distintas de un relé térmico de bilámina. Consiste básicamente en un pequeño elemento calefactor, en forma de bobina o de cinta, que va conectado en serie con la línea de alimentación, el cual se calienta por el paso de la corriente, y tanto más cuanto mayor es la intensidad de la misma. Directamente en su interior o bien en su inmediata proximidad se halla dispuesta una cinta formada por dos láminas metálicas soldadas, de distinto coeficiente de dilatación. Dicha cinta está fijada por un extremo, y con el otro, de libre acción, mantiene normalmente cerrados dos contactos del circuito que alimenta la bobina de retención del relé. Cuando circula excesiva corriente por el elemento calefactor, la cinta se calienta más de lo normal y, en virtud de las características térmicas diferentes de sus dos láminas, se curva por su extremo libre. Al levantarse éste y separar los contactos auxiliares, el circuito de excitación de la bobina queda interrumpido, los contactos principales se abren y el motor se para.

Los relés de bilámina se diseñan generalmente de modo que la reconexión del contactor sea automática; sin embargo, también los hay que exigen una reconexión manual. Algunos de ellos están provistos de una bilámina de compensación ambiental para poder conferir la máxima protección cuando la temperatura inmediata al relé es distinta de la temperatura inmediata al motor. Otras firmas fabrican relés de bilámina en los cuales es posible pasar de reconexión manual a automática posicionando simplemente una palanca selectora. La reconexión automática resulta aconsejable cuando el control no es fácilmente accesible o asistido con regularidad. Algunos tipos de relé son de libre disparo. Eso significa que los contactos principales no pueden mantenerse cerrados con el dispositivo de reconexión mientras subsista una sobrecarga capaz de dañar el motor.

El relé de aleación fusible consiste en un elemento integrado a base de una aleación eutéctica, una bobina de caldeo, unos contactos normalmente cerrados y un botón de reconexión (fig. 5.10). La aleación eutéctica contiene un material de soldadura que pasa inmediatamente del estado sólido al líquido cuando alcanza una temperatura específica. La bobina de caldeo, por la cual circula la corriente de alimentación, envuelve completamente al elemento térmico. Cuando la corriente es excesiva, el calor generado por la bobina funde la aleación eutéctica de dicho elemento, con lo cual una rueda de trinquete, solidaria de un eje introducido en el interior del manguito, queda liberada para girar y abre de este modo los contactos normalmente cerrados. Al interrumpirse el circuito de excitación de la bobina de retención, se abren también los contactos principales, y el motor queda desconectado. Para volver a arrancar el motor basta pulsar el botón de reconexión, tras aguardar unos momentos para que la aleación haya tenido tiempo de enfriarse. Este tipo de relé es de reconexión manual y de libre disparo. Esta importante protección impide mantener los contactos cerrados por simple accionamiento del botón de reconexión, y evita así que pueda forzarse el motor a seguir funcionando en condiciones persistentes de sobrecarga. El empleo de este tipo de relé es recomendable porque la necesidad de reconexionarlo llama la atención hacia la sobrecarga existente, y porque elimina la posibilidad de causar accidentes por rearranque automático del motor.

Número necesario de relés de sobrecarga. El reglamento de instalaciones eléctricas de los EE.UU. indica claramente el número mínimo de relés que deben usarse para la protección de motores de corriente alterna (monofásicos, bifásicos y trifásicos) y de motores de corriente continua.

Por norma general, el reglamento exige un solo relé para motores de corriente continua y monofásicos, y dos relés para motores bifásicos o trifásicos. Sin embargo, en determinadas circunstancias es preciso emplear tres relés de sobrecarga para la protección de motores trifásicos, a menos que éstos estén ya protegidos por otros medios prescritos. Tal es el caso de motores instalados en puntos aislados o de difícil acceso, o bien en locales donde no exista ninguna persona capaz de ejercer una vigilancia responsable sobre los mismos. También deben usarse tres relés en aplicaciones trifásicas cuando la red de alimentación presenta inestabilidad o cuando pueden ocurrir desequilibrios notables entre fases. Este desequilibrio puede ser causado por una fase interrumpida en el primario de un transformador estrella / triángulo o por la conexión en paralelo de un motor monofásico con otro trifásico. En general es aconsejable usar siempre tres relés en instalaciones donde hay combinaciones de motores monofásicos y trifásicos.

Los contactores trifásicos suelen ir equipados con dos relés de sobrecarga, pero está prevista su conversión a protección trifilar por la simple adición de un tercer elemento térmico o por el uso de una unidad ya preparada para su inserción "in situ". Algunos contactores requieren justamente una unidad enchufable. Otros fabricantes construyen contactores trifásicos con tres relés de sobrecarga como equipo normal.

En muchos de los esquemas trifásicos de este capítulo se han representado únicamente dos relés de sobrecarga, pero pueden fácilmente concebirse provistos de protección trifilar imaginando añadido un tercer símbolo de relé en la fase que aparece libre. Las figuras 5.11 *a, b* y *c* muestran tres esquemas de contactores trifásicos fabricados por tres compañías distintas. Obsérvense los relés de sobrecarga.

Estaciones de dos pulsadores. Los contactores magnéticos se maniobran por medio de estaciones de pulsadores. La estación más corriente y sencilla se compone de una caja con dos pulsadores (fig 5.12): uno de ARRANQUE y otro de PARO. Al apretar el primero se cierran dos contactos normalmente abiertos, y al oprimir el segundo se abren dos contactos normalmente cerrados. Al dejar de ejercer presión con el dedo sobre los pulsadores, éstos vuelven a su posición inicial por la acción de un resorte. Para maniobrar un contactor magnético mediante una estación como la descrita, es preciso conectar la bobina de retención a los contactos de la estación de modo que al apretar el pulsador de ARRANQUE dicha bobina quede excitada, y al apretar el de PARO, desexcitada.

La figura 5.13 reproduce el esquema de un contactor magnético típico de conexión directa, equipado con dos relés térmicos de sobrecarga y maniobrado a través de una estación de ARRANQUE / PARO. A efectos de mayor claridad, en este esquema y los siguientes el circuito de alimentación del motor se ha representado con trazo grueso, y los circuitos de control con trazo fino. El funcionamiento es el siguiente:

Al oprimir el pulsador de ARRANQUE circula la corriente de L_1 a L_2 a través de los contactos normalmente cerrados del pulsador de PARO, la bobina de retención del contactor y los contactos normalmente cerrados de los relés de sobrecarga. Al quedar excitada la bobina de retención, cierra los contactos principales M y conecta el motor a la red. Tan pronto se deja de oprimir el pulsador de ARRANQUE se abren sus contactos; sin embargo, la alimentación de la bobina queda automáticamente asegurada a través del contactos auxiliar 2-3, que se ha cerrado conjuntamente con los tres principales. Cuando se aprieta el pulsador de PARO se interrumpe el circuito de alimentación de la bobina, se abren todos los contactos y el motor queda fuera de servicio. Si durante el funcionamiento del motor sobreviene una sobrecarga prolongada, los contactos del relé correspondiente se abren y desexcitan la bobina de retención. Cuando un relé ha disparado por efecto de una sobrecarga, es preciso restablecer a mano el contacto del mismo antes de volver a arrancar el motor.

La figura 5.14 muestra el esquema lineal del circuito de control, y la figura 5.15 el de todo el contactor. Se designa por M la bobina de retención, así como los contactos principales M y auxiliar 2-3 que cierra; RT es el contacto, normalmente cerrado, de cada relé.

Prácticamente todos los fabricantes de aparatos de maniobra construyen contactores magnéticos. La figura 5.16 muestra el esquema de un contactor típico de la firma Square D. Company.

También existen contactores en lo que el circuito de control está alimentado a través de un transformador reductor (figs. 5.17 y 5.18). De esta forma dicho circuito trabaja a una tensión inferior a la de la red. Este sistema se adopta generalmente por razones de seguridad. Cuando se utiliza un transformador reductor, el primario del mismo debe estar conectado directamente a dos de los bornes del contactor. Una fuente de alimentación independiente es peligrosa para el personal de maniobra e incluso para el propio motor, a menos que permanezca desconectada mientras la bobina de retención está desexcitada.

Obsérvese en estos esquemas que un extremo del secundario del transformador y un extremo del circuito de la bobina de retención M están unidos a masa. Siempre que el circuito de control tiene, como en estos casos, un punto a masa, es muy importante que esté dispuesto de forma que cualquier contacto a tierra accidental en las estaciones de pulsadores a distancia no pueda causar el arranque involuntario del motor. Para ello es frecuente insertar los contactos de un relé de sobrecarga entre el pulsador de ARRANQUE y la bobina M.

Contactores combinados. Un contactor combinado está formado por la combinación de un contactor magnético y un interruptor de desconexión, montados en la misma caja. El interruptor de desconexión puede ser del tipo tripolar manual, provisto de fusibles, o bien un disyuntor automático de efecto térmico. En caso de un cortocircuito, los fusibles o el disyuntor protegen la instalación interrumpiendo el paso de la corriente. La figura 5.19 muestra un contactor combinado con interruptor y fusibles. Los contactores cobinados con disyuntor automático (fig. 5.20) tienen la ventaja de cortar simultáneamente las tres fasés cuando ocurre un defecto en una de ellas, evitando así el funcionamiento del motor en régimen monofásico. Este tipo de contactores puede ser rápidamente reconexionado una vez subsanada la avería.

Control desde varias estaciones de pulsadores. Combinando adecuadamente las conexiones entre varias estaciones de pulsadores puede conseguirse el control indistinto del motor desde un cualquiera de ellas. La figura 5.21 representa, por ejemplo, el esquema de un contactor magnético gobernado desde dos estaciones distintas. Los pulsadores pueden estar dispuestos de las dos maneras indicadas. En la figura 5.22 puede verse el esquema lineal correspondiente al circuito de control de dicho contactor, y en la figura 5.23 el esquema lineal de un contactor magnético gobernado desde tres estaciones distintas.

Se observa que los contactos de los pulsadores de ARRANQUE están conectados en paralelo entre sí, mientras que los de los pulsadores de PARO lo están en serie. Esta norma debe seguirse siempre, independientemente del número de estaciones de control. Obsérvese también que el contacto auxiliar M está siempre unido en paralelo con los contactos de los pulsadores de ARRANQUE. Por otra parte, todos los contactos de los pulsadores de PARO han de estar conectados en serie con la bobina de retención del contactor, a fin de que en caso de emergencia pueda detenerse el motor desde cualquier estación.

Marcha intermitente. Los contactores magnéticos pueden también maniobrarse con un tercer pulsador selector, que se emplea cuando el motor sólo debe prestar servicios de corta duración. Al accionar dicho pulsador, en efecto, el motor se pone en marcha, pero sólo continúa en servicio mientras se mantiene la presión del dedo sobre el primero; tan pronto como deja de oprimirse, el motor vuelve a pararse.

La marcha intermitente se consigue también con estaciones de dos pulsadores e interruptor selector o de tres pulsadores normales y relé auxiliar.

La figura 5.24 muestra el esquema básico de un contactor magnético gobernado desde una estación ARRANQUE - INTERMITENTE - PARO provista de pulsador selector. Este tercer pulsador está montado sobre un tambor que puede hacerse girar hacia una cualquiera de dos posicio opuestas: INTERMITENTE O PERMANENTE. Cuando el tambor se halla en la posición PERMANENTE, los pulsadores de ARRANQUE y de PARO funcionan como en una estación normal de dos pulsadores. Cuando se halla, por el contrario, en la posición INTERMITENTE, el circuito que alimenta a la bobina de retención queda interrumpido, y el motor sólo puede ponerse en marcha accionando el pulsador selector. Accionando el pusador de ARRANQUE es entonces imposible, en efecto, hacer arrancar el motor.

El funcionamiento del circuito de control puede seguirse también con auxilio del esquema lineal del mismo (fig. 5.25). Suponiendo el tambor selector en la posición PERMANENTE, al oprimir el pulsador de ARRANQUE la corriente circula de L_1 a L_2 a través de los contactos del pulsador de PARO, de los contactos cerrados del pulsador SELECTOR, de los del pulsador accionado, de la bobina de retención M y de los contactos de los relés de sobrecarga RT. Al excitarse, la bobina de retención cierra los contactos principales M y conecta el motor a la red. Aunque el pulsador de ARRANQUE deje de accionarse, la bobina M sigue alimentada a través del contacto auxiliar M. Si, por el contrario, se aprime el pulsador de PARO, el circuito de control queda interrumpido y el motor se para, por abrirse los contactos principales M.

Suponiendo, en cambio, el tambor selector en la posición INTERMITENTE, se ve que la corriente no puede circular ya a través de los contactos del pulsador de ARRANQUE (aunque éste se accione), puesto que los dos contactos del tambor selector que antes estaban cerrados permanecen ahora abiertos. Por el contrario, si se oprime el pulsador SELECTOR, el circuito de control se cierra a través de los contactos del pulsador de PARO, los del pulsador SELECTOR, la bobina de retención M y los contactos de los relés de sobrecarga RT. Por consiguiente, dicha bobina se excita, cierra los contactos principales y pone en marcha el motor. Sin embargo, apenas deje de accionarse el pulsador SELECTOR se interrumpirá el circuito de control, y en consecuencia el motor se detendrá.

Las figuras 5.26, 5.27 y 5.28 reproducen el esquema lineal del circuito de control en estaciones provistas de mando para marcha intermitente a base de interruptor selector. En tal caso se usa el propio pulsador de ARRANQUE para poner al motor en marcha permanente o bien intermitente, según sea la posición del interruptor. Cuando dicho interruptor está abierto (posición INTERMITENTE) el circuito de alimentación de la bobina de retención queda interrumpido, a menos que se accione el pulsador de ARRANQUE.

La figura 5.29 muestra el cuadro de mando de una estación en la cual el pulsador de ARRANQUE sirve indistintamente para marcha permanente o intermitente. El esquema de la figura 5.30 corresponde al de un contactor magnético trifásico gobernado por una estación de este tipo.

Otra manera de conseguir la marcha INTERMITENTE es mediante una estación provista de tres pulsadores normales y un relé auxiliar (figs. 5.31 y 5.32). Al oprimir el pulsador de ARRANQUE, la bobina del relé auxiliar CR se excita y cierra los contactos CR del mismo; con ello se cierra el circuito de alimentación de la bobina de retención, y por tanto se cierran los contactos principales y auxiliar M, que mantiene dicha bobina excitada aunque deje de accionarse el pulsador de ARRANQUE. En estas condiciones el motor queda conectado a la red para prestar servicio permanente. Si en vez del pulsador de arranque se oprime el de MARCHA INTERMITENTE, también se cierra el circuito a través de la bobina de retención, pero únicamente mientras se mantiene dicho pulsador apretado. El contactor no puede permanecer en absoluto conectado por rápido que se retire el dedo del pulsador.

La figura 5.33 muestra otro esquema análogo al de la figura 5.31. Al apretar el pulsador de ARRANQUE se excita la bobina del relé auxiliar y cierra los contactos del mismo; esto determina el arranque del motor y la subsiguiente alimentación de la bobina de retención a través de uno de los contactos del relé, cuando se suelta dicho pulsador. Por el contrario, al oprimir el pulsador de marcha INTERMITENTE se excita sólo la bobina de retención, pero no la del relé; por consiguiente, el contactor no puede permanecer conectado en cuanto deja de accionarse este pulsador.

En la figura 5.34 se han representado dos circuitos de control análogos y aptos para el gobierno de un contactor como el de la figura 5.33.

Se ve que, al oprimir el pulsador de marcha INTERMITENTE, el relé auxiliar CR queda fuera de servicio y la bobina de retención M excitada, con lo cual los contactos principales cierran y el motor arranca; sin embargo, basta soltar este pulsador para que la bobina M se desexcite inmediatamente. Si es el pulsador de ARRANQUE el que se aprieta, se excita primero la bobina del relé CR, y éste cierra sus dos contactos CR, que aseguran la alimentación de CR y M aun cuando cese de apoyarse el dedo sobre dicho pulsador. En ambos esquemas, el accionamiento del pulsador de PARO interrumpe el circuito de una y otra bobina.

Estaciones de dos pulsadores con luz piloto. A veces es conveniente que la estación de pulsadores disponga de una luz piloto que señale en todo momento si el motor funciona. Por regla general, la lámpara indicadora va montada en el propio cuadro de la estación de pulsadores y está conectada en paralelo con la bobina de retención (figs. 5.35 y 5.36).

La figura 5.37 muestra un esquema de circuito de control con luz piloto que, al contrario de antes, se enciende mientras el motor permanece *parado*. En este caso la lámpara indicadora va conectada en serie con un contacto M normalmente cerrado (mientras el motor se halla parado), y por consiguiente se enciende. Dicho contacto se abre al ponerse el motor en marcha, y entonces la lámpara se apaga.

En la figura 5.38 puede verse el aspecto exterior de una estación de dos pulsadores con luz piloto.

Contactores magnéticos de conexión directa e inversión. Los contactores magnéticos estudiados hasta ahora están diseñados para arrancar y hacer girar el motor en un solo sentido, sea a derechas o bien a izquierdas. En determinadas aplicaciones (como por ejemplo transportadores, cabrestantes, máquinas herramienta, montacargas, etc.), es necesario disponer de un arrancador que permita invertir el sentido de giro del motor con sólo accionar un pulsador. Para conseguir esta inversión en un motor trifásico, basta permutar dos de sus tres fases de alimentación. Esto es precisamente lo que ejecuta el contactor / inversor magnético. La figura 5.39 reproduce el aspecto externo del mismo; las figuras 5.40 y 5.41 muestran respectivamente los esquemas general y simplificado de sus circuitos.

Se observa que la estación de mando se compone de tres pulsadores (DIRECTO - INVERSO - PARO), y que son necesarias dos bobinas de retención F y R, una para cada sentido de giro. También existen dos juegos de contactos principales y auxiliar; uno se cierra cuando se desea la marcha en sentido directo, y el otro cuando se desea en sentido inverso. Ambos juegos de contactos van conectados de manera que queden permutadas dos fases del motor cada vez que se aprima un pulsador de arranque distinto. El funcionamiento se describe a continuación.

Al oprimir el pulsador de arranque DIRECTO se cierra el circuito entre L_1 y L_2 a través de los contactos de los pulsadores de PARO y de arranque DIRECTO, de la bobina de retención F y de los contactos de ambos relés de protección. Al excitarse dicha bobina, se cierra el primer juego de contactos principales y el motor arranca con sentido de marcha directo. Puesto que el contacto auxiliar 2-3 se ha cerrado simultáneamente, la corriente sigue circulando por F incluso después de soltar el pulsador de arranque DIRECTO. Cuando se acciona el pulsador de PARO, la excitación de la bobina F queda interrumpida, con lo cual se abren todos los contactos y se desconecta el motor de la red. Si se presiona, por el contrario, el pulsador de arranque INVERSO, es la bobina R la que se excita y cierra el otro juego de contactos principales, junto con el contacto auxiliar 4-5. El motor girará ahora en sentido inverso al de antes, puesto que con la nueva conexión se permutan los terminales T_1 y T_3.

Por regla general, los contactores / inversores están provistos de un sistema de enclavamiento mecánico, cuyo objeto es evitar que un juego de contactos pueda cerrarse mientras lo está el otro. Dicho sistema consiste en una barra capaz de girar sobre una articulación central; cuando uno de los juegos de contactos entra en funciones, esta barra gira y queda dispuesta en una posición tal, que impide el cierre del otro juego. Todos estos aparatos suelen ir equipados con dos relés de protección contra sobrecargas, generalmente de tipo térmico. Recuérdese, no obstante, que en caso de motores trifásicos es corriente el empleo de tres relés.

Como es evidente, el gobierno de un contactor / inversor magnético puede efectuarse desde más de una estación de tres pulsadores. La figura 5.42 muestra tres maneras distintas de disponer los pulsadores de dos estaciones DIRECTO - INVERSO - PARO en el circuito de control.

Además del enclavamiento mecánico, la mayoría de los contactores / inversores llevan también una interconexión eléctrica para impedir que las bobinas de retención F y R puedan ser alimentadas simultáneamente. Esto se consigue intercalando en el circuito de cada bobina un contacto normalmente cerrado, que sólo se abre mientras la otra bobina permanece excitada.

La figura 5.43 reproduce el esquema general de un contactor / inversor magnético con enclavamiento mecánico e interconexión eléctrica. El gobierno del mismo se efectúa desde una estación normal de tres pulsadores. Para pasar de un sentido de giro al otro es preciso accionar antes el pulsador de PARO. Si se desea pueden añadirse limitadores a ambos circuitos de arranque, al objeto de provocar el paro del motor en un momento determinado; en tal caso es preciso quitar previamente las conexiones A y B. El esquema del circuito de control (fig. 5.44) permite seguir fácilmente el funcionamiento del contactor. Al oprimir el pulsador de arranque DIRECTO, se cierra el circuito entre L_1 y L_2 a través de los contactos de los pulsadores de PARO y arranque DIRECTO, del contacto auxiliar normalmente cerrado R, del limitador L (si lo hay), de la bobina de retención F y de los contactos del relé. El contacto auxiliar 2-3, que se cierra junto con los principales de F, mantiene dicha bobina excitada aunque se suelte el pulsador de arranque DIRECTO. Al propio tiempo, el contacto auxiliar normalmente cerrado F se abre, impidiendo así que la bobina R pueda ser excitada.

Con la estación de pulsadores representada en el esquema de la figura 5.45 es posible conseguir la inversión inmediata del sentido de giro, sin necesidad de accionar previamente el pulsador de PARO. Obsérvese que existe también interconexión eléctrica entre ambos circuitos de control, y que cada pulsador de arranque (DIRECTO e INVERSO) posee un contacto normalmente cerrado y otro normalmente abierto. El funcionamiento del contactor queda puesto fácilmente de manifiesto con auxilio de los dos esquemas equivalentes del circuito de control reproducidos en la figura 5.46.

Al oprimir el pulsador de arranque DIRECTO, se cierra el circuito entre L_1 y L_2 a través del pulsador de PARO, del contacto normalmente cerrado del pulsador de arranque INVERSO, del pulsador de arranque DIRECTO, del limitador L (si existe), del contacto auxiliar normalmente cerrado R, de la bobina F y de los contactos del relé de protección. Al excitarse la bobina F, cierra los contactos principales correspondientes y el motor se pone en marcha. Simultáneamente se cierra el contacto auxiliar 3-2, que mantiene la excitación de la bobina F cuando deja de accionarse el pulsador de arranque DIRECTO, y se abre el contacto auxiliar F, normalmente cerrado, interrumpiendo toda posible alimentación de la otra bobina R. Si ahora se desea invertir el sentido de la marcha del motor, basta oprimir el pulsador de arranque INVERSO. Con ello queda abierto instantáneamente el circuito de alimentación de la bobina F y cerrado al propio tiempo el de la bobina R.

A veces es necesario gobernar contactores / inversores magnéticos desde dos puntos diferentes. La figura 5.47 muestra la interconexión de dos estaciones de tres pulsadores DIRECTO - INVERSO - PARO. Desde cada una de ellas puede invertirse directamente el sentido de giro del motor, sin necesidad de apretar el pulsador de PARO.

Los contactores / inversores magnéticos se fabrican de muy diversos tipos. La figura 5.48 representa el esquema general simplificado de un contactor / inversor con interconexión eléctrica entre ambos circuitos de control y gobierno desde una estación de tres pulsadores, prevista para la inversión directa del sentido de giro del motor sin necesidad de detenerlo previamente. En la figura 5.49 puede verse un circuito de control como los de la figura 5.46, pero provisto de transformador cuyo secundario proporciona la alimentación a tensión reducida.

El contactor / inversor de la figura 5.50 es muy similar al representado en la figura 5.40. Las conexiones eléctricas, la construcción mecánica y el sistema de funcionamiento de una y otro son absolutamente idénticos: la única diferencia es la disposición del segundo circuito de control, que en lugar de hallarse a la derecha, como en el tipo horizontal de la figura 5.40, se encuentra ahora debajo (tipo vertical).

Arrancadores a tensión reducida

Si se conecta directamente a la red un motor trifásico con rotor de jaula de ardilla, la corriente de arranque absorbida será varias veces superior a la corriente normal de régimen. Cuando el motor es pequeño este efecto pasa prácticamente inadvertido, y por ello pueden emplearse arrancadores de conexión directa; por el contrario, cuando el motor es grande, la acción brusca de la intensa corriente de arranque puede ser perjudicial para la maquinaria impulsada por el motor, y en consecuencia es preciso emplear un tipo de arrancador que mantenga dicha corriente por debajo de cierto límite de seguridad. La necesidad de este aparellaje de arranque depende en gran parte de la construcción del motor y del uso a que está destinado.

En este apartado se describirán sucesivamente los siguientes tipos de aparellaje de arranque a tensión reducida: reóstatos primarios y secundarios, compensadores (autotransformadores), arrancadores en estrella / triángulo y arrancadores de arrollamiento parcial.

Reóstatos primarios. La corriente que absorbe un motor durante el arranque queda notablemente reducida si interponen resistencias variables (reóstatos) en las líneas de alimentación. El motor arranca entonces despacio y, a medida que se va acelerando genera una mayor fuerza contraelectromotriz, con lo cual la corriente absorbida se mantiene dentro de su valor normal. En consecuencia, una vez el motor ha alcanzado cierta velocidad, puede suprimirse totalmente la resistencia y el motor queda conectado a la plena tensión de la red.

Los reóstatos de arranque pueden estar situados en el círculo estatórico (*reóstatos primarios*), como se ha dicho al principio, o en el circuito rotórico (*reóstatos secundarios*). En este último caso es preciso que el rotor sea bobinado y esté provisto de tres anillos colectores.

Hay dos tipos de reóstatos primarios: manuales y automáticos. La figura 5.51 muestra esquemáticamente un reóstato manual de arranque de diseño antiguo apto para motores trifásicos, aunque puede emplearse también para motores bifásicos y de repulsión e inducción. Las resistencias quedan insertadas en dos de las tres fases de alimentación. El brazo de este reóstato se compone de dos partes, aisladas una de otra; debajo de cada una se encuentra una lámina metálica flexible, generalmente de cobre, que establece contacto con los bornes conectados a las diversas tomas de la resistencia. A medida que se hace girar el brazo se van suprimiendo porciones de resistencia, y el motor se acelera progresivámente. El reóstato está ideado de manera que al moverse el brazo queden eliminadas porciones iguales de resistencia en cada fase.

Ciertos reóstatos están provistos de una bobina de retención para mantener el brazo en la posición extrema correspondiente al último borne de contacto; éstos se emplean únicamente como arrancadores. En otros tipos el brazo puede dejarse ajustado sobre cualquier posición, a efectos de la regulación de la velocidad. El empleo del reóstato reduce considerablemente el par de arranque, puesto que en la resistencia del mismo se consume y transforma en calor la mayor parte de la energía suministrada.

La figura 5.52 muestra el esquema general de un arrancador automático de tipo magnético, provisto de reóstato primario. Como se ve, el arrancador tiene tres resistencias (una por fase) y lleva dos juegos de contactos. Primero se cierra el juego de contactos S, con lo cual el motor queda conectado a la red a través de las resistencias y por tanto arranca suavemente, a tensión reducida. Transcurrido cierto tiempo se cierra también automáticamente el otro juego de contactos R, que al cortocircuitar las resistencias de arranque deja el motor conectado directamente a la red. El esquema simplificado de la figura 5.53 permite seguir el funcionamiento de este arrancador. Al apretar el pulsador de ARRANQUE, circula corriente de L_1 a L_2 a través de la bobina S, la cual se excita y cierra con ello los contactos principales S y auxiliar 2-3 del primer juego. El motor arranca entonces suavemente, al quedar alimentado a través de las tres resistencias. Por otra parte, el cierre del contacto auxiliar 2-3 garantiza el mantenimiento de la excitación en la bobina S aunque deje de oprimirse el pulsador de ARRANQUE. Al cerrarse los contactos principales S se excita también la bobina TR de un relé de tiempo, conectado entre A y B, y pone en marcha un mecanismo de retardo. Transcurrido un período de tiempo prefijado, se cierran los contactos TR y circula corriente a través de la bobina R. Al excitarse dicha bobina, cierra el segundo juego de contactos R, los cuales cortocircuitan las resistencias de arranque y dejan el motor conectado directamente a la red. Cuando se aprime el pulsador de PARO queda interrumpida la alimentación de las bobinas R y S, con lo cual se abren a su vez todos los contactos que aseguran la conexión del motor a la red.

El esquema de la figura 5.54 corresponde a un arrancador automático con reóstato primario, fabricado por la General Electric. Este arrancador se compone de un contactor tripolar S de arranque, de un contactor tripolar R de régimen, de un relé neumático TR de retardo, de tres resistencias primarias de una sola etapa (una en cada fase), y de dos o tres relés "bilámina" de sobrecarga. Al apretar el pulsador de ARRANQUE se excita la bobina S de retención, que cierra los contactos principales y auxiliar S. El motor queda entonces conectado a la red a través de las resistencias RA, RB, RC del reóstato primario, que reducen la corriente de arranque absorbida por el motor; éste funciona ahora a tensión reducida. Simultáneamente se pone en marcha el relé de retardo TR, el cual, al cabo de un tiempo predeterminado, cierra el contacto TC; en este momento se excita la otra bobina R de retención y cierra los contactos principales R de régimen. Las resistencias limitadoras quedan entonces cortocircuitadas, y el motor trabaja a plena tensión. Oprimiendo el pulsador de PARO se desexcitan ambas bobinas y se abren todos los contactos, desconectando el motor de la red.

Si por cualquier causa tiene lugar una sobrecarga prolongada, los elementos térmicos de los relés de protección determinan la apertura de sus correspondientes contactos, los cuales interrumpen el circuito de alimentación de las bobinas S y R. Para volver a arrancar el motor es preciso entonces reajustar de nuevo manual o automáticamente el mecanismo del relé de protección antes de poder accionar el pulsador de ARRANQUE.

En el capítulo VIII se encontrará una detallada descripción de los diversos mecanismos de retardo o acción diferida.

Como ya se ha dicho anteriormente, con el empleo de arrancadores provistos de reóstatos primarios se obtiene un par de arranque relativamente reducido.

Reóstatos secundarios. Si las resistencias limitadoras se insertan en el circuito rotórico o secundario, en vez de intercalarlas en el primario, puede conseguirse un par de arranque notablemente mayor. Para ello es preciso que el rotor sea del tipo bobinado. Los rotores de este tipo llevan un arrollamiento trifásico conectado en estrella, cuyos tres terminales van unidos a otros tantos anillos colectores, montados sólidamente sobre el árbol del rotor. El arrollamiento estatórico se conecta a la red mediante un simple interruptor tripolar provisto de fusibles, o bien por medio de un contactor magnético.

El principio de funcionamiento es el siguiente: si los tres anillos colectores se ponen en cortocircuito, todo ocurrirá como si el rotor fuese del tipo de jaula de ardilla, es decir, el motor absorberá una corriente de arranque excesiva si se conecta directamente a la red. En cambio, si entre los tres anillos se intercalan las resistencias de un reóstato, la corriente de arranque quedará notablemente disminuida y el motor se pondrá en marcha suavemente. Bastará entonces ir suprimiendo gradualmente la resistencia a medida que el motor se acelera, con lo cual éste quedará girando a la velocidad de régimen una vez aquélla haya sido eliminada del todo.

Esta clase de motor se arranca siempre insertando previamente toda la resistencia en el circuito rotórico (fig. 5.55). Entonces se cierra manualmente el interruptor tripolar de alimentación y se hace girar el reóstato poco a poco en el sentido de las agujas de un reloj, hasta su posición extrema. El motor se va acelerando paulatinamente hasta alcanzar su plena velocidad de régimen cuando toda la resistencia ha quedado fuera del circuito. A veces se construyen también arrancadores de este tipo para utilizarlos como reguladores de velocidad; el objeto de los mismos es ajustar la velocidad del motor al valor deseado.

La figura 5.56 muestra el esquema de un arrancador provisto de un reóstato manual secundario como el descrito, pero con un contactor magnético en vez de un simple interruptor tripolar.*

Los reóstatos secundarios pueden ser también de maniobra automática. La figura 5.57 muestra el esquema de un arrancador automático provisto de reóstato secundario de una sola etapa. Al oprimir el pulsador de ARRANQUE, se excitan las bobinas S y TR. La primera cierra todos los contactos S, con lo cual deja el arrollamiento estatórico conectado directamente a la red; el motor arranca entonces suavemente, puesto que en el arrollamiento rotórico están intercaladas las resisten-

* Obsérvese que el circuito de control tiene un contacto que sólo se cierra cuando el reóstato se halla en su posición extrema hacia la izquierda. De este modo se evita que el motor pueda arrancarse sin estar toda la resistencia intercalada en el arrollamiento rotórico. (*N. del T.*)

cias del reóstato. La bobina TR pone en funcionamiento un mecanismo de retardo o de acción diferida, el cual impide que el contacto TR se cierre hasta después de transcurrido cierto tiempo. Al cerrarse por fin el contacto TR, la bobina R se excita y cierra a su vez los contactos R, que cortocircuitan el arrollamiento rotórico. El motor alcanza entonces su plena velocidad de régimen. Si se oprime ahora el pulsador de PARO o bien se interrumpe el circuito de alimentación de la bobina S por efecto de una sobrecarga prolongada, el motor se detendrá.

Compensadores. Si bien los arrancadores provistos de reóstato están muy extendidos, resulta mucho más satisfactorio el empleo de autotransformadores para conseguir el arranque a tensión reducida. La principal ventaja de estos últimos es que efectúan la reducción de tensión sin pérdida sensible de energía, mientras los reóstatos consumen una energía apreciable, que se transforma en calor.

Un autotransformador no es más que una bobina de hilo arrollado alrededor de un núcleo de chapas magnéticas. De la bobina salen varias tomas o derivaciones al exterior, al objeto de captar diferentes tensiones. Los compensadores normales constan de tres autotransformadores, uno para cada fase de alimentación, conectados entre sí en estrella (fig. 5.58). Si cada bobina autotransformadora tiene una derivación central, y con estas tres derivaciones se alimenta un motor trifásico, éste recibirá únicamente la mitad de la tensión de la red; en estas condiciones, la corriente de arranque absorbida se reduce considerablemente.

La mayoría de los autotransformadores llevan dos o tres tomas exteriores, al objeto de poder aplicar al motor distintas tensiones de arranque. Deberá elegirse siempre la que proporcione un par de arranque más satisfactorio y una corriente de arranque más pequeña.

La figura 5.59 reproduce el aspecto exterior de un compensador típico de accionamiento manual. Lleva dos juegos de contactos fijos y un juego de contactos móviles; estos últimos van montados sobre un cilindro aislante provisto de una manecilla exterior. Para poner en marcha el motor se desplaza rápidamente la manecilla en un sentido; esto determina la conexión del mismo a los tres autotransformadores, y por tanto el arranque a tensión reducida. Una vez el motor se ha acelerado, se empuja rápidamente la manecilla en sentido opuesto; esta maniobra lo desconecta de los autotransformadores y lo conecta directamente a la red. El retroceso de la manecilla de la posición de ARRANQUE a la de SERVICIO debe ejecutarse con rapidez, pues de lo contrario el motor aminorará su marcha, en vez de acelerarse, a causa de la interrupción momentánea provocada por el paso de unos contactos a otros.

La mayoría de los compensadores tienen los contactos sumergidos en aceite. De esta manera se extingue más eficazmente el arco que se forma entre contactos cuando la manecilla cambia de posición, y en consecuencia se evita el deterioro de los mismos.

Cuando la manecilla se halla en la posición de SERVICIO, una bobina de retención, conectada entre dos fases del motor, queda excitada y mantiene aquélla en su emplazamiento. Para detener el motor basta oprimir el pulsador de PARO; esto interrumpe el circuito de la bobina y libera la manecilla. La acción de un resorte hace volver los contactos móviles a su posición normal de FUERA DE SERVICIO. Caso de sobrevenir un corte o una disminución de tensión en la red, la bobina de retención deja de mantener la manecilla en la posición de SERVICIO. Por otra parte, si se produce una sobrecarga prolongada uno de los relés de protección abrirá sus contactos y desexcitará dicha bobina. Para volver a arrancar el motor será preciso entonces cerrar nuevamente los contactos del relé por medio de un pulsador de REAJUSTE.

En la figuras 5.60 y 5.61 pueden verse los esquemas general y simplificado de un compensador trifásico corriente de accionamiento manual. El funcionamiento es el siguiente: primero se sitúa la manecilla en la posición de ARRANQUE, con lo cual el juego de contactos móvil cierra el juego de contactos fijos S y determina el arranque del motor a través de los autotransformadores, o sea a tensión reducida. Una vez el motor ha adquirido cierta velocidad, se empuja rápidamente la manecilla en sentido opuesto, lo cual hace que el juego de contactos móvil cierre ahora el juego de contactos fijo R, que conectan el motor directamente a la red. La bobina de retención y de protección contra subtensiones está derivada entre dos fases del motor y unida en serie con los contactos del pulsador de PARO y los de los relés de sobrecarga. Al oprimir dicho pulsador la bobina de retención se desexcita y libera la manecilla, que en su movimiento de retroceso desplaza los contactos móviles a la posición de FUERA DE SERVICIO.

También se fabrican compensadores con sólo dos autotransformadores en vez de tres; sirven indistintamente para la maniobra de motores bifásicos (fig. 5.62) o trifásicos (fig. 5.63). El funcionamiento del compensador es en este último caso como sigue: al situar la manecilla en posición de ARRANQUE, la fase L_2 queda aplicada directamente al motor, y las fases L_1 y L_3 a cada uno de los dos autotransformadores, respectivamente. Puesto que una de las tomas disponibles en cada autotransformador queda conectada al respectivo terminal libre del motor, éste arrancará con tensión reducida. Una vez efectuada la puesta en marcha y con el motor ya acelerado, se pasa rápidamente la manecilla a la posición de SERVICIO, donde queda retenida por la acción de la bobina. La figura 5.64 muestra la conexión que se establece durante el período de arranque, la cual se designa con el nombre de *triángulo abierto.*

Existen también compensadores de accionamiento automático, que en esencia son iguales que los anteriormente descritos; la diferencia estriba en el cierre magnético de los contactos (como en los contactores) y en la presencia de un mecanismo de retardo que conecta el motor a la plena tensión de la red tras varios segundos de marcha a tensión reducida. La principal ventaja de estos compensadores es que pueden maniobrarse por medio de simples pulsadores desde una estación emplazada a la distancia que convenga.

La figura 5.65 reproduce el esquema general de un compensador automático fabricado por la General Electric. Su principio de funcionamiento es muy parecido al de un arrancador automático con reóstato primario; la única diferencia básica entre ambos es que la reducción de tensión durante el arranque se efectúa con autotransformadores, en vez de resistencias. El compensador está provisto de tres autotransformadores, tres juegos de contactos (arranque, servicio, estrella), un relé neumático de retardo, dos o tres relés térmicos y un termostato para proteger los autotransformadores de cualquier sobrecalentamiento. Los contactores de servicio y de estrella mecánicamente solidarios. El esquema del circuito de control (fig. 5.66) ayuda a comprender el funcionamiento. Al apretar el pulsador de ARRANQUE se excitan las bobinas S e Y, que cierran respectivamente los contactos de arranque y de estrella. Estos últimos unen entre sí los extremos libres de los autotransformadores, formando así el centro de la estrella. El motor queda entonces alimentado a través de los autotransformadores, y arranca a tensión reducida. Transcurrido un intervalo de tiempo prefijado, el relé neumático de retardo TR abre el contacto TO durante un breve instante, con los cual se desexcita la bobina Y, que abre los contactos de estrella Y e interrumpe esta última; en este cortísimo intervalo de tiempo los autotransformadores actúan como simples reactancias. El relé de retardo cierra ahora el contacto TC, que excita la bobina R; ésta cierra a su vez los contactos de servicio R, y el motor queda entonces conectado a la plena tensión de la red. Obsérvese que la transición del régimen de arranque al de servicio se efectúa sin interrumpir el circuito de alimentación del motor: de ahí que este compensador se llame *de transición cerrada.* Un contacto auxiliar Y, normalmente cerrado, en serie con la bobina de servicio R, evita que esta última pueda excitarse mientras la bobina Y mantiene cerrada la estrella. Si ocurre una sobrecarga prolongada o se aprieta el pulsador de PARO, el circuito de control queda interrumpido, los contactos de servicio se abren y el motor se detiene.

La figura 5.67 muestra el esquema de un compensador automático fabricado por la Allen Bradley Company, muy similar al anterior. Obsérvese que el relé de retardo está situado sobre el contactor 2S y es puesto en acción por la bobina 2S. Obsérvese también que los contactos R y 1S son mecánicamente solidarios.

Arrancadores estrella / triángulo. Este sistema de arranque sólo puede aplicarse a motores trifásicos conectados en triángulo.

Cuando las fases del arrollamiento estatórico están unidas en triángulo, al conectar el motor a una red trifásica, por ejemplo de 208 V (fig. 5.68), cada fase recibirá la plena tensión de la red, es decir, 208 V. Si las fases del mismo motor se reconectan ahora en estrella y se alimenta éste con la misma red de antes, cada fase sólo recibirá el $\frac{1}{\sqrt{3}} = 0{,}58 = 58\ \%$ de la plena tensión, o sea 120 V en nuestro ejemplo (fig. 5.69). Por consiguiente, si el motor se conecta en estrella durante el arranque y luego se reconecta en triángulo para el servicio normal, es evidente que la puesta en marcha tendrá lugar a tensión reducida. Esta maniobra se efectúa con auxilio de arrancadores estrella / triángulo; para ello es preciso que salgan al exterior del motor los seis terminales de las tres fases. El cuadro de la figura 5,69 indica las conexiones a realizar en cada caso.

Los arrancadores estrella / triángulo pueden ser de accionamiento manual o bien automático, por medio de pulsadores. La figura 5.70 muestra el esquema de un arrancador manual, constituido por un conmutador tripolar de dos posiciones. Una vez cerrado el interruptor de alimentación, se pasa el conmutador, inicialmente abierto, a la posición de arranque S. Los terminales T_4, T_5 y T_6 quedan así unidos conjuntamente, formando el centro de la estrella, y los terminales T_1, T_2 y T_3 a las respectivas líneas de alimentación L_1, L_2 y L_3. El motor queda, pues, conectado en estrella, y arranca a una tensión aproximadamente igual al 58 % de la nominal. Cuando el motor ya se ha acelerado suficientemente, se pasa el conmutador a la posición de servicio R, con lo cual se realizan las uniones de terminales T_2 - T_4, T_3 - T_5 y T_6 - T_1, a la vez que se interrumpe el centro de estrella; queda así formado el triángulo, y el motor trabaja ahora a la plena tensión de la red.

La figura 5.71 muestra el esquema de un arrancador en estrella / triángulo de accionamiento automático, y del tipo llamado de *transición abierta*. Con ello se indica que el motor queda desconectado momentáneamente de la red durante el breve intervalo de transición de estrella a triángulo. Estos arrancadores también se fabrican del tipo de *transición cerrada*. Tal efecto se consigue intercalando resistencias en los puntos de desconexión durante el período de transición, las cuales mantienen entonces los circuito cerrados. El funcionamiento del tipo de transición abierta es el siguiente; al apretar el pulsador de ARRANQUE se excitan las bobinas S, 1M y TR. La primera cierra los contactos S, que unen entre sí los terminales T_4, T_5 y T_6, y la segunda cierra los contactos 1M, que conectan los terminales T_1, T_2 y T_3 a la red; el motor arranca, pues, en estrella. Simultáneamente la bobina TR pone en marcha el mecanismo del relé de retardo. Transcurrido cierto tiempo, el contacto normalmente cerrado TO del relé de retardo se abre y el contacto normalmente abierto TC del mismo se cierra. El primero desexcita la bobina S e interrumpe, por tanto, el centro de la estrella; el segundo excita la bobina 2M, que abre los contactos 2M. Con ello quedan unidos conjuntamente los terminales T_1 - T_6, T_2 - T_4 y T_3 - T_5, se forma el triángulo, y cada fase del motor recibe la plena tensión de la red. Al oprimir el pulsador de PARO se desexcitan todas las bobinas, y el motor queda sin alimentación por apertura de los contactos 1M y 2M. Los contactores S y 2M están enlazados mecánica y eléctricamente.

La figura 5.72 representa el esquema de otro tipo de arrancador estrella / triángulo automático.

Arrancadores de arrollamiento parcial. Estos arrancadores son normalmente de dos etapas de aceleración, y pueden aplicarse a motores trifásicos de arrollamiento parcial, tanto conectados en estrella como en triángulo. Esta clase de motores ha sido ya descrita en el capítulo IV (pág. 148). Aquí nos limitaremos a recordar que dichos motores pueden ser del tipo normal para dos tensiones de servicio, con nueve terminales exteriores (figs. 4.70 y 4.74), o bien del tipo especialmente preparado para esta modalidad de arranque, con seis terminales exteriores. Si se emplean motores del primer tipo sólo a efectos de arranque con arrollamiento parcial, deberán unirse exteriormente los terminales que corresponda.

La figura 5.73 muestra el esquema general de un arrancador automático de arrollamiento parcial conectado a un motor trifásico con nueve terminales exteriores y fases estatóricas en estrella. Uniendo exteriormente los terminales T_4, T_5 y T_6 se forman dos estrellas iguales en el estator. Al conectar T_1, T_2 y T_3 a L_1, L_2 y L_3 respectivamente, queda en servicio la primera estrella, o sea la mitad del arrollamiento. Conectando seguidamente también T_7, T_8 y T_9 a L_1, L_2 y L_3 quedan en servicio las dos estrellas, con sus respectivas fases homólogas en paralelo. El circuito de control funciona del modo siguiente: al oprimir el pulsador de ARRANQUE se excitan las bobinas 1M y TR; la primera cierra los contactos de arranque, haciendo que los terminales T_1, T_2 y T_3 del primer arrollamiento parcial queden conectados a la red y poniendo el motor en marcha; la segunda acciona el mecanismo del relé de retardo. Transcurrido un breve intervalo de tiempo, el contacto TC del relé se cierra y excita con ello la bobina 2M; ésta conecta a la red los terminales T_7, T_8 y T_9 del segundo arrollamiento parcial. La corriente y la potencia total absorbidas por el motor se reparten equitativamente entre las ramas de la doble estrella.

En la figura 5.74 se han representado los esquemas de otros dos arrancadores típicos de doble etapa, previstos para la puesta en marcha y en servicio de motores trifásicos conectados en estrella.

La figura 5.75 reproduce el esquema de un arrancador automático de la General Electric que permite arrancar con diferentes proporciones de arrollamiento parcial ($^1/_2$ ó $^2/_3$). Por otra parte, puede emplearse con motores en estrella o en triángulo, con nueve o con seis terminales exteriores. El cuadro adjunto indica de qué manera deben conectarse los terminales del motor con los del arrancador (señalados en el esquema mediante las letras A a F). Nótese la disposición tetrapolar y bipolar de los contactores.

Combinadores

Combinadores de tambor. Las figuras 5.76 y 5.77 muestran el esquema de un combinador del tipo de tambor, de accionamiento manual, que se utiliza para arrancar pequeños motores trifásicos o invertir el sentido de giro de los mismos. Este tipo de combinador puede también emplearse con motores de fase partida o de condensador (fig. 5.78), así como con motores bifásicos (fig. 5.79). Encuentra aplicación cuando el motor se halla situado próximo al lugar de trabajo, como sucede en pequeños tornos y otras máquinas herramienta.

Las figuras 5.76 y 5.77 permiten observar cómo, al desplazar la manivela de una posición a la otra, quedan permutadas dos fases de la red, y por tanto el motor invierte su sentido de giro. Este combinador, que se describe detalladamente en el capítulo VIII, puede adaptarse para invertir la marcha de cualquier motor pequeño, tanto de corriente continua como de corriente alterna. El cuadro de la figura 5.80 muestra sus posibilidades típicas de conexión y empleo.

Combinadores para dos velocidades. Como ya se ha explicado en el capítulo IV, la velocidad de un motor bifásico o trifásico puede cambiarse alterando el número de polos del mismo. Cuando el motor dispone de un solo arrollamiento, se recurre normalmente a la *conexión de polos consecuentes,* en virtud de la cual el número de polos original queda doblado y la velocidad primitiva reducida a la mitad. El motor puede entonces funcionar a dos velocidades que se hallan en la relación 2 : 1.

Los motores de dos velocidades en los que la relación entre ambas no es 2 : 1, llevan dos arrollamientos independientes. Según cuál de los dos se conecte a la red, el motor girará a una velocidad distinta, determinada por el número de polos de dicho arrollamiento.

El cambio de conexiones (polos consecuentes) o el paso de un arrollamiento a otro, necesarios para cambiar la velocidad en motores respectivamente de uno y de dos arrollamientos, se efectúa con auxilio de combinadores manuales o automáticos. Todos ellos van equipados con relés de protección contra sobrecargas, de tipo térmico o magnético.

En algunos casos conviene que primero se efectúe el arranque a la velocidad menor, y luego el paso automático a la velocidad mayor, tras haber transcurrido un intervalo de tiempo definido. Esto se consigue equipando el combinador con un relé de acción diferida. En otros casos basta que el arranque se realice a la velocidad menor y que el paso a la mayor sólo tenga lugar cuando se desee. Esta secuencia la lleva también a término un relé.

A continuación se describirán varios tipos de combinadores automáticos de dos velocidades.

La figura 5.81 muestra el esquema de un combinador magnético para maniobrar la velocidad de un motor trifásico con dos arrollamientos independientes. Al oprimir el pulsador de VELOCIDAD MAYOR, se excita la bobina HI, y cierra los contactos principales HI, con lo cual conecta directamente a la red el arrollamiento de menor número de polos. El contacto auxiliar HI también se cierra, permitiendo así que la bobina permanezca excitada después de soltar el pulsador de VELOCIDAD MAYOR. Si se oprime el pulsador de PARO o tiene lugar una sobrecarga prolongada, el circuito de alimentación de la bobina HI queda interrumpido, ésta se desexcita, los contactos I se abren y el motor se detiene.

Si se aprieta el pulsador de VELOCIDAD MENOR mientras el motor está girando a la velocidad mayor, la alimentación de la bobina HI queda inmediatamente interrumpida gracias a la interconexión mecánica entre ambos pulsadores de VELOCIDAD MENOR. Entonces se excita la bobina LO y cierra los contactos principales LO, dejando conectado el arrollamiento de mayor número de polos. Obsérvese la interconexión eléctrica entre las dos ramas del circuito de control, a través de los contactos normalmente cerrados HI y LO.

En la figura 5.82 puede verse el esquema de un combinador parecido al de la figura 5.81. También está previsto para la maniobra de motores trifásicos con dos arrollamientos independientes. Obsérvese la designación de los respectivos terminales: T_1 - T_2 - T_3 para el arrollamiento de menor velocidad, y T_{11} - T_{12} - T_{13} para el de mayor velocidad. Este combinador funciona prácticamente igual que el anterior. El esquema del circuito de control muestra que el motor puede arrancarse con una cualquiera de las dos velocidades. El paso de la velocidad menor a la mayor puede efectuarse directamente, es decir, sin necesidad de parar el motor. En cambio, para pasar de la velocidad mayor a la menor es preciso oprimir previamente el pulsador de PARO. Si se desea que también en este caso pueda prescindirse de dicha operación intermedia, deben modificarse las conexiones de la estación de pulsadores según indica el diagrama adjunto.

La figura 5.83 representa el esquema de un combinador para maniobrar las dos velocidades de un motor trifásico con un solo arrollamiento de polos consecuentes. Según la conexión interna del motor puede conseguirse que, a pesar del cambio de velocidad, el par permanezca sensiblemente constante o bien varíe en proporción. En el primer caso el motor queda conectado en estrella cuando gira a la velocidad mayor, y en triángulo / doble serie (polos consecuentes) cuando gira a la velocidad menor. Se observa que este combinador dispone de ocho contactos principales, de los cuales cinco son necesarios para el arranque o paso a la velocidad mayor. El motor puede arrancarse indistintamente con una cualquiera de ambas velocidades, y el paso a la otra no exige el accionamiento previo del pulsador de PARO.

El funcionamiento puede seguirse fácilmente con auxilio del esquema del circuito de control (fig. 5.84). Al oprimir el pulsador de VELOCIDAD MENOR se cierra el circuito entre L_1 y L_2 a través del pulsador de PARO, de los contactos superiores del pulsador de VELOCIDAD MAYOR, del propio pulsador accionado, del contacto normalmente cerrado F (de interconexión), de la bobina S y de los contactos del relé de sobrecarga. Al excitarse dicha bobina, cierra los tres contactos principales S. En tal caso los terminales T_1, T_2 y T_3 quedan conectados a las respectivas líneas de la red, y los terminales T_4 - T_5 - T_6 abiertos. En las tres fases del arrollamiento, unidas en triángulo, se forman polos consecuentes, y por tanto el motor arranca a la velocidad menor.

Si es el pulsador de VELOCIDAD MAYOR el que se aprieta, se excita la bobina F y cierra los contactos principales F. Ahora son los terminales T_4, T_5 y T_6 los que quedan conectados a la red, mientras los terminales T_1, T_2 y T_3, unidos entre sí, forman el punto neutro de la estrella. Como en tales condiciones no se crean polos consecuentes, el motor gira a la velocidad mayor.

El combinador cuyo esquema se representa en la figura 5.85 es en muchos aspectos análogo al precedente. Sirve para maniobrar motores trifásicos de un solo arrollamiento y dos velocidades, concebidos de modo que al pasar de una velocidad a la otra la potencia suministrada permanezca sensiblemente constante. A este objeto el arrollamiento queda conectado en triángulo cuando no se forman polos consecuentes (velocidad mayor) y en estrella / doble paralelo cuando se forman polos consecuentes (velocidad menor). El esquema del circuito de control permite observar que no se puede pasar de la velocidad mayor a la menor sin apretar previamente el pulsador de PARO. Caso de que se desee prescindir de esta operación intermedia, es preciso modificar las conexiones de la estación de pulsadores según se indica en el diagrama adjunto.

La figura 5.86 muestra el aspecto exterior de un combinador de este tipo.

El cuadro de la figura 5.87 agrupa diversos esquemas de motores trifásicos para dos velocidades de régimen e indica las conexiones a efectuar con los respectivos terminales para conseguir uno u otro régimen.

Combinadores para frenado rápido. En muchas aplicaciones es necesario disponer de un sistema efectivo de paro o frenado rápido del motor, sea por exigirlo la seguridad del trabajo, sea con el fin de ahorrar tiempo.

El sistema más empleado para ello es el llamado *frenado por inversión,* y consiste en invertir el sentido de giro del motor inmediatamente después de su desconexión de la red. Si el motor es trifásico esta inversión se efectúa, como sabemos, permutando dos de las fases de alimentación. A consecuencia de dicha maniobra el motor se detendrá rápidamente y luego tenderá a proseguir su marcha en sentido contrario al primitivo. Sin embargo, si en el preciso instante en que el motor está parado y a punto de reiniciar su marcha, se interrumpe la alimentación de la red, es evidente que el motor permanecerá en reposo.

La operación se lleva a cabo con auxilio de un relé de frenado, que va montado encima del motor y está accionado por el propio eje del motor, a través de una correa. Dicho relé lleva un contacto interior que permanece cerrado mientras el motor se halla en funcionamiento, pero que se abre en cuanto este último intenta girar en sentido opuesto. Existen varios diseños constructivos de estos relés, si bien todos ellos funcionan esencialmente según el mismo principio descrito.

La figura 5.88 muestra el esquema de un combinador para frenado rápido provisto de relé y contactor magnético de inversión. El esquema simplificado de la figura 5.89 permite seguir cómodamente el funcionamiento del mismo. Al oprimir el pulsador de ARRANQUE la bobina F se excita, cierra los tres contactos principales F y conecta el motor a la red. Simultáneamente se cierra el contacto auxiliar F_1, normalmente abierto, y se abre el contacto auxiliar F_2, normalmente cerrado. El primero mantiene la excitación de la bobina F aun cuando deje de apretarse el pulsador de ARRANQUE, y el segundo impide que pueda circular corriente a través de la bobina de inversión R. Al ponerse en marcha el motor se cierra a su vez el contacto del relé de frenado.

Si se aprieta ahora el pulsador de PARO, la bobina F se desexcita, abre los contactos F y corta la alimentación del motor; al propio tiempo se cierra el contacto auxiliar F_2, con lo cual circula corriente por la bobina inversa R. Esta se excita, determina el cierre de los contactos principales R y conecta el motor nuevamente a la red, pero con dos fases permutadas. Al invertirse con ello su sentido de giro, el motor se detiene inmediatamente; entonces se abre el contacto del relé e interrumpe la alimentación de la bobina inversora R. Como consecuencia, los contactos principales R vuelven a abrirse y el motor queda definitivamente desconectado de la red.

Como es natural, este combinador puede emplearse para frenar el motor cualquiera que sea su sentido de giro.

Existen también otros métodos para lograr el frenado rápido de motores polifásicos. Uno de ellos consiste en aplicar una fuente de corriente continua a baja tensión a una de las fases del motor, inmediatamente después de la apertura del interruptor de alimentación.

DETECCION, LOCALIZACION Y REPARACION DE AVERIAS

En lo que sigue se supone que tanto el motor como los fusibles se hallan en buen estado. Para asegurarse de que el motor no tiene ningún defecto, conéctense lámparas de prueba entre los terminales del mismo y obsérvese si éstas se encienden cuando se cierran los contactos del combinador. Caso de no encenderse, la avería radica probablemente en el combinador.

Puesto que existe una gran diversidad de tipos y marcas de combinadores, sólo se dará a continuación una orientación general para detectar y localizar el defecto en función de los síntomas observados. Debajo de cada síntoma figuran las causas que pueden haberlo provocado.

1. El motor no arranca, a pesar de estar cerrados los contactos del combinador.
   a) Interrupción en los elementos calefactores de los relés de sobrecarga o mala conexión de los mismos.
   b) Los contactos principales no cierran bien, por estar desgastados (causa más probable), sucios o quemados.
   c) La conexión de los terminales está rota, floja o sucia.
   d) Algún cable de conexión está roto o suelto.
   e) Interrupción en los reóstatos o en los autotransformadores.
   f) El núcleo de la bobina de retención tiene el desplazamiento obstruido, y no puede cerrar, por tanto, los contactos principales.
   g) Algún defecto mecánico, como por ejemplo piezas agarrotadas, articulaciones mal lubricadas, resortes con escasa tensión, etc.

2. Los contactos no se cierran al apretar el pulsador de ARRANQUE.
   a) Bobina de retención interrumpida. Para cerciorarse de esto basta conectar una lámpara de prueba a los terminales de la bobina. Si al accionar el pulsador de ARRANQUE la lámpara se enciende y la bobina no se excita, es que esta última está interrumpida.
   b) Los contactos del pulsador de ARRANQUE están sucios o no cierran el circuito.
   c) Los contactos del pulsador de PARO están sucios o no cierran bien. Si se utiliza más de una estación de pulsadores para el mismo combinador, se comprobará dicho pulsador en cada una de ellas por separado. Si las estaciones son de pulsadores DIRECTO - INVERSO - PARO con interconexión eléctrica y mecánica, será preciso verificar todos contactos.
   d) La conexión de los terminales está floja o éstos se hallan sueltos.
   e) Contactos del relé de sobrecarga abiertos.
   f) Tensión insuficiente en la red.
   g) La bobina de retención tiene cortocircuitos.
   h) Hay algún defecto mecánico.

3. Los contactos principales se abren al soltar el pulsador de ARRANQUE.
   a) El contacto de retención no cierra bien por estar sucio, suelto o desgastado.
   b) La estación de pulsadores está erróneamente conectada al combinador.
4. Al oprimir el pulsador de ARRANQUE salta un fusible.
   a) Algún contacto a masa.
   b) Bobina de retención con cortocircuitos.
   c) Contactos de la bobina en cortocircuito.
5. Funcionamiento ruidoso de un contactor.
   a) Apoyo sobre el núcleo de la bobina deteriorado, con la consiguiente vibración.
   b) Suciedad en el polo de contacto del núcleo.
6. La bobina de retención está quemada o tiene cortocircuitos.
   a) Sobretensión en la misma.
   b) Sobrecorriente debida a un entrehierro excesivo causado por el polvo, la suciedad, un defecto mecánico, etc.
   c) Maniobra demasiado frecuente.

La mayor parte de las pruebas necesarias para detectar la presencia de interrupciones, cortocircuitos, contactos a masa, etc., pueden efectuarse muy rápidamente empleando un instrumento combinado de pinzas (voltímetro - amperímetro - ohmímetro) o bien instrumentos individuales. Este instrumento combinado, una de cuyas aplicaciones se expone en la figura 4.134, permite localizar con relativa facilidad bobinas o resistencias interrumpidas, en contacto a masa o con cortocircuitos, tensiones demasiado bajas o demasiado altas, corrientes excesivas, conexiones rotas, sueltas, flojas o sucias, así como otros muchos elementos componentes defectuosos en el circuito de arrancadores y combinadores.

CAPÍTULO VI

Rebobinado de inducidos de corriente continua

El proceso completo del rebobinado de inducidos comprende una serie de operaciones que deben ejecutarse por el orden siguiente: 1, toma de datos al extraer el arrollamiento primitivo; 2, aislamiento del núcleo; 3, confección y encintado de las bobinas; 4, colocación de las bobinas nuevas en las ranuras correspondientes; 5, conexión de los terminales de las bobinas a las delgas del colector; 7, verificación eléctrica del arrollamiento; 8, torneado del colector; 9, secado e impregnación.

A continuación se reproduce un modelo de hoja de datos muy apropiado para reunir toda la información necesaria.

MODELO DE HOJA DE DATOS PARA INDUCIDOS DE CORRIENTE CONTINUA

Firma constructora

Potencia (kW ó CV)	Velocidad (r.p.m.)	Tensión (V)	Corriente (A)
Frecuencia	Tipo	Cifra clave	Factor sobrecarga
Calentamiento adm.	Modelo	Número serie	Fases

Número ranuras	Número delgas	Bobinas/ranura
Diámetro conductor	Paso bobinas	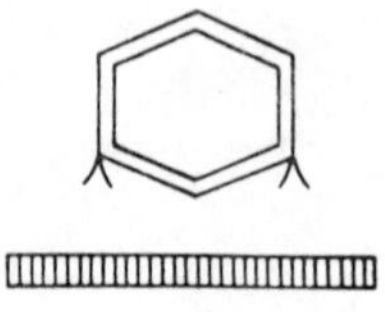
Distancia entre centro de ranura y { centro de delga / centro de mica		
Paso colector — Arrollº imbricado / Arrollº ondulado		

Las figuras 6.1 A, B y C muestran el aspecto exterior de diversos tipos de inducidos de corriente continua. Siempre que se tenga que rebobinar alguno como éstos es preciso anotar previamente, al extraer el arrollamiento antiguo, los datos necesarios para que el nuevo resulte exactamente igual. Sin embargo, a menos que el operario encargado de este trabajo esté familiarizado con los diferentes tipos de arrollamientos y de conexiones que puede encontrar, le será prácticamente imposible obtener dicha información. Por tal motivo, antes de detallar las instrucciones relativas al rebobinado de los tipos de inducido más importantes se describirán las características fundamentales de los mismos.

ARROLLAMIENTO TIPICO DE INDUCIDOS PEQUEÑOS

El tipo más sencillo de arrollamiento de inducido consiste en una serie de bobinas alojadas en las ranuras de este último, cuyos terminales van conectados sucesivamente dos a dos a las delgas del colector. La figura 6.2 A muestra el esquema lineal de un arrollamiento de esta clase constituido por 9 bobinas. El colector, provisto de 9 delgas, se ha representado desarrollado sobre un plano, a fines de simplicidad. En la figura 6.2 B puede verse el esquema circular del mismo arrollamiento.

Aislamiento del núcleo

Antes de rebobinar un inducido es preciso aislar las ranuras del mismo para evitar que los conductores puedan tocar las chapas del núcleo y crear así contactos a masa. Igual que en los motores de otros tipos, se utilizará también aislamiento de espesor y calidad idénticos a los del material original extraído. Tratándose de inducidos pequeños, este aislamiento debe cortarse de modo que sobresalga 3 ó 4 mm por ambos lados de las ranuras y unos 6 mm por encima de las mismas, como muestra la figura 6.3. También es necesario aislar el eje del inducido, arrollando varias vueltas de cinta aislante sobre su periferia, y las dos caras frontales del núcleo, disponiendo sobre cada una un disco de fibra o papel aislante cuyo diámetro coincida con el fondo de las ranuras (fig. 6.4). Muchos núcleos ya llevan placas extremas de fibra aislante, al objeto de proteger las cabezas de bobina de todo contacto a masa.

Bobinado del inducido

Los inducidos pequeños, como por ejemplo los de los motores empleados en aspiradores, barrenas, etc., pueden sujetarse con una mano mientras se bobinan (fig. 6.5); los de mayor tamaño se montan entre caballetes (fig. 6.6) o sobre soportes especiales, como el de la figura 3.33 *b*.

Supóngase que se trata de rebobinar un inducido con nueve ranuras. Al extraer el arrollamiento primitivo se ha contado el número de espiras por bobina y el paso de cada bobina. Con estos datos se procede de la manera siguiente:

Dispóngase aislamiento en las ranuras. Elíjase una cualquiera de ellas y desígnese con el número 1. Arróllese el número adecuado de espiras entre esta primera ranura y la que le corresponda según el paso del bobinado (en nuestro caso entre la 1 y la 5), tirando fuerte del hilo, pero procurando no romperlo, con objeto de conseguir espiras bien apretadas. Empálmese luego el final de la primera bobina con el principio de la segunda, de modo que se forme un bucle (fig. 6.7). Arróllese ahora la segunda bobina entre la ranura 2 y la ranura 6, es decir, con el mismo paso de antes, asegurándose de darle igual número de espiras que a la bobina 1. Una vez terminada la bobina 2, únase el final de la misma con el principio de la siguiente, dejando un nuevo bucle, y arróllese la bobina 3 entre las ranuras 3 y 7. Prosígase de la misma manera hasta haber arrollado nueve bobinas, y entonces empálmese el final de la última con el principio de la primera. El arrollamiento del inducido habrá quedado concluido, y habrá dos lados de bobina en cada ranura. La figura 6.8 muestra paso a paso el proceso completo de este bobinado. Este arrollamiento se llama *de bucles* a causa del bucle que se deja al final de cada bobina y principio de la siguiente.

Cierre de las ranuras mediante cuñas

Una vez concluido el bobinado es preciso cerrar bien las ranuras para evitar que, por efecto de la fuerza centrífuga, salga de las mismas cuando el inducido gira a plena velocidad. La figura 6.9 indica las diversas operaciones a realizar. Obsérvese que entre los dos lados de bobina alojados en cada ranura se ha interpuesto previamente una tira aislante, que puede también doblarse si se desea mayor protección.

Primero se corta el aislamiento de modo que sobresalga unos 5 mm por encima de cada ranura. Con auxilio de una punta de fibra se dobla después un lado del aislamiento hacia el interior de la ranura, apretándolo bien contra el bobinado, y a continuación se repite la operación con el otro lado, que queda dispuesto encima. Finalmente se introduce en la ranura, por uno de sus lados, una cuña de tamaño adecuado, que puede ser de madera o de fibra.

En inducidos de mayor tamaño, el aislamiento se corta al nivel de la parte superior de las ranuras, y el bobinados se asegura mediante un bandaje periférico.

Conexión de los terminales de las bobinas a las delgas

Una de las operaciones más importantes del rebobinado de un inducido es la conexión de los terminales de las bobinas a las correspondientes delgas del colector. Esta conexión puede realizarse de tres maneras diferentes, según la posición relativa entre la ranura de donde procede cada terminal y la delga a la cual va unido. Suponiendo visto el inducido por el lado del colector, cada terminal puede, en efecto, estar alineado con la ranura de donde procede o bien estar inclinado respecto a la misma, sea hacia la derecha, o hacia la izquierda.

Para determinar la disposición que deben adoptar los terminales de las bobinas en el colector, se toma un trozo de cuerda o de cordel y, manteniéndolo tenso, se hace pasar a través de una ranura cualquiera, de modo que coincida aproximadamente con el eje longitudinal de la misma (fig. 6.10). Observando su punto de intersección con el colector, anótese si el cordel pasa por encima de una delga o bien si queda alineado precisamente con la lámina de mica interpuesta entre dos delgas. En el primer caso se designará dicha delga con el número 1, y en el segundo se considerará como delga 1 la que se halla inmediatamente a la derecha de la lámina de mica.

Suponiendo ahora que la hoja de datos confeccionada al extraer el arrollamiento primitivo indica un desplazamiento de terminales de, por ejemplo, tres delgas hacia la derecha, se conectará el principio de la bobina 1 tres delgas a la derecha de la designada con el número 1, incluyendo esta última en la cuenta (fig. 6.11 A). Todos los demás terminales se sucederán paralelamente al primero.

La figura 6.11 B representa el caso de un desplazamiento de terminales de tres delgas hacia la izquierda. En la figura 6.11 C el desplazamiento es nulo, y los terminales están alineados con sus respectivas ranuras.

Arrollamientos con más de una bobina por ranura

Los inducidos estudiados hasta aquí se caracterizan por tener un número de bobinas igual al de delgas, que coincide a la vez con el número de ranuras. Si bien la primera condición es propia de todos los inducidos de esta clase, no ocurre lo mismo con la segunda. En efecto, hay inducidos con doble número de delgas que de ranuras, e incluso no es raro encontrarlos con triple número de delgas que de ranuras. En tales casos, el número de bobinas por ranura es respectivamente 2 y 3, en vez de 1, como hasta ahora. Así, por ejemplo, en un inducido con nueve ranuras y dos bobinas por ranura, habrá dieciocho bobinas y dieciocho delgas.

Bobinado de un inducido con doble número de delgas que de ranuras. El procedimiento a seguir para bobinar un inducido de este tipo (con dos bobinas por ranura) es idéntico al que se emplea para inducidos con una sola bobina por ranura (fig. 6.8), excepto que en vez de formar un bucle entre dos ranuras contiguas hay que formar dos. Para una mejor comparación, supóngase que el inducido a bobinar tiene también nueve ranuras, pero que el colector cuenta ahora con dieciocho delgas. Se empieza por arrollar la bobina 1 entre las ranuras 1 y 5, como en la figura 6.8; luego se hace un bucle con el hilo y se arrolla la bobina 2 entre *las mismas ranuras* 1 y 5. Seguidamente se hace un nuevo bucle y se arrolla la bobina 3 entre las ranuras 2 y 6, etcétera. El proceso se va repitiendo siempre de igual manera, es decir, arrollando dos bobinas consecutivas entre las mismas ranuras, antes de pasar a las siguientes. El arrollamiento irá presentando el aspecto que muestran las figuras 6.12 y 6.13. Con objeto de distinguir uno de otro los dos bucles formados entre cada par de ranuras, es recomendable colocar manguitos de distinto color en los mismos o bien, simplemente, hacer el primero más largo que el segundo. Esta precaución permite luego al operario conectar correctamente cada terminal a la delga correspondiente, sin necesidad de ninguna identificación previa.

ARROLLAMIENTOS IMBRICADOS

Los arrollamientos de inducido se clasifican en dos grupos principales: imbricados y ondulados. La diferencia entre ambos radica en las posiciones relativas de las delgas a las cuales van conectados los terminales de cada bobina. Los arrollamientos imbricados se subdividen a su vez en tres tipos: *sencillos* (de un solo paso), *dobles* (de dos pasos) y *triples* (de tres pasos).

El arrollamiento imbricado sencillo se caracteriza por tener cada bobina conectados sus terminales inicial y final a dos delgas contiguas del colector (fig. 6.14). El final de la primera bobina se halla unido entonces a la misma delga que el principio de la segunda bobina, etc.

En el arrollamiento imbricado doble, el final de cada bobina está unido dos delgas más allá de la que lleva el principio de la misma (fig. 6.15). Resulta, pues, que el final de la primera bobina va conectado a la misma delga que el principio de la tercera, el final de la tercera a la misma delga que el principio de la quinta, etc.

En el arrollamiento imbricado triple, el final de cada bobina está unido tres delgas más allá de la que lleva el principio de la misma (fig. 6.16). Por consiguiente, el final de la primera bobina queda conectado a la misma delga que el principio de la cuarta, el final de la cuarta a la misma delga que el principio de la séptima, etc.

El arrollamiento imbricado sencillo es el más frecuente en inducidos pequeños o de tamaño mediano. Los arrollamientos doble y triple no son de empleo muy extendido; sin embargo, es norma general la conversión de un arrollamiento sencillo en doble o triple cuando se desea reducir la tensión de servicio del motor.

En inducidos provistos de arrollamiento imbricado doble es preciso que las escobillas abarquen, como mínimo, dos delgas del colector; si el arrollamiento es imbricado triple, las escobillas deben cubrir por lo menos tres delgas del colector.

El número de delgas interpuesto entre los dos terminales de una misma bobina recibe el nombre de *paso en el colector*. En los arrollamientos imbricados, el paso en el colector queda determinado tan sólo por el tipo de aquéllos (1 para los sencillas, 2 para los dobles, 3 para los triples) y es válido, por consiguiente, cualquiera que sea el número de polos del motor.

Con objeto de mostrar más claramente las peculiaridades de los arrollamientos imbricados, se exponen a continuación varios ejemplos de los mismos.

Arrollamientos imbricados con bucles

La figura 6.7 muestra un arrollamiento imbricado sencillo a base de una bobina por ranura. El inducido tiene, en efecto, nueve ranuras, y, en ellas van alojadas nueve bobinas: a cada ranura corresponde, pues, una bobina. El número de delgas del colector es también nueve, es decir, igual al número de ranuras. Los bucles van conectados sucesivamente a las delgas (fig. 6.17).

La figura 6.18 representa un arrollamiento imbricado sencillo a base de dos bobinas por ranura. El inducido tiene, como antes, nueve ranuras, pero en ellas van alojadas ahora dieciocho bobinas. Puesto que se forman dieciocho bucles y cada bucle precisa una delga, son necesarias dieciocho delgas, o sea doble número que de ranuras. Como se observa en la figura, los bucles se hacen alternativamente cortos y largos; ello facilita la identificación y la correcta conexión de los mismas a las delgas.

También puede haber arrollamientos de este tipo con tres bobinas por ranura. En tal caso el inducido cuenta con triple número de delgas que de ranuras.

Arrollamientos imbricados sin bucles

Si se conectan los principios de las bobinas a las delgas correspondientes, a medida que van confeccionándose las primeras, y se conectan luego todos los finales de las mismas, una vez completado el arrollamiento entero se obtiene un arrollamiento sin bucles. Para ejecutar, pues, un arrollamiento de esta clase basta dejar libres los finales de todas las bobinas. A continuación se detalla el procedimiento a seguir, según que el inducido cuente con una, dos o tres bobinas por ranura.

Inducidos con una bobina por ranura. Se elige una ranura cualquiera y se devana, a partir de ella y de acuerdo con el paso correspondiente, una bobina completa. Luego se conecta el principio de la bobina 1 a la delga adecuada y se deja libre el final de la misma. Se repite el mismo proceso con las bobinas sucesivas, conectando siempre los principios y dejando libres los finales (fig. 6.19). Una vez concluido todo el arrollamiento, se conectan los finales de las bobinas a las correspondientes delgas del colector. Si el arrollamiento es imbricado sencillo, el final de cada bobina se conectará a la delga contigua a la que lleva el principio de la misma bobina (fig. 6.20).

Inducidos con dos bobinas por ranura. Estos arrollamientos son más corrientes que los anteriores y se ejecutan del modo siguiente: se toman dos hilos, cuyos principios se conectan previamente a dos delgas contiguas del colector, y se confeccionan con ellos dos bobinas (1 y 2) valiéndose de los datos tomados al extraer el arrollamiento primitivo. Una vez devanado en las correspondientes ranuras el número adecuado de espiras, se cortan los hilos y se dejan los finales libres (fig. 6.21). Repítase la misma operación con las dos bobinas siguientes (3 y 4), empezando una ranura más a la izquierda de la primera bobina, mirando el inducido por el lado del colector. (En lugar de avanzar hacia la izquierda es evidente que podría también avanzarse hacia la derecha.) Se prosigue de igual manera hasta completar todo el arrollamiento, y luego se conectan los finales de las bobinas a las delgas correspondientes. Suponiendo el arrollamiento sencillo, estas delgas serán las que muestra la figura 6.22.

Si la identificación de los terminales finales, tras el bobinado de todo el inducido, plantea problemas, puede recurrirse a los métodos siguientes para determinar el terminal y la delga que deben unirse.

El primer método consiste en tocar con un terminal de la lámpara de prueba una delga cualquiera (fig. 6.23) y con el otro los diversos finales libres de las bobinas, hasta encontrar uno que haga encender la lámpara. Este será el que debe conectarse a la delga contigua a la primera. Se supone, como siempre, un arrollamiento imbricado sencillo.

Un segundo método se basa en el uso de manguitos de colores. Para el principio y final de la primera bobina se emplean de un mismo color, para la segunda bobina se eligen de otro color diferente, para la tercera del mismo color que para la primera, etc. Bastará entonces verificar el primer final, pues los restantes quedarán identificados por su color.

El tercer método consiste en dejar de distinta longitud los terminales finales de cada par de bobinas alojadas en una misma ranura (fig. 6.21).

Inducidos con tres bobinas por ranura. Estos arrollamientos se ejecutan de forma análoga a los anteriores. De cada ranura parten ahora tres finales y tres principios, que van respectivamente conectados a tres delgas consecutivas. La identificación de los terminales finales se efectúa como se ha indicado en el caso precedente. La figura 6.24 muestra un arrollamiento a base de tres bobinas por ranura.

Arrollamientos con bobinas moldeadas

Los arrollamientos descritos hasta ahora son de ejecución manual; las bobinas se confeccionan, en efecto, arrollando a mano y una tras otra las espiras que las componen entre las correspondientes ranuras. Esta ejecución manual es propia de inducidos pequeños. En inducidos grandes (en unos pocos casos de inducidos pequeños) se utilizan bobinas devanadas previamente sobre moldes, hormas o gálibos, que luego se alojan en las ranuras formando una sola unidad compacta. Los terminales de estas bobinas se conectan a las delgas del colector de modo absolutamente idéntico que los de las bobinas confeccionadas a mano. El procedimiento para devanar, encintar y alojar dichas bobinas en las ranuras es análogo al ya explicado al tratar de motores trifásicos. La figura 6.25 muestra un arrollamiento imbricado confeccionado a base de bobinas moldeadas; cada ranura aloja dos lados de bobina, y el paso de bobina es 1 a 6.

ARROLLAMIENTOS ONDULADOS

Los arrollamientos ondulados se diferencia de los imbricados únicamente por la posición de los terminales de cada bobina sobre el colector. En un arrollamiento imbricado sencillo, el principio y el fin de cualquier bobina van conectados a dos delgas contiguas; en uno ondulado, el principio y el fin de una misma bobina van conectados a delgas bastante distanciadas una de otra. La separación entre ambas, medida por el número de delgas interpuestas, se llama *paso en el colector,* y depende del número total de delgas de este último y del número de polos del motor. Así, en un motor de 4 polos, los terminales de cada bobina van conectados a delgas diametralmente opuestas (a 180º una de otra); en un motor de 6 polos, a delgas desplazadas de 120º (un tercio del colector); en un motor de 8 polos, a delgas distanciadas 90º (una cuarta parte del colector), etc.

Así como en el arrollamiento imbricado los terminales de una misma bobina convergen uno hacia el otro (fig. 6.26), en el arrollamiento ondulado divergen entre sí (fig. 6.27).

En arrollamientos ondulados tetrapolares la corriente tiene que recorrer por lo menos dos bobinas antes de alcanzar una delga contigua a la de partida; en los hexapolares, el número mínimo de bobinas a recorrer es tres, y en los octopolares, cuatro. Los motores bipolares no pueden llevar arrollamiento ondulado en el inducido.

Los arrollamientos ondulados pueden ser sencillos, dobles y triples. Aquí nos ocuparemos exclusivamente de los primeros.

Paso en el colector

Como ya sabemos, es el número de delgas comprendido entre los terminales de una misma bobina. En arrollamientos ondulados sencillos se determina con auxilio de la siguiente fórmula:

$$\text{Paso en el colector} = \frac{\text{número total de delgas} \pm 1}{\text{número de pares de polos}}.$$

Así, por ejemplo, en un arrollamiento ondulado tetrapolar con 49 delgas en el colector, este paso será de:

$$\frac{49 \pm 1}{2} = 24 \text{ ó } 25 \text{ delgas.}$$

Este paso se expresa normalmente diciendo que es de 1 a 25 o de 1 a 26. Ello quiere decir que, si se adopta el paso de 24 delgas, los terminales de la primera bobina se conectarán a las delgas 1 y 25, como indica la figura 6.28; si se adopta el paso de 25, las delgas en cuestión serán la 1 y la 26.

La fórmula anterior muestra que los arrollamientos ondulados tetrapolares y octopolares exigen un número impar de delgas en el colector, mientras que los hexapolares permiten colectores con número par o impar de delgas.* Por otra parte, aplicando la fórmula al caso de un arrollamiento bipolar, se encuentra un paso igual al de un arrollamiento imbricado simple (± 1); por consiguiente, todos los inducidos bipolares llevan devanado imbricado.

Véanse más detalles en el capítulo III, bajo el epígrafe "Rebobinado con arrollamiento ondulado", página 109.

ARROLLAMIENTOS RETROGRADOS Y PROGRESIVOS

Según la fórmula expuesta anteriormente para arrollamientos ondulados, el paso en el colector puede asumir en cada caso dos valores diferentes. A cada uno de ellos corresponde un sentido de giro distinto del inducido. Lo propio sucede con los arrollamientos imbricados, como veremos seguidamente. Según sea el valor adoptado para el paso en el colector, se obtendrá un *arrollamiento progresivo* o un *arrollamiento retrógrado.*

Un arrollamiento imbricado sencillo es *progresivo* (paso = + 1) cuando la corriente que circula por una bobina cualquiera termina en la delga *siguiente* a la de partida (figs. 6.29 y 6.31), y es *retrógrado* (paso = — 1) cuando dicha corriente termina en la delga *anterior* a la de partida (figs. 6.30 y 6.32).

* La condición necesaria en todos los casos es que el paso en el colector sea un cifra entera. (*N. del T.*)

Un arrollamiento ondulado sencillo (que supondremos tetrapolar a título de ejemplo), es *progresivo* cuando la corriente que circula por dos bobinas en serie termina en la delga *siguiente* a la de partida (figuras 6.33 y 6.35), y es *retrógrado* cuando dicha corriente termina en la delga *anterior* a la de partida (figs. 6.34 y 6.36). Por ser 23 el número total de delgas, el paso en el colector es 12 (delgas 1 a 13) en el primer caso y 11 (delgas 1 a 12) en el segundo.

Siempre que un arrollamiento progresivo se transforma en retrógrado, o viceversa, el inducido invierte su sentido de giro.

La figura 6.37 muestra el modo de conectar a las delgas un arrollamiento imbricado progresivo a base de dos bobinas por ranura, y la figura 6.38 la conexión a las delgas de varias bobinas de un arrollamiento como el anterior, pero retrógrado.

Las figuras 6.39 a 6.43 reproducen diversos esquemas relativos a dos arrollamientos ondulados tetrapolares, uno progresivo y otro retrógrado, para un inducido con 23 ranuras y 45 delgas (dos bobinas por ranura).

CONEXIONES EQUIPOTENCIALES

Estas conexiones sólo se emplean en inducidos de gran tamaño provistos de arrollamiento imbricado, con objeto de reducir al mínimo las corrientes internas de desequilibrio. Estas corrientes son debidas generalmente a desigualdades en el entrehierro existente entre los polos inductores y el inducido, y pueden eliminarse uniendo conjuntamente las delgas que se hallan al mismo potencial. La posición recíproca de tales delgas depende del número de polos del motor y del número total de delgas del colector.

Las conexiones equipotenciales se emplean principalmente en motores de repulsión, y por este motivo ya fueron descritas con detalle en el capítulo III (pág. 108).

REBOBINADO Y OPERACIONES SUBSIGUIENTES

Toma de datos

Antes de extraer el arrollamiento antiguo de un inducido, deben anotarse los datos suficientes para que el operario encargado del rebobinado pueda realizar su labor correctamente. En muchos talleres se procede como se indica a continuación:

Se cuentan las ranuras del inducido y las delgas del colector. Luego se marca, con auxilio de una lima o de un punzón, la posición de una bobina cualquiera en el inducido (señalando las dos ranuras en las cuales está alojada) y la de sus terminales en el colector (señalando las dos delgas a las que van conectados). Las figuras 6.44 a 6.46 indican claramente el modo de proceder. Estas marcas permiten determinar el paso de bobinado y el paso correspondiente a las conexiones con el colector. Esta operación es muy importante, puesto que cualquier error en dichos pasos repercutirá posteriormente con la producción de chispas en las escobillas y con un mal funcionamiento del motor. Si el arrollamiento es a base de bobinas moldeadas, habrá que sacar algunas para verificar su forma y dimensiones exactas. Convendrá también medir y anotar cuánto sobresalen las bobinas por uno y otro lado de las ranuras.

Se determina seguidamente el número de bobinas por ranura y la clase de arrollamiento (a mano, con bobinas moldeadas, con bucles, devanado hacia la derecha o hacia la izquierda, etc.). Luego se cuenta el número de espiras de cada bobina. Si ello resulta difícil, se secciona la bobina y se cuenta el número de extremos de hilo cortados. Si el arrollamiento es de una bobina por ranura (es decir, dos lados de bobina por ranura), se contarán todas las espiras existentes en una ranura y se dividirá el resultado por 2: así se obtendrá el número de espiras por bobina. Si el arrollamiento es de dos bobinas por ranura (cuatro lados de bobina por ranura), el número total de espiras por ranura tendrá que dividirse por 4. En caso de grandes inducidos es conveniente conservar una bobina intacta, que servirá de medida para confeccionar el molde destinado a las nuevas.

Acto seguido se mide el diámetro del conductor por medio de un calibre o un micrómetro, y se anota la clase de aislamiento que lleva (por ejemplo, una sola capa de esmalte y de algodón, Formvar, etc.). Tómese nota igualmente de la clase de aislamiento de las ranuras.

Precauciones. Procúrese no tocar las chapas del núcleo ni romper las arandelas de fibra de sus extremos. Asegúrese primero que todo el aislamiento ha sido extraído de las ranuras. Desuéldense los terminales del colector, y si éstos se rompen dejando un extremo en la muesca de la delga, quítese dicho extremo con auxilio de una hoja de sierra. Empléese una hoja de sierra de espesor no superior al diámetro del hilo que se tomará para rebobinar. La figura 6.47 muestra una herramienta apropiada para esta operación.

Extracción del arrollamiento y del colector

Como las cuñas han sido introducidas a presión en las ranuras, su extracción suele resultar difícil. El mejor modo de conseguirlo es colocar una hoja de sierra sobre la cuña (fig. 6.48) y golpearla verticalmente con un martillo hasta que sus dientes hagan presa en la cuña; seguidamente se golpea la hoja en dirección horizontal, con lo cual sus dientes penetran todavía más en la cuña y al propio tiempo la arrastran hacia fuera de la ranura.

En grandes inducidos a base de bobinas moldeadas, la extracción del arrollamiento es relativamente fácil: se cortan los bandajes y se empujan las bobinas una a una hacia el exterior, tras haber desconectado todos sus terminales del colector. En caso de inducidos más pequeños, con ranuras semicerradas, y especialmente si han sido secados a la estufa, puede ser necesario volverlos a introducir en la misma con objeto de reblandecer todo el aislamiento y el barniz. Si se procede así habrá que desmontar primero el colector del eje. Para ello se cortarán ante todo las conexiones que van al colector, sea mediante una hoja de sierra, sea mediante una herramienta de filo, en el torno. Se supone que ya han sido tomados previamente los datos a que se hace referencia en el apartado anterior. Una vez seccionadas dichas conexiones, se podrá desmontar el colector del eje con auxilio de un extractor normal de poleas o de una prensa hidráulica. Es muy importante medir antes exactamente la distancia que queda entre el borde del colector y el extremo del eje (fig. 6.49) y determinar la alineación de las delgas con respecto a las ranuras (fig. 6.10).

Una vez extraído el colector, se introduce el inducido en una estufa y se calienta lo suficiente para que el aislamiento se reblandezca o carbonice. Si no se dispone de horno o estufa, puede intentarse sacar las bobinas cortándolas por una cabeza y tirando de la otra hacia fuera.

El colector puede volverse a montar antes o después de rebobinar el inducido, según sea el sistema empleado para rebobinar y para efectuar las conexiones a las delgas.

Precauciones. Móntese el colector exactamente a la misma distancia del extremo del eje que se midió antes de su extracción. La operación se hará mediante una prensa. El colector debe quedar sólidamente afianzado sobre el eje para evitar que se mueva por la rotación de éste.

Soldadura de los terminales a las delgas

Una vez reaislado y rebobinado el inducido, con los terminales de las bobinas unidos a sus correspondientes delgas, se procede a soldar dichos terminales. Para inducidos pequeños suelen utilizarse soldadores eléctricos, y para inducidos grandes soldadores de gas. El tamaño del soldador depende del tamaño del colector. A veces se emplean también lámparas de soldar con esta finalidad.

La soldadura se efectúa como sigue: se pone fundente sobre el terminal situado en cada delga. (Se obtiene un buen fundente mezclando resina pulverizada con alcohol de modo que forme una pasta. Las pastas existentes en el comercio pueden emplearse si, después de hacer la soldadura, se limpia bien con alcohol.) Luego se apoya la punta del soldador sobre una delga, como muestra la figura 6.50, y se aguarda que el calor se haya transmitido a la zona de la delga donde debe efectuarse la soldadura. Ello tiene lugar cuando la pasta o el fundente empiezan a burbujear. Se aplica luego la varilla de estaño sobre la delga, próxima al soldador, y se espera que el estaño fundido haya rellenado la muesca de la delga para retirar el soldador. El estaño líquido debe bañar ampliamente el terminal. Con objeto de impedir que pueda caer por detrás del colector y provoque cortocircuitos, se levantará el inducido por este lado; de este modo el estaño resbalará hacia delante. Manteniendo el soldador vertical (fig. 6.51) se evitará que el estaño pueda extenderse sobre las delgas contiguas.

Bandaje o zunchado del inducido

El bandaje del inducido tiene por objeto inmovilizar firmemente en su sitio las conexiones que van hacia el colector y para asegurar las bobinas en las ranuras, de las cuales saldrían por efecto de la fuerza centrífuga. El bandaje de los inducidos pequeños se efectúa con una cuerda. Para inducidos grandes se prefiere un zunchado con alambre de acero o con cinta de vidrio.

Bandaje de cuerda. La figura 6.52 indica la manera de efectuar un bandaje de cuerda para afianzar las conexiones de las bobinas al colector. Se tendrán en cuenta las siguientes instrucciones. Empléese una cuerda de diámetro adecuado, es decir, grueso para inducidos grandes, delgado para inducidos pequeños. Empezando por el extremo más próximo al colector y dejando libre un cabo de cuerda de unos 15 cm de longitud, arróllense varias vueltas una al lado de otra y luego fórmese un bucle con el cabo libre de la cuerda, como indica la fase 3 de la figura. Arróllense seguidamente algunas vueltas más por encima del bucle, pásese el final de la cuerda por el interior de éste. Tirando entonces del cabo libre de cuerda, el bucle aprisionará y asegurará el final de la misma debajo del bandaje. Córtese la cuerda sobrante. Arróllese la cuerda con fuerza para que el bandaje quede bien apretado.

Zunchado con alambre de acero. El alambre de acero se dispone rodeando el inducido por encima de los extremos frontal y posterior de los lados de bobina. La manera de proceder difiere de la que se sigue para los bandajes de cuerda. Se empieza por fijar el inducido en un torno (fig. 6.53) y por alojar tiras aislantes de mica o papel en las acanaladuras circulares existentes a tal efecto. El objeto de dicho aislamiento es impedir toda posibilidad de contacto entre el alambre de acero y los lados de bobina. Tras haber dado una vuelta de cuerda sobre estas tiras aislantes para mantenerlas en su alojamiento, se disponen pequeñas chapas de cobre o de hojalata, distribuidas uniformemente sobre el perímetro del inducido, que servirán luego para asegurar el zunchado.

Para el zunchado se empleará preferentemente alambre de acero del mismo diámetro que el original. Como este alambre debe arrollarse sobre el inducido con una tensión muy superior a la que requiere un bandaje de cuerda, es necesario interponer un *dispositivo tensor* entre el carrete de alambre y el inducido. Este dispositivo está formado por dos mordazas de fibra apretadas una contra la otra mediante dos tornillos provistos de tuerca de palomilla, y se inmoviliza sobre una bancada o sobre el propio torno, de modo que quede rígidamente asegurado mientras se zuncha el inducido. El alambre se va arrollando en la acanaladura haciendo girar lentamente el inducido. Se procurará no aplicar una tensión excesiva al alambre por medio de las mordazas, pues de lo contrario se rompería. Una vez concluido el zunchado de la acanaladura, se doblan los extremos de las chapitas de cobre u hojalata sobre las espiras de alambre y se sueldan uno con otro, de modo que las espiras permanezcan sólidamente afianzadas. A continuación se ejecuta el zunchado de la otra acanaladura.

Zunchado con cinta de vidrio. En muchos talleres se emplea actualmente cinta de tejido de vidrio tratado con una resina de poliéster o epoxy, en vez de alambre de acero. Esta cinta se aplica aproximadamente a la misma tensión que el alambre de acero (unos 20 kg), y también con auxilio de un dispositivo tensor (fig. 6.54). Suelen darse con ella hasta cinco capas, dispuestas de manera solapada. Es preferible calentar previamente el inducido, con objeto de evitar vacíos entre capas. La cinta se va presionando y manteniendo en su sitio mediante la punta caliente de un soldador. Antes de cortarla, y todavía bajo presión, se funde por su extremo con el soldador, dejando así un cierre hermético. Con el propio soldador se funden y unen también las diversas capas entre sí. Una vez zunchado, se sumerge el inducido en un baño de barniz compatible y luego se deja secar. Finalmente se somete durante varias horas a un tratamiento térmico en un horno.

Verificación eléctrica del inducido

Una vez concluido el rebobinado y efectuadas las conexiones de los terminales de las bobinas a las delgas del colector, es preciso verificar eléctricamente uno y otras para detectar la posible presencia de cortocircuitos, contactos a masa, interrupciones o conexiones erróneas. Estas pruebas tienen que realizarse antes de impregnar el arrollamiento, al objeto de poder subsanar con mayor facilidad cualquier defecto que se hubiese advertido. Al final del presente capítulo y bajo el encabezamiento "Detección, localización y reparación de averías" se encontrarán amplios detalles sobre dichas pruebas.

Equilibrado mecánico del inducido

Antes y después de su impregnación es necesario someter el inducido a una prueba para averiguar si mecánicamente está bien equilibrado. El desequilibrio mecánico de un inducido suele manifestarse por medio de vibraciones anómalas y ruidos insólitos, cuyo origen deberá investigarse de todos modos inmediatamente. De ahí que sea tan importante equilibrar el inducido antes de montarlo en el motor. Con este objeto se han ideado diversos tipos de guías o apoyos de sustentación, como el dispositivo representado en la figura 6.55, que se construyen de varios tamaños. La manera de equilibrar un inducido con auxilio de este dispositivo o de otro similar es la siguiente. Se coloca el inducido sobre los apoyos del aparato y se hace girar suavemente, dándole un impulso. Cuando el inducido se detiene, se marcan la ranura o ranuras que se hallan exactamente en la parte superior del plano vertical que pasa por el centro de aquél. Seguidamente se repite esta prueba varias veces más. Si cada vez que el inducido se para la ranura o ranuras marcadas quedan situadas en una posición distinta de la anterior, es decir, indiferente, el inducido está probablemente equilibrado; pero si dicha ranura o ranuras se detienen siempre en la misma posición, o sea en la parte superior del inducido, será preciso compensar el desequilibrio existente, pues eso indica que en el punto más bajo del inducido, diametralmente opuesto al que ocupan las ranuras marcadas, hay una mayor concentración de masa. La compensación se efectúa colocando pesos (tiras o trocitos de plomo, latón o cobre) debajo, encima o en lugar de las cuñas de la ranura o ranuras marcadas, o debajo de los bandajes del inducido, en los puntos de intersección de los mismos con dichas ranuras. La experiencia permite estimar la magnitud del peso que es preciso añadir para lograr la compensación deseada. Así se habrá realizado el *equilibrado estático* del inducido; para efectuar el *equilibrado dinámico* se requiere el concurso de máquinas muy complicadas.

Impregnación y secado del arrollamiento

Terminado el bobinado, soldados los terminales, concluido el bandaje y verificado eléctricamente el arrollamiento, la próxima operación es impregnar este último con barniz. La impregnación hace el arrollamiento estanco a la humedad y evita la vibración de las espiras de las bobinas en las ranuras. Tanto la humedad como las vibraciones acaban por deteriorar el aislamiento de los conductores, con la consiguiente producción de cortocircuitos.

El barniz empleado puede ser de dos clases, según que se seque al aire, por sí solo, o que precise un secado en la estufa. El primero únicamente se aplica cuando no se desea o no se puede exponer el inducido al calor. El segundo es siempre preferible por resultar más efectivo, ya que la humedad sólo se elimina con un secado en la estufa.

Caso de utilizar este último, se introduce el inducido en una estufa a la temperatura de 120° C y se deja en ella unas tres horas con objeto de eliminar toda traza de humedad. Se retira luego de la estufa, se sumerge en barniz, se deja escurrir una media hora y se vuelve a introducir finalmente en la estufa, donde deberá permanecer tres horas más expuesto a la misma temperatura de antes. Antes de la inmersión en barniz es muy conveniente encintar el eje y el colector del inducido, para evitar que aquél permanezca adherido en dichas partes al secarse y tenga que ser rascado. Una vez seco el barniz, se saca el inducido de la estufa y se procede a tornear el colector.

DETECCION, LOCALIZACION Y REPARACION DE AVERIAS

Pruebas en el colector

El colector suele verificarse siempre antes de bobinar el inducido, ya que en caso de resultar defectuoso puede repararse entonces mucho más fácilmente. Las pruebas tienen por objeto detectar la posible presencia de contactos a masa o de cortocircuito en el mismo.

Detección de contactos a masa. Un colector tiene uno o más contactos a masa cuando una o más delgas del mismo tienen comunicación eléctrica con el núcleo de hierro. La figura 6.56 indica la manera de efectuar la prueba con auxilio de la lámpara. Se conecta un terminal de la lámpara al eje del inducido, y con el otro se toca una delga cualquiera del colector. Si dicha delga está correctamente aislada, la lámpara no se encenderá ni se notará arco o chispa alguno entre delga y masa. A continuación se irán comprobando todas las demás delgas una por una, hasta completar el colector. Si la lámpara se enciende al tocar una de ellas, es señal de que ésta tiene un contacto a masa.

Detección de cortocircuitos. Son debidos al deterioro de las láminas de mica interpuestas entre delgas. La detección se efectúa también con auxilio de la lámpara de prueba (fig. 6.57): con uno de sus terminales se toca una delga cualquiera, y con el otro una delga contigua a la primera. Si la lámpara no se enciende, la lámina de mica comprobada se halla en buen estado; si la lámpara se enciende, las dos delgas en cuestión se hallan en cortocircuito. Entonces se desplaza cada terminal una delga más lejos (siguiendo un sentido arbitrario) y se repite la prueba. Se continúa de la misma manera hasta haber verificado todas las delgas.

Pruebas en el arrollamiento

Tras haber devanado el inducido y conectado los terminales de las bobinas a las delgas correspondientes, es preciso someter el arrollamiento a diversas pruebas para detectar posibles defectos (contactos a masa, cortocircuitos, interrupciones o conexiones invertidas) en el mismo y, caso de existir, localizarlos. Estas verificaciones se ejecutan con auxilio de una lámpara de prueba, una bobina de prueba y un milivoltímetro.

Detección de contactos a masa. Para efectuar esta verificación basta una simple lámpara de prueba. Si los terminales de las bobinas no están todavía conectados a las delgas se procederá como indica la figura 6.58, es decir, se unirá un terminal de la lámpara al eje del inducido y se irán tocando con el otro los bucles de las bobinas. Un encendido eventual de la lámpara delatará la presencia de un contacto a masa. Si los terminales se han conectado ya a las delgas, la prueba se realizará según muestra la figura 6.59, o sea dejando un terminal de la lámpara unido al eje y tocando con el otro, una por una, todas las delgas del colector. Cualquier encendido de la lámpara denotará la existencia de un contacto a masa, que puede estar localizado en el arrollamiento, en el colector o en ambos.

Supuesta ya detectada la presencia de una bobina con contacto a masa, es preciso localizarla y repararla inmediatamente, antes de proseguir con las demás pruebas.

LOCALIZACIÓN POR INSPECCIÓN VISUAL. — Por regla general los contactos entre arrollamiento y masa tienen lugar en los bordes de las ranuras, donde las bobinas están fuertemente curvadas, o bien dentro de las propias ranuras, si alguna chapa del núcleo sobresale de las demás y con su agudo canto penetra en el aislamiento del conductor. Para determinar cuál es el punto exacto del defecto se examinan minuciosamente los bordes de las ranuras y se observa si alguna de las tiras aislantes existentes en el interior de las mismas se ha desplazado, permitiendo que el borde del núcleo toque las espiras y ocasione un contacto a masa (fig. 6.60). En tal caso se subsanará fácilmente esta anomalía corrigiendo la posición de la tira aislante corrida. Si por cualquier causa esto no resulta posible, se dispondrá un trozo suplementario de tira aislante en la zona donde falta.

Si la inspección visual resulta insuficiente para localizar la avería, debe recurrirse al auxilio de un milivoltímetro o de una bobina de prueba.

LOCALIZACIÓN CON EL MILIVOLTÍMETRO. — Para realizar este ensayo es preciso disponer de una fuente de corriente continua a baja tensión (por ejemplo, una batería de acumuladores) y un reóstato, como muestra la figura 6.61, o bien de una red de alimentación con corriente continua a 115 V y una o varias lámparas conectadas según indica la figura 6.62. Primeramente se aplican los terminales de prueba sobre dos delgas separadas, de modo que efectúen contacto eléctrico con ellas, y se mantienen en esta posición mediante unas cuantas vueltas de cuerda sobre el colector (fig. 6.63). Luego se une un terminal del milivoltímetro al eje del inducido, y con el otro se toca una delga intermedia. La aguja del instrumento acusará una determinada desviación, por existir un contacto a masa. Se tocan ahora sucesivamente con este terminal libre las restantes delgas intermedias, hasta que el milivoltímetro acuse una desviación muy pequeña o nula. La bobina conectada a esta delga será la que tiene el defecto. Los esquemas de las figuras 6.64 y 6.65 corresponden al circuito de ensayo.

Es preciso tener en cuenta las observaciones siguientes: en un motor bipolar, los terminales de prueba deberán situarse sobre dos delgas diametralmente opuestas; en uno tetrapolar, sobre dos delgas desfasadas 90° (una cuarta parte del número total); en uno hexapolar, sobre dos delgas desfasadas 60° (un sexto del número total), etc. El milivoltímetro se aplicará sobre las delgas comprendidas entre dichos terminales. Sólo se dejará circular la corriente necesaria para que la aguja del instrumento alcance aproximadamente los $^3/_4$ de final de escala. Esto se consigue variando la resistencia intercalada en serie con la batería o el número de lámparas puestas en paralelo.

LOCALIZACIÓN CON LA BOBINA DE PRUEBA. — La bobina de prueba se utiliza indistintamente para localizar bobinas con contacto a masa, con espiras en cortocircuito o con interrupciones. Consiste en una bobina de hilo normal arrollada sobre la parte central de un núcleo de chapas de hierro, generalmente en forma de H, con los extremos superiores cortados a bisel para que el inducido pueda encajar entre ellos (figura 6.66). La bobina de prueba se alimenta con corriente alterna procedente de una fuente a 120 V. El aparato funciona entonces como un transformador, es decir, induce una tensión alterna en el arrollamiento del inducido situado encima de él (fig. 6.67).

La forma de operar es la siguiente: se coloca el inducido sobre el núcleo y se conecta la bobina de prueba a la red de alimentación. Luego se une un terminal de un milivoltímetro de corriente alterna al eje, y con el otro se toca la delga situada en el punto más alto (fig. 6.68). Si se observa que la aguja del instrumento acusa una determinada desviación, se hace girar el inducido hasta que la delga contigua quede en el punto superior, y se repite la prueba. Se procede de igual manera con las delgas restantes, hasta encontrar una para la cual el instrumento no acuse desviación alguna. A esta delga va conectada la bobina defectuosa.

LOCALIZACIÓN POR ELIMINACIÓN. — En arrollamientos imbricados también se puede identificar la bobina defectuosa efectuando una serie de eliminaciones sucesivas, sin necesidad de bobina de prueba ni de milivoltímetro. Se desconectan los terminales que concurren a dos delgas diametralmente opuestas y se separan entre sí (fig. 6.69). Entonces se averigua, con auxilio de la lámpara de prueba, en cuál de las dos mitades de arrollamiento así obtenidas se halla el defecto. Basta para ello conectar un terminal de la lámpara al eje y tocar consecutivamente con el otro dos de los terminales que antes estaban unidos. Si la lámpara se enciende es señal de que el contacto a masa se encuentra en la mitad de arrollamiento verificada; la otra mitad está, por tanto, en buenas condiciones, y es eliminada de la prueba.

Ahora se divide nuevamente la parte averiada en dos mitadas más, desconectando y separando los dos terminales que concurren hacia la delga situada aproximadamente en el centro (fig. 6.70), y se verifican de igual modo que antes las dos porciones resultantes de arrollamiento. De esta forma habrán quedado eliminadas ya tres cuartas partes del arrollamiento. Prosiguiendo con estas subdivisiones sucesivas acabará por localizarse la bobina en la que radica el defecto.

Reparación de una bobina con contacto a masa. — Una vez localizada la bobina defectuosa habrá que determinar la causa del contacto a masa y proceder a la reparación de la anomalía. La causa más normal es una perforación en el aislamiento de una ranura o bien la presión ejercida en algún punto de la bobina por una chapa del núcleo. Cuando la situación del defecto puede localizarse visualmente, su reparación resulta rápida, pues basta insertar un aislamiento nuevo donde convenga o corregir la posición de la chapa fuera de lugar. Si no es posible localizar visualmente el defecto, no hay más remedio que rebobinar y reaislar el inducido, parcial o íntegramente, o bien dejar la bobina averiada fuera de servicio. Se elegirá la primera solución cuando se exige que la totalidad del arrollamiento entre en funciones. Otros factores, como tiempo, coste, tipo de taller, etc., pueden aconsejar la segunda.

Para dejar fuera de servicio una bobina defectuosa basta desconectar sus dos terminales de las delgas correspondientes y unir éstas mediante un puente que las ponga en cortocircuito. Las figuras 6.71 y 6.72 muestran la forma de ejecutar estas operaciones en un arrollamiento de bucles; la figura 6.73 indica el modo de proceder cuando el arrollamiento es imbricado, y la figura 6.74, cuando es ondulado. Los terminales desconectados se encintan y se dejan en su posición primitiva, pero sin tocar el colector. Si bien este sistema de reparación permite conservar la bobina defectuosa en el inducido, lo cual es deseable a efectos del equilibrado mecánico, no es menos cierto que el circuito eléctrico queda algo perturbado.

Si la bobina averiada presenta contactos a masa en puntos distintos será muy conveniente cortarla para evitar la circulación de corrientes inducidas. Esta posibilidad se pone de manifiesto efectuando los ensayos en busca de cortocircuitos que se describen a continuación.

Detección y localización de cortocircuitos. Con la bobina de prueba. — La presencia de cortocircuitos en las bobinas de un arrollamiento nuevo puede atribuirse a falta de cuidado y a golpes excesivamente fuertes sobre las mismas para alojarlas en las ranuras, especialmente cuando el arrollamiento es muy compacto. Tiene lugar un cortocircuito cuando se establece contacto eléctrico entre dos espiras de una misma bobina, entre dos bobinas contiguas o entre dos lados de bobina alojados en una misma ranura.

La manera de proceder para detectar y localizar cortocircuitos con la bobina de prueba es la indicada en la figura 6.75. Se coloca el inducido sobre el núcleo de la bobina y se conecta ésta a la red de alimentación. Luego se dispone una pieza metálica delgada, como por ejemplo una hoja de sierra, sobre la ranura que se halla en el punto superior del inducido, de modo que haga contacto directo con ella y que quede en sentido longitudinal. Si en dicha ranura está alojada una bobina con cortocircuitos, la hoja de sierra vibrará rápidamente y emitirá un zumbido; de no ser así, la hoja de sierra permanecerá estacionaria. Se repetirá la misma prueba con todas las ranuras, haciendo girar el inducido para que éstas vayan ocupando sucesivamente la posición superior.

Si el inducido es muy grande, el núcleo de la bobina de prueba puede colocarse encima de él. Algunos talleres lo tienen montado sobre un soporte lateral, provisto de un dispositivo para subirlo y bajarlo; en tal caso el inducido descansa sobre caballetes contiguos al soporte del núcleo.

También puede emplearse con este fin una bobina de prueba de aplicación "interior" como las que sirven para verificar estatores. Las hay desprovistas de lámina vibratoria, y otras que ya la llevan incorporada; en este último caso no es necesaria ninguna hoja de sierra o pieza metálica análoga. Este tipo resulta especialmente indicado para estatores pequeños, en los que no hay espacio para situar la lámina separadamente. La figura 6.76 muestra la verificación de un inducido de ciertas proporciones con una bobina de esta clase, desprovista de lámina vibratoria. Un cortocircuito en la bobina situada debajo del núcleo inductor hará vibrar la hoja de sierra colocada sobre el otro lado de dicha bobina.

Esta prueba no es aplicable a los inducidos que llevan un arrollamiento provisto de conexiones equipotenciales. En efecto, la hoja de sierra vibraría en tal caso para todas las ranuras verificadas, dando la impresión de que no hay ni una sola bobina en buen estado. Dichos inducidos deben comprobarse con auxilio del milivoltímetro.

En arrollamientos imbricados u ondulados es fácil identificar una bobina con un cortocircuito, ya que la hoja de sierra se pone a vibrar sobre dos ranuras, precisamente aquellas en las que están alojados los lados de la bobina defectuosa. Estas dos ranuras se marcan con un trozo de tiza. Si la hoja de sierra vibra en más de dos ranuras, hay la posibilidad de que el cortocircuito exista en más de una bobina. En un arrollamiento ondulado tetrapolar, la hoja vibrará en cuatro puntos si el cortocircuito se halla *entre dos delgas consecutivas;* en un arrollamiento ondulado hexapolar serán seis los puntos donde la hoja vibrará, etc. En un arrollamiento imbricado resulta fácil reconocer los terminales de la bobina defectuosa y ver a qué delgas están conectados; en uno ondulado la cuestión aparece algo más difícil, y por ello es recomendable recurrir al empleo de un milivoltímetro, especialmente si hay dos delgas del colector en cortocircuito.

La figura 6.77 muestra un aparato constituido por la bobina de prueba con su núcleo, dos banderillas de ensayo y un milivoltímetro incorporado. Sirve indistintamente para localizar comunicaciones a masa, cortocircuitos o interrupciones en inducidos.

CON EL MILIVOLTÍMETRO. — Se coloca el inducido sobre caballetes y se conecta el colector a una fuente de corriente continua, como indica la figura 6.78. Con los terminales del milivoltímetro de corriente continua se tocan ahora dos delgas contiguas, empezando por las 1 y 2; quitando o poniendo lámparas se ajusta la corriente de modo que el instrumento acuse una desviación de aproximadamente tres cuartos de final de escala. Si la bobina conectada a dichas delgas está en buenas condiciones, se leerá en la escala del aparato una desviación normal. A continuación se desplazan los terminales del instrumento a las delgas próximas —2 y 3— y se observa la lectura, que, en condiciones normales, debe ser muy similar a la anterior. Si la desviación de la aguja es inferior a la normal o nula, la bobina conectada a las dos delgas en cuestión tiene un cortocircuito. Se repite la prueba con todas las delgas del colector.

Convendrá tener presentes, sin embargo, las siguientes observaciones. Una desviación de la aguja ligeramente inferior a la normal puede ser también consecuencia de haber una bobina con menos longitud de hilo que las demás. En inducidos con arrollamientos de bucles o de bobinas moldeadas (que se alojan en las ranuras una vez confeccionados), las diversas indicaciones del milivoltímetro difieren ligeramente. Ello es debido a que las bobinas de la capa superior resultan algo más largas que las de la capa inferior. Para dilucidar la verdadera causa de la anomalía se verifica el inducido con la bobina de prueba. Si el resultado es negativo, habrá que atribuir la diferencia a menor longitud de hilo o a menores dimensiones de la bobina. En un arrollamiento ondulado tetrapolar, la existencia de una bobina con cortocircuito quedará detectada por una lectura aproximadamente la mitad de la normal, efectuada en puntos diametralmente opuestos del colector.

SUPRESIÓN DE BOBINAS CON CORTOCIRCUITO. — Cuando en un inducido que lleva varios años de servicio hay más de un par de bobinas con cortocircuito, lo más aconsejable es proceder al rebobinado íntegro del mismo, puesto que el arrollamiento habrá sufrido calentamientos excesivos, el aislamiento estará probablemente chamuscado y resquebrajado, y toda posterior manipulación no hará sino provocar nuevos cortocircuitos. Sin embargo, si el número de bobinas defectuosas no excede de dos y el resto del arrollamiento parece encontrar en buen estado, pueden suprimirse las mismas del circuito sin que el rendimiento del motor quede afectado sensiblemente.

La forma más usual de proceder para dejar fuera de servicio una bobina con cortocircuito consiste en cortar las espiras de la misma por la cabeza opuesta al colector. Conviene asegurarse de que se han cortado todas, pues de lo contrario circularían por ella corrientes inducidas que perjudicarían a las demás bobinas. Puesto que al seccionar una bobina defectuosa se deja el circuito interrumpido, es preciso unir entre sí las dos delgas correspondientes por medio de un puente. Las figuras 6.79, 6.80 y 6.81 muestran este procedimiento de supresión aplicado respectivamente a un arrollamiento de bucles, a uno imbricado y a uno ondulado. La figura 6.82 es otra representación de la 6.81.

Otro sistema para dejar fuera de servicio una bobina defectuosa es cortarla por su cabeza, como antes, y retorcer sobre sí mismas las espiras de uno y otro lado. Al efectuar esta operación conviene cerciorarse de que los extremos de los conductores están desprovistos de aislamiento. Con este procedimiento, que es muy práctico, no hace falta colocar puente alguno entre delgas ni tocar el colector para nada.

Los métodos indicados no pueden recomendarse, sin embargo, de forma absoluta, ya que muchas veces la bobina defectuosa se halla alojada en el fondo de las ranuras y resulta, por tanto, de difícil acceso. Otras veces, como sucede con arrollamientos imbricados de tamaño medio, no es difícil alcanzar la bobina defectuosa, pero sí cortarla sin dañar a las demás.

De todas maneras, estos métodos deben considerarse más bien como soluciones provisionales ante casos de urgencia.

Detección y localización de interrupciones. Una interrupción puede ser causada por una conexión defectuosa de algún terminal a la delga o por la rotura del hilo en un bobina. Esta clase de avería origina siempre chispas en las escobillas. Su detección y localización se efectúa a menudo por inspección visual; sin embargo, cuando ello no es posible hay que recurrir a otros medios.

CON EL MILIVOLTÍMETRO. — Se alimenta el colector con una fuente de corriente continua y se mide con un milivoltímetro la tensión entre cada par de delgas contiguas, como muestra la figura 6.83. El instrumento no acusará desviación alguna hasta que se toquen las delgas entre las cuales se halla conectada la bobina interrumpida: en este momento la aguja del mismo saltará bruscamente hacia el final de escala. Deberán tomarse, pues, precauciones para evitar que pueda doblarse o romperse con el choque.

CON LA BOBINA DE PRUEBA. — Se coloca el inducido sobre el núcleo de la misma y se tocan con los terminales de un milivoltímetro de corriente alterna las dos delgas contiguas que ocupan la posición superior; la aguja del aparato acusará cierta desviación. Se hace girar luego el inducido y se opera con las dos delgas siguientes, observando siempre la lectura del instrumento. Esta será cero cuando entre las dos delgas en cuestión esté conectada la bobina que tiene la interrupción.

También puede realizarse este mismo ensayo prescindiendo del milivoltímetro. Basta para ello tocar con los extremos de un trozo de conductor las dos delgas contiguas situadas en la parte superior del inducido (fig. 6.84). Si la bobina conectada a dichas delgas está en buenas condiciones, se observarán pequeñas chispas en los puntos de contacto; la ausencia de chispas indicará, por el contrario, una interrupción en la bobina o en sus conexiones a las delgas. El mismo procedimiento puede emplearse para localizar la posición de los terminales de bobinas con cortocircuito, si bien es más satisfactorio el método de la hoja de sierra.

REPARACIÓN DE UNA BOBINA INTERRUMPIDA EN UN ARROLLAMIENTO IMBRICADO. — La clase de reparación a efectuar depende en gran manera del tiempo disponible, del tipo de inducido y de la clase de trabajo en que está especializado el taller al cual se confía el encargo. Por supuesto, si las bobinas interrumpidas son más de dos, lo más indicado será reemplazarlas por otras nuevas e incluso rebobinar todo el inducido. Una solución provisional, única en muchos casos, consiste en dejar la bobina defectuosa fuera de servicio soldando un trozo de alambre entre las delgas correspondientes (fig. 6.85), a modo de puente. Para que el trozo de alambre encaje bien entre ellas, se raspa previamente un poco la mica que las separa.

REPARACIÓN DE UNA BOBINA INTERRUMPIDA EN UN ARROLLAMIENTO ONDULADO. — Las instrucciones a seguir en este caso son las mismas que para un arrollamiento imbricado. Como solución de emergencia puede dejarse también fuera de servicio la bobina interrumpida cortocircuitando mediante un puente de conexión las delgas correspondientes. Como en un arrollamiento ondulado tetrapolar cada bobina está conectada a dos delgas diametralmente opuestas, dicho puente de conexión resulta muy largo (fig. 6.86). Existe otro método, por otra parte más rápido y sencillo, que suprime este inconveniente, si bien requiere la inutilización de dos bobinas en vez de una (fig. 6.87): consiste en unir con un puente las dos delgas contiguas marcadas tras la prueba con el milivoltímetro. Así se evita la larga conexión entre extremo y extremo de colector.

Detección y localización de conexiones invertidas. Esta avería ocurre solamente en inducidos que acaban de ser rebobinados. La conexión errónea a las delgas de los terminales de una o varias bobinas es causa de que éstas tengan la polaridad invertida. La manera de proceder para subsanar este defecto difiere según el tipo de arrollamiento.

CON EL MILIVOLTÍMETRO, EN ARROLLAMIENTOS DE BUCLES. — Se dispone el inducido sobre unos soportes, como en los ensayos delga por delga anteriormente descritos. Al tocar con las pinzas del milivoltímetro dos delgas contiguas a las cuales vayan conectados de modo invertido los terminales de una bobina (fig. 6.88), la aguja del instrumento desviará en sentido contrario al normal. Las lecturas correspondientes a los pares de delgas inmediatamente anterior y posterior al indicado serán, en cambio, de doble valor e igual sentido que las normales. Considerando, por ejemplo, el arrollamiento de la figura 6.89, se observará en el instrumento una lectura doble al tocar con las pinzas las delgas 2 y 3, una lectura de sentido inverso al tocar las delgas 3 y 4, y otra lectura doble al tocar las delgas 4 y 5. Todas las lecturas restantes serán normales.

CON UN IMÁN O UNA BRÚJULA, EN ARROLLAMIENTOS QUE NO SEAN DE BUCLES. — Si se desplaza un imán recto por encima de cada ranura del inducido, se induce una tensión en la bobina uno de cuyos lados se halla alojado en la ranura en cuestión. Conectando un milivoltímetro entre las delgas a las cuales van unidos los terminales de la bobina inducida, la aguja del instrumento acusará, por tanto, una cierta desviación (fig. 6.90). Suponiendo que los terminales de dicha bobina están invertidos, la tensión aplicada al milivoltímetro cambiará de polaridad y la aguja desviará en sentido contrario.

La figura 6.91 muestra otro procedimiento. Se conecta el arrollamiento a una red de c. c. y se coloca una brújula sucesivamente frente a cada ranura, próxima a las chapas del núcleo. Si la bobina alojada en una determinada ranura tiene las conexiones al colector invertidas, la aguja de la brújula girará 180°.

Reparaciones en el colector

La figura 6.92 muestra las diferentes partes de un colector. Como se ve, está constituido por cierto número de delgas, igual número de láminas de mica y un núcleo de hierro, formado a su vez por dos anillos frontales y un tambor intermedio sobre el cual están dispuestas las delgas y las láminas de mica.

Las delgas son barras de cobre electrolítico con sección transversal en forma de cuña (fig. 6.93). La mayor de las dos anchuras es la que corresponde a la superficie del colector. En la parte inferior de las barras se han practicado dos entallas en forma de V, una a cada extremo, en las que encajan los anillos frontales del colector, a fines de sujeción. Las delgas no suelen reemplazarse individualmente, pues ello supone un trabajo muy poco práctico.

Las láminas de mica interpuestas entre delgas sirven para impedir el contactos eléctrico de las mismas, y deben ser substituidas con frecuencia, pues se deterioran fácilmente. Estas láminas se cortan de hojas de mica del espesor conveniente, y se colocan entre las delgas. Al renovar las láminas se tendrá buen cuidado de elegirlas con el mismo espesor que las originales, pues de lo contrario el colector quedaría con las delgas demasiado apretadas o demasiado flojas.

Los anillos frontales son de hierro y se mantienen aislados de las delgas por medio de arandelas de mica en V. Los anillos y las arandelas encajan en las entallas en V de las delgas, y las mantienen unidas conjuntamente, formando el colector. En el tipo de colector que describimos, uno de los anillos frontales es suelto y lleva un asiento para alojar la tuerca de apriete. Esta puede roscarse sobre el extremo del tambor de hierro, confiriendo así a ambos anillos frontales la presión necesaria para mantenerlos sólidamente sujetos contra las delgas. Las figuras 6.92 a 6.98 permiten observar diversos detalles constructivos de este colector. En otros tipos de colector las delgas se aseguran por medio de tornillos de gran longitud, que se extienden de un anillo frontal al otro. Finalmente, hay también colectores con los anillos remachados, en los cuales es imposible reponer el aislamiento.

Desmontaje del colector. Para desmontar un colector como el representado en las figuras 6.92 a 6.98, se desenrosca la tuerca de apriete y se golpean suavemente las delgas con un martillo. Así se conseguirá hacer saltar el anillo frontal anterior fuera del tambor, con lo cual las delgas quedan libres y se separan. Las láminas de mica permanecen generalmente adheridas a las delgas, y es preciso soltarlas con auxilio de un pequeño cuchillo. A veces es necesario raspar pequeñas partículas de mica incrustadas en las delgas. Para eliminar las trazas dejadas por tales partículas en el cobre se repasarán entonces los costados de las delgas con papel de esmeril. Conviene preservar una lámina de mica intacta y las dos arandelas de mica extraídas, a fin de conocer en todo momento el espesor y las dimensiones exactas de los mismos.

Corte de las nuevas láminas de mica. Las láminas de mica se cortan de hojas que miden aproximadamente 60 cm de ancho, 90 cm de longitud y 0,5 ... 1 mm de espesor. Una vez determinado con el micrómetro el espesor que deben tener las láminas, se elige una hoja del grueso adecuado y se subdivide en el número de rectángulos convenientes. Esta operación puede efectuarse disponiendo una delga del colector sobre la hoja de mica y trazando las líneas divisorias correspondientes (fig. 6.99), o bien midiendo la altura y la longitud de una delga y marcando estas medidas sobre la hoja. Se recomienda a este respecto anotar unas dimensiones aproximadamente 1 mm superiores a las verdaderas. Una vez trazados los rectángulos, se van cortando las tiras de mica con una cizalla o unas tijeras.

Para cortar ahora estas tiras rectangulares de modo que se adapten al perfil de las delgas, se procede como se indica en la figura 6.100. Se disponen primero seis tiras de mica entre dos delgas, asegurándose de que éstas están perfectamente alineadas, y se sujeta el conjunto entre las mordazas de un tornillo de banco. Luego se toma una sierra de mano y se van cortando las tiras a lo largo de las líneas de trazos señaladas en la figura. Procúrese que la hoja de la sierra no llegue a tocar las delgas que hacen de guía, pues de lo contrario no sólo cortará excesivamente las tiras de mica, sino que además deteriorá dichas delgas. A continuación se invierte la posición del conjunto en el banco y se cortan las tiras por el otro lado. Téngase cuidado de no alterar la posición mutua entre delgas y tiras al realizar esta operación.

Puesto que la hoja de sierra dejará en las láminas cortadas unos bordes rugosos, será preciso repasarlos con una lima fina. La parte inferior de las láminas se limará de modo que su contornos coincida exactamente con las entallas en V de las delgas (fig. 6.101), pues de no ser así el colector no quedará bien afianzado; en la parte superior de las láminas se dejará, por el contrario, un pequeño reborde. Seguidamente se saca el conjunto del banco y se deshace. Luego se pone cada lámina de mica, plana, sobre un trozo de papel de lija fino, y se frota suavemente contra el mismo para suprimir las rebabas existentes. Esta operación se efectúa también con las delgas.

El método descrito es sólo uno de los muchos posibles. Hay operarios, por ejemplo, que prefieren cortar las láminas una por una con las tijeras. En general, cada operario sigue su propio sistema.

Confección de las nuevas arandelas de mica. Además de reponer las láminas de mica interpuestas entre las delgas, puede ser necesario reemplazar las arandelas de mica en V por otras nuevas. Para confeccionarlas cabe utilizar como modelo las propias arandelas primitivas o bien el anillo frontal anterior del colector.

En el primer caso se procurará extraer la arandela primitiva de modo que quede lo más entera posible. Si el colector todavía no ha sido nunca reparado, dicha arandela consistirá en una pieza única, formada en realidad por dos arandelas separadas, una interior y otra exterior, encajadas conjuntamente como muestra la figura 6.102. La confección de una pieza así exige el auxilio de una máquina de moldear y de una prensa; puesto que este equipo no suele figurar en los talleres normales de reparaciones, es preciso ejecutar las dos arandelas independientemente. Para ello se empieza por cortar la arandela original a lo largo de la línea indicada en la figura 6.102, con lo cual quedan separadas las dos partes que la componen. Luego se toma la arandela original interior, por ejemplo, se corta por una generatriz y se calienta a la llama del gas con un soplete para reblandecerla y evitar que se resquebraje. (No debe aplicarse la llama directamente sobre la mica.) Entonces puede extenderse la arandela cortada sobre una superficie plana; aquélla adoptará la forma que muestra la figura 6.103. Se coloca ahora dicha arandela aplanada encima de una hoja de mica flexible, y se dibujan en ella varios contornos de la primera, variando cada vez su posición. Estos perfiles se recortan luego con unas tijeras, calentando simultáneamente la mica para evitar que se resquebraje y salte a pedazos. (Existen hojas de mica flexibles, que no requieren la aplicación de calor durante esta operación.) Finalmente se calientan un poco los perfiles recortados y se aplican al anillo frontal de hierro, moldeándolos con los dedos para que se le adapten bien. Se pondrán las piezas necesarias para que el espesor de la arandela sea igual que el de la arandela original. La arandela exterior se ejecutará de manera análoga.

En el segundo caso se utiliza como plantilla el anillo frontal anterior del colector. Supóngase que se trata de confeccionar primero la arandela exterior. Se toma para ello una hoja de papel blanco, se aplica sobre el anillo de hierro y se ejerce una leve presión sobre los bordes del mismo (fig. 6.104). Así se conseguirá dejar marcados en el papel dos arcos concéntricos, que corresponderán al contorno de la arandela desarrollada. Este perfil servirá a su vez de modelo para hacer las arandelas de mica.

También es posible dibujar el perfil de la arandela desarrollada con auxilio del cálculo. La figura 6.105 reproduce el desarrollo sobre un plano de una arandela. Prolongando hacia el centro las dos rectas extremas del contorno hasta que se corten, quedará formado un sector circular. Es evidente que si los radios interior Y y exterior X de este sector pueden ser calculados previamente, resultará fácil trazar el perfil del desarrollo de la arandela con auxilio del compás.

Para ello se toma una regla graduada y se miden con la mayor exactitud posible las dimensiones A, R y C del anillo frontal del colector (fig. 6.106). De aquí se deduce inmediatamente B = A — R. Como los dos triángulos S y S' (que para mayor claridad se repiten separados, a la derecha de la figura) son semejantes, se puede establecer la siguiente proporción entre sus lados:

$$\frac{A}{X} = \frac{B}{C}$$

de donde:

$$X = \frac{A \cdot C}{B}.$$

Para dibujar el contorno de la arandela desarrollada, se coge un compás y, con radio igual a X, se traza un arco de circunferencia. A continuación, y sin mover el compás del mismo centro, se traza otro arco interior de radio Y = X — C. El anillo comprendido entre ambos arcos es el desarrollo buscado.

Montaje del colector. Una vez recortadas las láminas de mica y confeccionadas las nuevas arandelas de mica, puede procederse al montaje del colector. Primeramente se colocan las arandelas de mica sobre el anillo frontal y se calientan ligeramente para que se adapten perfectamente al mismo. A continuación se encaja una delga en las arandelas de mica, longitudinalmente sobre el colector, y a uno de sus lados se adosa una lámina de mica; luego se prosigue con una nueva delga, seguida de otra lámina, etc. Es preciso tener cuidado de interponer siempre una lámina entre cada par de delgas, y vigilar que las arandelas de mica no se muevan de su posición durante el trabajo. Colocadas ya todas las delgas y láminas de mica, se monta el anillo frontal anterior dentro de sus arandelas y se comprime contra el posterior apretando adecuadamente la tuerca o los pernos. Durante esta operación se calienta el colector mediante un soplete, un mechero Bunsen u otra fuente de calor cualquiera.

El colector debe quedar compacto, con todas las delgas bien alineadas. Si éstas estuvieran algo torcidas, no habrá más remedio que volver a aflojar el colector y ponerlas en posición correcta. Algunos talleres emplean abrazaderas para sujetar el colector mientras se procede al apriete del mismo. Para comprobar si el colector ha quedado bien apretado, se golpean las delgas ligeramente con un mazo. Un colector compacto producirá un sonido claro, mientras que uno flojo lo dará hueco.

Concluido el montaje del colector, se someterá a pruebas eléctricas para detectar la existencia de posibles cortocircuitos o contactos a masa.

Delgas en cortocircuito. Si se advierte esta avería en un colector recién reparado, al que todavía no se han conectado los terminales de las bobinas, la reposición del aislamiento defectuoso entre delgas no ofrece dificultades. Por el contrario, cuando dichos terminales están ya soldados al colector, la reparación resulta más complicada. En tal caso será preciso desconectar todos los terminales y verificar previamente con la lámpara de prueba si el defecto se halla en el colector o en el arrollamiento.

La norma general es suponer de antemano que existe un cortocircuito parcial entre dos delgas, debido a la suciedad o a la carbonización de la mica interpuesta entre ambas. Con el fin de eliminar tal posibilidad se trabaja con la muela el extremo de una hoja de sierra, de modo que quede en forma de gancho (fig. 6.107), y se rasca con él la superficie de la lámina sospechosa. A veces es necesario penetrar un poco en el interior de la mica para alcanzar el punto carbonizado. La mica carbonizada se distingue de la que se halla en buen estado por su color: la primera es, en efecto, negruzca y de aspecto arenoso, mientras que la segunda es blanca. Por consiguiente, convendrá rascar la lámina hasta que la mica aparezca de color blanco. Si con esta operación se suprime el cortocircuito, será preciso rellenar el hueco con una masilla especial para colectores, formada por la mezcla de mica pulverizada con una substancia aglutinante. Esta masilla se introduce en el hueco con la punta de un cuchillo u hoja de sierra, y luego se deja secar. Si el hueco fuese excesivamente grande, se rellenará primero con un trozo de mica, antes de aplicar la masilla. Puesto que esta masilla es conductora en estado húmedo, se tendrá buen cuidado de no poner el colector en servicio hasta que esté completamente seca.

Si el defecto no puede subsanarse por este procedimiento, es preciso sacar varias delgas del colector y renovar las correspondientes láminas de mica. Suponiendo que el colector pueda desmontarse por su extremo anterior, se empezará desoldando los terminales de las delgas el cortocircuito y desenroscando la tuerca de apriete que mantiene el colector unido. Luego se golpea ligeramente este último con un mazo a fin de aflojar el anillo frontal de hierro. Una vez fuera el anillo, se extraen las delgas afectadas mediante unos alicates finos, como indica la figura 6.108. Utilizando estas delgas como muestra, se cortan nuevas láminas de mica, se insertan conjuntamente con las delgas y se monta de nuevo el colector.

Si el colector sólo puede desmontarse por el extremo posterior y no hay más que un cortocircuito, puede recurrirse a la siguiente reparación provisional, que tiene la ventaja de su rapidez; se desconectan los terminales que van a una de las delgas en cuestión, se comprueba que permanezcan bien soldados entre sí, y se encintan para evitar que puedan establecer contacto con el colector; luego se unen ambas delgas con un puente (fig. 6.109). También hay la posibilidad de desconectar los terminales de la bobina que va unida a las delgas defectuosas, encintarlos separadamente y cortocircuitar dichas delgas; de este modo se deja, sin embargo, la bobina fuera de servicio.

Otros tipos de colector exigen su extracción previa del eje para poder ser desmontados.

Delgas con contacto a masa. Los contactos a masa suelen ocurrir a través de la arandela frontal anterior de mica. Parte de esta arandela está expuesta, en efecto, a agentes exteriores como grasa, polvo y suciedad, que se le acumulan encima. La avería se advierte fácilmente, ya que por lo regular dicha arandela presenta un agujero bastante grande y está chamuscada en la zona de contacto. El mejor modo de subsanar esta anomalía es sacar la arandela, cortar la parte defectuosa de la misma y reemplazarla por varias tiras de mica de dimensiones apropiadas (fig. 6.110). Es preciso asegurarse de que estas tiras quedan dispuestas solapadamente sobre los bordes de la arandela primitiva, con objeto de evitar un nuevo contacto a masa por el mismo sitio.

Si el colector no puede desmontarse por el extremo anterior, será necesario extraerlo de su eje colocando el inducido en un mandril o una prensa hidráulica. Caso de que la extracción no pueda efectuarse sin dañar el arrollamiento, no hay más remedio que tornear íntegramente el colector, anotando previamente las dimensiones originales del mismo para cuando tenga que construirse uno nuevo. Este procedimiento se aplica frecuentemente a inducidos pequeños. Al montar el nuevo colector es aconsejable disponer un bandaje de cuerda sobre la arandela anterior de mica y pintarlo con un buen barniz aislante o con goma laca diluida. Con ello se evitar en gran manera la penetración de polvo, grasa y suciedad debajo de las delgas, que es precisamente la principal causa de contactos a masa y cortocircuitos.

Delgas salientes. Las delgas salientes (fig. 6.111) se detectan fácilmente pasando los dedos por la superficie del colector. La causa de esta anomalía suele radicar en un aflojamiento del colector provocado por un calentamiento excesivo, por delgas en cortocircuito, por un montaje mal hecho, etc. Se subsana este defecto golpeando suavemente la delga saliente con un mazo hasta dejarla al nivel de las demás, y luego apretando bien la tuerca. Finalmente se alisa el colector en el torno o bien con piedra de amolar, si el inducido está ya montado en el motor.

Para el alisado de colectores se emplean piedras de amolar de grano medio, fino y muy fino. Las piedras de grano medio sirven para el desbaste de colectores muy rugosos; las de grano fino y muy fino, para el acabado de colectores en general o para el desbaste de los que no son muy rugosos.

Para rebajar delgas salientes es preciso utilizar piedras de grano medio. Se deja el inducido girando y se aplica con la mano la piedra contra el colector, sin moverla, hasta que la superficie del mismo quede lisa; la operación se completa con un acabado mediante papel de lija fino.

Delgas hundidas. Las delgas hundidas (fig. 6.112) se reconocen de igual manera que las salientes, o sea pasando los dedos por la superficie del colector. La causa puede ser debida al impacto de un cuerpo pesado sobre la delga afectada. El remedio es el mismo de antes: torneado o amolado, y luego acabado con papel de lija.

Láminas de mica salientes. Cuando una lámina de mica sobresale por encima de las dos delgas contiguas se dice que hay una *lámina saliente*. La causa principal de esto puede ser el empleo de escobillas de carbón inadecuadas, las cuales desgasten más rápidamente el cobre de las delgas que la mica de las láminas. En tal caso, una vez subsanada la anomalía, convendrá utilizar escobillas más duras, a fin de que vayan desgastando las delgas y las láminas de mica en la misma proporción.

El remedio consiste en cortar o rebajar las láminas salientes, de modo que queden por debajo del nivel de las delgas. Esta operación puede ejecutarse con una máquina compuesta por un motorcito eléctrico acoplado a una pequeña sierra circular. Sujetando previamente el inducido en el torno, se corta con ella cada lámina de mica hasta unas 8 décimas de milímetro por debajo la superficie de las delgas. El espesor de la sierra circular debe ser idéntico al de las láminas. Con este mismo fin puede emplearse también una pequeña lima fina, especialmente diseñada a tal efecto. Es preciso asegurarse de que la mica ha sido rebajada como se indica en la figura 6.113 a la izquierda, y no como se ve en esta misma figura a la derecha. Si ha quedado mica en contacto con la parte superior de las delgas, es preciso eliminarla rebajándola con una hoja de sierra afilada.

La figura 6.114 muestra un rebajador de mica operando sobre el colector de un motor de fracción de caballo.

Capítulo VII

Motores de corriente continua

Los motores de corriente continua encuentran frecuente aplicación como accionamiento de bombas hidráulicas, máquinas herramienta, etcétera, pero se utilizan principalmente siempre que es necesario un ajuste continuo de la velocidad (por ejemplo, en prensas de imprimir, ferrocarriles eléctricos, ascensores, etc.). Se fabrican de potencia comprendida entre 1/100 de caballo y varios miles de caballos. La figura 7.1 muestra el aspecto exterior de un motor típico de corriente continua.

CONSTRUCCION

Los órganos principales de un motor de corriente continua son el inducido, los polos inductores con la carcasa, los escudos y el puente de los portaescobillas. El inducido, que es el órgano giratorio del motor, está formado por un núcleo de chapas magnéticas provisto de ranuras longitudinales para alojar las bobinas del arrollamiento. El núcleo de chapas y el colector van calados a presión en el eje del motor. Sobre el colector frotan las escobillas de carbón que transmiten la corriente a las bobinas del arrollamiento. La figura 7.2 reproduce el esquema de un inducido con ranuras paralelas al eje, y la figura 7.3 el de otro con ranuras oblicuas.

La carcasa, de acero o de fundición de hierro, es generalmente circular y está mecanizada de modo que permita el montaje de los polos inductores en su interior (fig. 7.4). Muchos motores tienen también la carcasa constituida por chapas de acero. Van normalmente fijados a la-carcasa mediante tornillos o pernos, si bien en motores pequeños suelen ser parte integrante de la misma. Los motores grandes llevan polos laminados (fig. 7.5), que se afianzan a la carcasa con auxilio de pernos. Alrededor de cada polo van dispuestas las bobinas inductoras o de excitación, formadas por espiras de hilo aislado; dichas bobinas se encintan exteriormente antes de ser montadas.

Dos escudos, sujetos a la carcasa por medio de pernos, soportan el peso del inducido y lo mantienen equidistante de las piezas polares (fig. 7.6). Los escudos llevan montados, en efecto, los cojinetes dentro de los cuales gira el eje del inducido. Dichos cojinetes pueden ser de resbalamiento (figs. 7.7 y 7.8) o bien de bolas (fig. 7.9).

Como ya se ha mencionado anteriormente, el arrollamiento inducido de todos los motores de corriente continua se alimenta por medio de las escobillas. Esto se consigue conectando las diversas bobinas de dicho arrollamiento a las delgas del colector y aplicando en la superficie de éste sendas escobillas de carbón, que le transmiten la corriente mientras el inducido gira. Las escobillas van alojadas en portaescobillas, los cuales están a su vez generalmente montados sobre un puente sujeto al escudo frontal (fig. 7.10). Dicho puente está construido de manera que permita variar la posición de los portaescobillas. Los motores pequeños suelen caracer de puente, y los portaescobillas son parte integrante del propio escudo. Sea cual fuere el caso, los portaescobillas de todos los motores se aíslan convenientemente del escudo para evitar posibles contactos a masa o cortocircuitos entre escobillas.

TIPOS DE MOTORES DE CORRIENTE CONTINUA

Hay tres tipos de motores de corriente continua: el motor serie, el motor derivación y el motor compound. Los tres son de aspecto exterior semejante, y sólo difieren entre sí por la construcción de las bobinas inductoras y por la manera de conectarlas al arrollamiento del inducido.

El motor serie tiene las bobinas inductoras formadas por unas pocas espiras de hilo grueso, conectadas en serie con el arrollamiento del inducido (fig. 7.11). Este motor posee un par de arranque elevado y una característica de velocidad suave (todo aumento de carga provoca una disminución de la velocidad, y viceversa). El motor serie es el que se emplea generalmente para accionar grúas, cabrestantes, trenes eléctricos, etc.

El motor derivación tiene las bobinas inductoras compuestas por muchas espiras de hilo fino, conectadas en paralelo con el arrollamiento del inducido (fig. 7.12). Este motor posee un par de arranque mediano y una característica de velocidad dura (la velocidad es prácticamente independiente de las variaciones de la carga). Por lo que encuentra aplicación en accionamientos que exigen una velocidad constante, como en taladradoras, tornos, etc. Los motores derivación de cierta potencia suelen estar provistos de un pequeño arrollamiento adicional en serie con el inducido, el cual tiene por objeto evitar el embalamiento eventual del motor o bien conseguir una ligera reducción de la velocidad cuando la carga aumenta. Los arrollamientos de estos *motores derivación estabilizados* están conectados como en un motor compound.

En el motor compound, cada bobina inductora está formada por dos arrollamientos independientes, uno de los cuales va conectado en serie con el inducido, y el otro en paralelo con el inducido y el arrollamiento serie (fig. 7.13). De este modo el campo inductor resultante es una combinación de los campos creados por cada arrollamiento inductor parcial, y el motor compound reúne las características de los motores serie y derivación.

BOBINAS INDUCTORAS

Construcción

Las bobinas inductoras del arrollamiento serie constan de relativamente pocas espiras de hilo grueso; el diámetro de este último depende de la potencia y de la tensión del motor. Estas bobinas suelen devanarse mediante moldes especiales de madera, formados por una pieza central, que fija las dimensiones interiores de la bobina, y por dos tablas laterales, que mantienen las espiras inmóviles (fig. 7.14). La pieza central es ligeramente cónica, para facilitar la extracción de la bobina una vez concluida, y está unida a las tablas laterales por medio de un perno pasante provisto de las correspondientes tuercas y arandelas. Al objeto de que la bobina conserve su forma cuando se saca del molde, las tablas laterales de éste van provistas de ranuras, por las que se pasan previamente trozos de cordel o de cinta; con ellos se podrá sujetar la bobina fácilmente, como muestra la figura 7.15 *a*. Una vez montado el molde en el plato de un torno o en una máquina de devanar, se toma hilo de calibre adecuado y se confecciona cada bobina arrollando el número conveniente de espiras. Si existe alguna bobina original, los datos anteriores y las dimensiones de la misma serán conocidos, y podrán aplicarse por tanto a las nuevas. Si no es así, será preciso medir las dimensiones de la sección polar, incluido el espesor del encintado. La figura 7.15 *b* muestra el aspecto de una bobina inductora ya terminada, recubierta con una capa de cinta barnizada y otra de cinta de algodón. También es posible ejecutar las bobinas arrollando el hilo sobre una horma o gálibo ajustable (fig. 7.16).

Las bobinas inductoras del arrollamiento derivación constan de muchas espiras de hilo delgado, como muestra la vista en sección representada en la figura 7.17, lado izquierdo. Puesto que el número de espiras puede ser del orden de varios miles, no es aconsejable intentar la determinación del mismo a base de contarlas. El método más práctico consiste en pesar una bobina original y luego confeccionar las nuevas de modo que el peso y el diámetro del hilo sean idénticos. Estas bobinas inductoras se ejecutan y encintan exactamente igual que las de un arrollamiento serie. La figura 7.17, lado derecho, muestra el aspecto de una de ellas una vez concluida y encintada.

Las bobinas inductoras del arrollamiento compound están constituidas por una bobina serie y una bobina derivación como las que se acaban de describir (fig. 7.18), y se confeccionan con el mismo tipo de molde. Se empieza por arrollar sobre éste el número necesario de espiras de hilo fino que forman la bobina derivación. Seguidamente se dispone el aislamiento que debe separar ambas bobinas, consistente en varias vueltas de cinta barnizada (fig. 7.19). Este aislamiento puede aplicarse sobre la bobina derivación sin tocarla del molde o bien sacándola previamente de él. Caso de preferirse la segunda opción, deberá montarse de nuevo en el molde una vez encintada. A continuación se arrollan sobre el aislamiento citado las espiras necesarias de hilo grueso que componen la bobina serie. Terminadas ambas bobinas, se atan sólidamente con cordel o cinta y se sueldan terminales flexibles al principio y final de cada una, que luego se encintarán. Esta operación es muy importante, y debe ejecutarse con sumo cuidado. Los terminales de la bobina derivación suelen ser de diámetro más pequeño que los de la bobina serie. Finalmente se recubre el conjunto con una capa de cinta barnizada y otra de cinta de algodón. La figura 7.20 muestra el aspecto de una bobina compound ya completada. En motores compound de gran tamaño, los dos arrollamientos que componen cada bobina inductora se devanan y encintan independientemente. Dichos arrollamientos pueden montarse por separado en el polo correspondiente (fig. 7.21) o bien adosarse uno contra el otro y encintarse conjuntamente (fig. 7.22). En motores muy grandes se emplea conductor de sección rectangular para devanar la bobina serie, con objeto de ahorrar espacio.

La mayoría de los motores de corriente continua están provistos de polos auxiliares o de conmutación, de menor tamaño que los principales y dispuestos entre cada par de estos últimos: su objeto es mejorar la conmutación, con lo cual se evitan chispas en las escobillas. Los polos auxiliares llevan bobinas análogas a las de un arrollamiento inductor serie, es decir, formadas por un número relativamente pequeño de espiras de hilo grueso (fig. 7.23). Las bobinas auxiliares se confeccionan con ayuda de moldes de fibra; unas y otras se montan conjuntamente sobre el núcleo de los polos de conmutación, donde se afianzan interponiendo pequeñas cuñas.

Observaciones. Las bobinas derivación y serie deben quedar perfectamente aisladas para evitar cortocircuitos entre ellas. Al encintar las bobinas inductoras es conveniente sujetar los terminales flexibles con objeto de impedir que puedan quedar arrancados. Se procurará no desgarrar ni arrancar la cinta que envuelve las bobinas al montarlas en sus respectivos polos, pues el poco cuidado en esta operación puede provocar contactos a masa.

Conexión

Las bobinas inductoras se conectan siempre de manera que se obtengan polaridades sucesivas alternadas. Así, el motor bipolar de la figura 7.24 tiene un polo norte y un polo sur; el motor tetrapolar de la figura 7.25, dos polos norte y dos polos sur consecutivamente alternados. Las bobinas inductoras suelen unirse en serie entre sí, excepto en el caso de motores muy grandes o que han sido reconexionados para trabajar a una tensión menor.

Para conseguir polaridades sucesivas alternadas es preciso que la corriente circule por la primera bobina en sentido horarios, por la segunda en sentido antihorario, por la tercera nuevamente en sentido horario, etc. Puesto que la determinación de este sentido de circulación resulta sumamente difícil en bobinas ya encintadas, la polaridad correcta de las mismas se averigua adoptando uno de estos tres métodos: 1, el de tanteo; 2, el de la brújula, y 3, el del clavo o varilla de hierro.

El primer método sólo puede aplicarse a motores bipolares pequeños, con excitación serie o derivación. Si una vez conectadas las bobinas inductoras como indica la figura 7.26 A el motor no gira, basta invertir los dos terminales de una bobina, como muestra la figura 7.26 B, para que se ponga en marcha. Se supone, naturalmente, que tanto las bobinas inductoras como el inducido se encuentran en perfectas condiciones.

El método de la brújula puede emplearse en motores con cualquier número de polos. Si el motor es compound, sólo se verificará un arrollamiento inductor a la vez. Supóngase, para fijar ideas, que se trata de un motor tetrapolar. Se empieza por conectar en serie las cuatro bobinas (fig. 7.27), y luego se aplica a las mismas una fuente de corriente continua, que será de baja tensión si el arrollamiento inductor es el serie, pero que puede ser de 115 V si el arrollamiento inductor es el derivación. Seguidamente se sitúa una brújula en el interior del estator y próxima a la zapata de un polo, o bien junto a una bobina inductora, y se observa qué extremo de la aguja magnética apunta hacia el polo. Se sitúa ahora la brújula en el polo contiguo y se observa nuevamente la desviación de la aguja. Si el extremo que apunta hacia este polo es el contrario de antes, la conexión entre las dos bobinas inductoras comprobadas es correcta; pero si dicho extremo es el mismo, será preciso invertir los terminales de esta segunda bobina. El procedimiento se va repitiendo con los polos restantes, hasta que todos ellos estén comprobados y sean de signo alternado.

Este método no es practicable si el inducido se halla montado en el motor. En tal caso se introduce en el entrehierro una plaquita de hierro dulce y se mantiene aplicada contra una zapata polar. Al otro extremo de la plaquita, que sobresale del motor, se adosa entonces la brújula. Antes de pasar de un polo a otro debe tenerse buen cuidado, sin embargo, de martillear fuertemente la plaquita para eliminar el magnetismo remanente de la misma, que podría inducir a errores.

El tercer método de verificación consiste en conectar las bobinas en serie, como antes, alimentarlas con una fuente de corriente continua a baja tensión y adosar la cabeza de un clavo o de una varilla de hierro a una zapata polar cualquiera (fig. 7.28). Si las polaridades son correctas, el otro extremo del clavo o varilla es atraído por el polo contiguo; en caso contrario, dicho extremo es repelido.

CONEXION DE LOS ARROLLAMIENTOS INDUCTORES EN MOTORES DE CORRIENTE CONTINUA

Motor serie

El motor serie va conectado del modo indicado en los esquemas de la figura 7.29. Se ve que las bobinas inductoras están unidas en serie entre sí y también en serie con el inducido. Aunque el motor representado es bipolar, pueden imaginarse fácilmente estas conexiones extendidas a un motor con otro número de polos.

Motor derivación

Sus conexiones son las representadas en los esquemas de la figura 7.30. Las bobinas inductoras, unidas también en serie y con polaridades alternadas, van conectadas a la red de alimentación. El inducido va conectado asimismo a la red, y por tanto queda unido en paralelo con las citadas bobinas.

Motor compound

Los esquemas de la figura 7.31 muestran la manera más frecuente de conectar los arrollamientos en un motor compound. Las bobinas derivación, unidas en serie y con polaridades alternadas, van conectadas a la red de alimentación. Las bobinas serie van unidas en serie entre sí y con el inducido; el terminal libre de las primeras y el del segundo están conectados también a la red. Al unir las bobinas serie es muy importante comprobar que la polaridad de cada una coincida con la de la bobina derivación que va montada en el mismo polo. En la página 253 se detalla un método seguro para verificar esta condición.

Existen *cuatro tipos diferentes* de motor compound. Si bien el representado en la figura 7.31 es el más corriente y el que debe utilizarse siempre a menos que se especifique lo contrario, es conveniente que el estudiante tenga también una idea de los demás. A efectos de comparación se describen seguidamente las características fundamentales de los cuatro tipos, que se denominan respectivamente aditivo de derivación larga, diferencial de derivación larga, aditivo de derivación corta y diferencial de derivación corta.

En el *motor compound aditivo de derivación larga* (figs. 7.31 y 7.32), la corriente circula en el mismo sentido por las bobinas serie y derivación de cada polo. El compound se llama *aditivo* porque los campos magnéticos generados por cada par de bobinas inductoras son de igual polaridad, y por tanto se adicionan. La denominación *derivación larga* se aplica porque el arrollamiento derivación está conectado directamente a la red de alimentación.

Si en el motor precedente se invierten los terminales del arrollamiento derivación con respecto a los del arrollamiento serie, la corriente circulará en sentido opuesto por ambos y engendrará en ellos campos magnéticos de polaridad contraria, que tenderán a debilitarse mutuamente. Entonces se dice que el motor está *conectado diferencialmente*. Por consiguiente, recibe el nombre de *motor compound diferencial de derivación larga* (fig. 7.33) aquel cuyo arrollamiento derivación va conectado directamente a la red y de manera que en las bobinas serie y derivación de cada polo se generen campos de polaridad opuesta. Este tipo de motor es poco frecuente y sólo se emplea en aplicaciones especiales.

Cuando el arrollamiento derivación de un motor compound va conectado, no a los terminales de la red, sino a los del inducido, se dice que el motor es de *derivación corta;* como es natural, en tal caso el compound puede ser también aditivo o diferencial.

Se llama *motor compound aditivo de derivación corta* (fig. 7.34) aquel cuyo arrollamiento derivación está conectado a los bornes del inducido y de modo que la corriente circule en el mismo sentido por las bobinas serie y derivación de cada polo. Finalmente, cuando el arrollamiento derivación está conectado a los bornes del inducido, pero de manera que la corriente circule en sentido contrario por las bobinas serie y derivación de cada polo, se tiene un *motor compound diferencial de derivación corta* (fig. 7.35).

POLOS AUXILIARES O DE CONMUTACION

Casi todos los motores derivación o compound de potencia superior a medio caballo están provistos de polos de conmutación o auxiliares, que van dispuestos entre los principales. Los polos auxiliares llevan bobinas de hilo grueso, las cuales se conectan en serie entre sí y con el inducido (fig. 7.36). Como ya se ha indicado en otro lugar, la función de estos polos es suprimir las chispas en el colector.

Normalmente hay tantos polos auxiliares como principales, si bien con la mitad de los primeros habría bastante para conseguir un funcionamiento eficiente del motor. Los polos auxiliares se conectan también de manera que se obtengan polaridades sucesivas alternadas, pero éstas no son arbitrarias, sino que dependen de las de los polos principales y del sentido de giro del motor.

Polaridad de los polos auxiliares

Se tendrá en cuenta la regla siguiente: la polaridad de cualquier polo auxiliar debe ser siempre la misma que la del polo principal que lo precede (según el sentido de giro del motor, visto por el lado del colector). Así, si en el motor bipolar de la figura 7.37 los polos principales tienen las polaridades indicadas y el inducido gira en sentido antihorario, el polo auxiliar de la parte superior, por ejemplo, deberá ser de igual nombre que el polo principal que lo precede, en este caso un sur. Si en este mismo motor el sentido de giro fuese horario (fig. 7.38), el polo auxiliar de la parte superior deberá ser, por idéntico motivo, un norte.

La figura 7.39 muestra las polaridades respectivas de los polos principales y auxiliares en un motor tetrapolar con sentido de giro horario, y la figura 7.40 el esquema de conexiones de todos los arrollamientos en un motor compound provisto de polos auxiliares.

Supóngase ahora que se desea conectar los arrollamientos de un motor compound bipolar con polos auxiliares (fig. 7.41) de manera que gire, por ejemplo, en sentido antihorario. Se empieza por unir las dos bobinas derivación en serie, asegurándose de que originan polaridades contrarias, y se sacan los dos terminales libres 1 y 6 fuera del motor. Seguidamente se efectúa la misma operación con las dos bobinas serie, de las cuales se sacan al exterior los dos terminales libres 2 y 5. Luego se unen en serie las dos bobinas de los polos auxiliares (de modo que también resulten polaridades contrarias) y el inducido; los dos terminales libres 3 y 4, el primero procedente de un polo auxiliar y el segundo del inducido, se sacan asimismo afuera. En total son, pues, seis los terminales que quedan al exterior: dos del arrollamiento derivación, dos del arrollamiento serie y dos del circuito polos auxiliares / inducido. También es posible unir interiormente un terminal del arrollamiento derivación con otro del arrollamiento serie (por ejemplo, los 1 y 2 de la figura 7.41) y sacar fuera un solo conductor común, en cuyo caso el número total de terminales exteriores se reduce a cinco.

Se conectan entonces los terminales 1 y 6 a la red de c. c. y se determinan las polaridades de los polos principales, que supondremos ser las indicadas en la figura 7.41. Puesto que el motor debe girar en sentido antihorario, es preciso que la polaridad del polo auxiliar situado arriba sea igual que la del polo principal situado a la derecha. Conectando ahora los restantes terminales del modo indicado, se determinarán las polaridades de los polos auxiliares; éstas deberán ser, no sólo opuestas entre sí, sino además correctas con respecto a las de los polos principales.

Si, a pesar de ser todas las polaridades correctas, el motor gira en sentido horario, para invertir este último basta permutar los terminales x e y. El circuito serie adopta entonces la disposición mostrada en la figura 7.42, en la cual para mayor sencillez, se ha omitido el polo auxiliar inferior. Se observa que la polaridad de todos los campos inductores permanece inalterada. Véase en la página 253 el modo de verificar la polaridad de los polos auxiliares.

INVERSION DEL SENTIDO DE GIRO

Para cambiar el sentido de rotación de un motor de corriente continua hay que invertir la corriente en el inducido o en el inductor. En los motores serie lo normal es invertir el sentido de la corriente en el inducido, como se indica en la figura 7.43. Basta con permutar los terminales de los portaescobillas para conseguir la inversión deseada. La figura 7.44 representa el mismo motor de la figura anterior, en el que se ha conseguido el cambio del sentido de rotación por inversión de la corriente en el inductor. En este caso se han permutado los terminales del arrollamiento inductor.

En el motor derivación se cambia el sentido de rotación del mismo modo que en el motor serie. En la figura 7.45 se representa un motor derivación bipolar, en el que se consigue la inversión permutando los terminales del inducido. Para invertir el sentido de giro en un motor derivación con polos auxiliares es necesario invertir la corriente que circula a través del inducido y de los polos auxiliares. En la figura 7.46 se representa lo expuesto. Si únicamente se permutan los terminales del inducido, los polos auxiliares quedarán con una polaridad incorrecta y el motor se calentará excesivamente, produciéndose chispas en el colector.

Inversión de un motor compound bipolar con polos auxiliares. En la figura 7.47 se representa un motor de este tipo con seis terminales exteriores. Los polos auxiliares van conectados en serie con el inducido, sacándose dos hilos al exterior, A_1 y A_2. En el esquema, el inducido va conectado entre dos polos auxiliares. (Algunas veces los polos auxiliares van conectados en serie y luego al inducido.) Para invertir el sentido de rotación en este motor es necesario invertir el circuito de los polos auxiliares y del inducido. Para ello basta permutar los terminales A_1 y A_2, como se indica en la figura 7.48.

Inversión de un motor compound tetrapolar con polos auxiliares. La inversión de marcha en este tipo de motor se obtiene del mismo modo que en uno bipolar. En la figura 7.49 se representa un motor del tipo que nos ocupa, en el que se consigue la inversión permutando los terminales A_1 y A_2.

Observación: Si se invierten los terminales en los portaescobillas se producirán chispas en las escobillas y el inducido se calentará. En tales condiciones el motor no funcionará normalmente. Para la inversión de marcha en los motores con polos auxiliares hay que invertir todo el circuito del inducido (inducido y polos auxiliares).

DETECCION, LOCALIZACION Y REPARACION DE AVERIAS

Pruebas

Los motores nuevos, los motores recién reparados y los motores cuyo funcionamiento no es satisfactorio deben ser verificados antes de ponerlos en servicio definitivamente. Las pruebas a efectuar son las siguientes:

1. Prueba para detectar posibles contactos a masa en los arrollamientos inductores, en el inducido y en los portaescobillas.
2. Prueba de continuidad para detectar posibles interrupciones en los circuitos inductores y en el circuito del inducido.
3. Prueba para identificar los seis terminales de un motor compound.
4. Prueba para identificar el tipo de conexión compound (aditivo o diferencial).
5. Prueba para determinar la polaridad correcta de los polos auxiliares.
6. Prueba para determinar la posición correcta de los portaescobillas.

1. *Prueba para detectar contactos a masa.* Para efectuar esta prueba es preciso desconectar previamente todas las conexiones exteriores al motor. Lo que sigue se refiere a un motor compound, aunque se emplea el mismo sistema con cualquier otro tipo de motor de corriente continua. Se utiliza una lámpara de prueba y se conecta uno de sus terminales a la carcasa del motor. Con el otro se van tocando sucesivamente los seis terminales del motor, como se indica en la figura 7.50. Si se enciende la lámpara habrá un contacto con la masa, y entonces habrá que determinar si la avería se encuentra en uno de los circuitos inductores (derivación o serie) o bien en el del inducido.

Si la avería se encuentra en el arrollamiento serie, en el de los polos auxiliares o en el arrollamiento derivación, habrá que sacar las correspondientes bobinas y aislarlas nuevamente con cinta. En la figura 7.51 se indican los sitios en que se forman preferentemente los contactos a masa. Si una bobina inductora está quemada o tiene algunos hilos rotos, habrá que renovarla totalmente. En un arrollamiento con contactos a masa puede haber una o varias bobinas defectuosas. Para localizarlas habrá que desconectar los empalmes entre polos y ensayar cada polo por separado, como se indica en la figura 7.52.

Según el reglamento americano de instalaciones eléctricas de baja tensión (Electrical Code), la carcasa de todo motor que se halle instalado permanentemente debe estar conectada a tierra a través de una conducción o tubería de agua,* en prevención de posibles accidentes. En efecto, si se forma un contacto con la masa en cualquier parte del motor, y si éste no está conectado a tierra, al tocarlo el operario puede recibir una peligrosa sacudida. Con la toma de tierra salta en seguida un fusible cuando se presenta una avería de esta clase.

2. *Prueba para detectar interrupciones.* La prueba es distinta según que se trate de un motor serie, derivación o compound.

2 *a.* INTERRUPCIONES EN UN MOTOR SERIE. — Los pequeños motores serie tienen dos hilos terminales para conexión a la red; las conexiones de inductor e inducido son interiores. Si ambos hilos se conectan a los terminales de la lámpara de prueba (fig. 7.53), ésta se encenderá si el circuito está en perfectas condiciones. Si no se encendiera, la causa podría ser: 1, falta de contacto de las escobillas con el colector; 2, algún hilo roto en el arrollamiento serie; 3, conexión rota entre las bobinas inductoras, o 4, algún hilo de portaescobillas desconectado o roto. El mismo procedimiento de prueba puede adoptarse en motores serie de mayor tamaño con terminales exteriores de inductor e inducido.

2 *b.* INTERRUPCIONES EN UN MOTOR DERIVACIÓN. — En el motor derivación hay dos circuitos: el del arrollamiento inductor y el del inducido. En los motores pequeños, las conexiones son internas, no habiendo por tal motivo más que dos terminales exteriores. Para la prueba de estos motores habrá que desmontarlos a fin de llegar a los terminales del inductor y del inducido.

Si los terminales son accesibles, como en el caso de la figura 7.54, se comprobarán los dos circuitos por separado. La lámpara de prueba brillará intensamente si se conectan sus terminales a los correspondientes del inducido, y sólo débilmente si se conectan a los del arrollamien-

* La legislación española también exige este requisito, pero no admite la conexión a tubería de ninguna clase, ya que la conducción de una corriente por ella puede ser peligrosa. (*N. del T.*)

to inductor. Esta prueba sirve también para la identificación de los terminales del inducido y del inductor. Si la interrupción se encuentra en el circuito del inducido, la causa podrá residir en las escobillas, en las conexiones a las escobillas o en el arrollamiento del inducido; si es el circuito del arrollamiento inductor el averiado, la causa residirá en alguna bobina o en sus conexiones.

2 *c*. INTERRUPCIONES EN UN MOTOR COMPOUND. — A efectos de prueba, el motor compound se considera como formado por tres circuitos: el del arrollamiento derivación, el del arrollamiento serie y el del inducido. En la figura 7.55 se muestra el esquema de un motor compound que tiene seis terminales exteriores, correspondientes, dos a dos, a los tres circuitos citados. Los tres arrollamientos se prueban por separado mediante la lámpara, que deberá encenderse si no existen interrupciones. Si la interrupción está en el circuito del inducido, la causa residirá en las escobillas, en las conexiones de las mismas o en los polos auxiliares. Si la avería se halla en los arrollamientos serie o derivación, habrá que probar todas las bobinas de estos circuitos.

Para localizar una bobina inductora interrumpida en un motor tetrapolar como el representado en la figura 7.56, o en otro de cualquier número de polos, se procede del modo siguiente: se quita el aislamiento de las conexiones entre las bobinas y se conecta un terminal de la lámpara de prueba a uno de los terminales de las bobinas. Con el otro terminal de la lámpara se van tocando los empalmes entre bobinas. En la figura 7.56, por ejemplo, se va moviendo el terminal de la lámpara de 1 a 2, luego a 3, y así sucesivamente, hasta que la lámpara se encienda o se produzcan chispas. Si la lámpara luce o saltan chispas en el terminal al encontrarse éste en 2, la bobina 1 será la averiada; si la lámpara se enciende en el punto 3, la bobina 2 será la defectuosa, y así sucesivamente.

3. *Prueba para identificar los seis terminales de un motor compound*. Estos terminales vienen siempre marcados al salir el motor de fábrica, tal como se muestra en la figura 7.57. Los terminales del inducido van marcados por A_1 y A_2, los del arrollamiento derivación por F_1 y F_2, y los del arrollamiento serie por S_1 y S_2. Si estas marcas hubieran desaparecido, no habría más remedio que identificar los terminales antes de conectar. La identificación se efectúa del modo siguiente:

Con la lámpara de prueba se ensayan los pares de terminales hasta que la lámpara luzca débilmente; así quedan localizados los terminales correspondientes al arrollamiento derivación. Se repite la operación con los cuatro terminales restantes y se determinan los dos circuitos correspondientes levantando las escobillas del colector y conectando la lámpara a un par de terminales. Si la lámpara no se enciende, los terminales corresponderán al inducido, y los dos restantes al arrollamiento serie. Lo expuesto se comprueba examinando la figura 7.58.

Este es un sistema para identificar los terminales. Otro sistema consiste en desmontar el motor y, empezando por los terminales, seguir los hilos hasta comprobar a qué arrollamiento corresponden. Así hay que hacerlo *forzosamente* en el motor compound de cinco terminales. El arrollamiento derivación se identifica fácilmente por ser de hilo fino. Los terminales del inducido pueden reconocerse partiendo de los portaescobillas. Sentido común y conocimiento de los circuitos son esenciales para estas pruebas.

4. *Prueba para determinar si el compound es aditivo o diferencial.* Los motores compound suelen estar conectados aditivamente. Asegurarse de ello es muchas veces imposible si no se desconecta el motor de la carga. La prueba se efectúa del modo siguiente: se conectan los terminales del modo conveniente para que resulte un motor compound, como se indica en la figura 7.59, se empalma el motor a una red de corriente continua y se observa el sentido de rotación. Se para luego el motor y se suelta un terminal del arrollamiento derivación, quedando así convertido el motor en uno serie. Seguidamente se vuelve a poner el motor en marcha por unos momentos, se observa el sentido de rotación, y si éste no ha variado, la conexión del motor es aditiva; en caso contrario será diferencial. Si la prueba demuestra que la conexión es diferencial y se desea que sea aditiva se permutan los terminales del arrollamiento derivación, o bien los del arrollamiento serie. Para evitar errores en el caso de producirse un fuerte impulso de corriente, puede realizarse esta prueba poniendo en cortocircuito el arrollamiento serie antes de hacer rodar el motor y anotar su sentido de rotación. El resto de la prueba se ejecuta de la misma manera que antes se ha expuesto, pero suprimiendo el cortocircuito del arrollamiento serie.

5. *Prueba para determinar la polaridad correcta de los polos auxiliares.* Para esta prueba resulta muchas veces imposible utilizar las indicaciones de la brújula, en especial cuando no pueda desmontarse el inducido. El siguiente método puede adoptarse para la prueba de motores con portaescobillas desplazables, sin requerir la brújula ni sacar el inducido.

Se conectan los hilos de línea al circuito de inducido y de los polos auxiliares, y se sueltan todos los demás hilos. Se marca la posición de las escobillas, y acto seguido se corren éstas hasta que queden situadas en el punto medio entre cada dos marcas, como se indica en las figuras 7.60 y 7.61. El motor se pone en marcha por algunos momentos cerrando el interruptor de línea, y si gira en el mismo sentido en que fueron movidas las escobillas, la polaridad de los polos auxiliares será la correcta; en caso contrario habrá que permutar las conexiones de dichos polos. En este ensayo pueden correrse las escobillas hacia uno u otro lado, indistintamente. Una vez terminada la prueba, se calarán las escobillas a su posición primitiva. A continuación se conectan los terminales del arrollamiento derivación de manera que el motor, funcionando con esta sola excitación, gire en el sentido correcto. Si sucede así, se desconecta el arrollamiento derivación y se conecta el serie de manera que el motor, funcionando ahora como motor serie, gire en el mismo sentido que antes. Convendrá aplicar una tensión reducida. Entonces vuelve a conectarse el arrollamiento derivación. Recuérdese que el circuito formado por el inducido y los polos auxiliares es el que se utiliza a efectos de inversión de la marcha.

6. *Prueba para determinar la posición correcta de los portaescobillas.* El número de escobillas depende del número de polos; un motor bipolar lleva dos escobillas, otro tetrapolar cuatro, etc. Para el perfecto funcionamiento del motor, las escobillas deberán ir dispuestas alrededor del colector, igualmente espaciadas y en una determinada posición. Cada escobilla debe hacer contacto con dos delgas, por lo menos, al mismo tiempo; en tal posición la escobilla pone en cortocuito la bobina cuyos terminales vayan conectados a dichas dos delgas.

Si una bobina del inducido corta un determinado número de líneas de fuerza (flujo magnético), se inducirá en ella una corriente. Por lo tanto, si la escobilla pone la citada bobina en cortocircuito, la corriente inducida en ésta la quemará o se producirán chispas de consideración. En el motor hay sitios en los que la bobina corta un número de líneas de fuerza comparativamente pequeño. Por lo tanto, si la bobina se pone en cortocircuito mediante la escobilla en uno de dichos sitios, que se encuentran precisamente entre los polos principales, la bobina no se quemará por ser la corriente inducida prácticamente nula. De lo expuesto se deduce, pues, que las escobillas deberán disponerse en una posición tal que pongan en cortocircuito las bobinas del inducido al pasar éstas por un punto que, como ya se dijo, se encuentra a igual distancia de dos polos principales consecutivos, y que se llama punto neutro.

Para calar las escobillas en la posición correcta, se procede del modo siguiente: se marca con tiza una ranura cualquiera y se hace girar el inducido hasta dejarla enfrentada a un polo auxiliar. En tal posición, y sin mover el inducido, se corre el puente portaescobillas hasta dejar en cortocircuito las dos delgas a las que vayan conectados los terminales de la bobina alojada en la ranura marcada. En tal posición se fijan los portaescobillas. Seguidamente se pone el motor en marcha durante algún tiempo y se corren ligeramente las escobillas a uno y otro lado hasta conseguir la marcha más silenciosa o sin chispas. Por regla general, calando las escobillas una delga más allá de la posición determinada, hacia uno u otro lado, se conseguirá un funcionamiento mejor; en tal caso se fijan los portaescobillas definitivamente en la nueva posición. Con un poco de práctica se localiza sin dificultad la posición correcta de las escobillas.

Un método muy popular para determinar el calado correcto consiste en espaciar convenientemente los terminales de un voltímetro, de escala pequeña, para que abarquen dos delgas adyacentes. Con los terminales así dispuestos, se tocan dos delgas adyacentes cualesquiera, se pone el motor en marcha y se van corriendo los terminales del voltímetro sobre el colector, hacia uno u otro lado, hasta que la lectura del instrumento sea mínima o nula. Esta posición marca el punto neutro exacto. El puente de los portaescobillas se correrá hasta que una escobilla caiga sobre aquel punto.

Hay otros métodos para la determinación del calado correcto:

1. Se conecta el arrollamiento del inducido y el circuito de los polos auxiliares a una red de corriente continua sin dejar pasar corriente por los polos principales. Si las escobillas se encuentran en la posición neutra, el inducido no girará.

2. Se conecta un voltímetro a las escobillas, y haciendo pasar corriente únicamente por los polos inductores, se observa el desvío acusado por la aguja del instrumento. El desvío es mínimo o nulo cuando las escobillas se encuentran en la posición neutra.

3. Se hace marchar el motor con carga en ambas direcciones; si las escobillas se encuentran en la posición neutra, las velocidades de giro en ambos sentidos serán iguales.

Reparaciones

Los síntomas que presentan los motores de corriente continua defectuosos se citan a continuación. Para cada síntoma se enumeran las causas posibles de avería. Los números indicados sirven de referencia para buscar en las páginas siguientes la reparación adecuada al caso.

1. Si el motor no arranca al cerrar el interruptor, el defecto puede ser debido a:

   a) Fusible o elemento de protección interrumpido, 1.
   b) Escobillas sucias o atascadas, 2.
   c) Interrupción en el circuito del inducido, 3.
   d) Interrupción en el circuito inductor, 4.
   e) Arrollamiento inductor en contacto a masa o con un cortocircuito, 5.
   f) Inducido o colector con un cortocircuito, 6.
   g) Cojinetes desgastados, 7.
   h) Contactos a masa de un portaescobillas, 8.
   i) Sobrecarga, 9.
   j) Reóstato defectuoso, 10.

2. Si el motor funciona muy despacio, puede ser debido a:

   a) Inducido o colector con un cortocircuito, 6.
   b) Cojinetes desgastados, 7.
   c) Interrupción en las bobinas del inducido, 11.
   d) Escobillas mal caladas, 12.
   e) Sobrecarga, 9.
   f) Tensión inadecuada, 13.

3. Si la velocidad del motor es superior a la nominal, puede ser debido a las causas siguientes:

   a) Interrupción en el arrollamiento derivación, 14.
   b) Motor serie marchando en vacío, 15.
   c) Arrollamiento inductor en contacto a masa o con un cortocircuito, 5.
   d) Conexión diferencial en un motor compound, 16.

4. Si se producen chispas en el colector, puede ser debido a:

   a) Mal contacto de las escobillas, 17.
   b) Colector sucio, 17.
   c) Interrupción en el circuito del inducido, 3, 11.
   d) Polaridad auxiliar incorrecta, 19.
   e) Arrollamiento inductor en contacto a masa o con un cortocircuito, 5.
   f) Conexión invertida de los terminales del inducido, 22.
   g) Terminales de las bobinas conectados a delgas que no corresponden, 18.
   h) Escobillas mal caladas, 12, 18.
   i) Interrupción en el circuito inductor, 4.
   j) Delgas salientes o hundidas, 20.
   k) Láminas de mica salientes, 21.
   l) Inducido desequilibrado, 24.

5. Si el motor marcha con ruido, las causas pueden ser:

   a) Cojinetes desgastados, 7.
   b) Delgas salientes o hundidas, 20.
   c) Colector defectuoso, 17.
   d) Inducido desequilibrado, 24.

6. Si el motor se calienta puede ser debido a las causas siguientes:

a) Sobrecarga, 9.
b) Chispas, 17, 11 y las enumeradas en el párrafo 4 anterior.
c) Cojinetes muy apretados, 23.
d) Bobinas con cortocircuitos, 5, 6.
e) Presión excesiva de las escobillas.

1. *Fusible o elemento de protección interrumpido.* Las pruebas para la identificación de fusibles quemados ya han sido descritas en capítulos anteriores. No obstante, la siguiente información complementaria será de utilidad.

Algunos fusibles de cartucho pueden fácilmente renovarse insertándoles un nuevo hilo. Los fusibles de tapón llevan una mirilla de mica por la que puede fácilmente reconocerse si el fusible se encuentra en buenas condiciones.

Los fusibles pueden ensayarse sin sacarlos del portafusibles; basta para ello derivar una lámpara de la línea antes de los fusibles, la cual se encenderá si en la misma hay corriente, y luego conectar la lámpara detrás de los fusibles. Si la lámpara ahora no se enciende, uno de los fusibles, o ambos, estarán quemados.

Si el interruptor de alimentación ha quedado abierto, se cierra para restablecer la conexión. Los dispositivos de protección contra sobrecargas montados en los arrancadores se ponen nuevamente en posición de servicio.

2. *Escobillas sucias o atascadas.* Las escobillas de carbón deben ejercer sobre el colector una presión de 70 a 140 gramos por centímetro cuadrado. La presión la ejerce un muelle, montado dentro del portaescobilla, lo que requiere, para que su acción sea eficaz, que la escobilla pueda moverse libremente dentro del portaescobillas. Es necesario, sin embargo, que el espacio libre entre ambos elementos sea lo más pequeño que se pueda. Si se deja demasiado juego, la escobilla vibrará cuando gire el inducido, y si, por el contrario, la escobilla queda excesivamente ajustada, anulará la acción del resorte y no ejercerá presión sobre el colector. En este último caso la corriente no podrá circular a través del colector y de los arrollamientos, y todo ocurrirá como si el circuito del inducido estuviese interrumpido.

Los portaescobillas no deberán quedar separados del colector más de milímetro y medio, pues de lo contrario la escobilla vibra. La distancia citada se ajusta mediante un tornillo que se encuentra en el mismo portaescobilla. En la figura 7.62 se muestran las distintas posiciones, correctas y no correctas, de las escobillas, así como la manera de redondear la superficie de contactos de la escobilla para que ajuste bien sobre la superficie curva del colector, lo que se consigue disponiendo sobre él una tira de papel de lija con el lado rugoso hacia la escobilla y moviéndolo al propio tiempo que se comprime la escobilla contra el colector.

3. *Interrupción en el circuito del inducido.* La causa de ello puede ser: *a*) mal contacto de las escobillas; *b*) algún hilo roto de los que conducen la corriente a los portaescobillas; *c*) mala conexión entre el arrollamiento de los polos auxiliares y el inducido; *d*) hilo roto en el arrollamiento de los polos auxiliares; *e*) dos o más bobinas del inducido interrumpidas, o *f*) colector sucio. Las causas citadas pueden localizarse visualmente, o con la lámpara de prueba. Algunas de estas causas se muestran en la figura 7.63. Si hay bobinas defectuosas en el inducido, la reparación más acertada es rebobinarlas o dejarlas fuera de circuito uniendo las delgas correspondientes con un puente.

Un colector sucio se limpia con un lienzo seco y luego se pasa papel de lija. Entre delgas se limpia el colector rascando la mica con una hoja de sierra.

4. *Interrupción en el circuito inductor.* Toda interrupción en los arrollamientos serie o derivación impedirá el arranque del motor compound, pero si se interrumpe una bobina derivación estando el motor en marcha, puede resultar que el motor "se embale" si no trabaja a plena carga. En los inductores compound se presentan por lo regular cortocircuitos entre las bobinas serie y derivación, quemándose los hilos y quedando el circuito interrumpido. En la figura 7.64 se indican los sitios donde suelen presentarse las interrupciones. También es corriente la avería que nos ocupa en los terminales de las bobinas inductoras, en especial si no se ha tenido la precaución de ligarlos bien al cuerpo de la bobina. Muchas veces, la avería también suele residir en algún terminal exterior o en el enlace entre dos polos. La avería se localiza por inspección o mediante pruebas.

Para reparar una interrupción en una bobina inductora, se saca del núcleo y se deshace o corta su aislamiento de cinta. Si la interrupción se encuentra en alguna de las espiras de la capa superficial, se quitan las últimas espiras y se empalma nuevamente el terminal; unas pocas espiras menos no tienen prácticamente importancia. Si la avería se encuentra en el interior de la bobina, se repara empalmando nuevo hilo y arrollando un número de espiras igual al de espiras suprimidas. A veces puede ser posible reparar la avería empalmando los dos hilos en el punto de interrupción y aislando la unión. Si no puede localizarse la interrupción, no queda otro remedio que devanar la bobina por completo.

5. *Arrollamiento inductor en contacto a masa o con un cortocircuito.* Una bobina inductora con un cortocircuito hará saltar un fusible o producirá un campo débil, insuficiente para lograr que gire el inducido. Una bobina completamente quemada se reconoce a simple vista, pero una bobina con un cortocircuito exige un prueba para su localización. Por regla general, un motor que lleva alguna bobina con un cortocircuito marcha a velocidad superior a la de régimen y produce chispas si no lleva carga.

Puede efectuarse la prueba de tres maneras: *a*) midiendo la resistencia de las bobinas con el ohmímetro; *b*) midiendo su caída de tensión, y *c*) utilizando un transformador.

MEDICIÓN DE LA RESISTENCIA CON EL OHMÍMETRO. — Como todas las bobinas inductoras de un motor son iguales, las resistencias de las mismas también deben ser iguales. El circuito de ensayo está representado en la figura 7.65. Mediante un ohmímetro se determina por simple lectura la resistencia de cada bobina, y si en una de éstas resulta menor que en las demás, el cortocircuito quedará localizado en ella. La bobina averiada deberá devanarse de nuevo.

MEDICIÓN DE LA CAÍDA DE TENSIÓN. — Si las bobinas inductoras de un motor tetrapolar van conectadas en serie a una red de 120 voltios, la tensión medida entre los extremos de cada una de ellas será la cuarta parte de la antes citada, o sea 30 voltios. Por lo tanto, si la caída de tensión en cada bobina se mide con un voltímetro, tal como se indica en la figura 7.66 las lecturas deberán ser de 30 voltios. Esto se expresa diciendo que en cada bobina hay una caída de tensión de 30 voltios. El cortocircuito se hallará en la bobina que indique menor caída de tensión.

PRUEBA CON TRANSFORMADOR. — Las bobinas inductoras pequeñas se prueban del modo indicado en la figura 7.67. El transformador consiste en un núcleo de chapas de hierro con una bobina de determinado número de espiras arrollada en su extremo. Si la bobina se coloca encima de la del transformador y se conecta éste a una red de corriente alterna a 115 voltios, la bobina será repelida por la del transformador si aquélla tiene un cortocircuito, a causa de la corriente que en la misma se induce. Cuando son varias las espiras en cortocircuito, la bobina inductora es repelida tan bruscamente que salta fuera del núcleo.

Otro método de ensayo consiste sencillamente en conectar durante algunos minutos el arrollamiento inductor a la red y comprobar a mano la temperatura de cada bobina. Normalmente, todas las bobinas se calentarán; si alguna bobina se encuentra fría, ésa será la que tiene el cortocircuito.

Una bobina inductora con un contacto a masa no influye en el funcionamiento del motor; tan sólo se percibirá una sacudida al tocarlo. Dos contactos a masa en distintos puntos del motor equivalen ya a un cortocircuito, y en este caso los fusibles saltan. Si la carcasa del motor está conectada a tierra de acuerdo con lo que recomienda el reglamento americano de instalaciones eléctricas de baja tensión (Electrical Code), una sola bobina con contacto a masa puede hacer ya saltar un fusible. La reparación de una bobina con contacto a masa implica la renovación del aislamiento y del encintado en toda la parte afectada; no se olvide que varias espiras pueden haber quedado interrumpidas o seriamente quemadas. Adquiérase la seguridad de que toda la superficie de contacto a masa ha sido eliminada.

6. *Inducido o colector con un cortocircuito.* Si en un inducido son varias las bobinas con cortocircuito, o si más de una tiene contactos a masa, el inducido no girará. No obstante, en algunos motores el inducido podrá girar lentamente, o bien sólo media vuelta. Para la localización de bobinas con cortocircuito se dispone el inducido sobre la bobina de prueba y se verifica del modo corriente con la hoja de sierra. No obstante, antes de empezar la prueba se rascarán bien las láminas de mica del colector, a fin de eliminar la posibilidad de que la causa del cortocircuito sea algún contacto entre delgas.

Una bobina de inducido con cortocircuito se manifiesta por un calentamiento excesivo y producción de humo en mayor o menor cantidad; aun cuando el humo no se perciba, se notará el olor a quemado. Lo primero que debe hacerse es abrir el interruptor de línea, pues de lo contrario al poco tiempo se quemarían, no sólo la bobina averiada, sino también las contiguas. Atajando el mal a tiempo, se podrá salvar el arrollamiento. La bobina averiada se localiza por el tacto, como la más caliente. Se separará del circuito como se dijo en el capítulo VI.

Si el cortocircuito en la bobina es debido a contacto entre dos delgas adyacentes, se sueltan de *una* de éstas los terminales y después de soldarlos conjuntamente se encinta el empalme; finalmente se sueldan ambas delgas. Si el motor funciona bien sin humear, no será preciso cortar la bobina averiada; si humea, hay que cortarla. Las delgas en cortocircuito se identifican fácilmente por su cambio de color, debido a la acción del calor.

7. *Cojinetes desgastados.* Si los cojinetes están desgastados al extremo de que el rotor llega a descansar sobre el estator, lo más probable es que el motor no funcione, o si lo hace será con mucho ruido. Los cojinetes desgastados se comprueban moviendo el extremo libre del eje hacia arriba y hacia abajo, como se explicó en el capítulo I al tratar de los motores de fase partida. También se reconocen los cojinetes desgastados por las marcas en el núcleo del inducido

producidas al rozar contra el estator. La única reparación posible en cualquiera de los casos es cambiar los cojinetes.

8. *Portaescobillas con contacto a masa.* Un portaescobillas con este contacto hace saltar los fusibles si la carcasa del motor va puesta a tierra, en particular si el motor trabaja a 230 voltios. Los portaescobillas se prueban con la lámpara. Primeramente se sueltan todos los hilos de los portaescobillas y se levantar las escobillas del colector. Con un terminal de la lámpara se van tocando los portoescobillas, y con el otro la carcasa del motor; si la lámpara se enciende, habrá un portaescobillas con contacto a masa. En tal caso se saca del puente el portaescobillas en cuestión y se aísla el punto o sitio afectado con arandelas de fibra o mica.

9. *Sobrecarga.* Si el motor lleva carga excesiva puede suceder que no arranque. Un motor muy caliente es indicio de sobrecarga. Para comprobar si realmente un motor trabaja sobrecargado, se suelta la correa o el acoplamiento y se observa qué tal funciona en vacío. Si marcha bien, el defecto residirá probablemente en la carga; la solución consiste en disminuir ésta o en substituir el motor por otro de potencia superior. Para una detallada descripción de este caso véase el capítulo IV.

La sobrecarga no se refiere únicamente a la que puedan originar los aparatos o mecanismos accionados por el motor; cualquier causa que motive un funcionamiento lento del motor se considera una sobrecarga, como, por ejemplo, un cojinete apretado.

La existencia de un sobrecarga se comprueba midiendo con un amperímetro la corriente del motor en carga y comparando este valor con el indicado en la placa de características. Si hay un exceso de carga, se reducirá ésta a un valor compatible o bien se reemplazará el motor por otro de mayor potencia. Las causas de la sobrecarga pueden ser defectos en los arrollamientos, como por ejemplo cortocircuitos, interrupciones o contactos a masa. Si la lectura proporcionada por un amperímetro de pinzas cerrado sobre los arrollamientos es superior a la normal, y todas las influencias externas han sido eliminadas, no cabe duda de que el defecto radica en el propio motor. En este caso es preciso desmontarlo y localizar el punto averiado.

10. *Reóstato defectuoso.* Un reóstato de arranque o combinador defectuoso puede ser la sola causa de que se quemen los fusibles. La falta puede residir en el mecanismo del aparato de maniobra o en las conexiones de éste al motor. En cualquiera de los casos, el operario encargado de la reparación debe ser persona que conozca bien el funcionamiento del aparato de arranque y su conexión al motor. Véanse en el capítulo VIII los esquemas de los aparatos de arranque y maniobra.

11. *Interrupción en las bobinas del inducido.* Una bobina de inducido interrumpida será la causa de que se produzcan chispas en el colector y de que el motor no alcance su velocidad de régimen. Examinando el colector se observarán manchas motivadas por quemaduras en las delgas a las que vaya conectada la bobina averiada. En un arrollamiento imbricado con una bobina interrumpida se distinguirá una mancha; en uno ondulado tetrapolar, dos. Un terminal mal conectado a la delga puede ser también la causa de una interrupción. En tal caso

se suelta el terminal, se limpia y se vuelve a soldar a la delga correspondiente. Si la interrupción es debida a un hilo roto en la bobina, se unen las dos delgas a ambos lado de la mancha con un puente. Si en el colector hay más de una mancha, se unirán con el puente sólo un par de delgas y se pondrá el motor en marcha. Si desaparecen así las chispas, no se unen más delgas.

12. *Escobillas mal caladas.* Las escobillas deben poner en cortocircuito una bobina al encontrarse ésta en la zona neutra. Al aflojarse el tornillo de ajuste del puente de dos portaescobillas pueden decalarse las escobillas, produciéndose entonces abundantes chispas alrededor del colector y experimentando además el motor una pérdida de velocidad. La reparación es bien sencilla: mediante el tornillo de ajuste se vuelven a poner los portaescobillas en la posición correcta, o sea aquella que no produce chispas en el colector con el motor marchando a plena carga.

La posición correcta de las escobillas en un motor con polos auxiliares puede determinarse girando el inducido a mano hasta que una bobina quede enfrentada a un polo auxiliar, tal como se indica en la figura 7.68. Las escobillas se girarán hasta que pongan en cortocircuito las dos delgas a las que vaya conectada la bobina de referencia. Para el calado de las escobillas puede también adoptarse el método del voltímetro. En un motor sin polos auxiliares, el calado de las escobillas, determinado por el sentido de rotación del motor, es ligeramente diferente. Las escobillas deberán correrse, en sentido contrario al del giro del motor, unas cuantas delgas más allá de la posición que deberían ocupar si se tratara de un motor con polos auxiliares, es decir, del punto medio entre dos polos principales.

13. *Tensión inadecuada.* Cada motor está previsto para funcionar a una tensión determinada. Si la tensión aplicada es menor que la marcada en la placa de características, el motor marchará a menor velocidad. Si en tales condiciones se aplica al motor una carga igual a la que podría vencer trabajando a la tensión nominal, lo más probable es que no marche y que salten los fusibles. Habrá, por tanto, que cerciorarse de que la tensión aplicada sea la adecuada.

Si no se conoce con exactitud el valor de la tensión de la red, se medirá con un voltímetro antes de conectar el motor.

14. *Interrupción en el arrollamiento derivación.* Si un motor derivación marcha en vacío, y se interrumpe por un motivo cualquiera el circuito inductor, el inducido girará a una velocidad tal que será de temer que las bobinas sean lanzadas fuera de sus ranuras por la acción de la fuerza centífuga. Se dice entonces que el motor "se embala". Para explicar el motivo de tal incremento de la velocidad hay que conocer primeramente el principio en que se funda un generador.

Un generador es una máquina que convierte la energía mecánica en energía eléctrica. Consta de una serie de espiras que giran en un campo magnético. Al girar cortan líneas de fuerza y se engendra en las espiras una fuerza electromotriz.

Esta condición no se cumple tan sólo en un generador, sino también en un motor. Todo lo necesario para producir electricidad es una bobina que gire en un campo magnético, y como estos tres factores (bobina, rotación y campo magnético) se encuentran también en un motor, éste también genera corriente eléctrica. Ahora bien, la tensión generada en un motor es de sentido contrario a la que se le aplica; por tal motivo se la llama *fuerza contraelectromotriz*. La práctica demuestra que aumentando la intensidad del campo magnético, la fuerza contraelectromotriz también se incrementa, y que cuanto mayor sea la velocidad con que giran las bobinas o corten las líneas de fuerza, tanto mayor será la tensión generada. Por ejemplo, si se desea obtener una fuerza contraelectromotriz de 100 voltios podrá conseguirse ésta, ya sea haciendo girar con rapidez un inducido en un campo de poca intensidad, o bien haciéndolo girar lentamente en uno de gran intensidad.

La tensión generada en el motor tiene casi el mismo valor que la aplicada, aunque de sentido contrario. Si la tensión aplicada al motor es de 120 voltios, la fuerza contraelectromotriz será de unos 110 voltios; los 10 voltios de diferencia sirven para hacer pasar la corriente por el inducido. Con esto basta para que el motor marche.

Resumiendo diremos que la fuerza contraelectromotriz es siempre ligeramente inferior a la tensión aplicada al motor, y que aquélla depende además de la intensidad del campo, o número de líneas de fuerza, y de la velocidad de rotación del inducido. Al estar interrumpido el circuito inductor, la corriente no circulará por sus bobinas y la inducción (número de líneas de fuerza) será prácticamente nula. No obstante, siempre se conservará cierta inducción debida al magnetismo remanente. Resulta, pues, que un inducido que gire en un campo magnético de poca intensidad generará muy poca fuerza contraelectromotriz. Además, como quiera que ésta tiene que llegar a ser casi del mismo valor que la tensión aplicada, el inducido tendrá tendencia a aumentar su velocidad, a fin de llegar a generar la tensión necesaria. Queda, pues, aclarado el motivo de que "se embale" un motor derivación al interrumpirse el circuito inductor.

15. *Motor serie marchando en vacío.* A un motor serie en marcha no debe quitársele la carga (aparatos o mecanismos accionados), pues se embala. En efecto (véase la fig. 7.69), en un motor serie circula la misma corriente por el inducido y por el arrollamiento inductor. Como quiera que un motor consume en vacío siempre menos que en carga, la intensidad del campo en vacío será débil. Resulta, por lo tanto, que para generar la fuerza contraelectromotriz necesaria con un campo débil el inducido tendrá que girar a mucha más velocidad.

16. *Conexión diferencial en un motor compound.* Si un motor con conexión aditiva se conecta por error con conexión diferencial, el motor marchará en vacío a velocidad superior a la que le corresponde. Como los arrollamientos conectados diferencialmente dan campos de polaridades inversas, la intensidad de campo resultante será débil, y un campo débil motiva un incremento de velocidad.

La conexión diferencial se reconoce observando el sentido de rotación con el motor conectado primeramente como compound y luego como serie. Si con ambas conexiones se obtienen rotaciones del mismo sentido, el motor se hallará conectado aditivamente; en caso contrario la conexión será diferencial. Para cambiar la conexión diferencial de un motor en aditiva se invierte la polaridad en el arrollamiento derivación o bien en el serie.

17. *Mal contacto de las escobillas sobre el colector.* La causa principal de las chispas que se produce alrededor del colector es un mal contacto de las

escobillas, que puede ser motivado por: *a*) escobillas gastadas; *b*) portaescobillas agarrados; *c*) escasa tensión del muelle; *d*) cable de conexión de las escobillas flojo; *e*) mal ajuste de las escobillas sobre el colector; *f*) superficie del colector picada o estriada, o colector excéntrico, y *g*) colector sucio. Al cabo de algún tiempo de trabajo se gastan las escobillas, resultando que la tensión del muelle disminuye hasta llegar a ser insuficiente. Lo expuesto queda claramente indicado en la figura 7.70. En tal caso se producirán chispas alrededor del colector. Las escobillas deberán renovarse al llegar a cierto grado de desgaste. Sin embargo, puede suceder que antes de llegar a desgastarse, el calor desarrollado en las mismas al transmitirse a los muelles haga disminuir notablemente la tensión en éstos; desmontando los muelles y alargándolos un poco por simple tracción, volverá a obtenerse la tensión apropiada. Si entre las escobillas y los portaescobillas se introduce polvo, grasa, etc., la presión de contactos de las escobillas puede quedar notablemente reducida, lo cual origina chispas.

Ciertas escobillas llevan un cable flexible de conexión con terminal para conectar al portaescobillas. Este tipo de escobilla se representa en la figura 7.71. En otros tipos la conexión al portaescobillas se efectúa mediante el mismo muelle de presión. Si el cable flexible no está firmemente asegurado a la escobilla se producirán chispas durante el funcionamiento. El cable debe afirmarse embutiendo su extremo en un orificio practicado en la escobilla y afirmando luego con una pequeña cuña de cobre o latón. También puede afirmarse el cable soldándolo a la escobilla. Ha de tenerse cuidado de no romper el carbón.

Una mala adaptación de las escobillas sobre el colector degenera también en chispas. Para dar la forma adecuada al extremo de contacto de una escobilla se dispone un papel de lija fino, con el grano hacia fuera, sobre el colector, y apretando la escobilla sobre el citado papel, se mueve éste hacia adelante y hacia atrás. Conseguida la forma necesaria, se quita la lija y se limpia el colector.

Un colector desigual excéntrico producirá durante la marcha un ruido característico; tanto la aspereza como la excentricidad pueden comprobarse fácilmente pasando el dedo por la periferia del colector. El remedio indicado es tornear el colector. Un colector sucio puede ser también la causa de la producción de chispas. El colector debe estar exento de grasa, aceite, polvo, etc.; deberá, por tanto, limpiarse de cuando en cuando pasándole un lienzo seco. Hay que rascar bien las micas entre delgas, pues suelen ser asiento de polvo de carbón procedente de las escobillas, que al girar el inducido se inflama formándose alrededor del colector un verdadero anillo de fuego.

18. *Terminales de las bobinas conectados a delgas que no corresponden.* Si los terminales de las bobinas van conectados a delgas algo distanciadas de las que en realidad corresponden, se producirán también chispas en las escobillas. Examinando una bobina que se encuentre en la zona neutra podrá comprobarse si sus terminales quedan en cortocircuito por una escobilla. En caso contrario, se habrá cometido un error en la conexión de los citados terminales a las delgas. La solución consiste en correr las escobillas hasta que cesen las chispas, o, si los portaescobillas son fijos, conectar los terminales a las delgas que correspondan.

19. *Polaridad auxiliar incorrecta.* La finalidad de los polos auxiliares es eliminar las chispas debidas a la inducción, pero esto sólo puede conseguirse si la polaridad de dichos polos auxiliares es la correcta. Siendo tantas las causas de las chispas en un motor, a primera vista resulta difícil afirmar que el verdadero motivo sea una falsa polaridad en los polos auxiliares. Para llegar a tal afirma-

ción hay que proceder a una prueba de polaridad, corriendo las escobillas y observando el sentido de rotación, como ya se explicó anteriormente. Si por motivos constructivos un motor no pudiera ser verificado por el citado procedimiento, no habrá más remedio que recurrir a la prueba con la brújula.

Un motor con polos auxiliares mal conectados absorbe más corriente que la normal y se calienta. Si en tales condiciones se hace funcionar durante algún tiempo, el colector puede llegar a calentarse excesivamente y dar lugar a que se derrita el estaño de las soldaduras de los terminales y sea proyectado hacia el exterior por efecto de la fuerza centrífuga. Aun estando los polos auxiliares mal conectados, el motor puede funcionar sin que se produzcan chispas; no obstante, el signo característico que no falta nunca es el calentamiento excesivo del colector.

20. *Delgas salientes o hundidas.* Son también causa de la producción de chispas en exceso alrededor del colector. Si el motor gira despacio, se verá claramente cómo se produce un chispazo cada vez que la escobilla pasa por encima de la delga defectuosa. Cuando el motor gira con rapidez, este efecto se convierte en una continua producción de chispas acompañada de ennegrecimiento del colector y trepidación continua de las escobillas. Las delgas salientes o hundidas se localizan fácilmente pasando el dedo sobre el colector. El remedio consiste en tornear el colector o repasarlo con una piedra y papel de lija de grano fino.

21. *Láminas de mica salientes.* La causa de este defecto es por lo regular un mayor desgaste de las delgas que de las láminas; también puede ser debido a que el colector no se haya apretado bien. Este defecto se caracteriza por una continua producción de chispas alrededor del colector. Se reconoce su existencia por el ennegrecimiento del colector y por la aspereza que ofrecen las láminas al tacto. Lo más indicado será en tal caso tornear el colector y cortar las láminas de mica que sobresalgan de entre las delgas. Una solución provisional consiste en apoyar una piedra de amolar de grano fino sobre el colector con el motor en marcha.

22. *Conexión invertida de los terminales del inducido.* Este defecto sólo puede presentarse en un inducido acabado de rebobinar, y se manifiesta por la producción de chispas en las escobillas. Si a primera vista todo parece encontrarse en perfectas condiciones, el único medio para comprobar tal defecto es verificar el inducido. En el capítulo VI se explicó con detalle el modo de efectuar la prueba de un inducido en busca de conexiones invertidas de los terminales.

23. *Cojinetes muy apretados.* Si el eje ajusta demasiado en los cojinetes, resultará difícil hacer girar el inducido a mano. En tal caso convendrá rectificar los cojinetes a fin de que el eje ajuste moderadamente. También puede recurrirse al pulido del eje mediante tela de esmeril. Conviene observar que no siempre son los cojinetes los causantes del agarrotamiento del eje; muchas veces este defecto se debe a un mal montaje del motor, en especial de los escudos.

24. *Inducido desequilibrado.* Se dispone el inducido sobre unos soportes especiales y se verifica su equilibrado mecánico. Caso de que el inducido se encuentre desequilibrado, se subsanará esta anomalía empleando el método descrito en el capítulo VI, página 221.

CAPÍTULO VIII

Arranque y maniobra de motores de corriente continua

En el capítulo V ya se ha hablado de los combinadores (aparatos de arranque y maniobra), que bajo diferentes nombres tienen por misión cumplir múltiples y variadas funciones, entre las cuales figuran, como más importantes, arranque y paro del motor, limitación de la corriente de arranque, ajuste de la velocidad, inversión del sentido de giro, protección contra subtensiones y sobrecargas, frenado eléctrico. Ciertos combinadores (reóstatos) están diseñados simplemente para arrancar y detener motores; otros ejecutan varias de las operaciones anteriores; finalmente, los hoy que pueden realizarlas todas.

Los combinadores pueden clasificarse de muy diversas maneras, pero fundamentalmente cabe subdividirlos según que la maniobra de los mismos sea manual o automática, y según que conecten el motor a la plena tensión de la red o a una tensión reducida. En este capítulo se describirán los combinadores empleados para el arranque y la maniobra de motores de corriente continua, tanto manuales como automáticos, y la manera cómo van intercalados en el circuito del motor.

Los motores de corriente continua de potencia inferior a medio caballo absorben muy poca corriente durante el arranque, y por tanto pueden conectarse directamente a la plena tensión de la red. Los motores de potencia superior a medio caballo exigen normalmente un arranque a tensión reducida. No obstante, si la potencia no llega a 2 CV y la tensión de alimentación es de 230 V se admite todavía el arranque a plena tensión, siempre que ello no pueda dañar al motor. Los motores grandes absorben, en cambio, una corriente de arranque muy elevada si se conectan directamente a la red, estando en reposo. Esta punta inicial de corriente debe reducirse a un valor prudencial, pues de lo contrario podría quemar los arrollamientos del motor, disparar el disyuntor automático o hacer saltar los fusibles. Por consiguiente, para arrancar estos motores se les conecta inicialmente una resistencia variable (reóstato) en serie, que limita la corriente de arranque al valor apropiado. A medida que el motor se va acelerando, esta resistencia se va eliminando gradualmente. Una vez alcanzada la velocidad de régimen, esta resistencia ya no se precisa más, pues entonces el motor genera una fuerza electromotriz opuesta a la tensión aplicada, que limita automáticamente el valor de la corriente. Esta *fuerza contraelectromotriz* es proporcional a la velocidad del motor, y resulta por tanto máxima cuando el motor gira a la velocidad de régimen y nula cuando el motor está parado.

Supóngase, por ejemplo, que el arrollamiento inducido de un motor de c. c. tiene una resistencia de 2 Ω. Si estando el motor en reposo se le aplica súbitamente la tensión nominal de 230 V, la corriente que absorberá en el instante del arranque será, en virtud de la ley de Ohm:

$$I = \frac{E}{R} = \frac{230}{2} = 115 \text{ A.}$$

Alcanzada ya cierta velocidad, supóngase que la fuerza contraelectromotriz desarrollada es de 100 V. La tensión efectiva en el inducido valdrá solamente 230 — 100 = 130 V, y la corriente absorbida:

$$I = \frac{E}{R} = \frac{130}{2} = 65 \text{ A.}$$

Se observa que el valor de la corriente se ha reducido notablemente por efecto de la fuerza contraelectromotriz. Si cuando el motor gira a la velocidad de régimen la f. c. e. desarrollada es, por ejemplo, de 200 V, la corriente valdrá sólo:

$$I = \frac{E}{R} = \frac{230\text{-}200}{2} = 15 \text{ A.}$$

En otros términos, a la velocidad de régimen este motor absorberá 15 amperios, pero si la corriente no se limita por un medio cualquiera, alcanzará el valor de 115 amperios durante el arranque, saltando los fusibles o, lo que es peor, quemándose los arrollamientos por no estar previstos para una intensidad de este valor. Se ve, pues, la necesidad de intercalar en serie con el motor una resistencia, que hay que eliminar gradualmente a medida que el motor se acelera y genera fuerza contraelectromotriz. La resistencia de arranque va dispuesta en una caja, llamada *reóstato,* que se instala cerca del motor. La figura 8.5 muestra un reóstato manual de tres bornes, de tipo corriente.

COMBINADORES MANUALES

Reóstato de tres bornes conectado a motores derivación

Este reóstato consiste en una resistencia con varias tomas, que limita la corriente de arranque del motor a un valor prudencial. Este tipo de reóstato puede utilizarse para el arranque de motores derivación o compound. Las tomas o derivaciones de la resistencia van conectadas a contactos fijos, llamados "plots", montados sobre la placa del reóstato en disposición circular, como se indica en la figura 8.1. Al pasar la manivela de un plot a otro, la resistencia intercalada en el circuito disminuye gradualmente; al llegar al último plot la manivela se mantiene sobre éste por la atracción que ejerce sobre ella un electroimán (carrete de retención). Como puede verse en la figura, sobre la placa del reóstato van tres bornes, L, A y F, que corresponden respectivamente a línea, inducido y excitación. Por el orden citado, los tres bornes van conectados interiormente a la manivela, a la resistencia y al carrete de retención.

El funcionamiento del reóstato es el siguiente: al encontrarse la manivela sobre el primer plot pasa la corriente de L_1 al borne L y de éste, a través de la manivela, al primer plot. A partir de este punto, la corriente tiene dos caminos a seguir, uno a través de toda la resistencia hasta L_2, pasando por el borne A y el inducido, y el otro a través del carrete de retención, el borne F y el arrollamiento derivación hasta L_2. Lo expuesto puede también verse en el esquema simplificado de la figura 8.2. Estando la resistencia en serie con el inducido durante el arranque, se conserva la corriente dentro de un límite adecuado sin perjuicio para los arrollamientos del motor. A medida que el motor se acelera, se genera en él una fuerza contraelectromotriz que se encarga de mantener la corriente dentro del límite previsto.

Obsérvese que al encontrarse la manivela sobre el último plot, la resistencia queda eliminada del circuito del inducido, quedando en cambio intercalada gradualmente en el circuito inductor. Siendo el valor de la resistencia del reóstato muy bajo en comparación con el de la resistencia óhmica del arrollamiento derivación, lo antedicho no influye en el funcionamiento del motor. Además, estando el carrete de retención en serie con el arrollamiento derivación, al pasar la corriente por éste excita a aquél, que atrae a la manivela y la mantiene sobre el último plot. Si por un motivo cualquiera cesa de pasar corriente por el arrollamiento derivación, cesa la atracción del carrete, la manivela vuelve a su posición primitiva por la acción de un muelle y el motor se para. El carrete de retención actúa, pues, como una protección, ya que si, como se sabe, se interrumpe el circuito inductor de un motor derivación, éste se embala caso de seguirse enviando corriente al inducido.

Un reóstato del tipo descrito también puede conectarse a un motor compound, como se indica en las figuras 8.3 y 8.4. La única diferencia entre estas conexiones y la descrita para un motor derivación la constituye la adición del arrollamiento serie.

La figura 8.5 muestra el aspecto exterior de un reóstato manual de tres bornes.

Reóstato de cuatro bornes conectado a motores compound

Poca diferencia existe entre el reóstato de tres bornes y el de cuatro bornes. La principal es que este último lleva el carrete de retención derivado de la línea y en serie con una resistencia fija, que limita la corriente que pasa por el carrete. Como puede apreciarse en las figuras 8.6 y 8.7, el carrete de retención no va intercalado en el arrollamiento derivación como en el caso anterior. Un reóstato del tipo que nos ocupa lleva cuatro bornes en la placa: L_1 y L_2 son los bornes a los cuales se conectan los hilos de línea, A es el correspondiente al inducido y F el del arrollamiento derivación.

Cuando la manivela se encuentra sobre el primer plot, la corriente circula de L_1 a la manivela y de ésta al primer plot. A partir de aquí la corriente sigue tres caminos (fig. 8.7): el primero, a través de resistencia, inducido y arrollamiento serie hasa L_2; el segundo a través del borne F y el arrollamiento derivación hasta L_2; el tercero a través del carrete de retención y su resistencia limitadora, hasta L_2. Por estar conectado el carrete directamente a la línea, si por cualquier causa falla la tensión, también cesa la atracción del carrete sobre la manivela, que vuelve a su posición inicial.

Este tipo de reóstato presenta sobre el de tres bornes la ventaja de permitir intercalar en el arrollamiento derivación una resistencia variable para aumentar la velocidad del motor, pero esto también tiene el inconveniente de la posibilidad de dejar intercalada demasiada resistencia y que por ello el motor alcance una velocidad peligrosa, ya que eso vendría a ser casi lo mismo que interrumpir dicho arrollamiento. Este reóstato de cuatro bornes se representa en la figura 8.8. En todos los esquemas de este capítulo se han situado los bornes de modo que el dibujo resulte más sencillo; en realidad los bornes suelen ir dispuestos en fila, en la parte superior o en la inferior de la placa.

Reóstato de cuatro bornes con regulación de la velocidad

Las conexiones de este reóstato son similares a las del últimamente descrito, con la sola diferencia de que la resistencia del inductor va montada en la misma placa, como puede verse en la figura 8.9. El eje de la manivela lleva una rueda de trinquete que permite al carrete de retención mantener fija la manivela sobre cualquier plot. Siendo posible el funcionamiento permanente con toda o parte de la resistencia de inducido en circuito, el hilo de la resistencia deberá ser en este reóstato de mayor tamaño que en el tipo descrito en los apartados anteriores, para evitar que se caliente excesivamente.

Al disponer la manivela sobre el primer plot, la corriente pasa ya a través del carrete de retención, que con su palanca acodada mantiene fija la manivela sin necesidad de sujetarla con la mano. Al propio tiempo la corriente circula a través de toda la resistencia, del inducido y del arrollamiento serie hasta L_2 así como a través del sector de cobre y del arrollamiento derivación hasta L_2.

A partir del quinto plot queda eliminada la resistencia de arranque y empieza a ser intercalada resistencia en la excitación, que hace aumentar progresivamente la velocidad del motor hasta que la manivela alcanza el último plot. No hay que olvidar lo dicho de que la manivela puede fijarse en cualquier posición sin necesidad de sujetarla con la mano.

Combinación de un reóstato de arranque de cuatro bornes con un regulador de velocidad

Este reóstato lleva dos manivelas superpuestas (fig. 8.10) que, gracias a un enclavamiento, funcionan como una sola al ser movidas en el sentido de las agujas del reloj. Al llegar ambas al último plot, el carrete de retención fija tan sólo la manivela correspondiente a la resistencia en el inducido. Si se desea aumentar la velocidad del motor, se mueve la manivela en sentido contrario, y como ahora sólo se moverá la correspondiente al arrollamiento derivación, se aumenta la resistencia intercalada en este arrollamiento, como se ve en la figura 8.11.

Con la manivela en su posición extrema izquierda la resistencia en la excitación queda puesta en cortocircuito por un contacto auxiliar situado en la placa del reóstato. Como este contacto es móvil, al llegar la manivela a su posición extrema derecha se abre y permite intercalar la resistencia que se desee en el arrollamiento inductor. Al mismo tiempo queda cerrado el circuito del carrete de retención. La resistencia en la excitación se mantiene, pues, en cortocircuito mientras no se ha eliminado toda la resistencia de arranque.

El funcionamiento es como sigue: cuando la manivela se halla sobre el primer plot se forman dos circuitos: una que parte de L_1 y a través de toda la resistencia en el inducido, el inducido y el arrollamiento serie va a L_2; y otro, desde el primer plot a través del contacto auxiliar y el arrollamiento derivación, a L_2. A medida que va corriéndose hacia la derecha la manivela doble, el motor se acelera progresivamente. Después de alcanzado el último plot, el contacto auxiliar permite la intercalación de resistencia en la excitación y cierra el circuito del carrete, quedando mantenida sobre el último plot la manivela correspondiente a la resistencia de arranque. Si se desea aumentar la velocidad, se hace girar la otra manivela hacia la izquierda, giro para el cual no funciona el enclavamiento de la manivela doble, con lo cual se introducirá resistencia en el circuito inductor, pero no en el del inducido. La debilitación del campo inductor hará aumentar la velocidad. Si se abre el interruptor de línea, un resorte en espiral de la placa de la manivela hace volver ésta a la posición inicial.

Otra combinación de reóstato de arranque y regulador de velocidad, de construcción algo diferente, se muestra en la figura 8.12. En este aparato la manivela tiene dos brazos, el principal y uno auxiliar. El brazo principal se desliza sobre dos juegos de plots, uno para la resistencia en la excitación y otro para la resistencia en el inducido, y al moverla hacia la derecha, únicamente queda en el circuito la resistencia correspondiente al inducido; el brazo auxiliar, mientras tanto, deja en cortocircuito la resistencia del arrollamiento derivación durante el período en que se va suprimiendo resistencia de arranque.

Al llegar la manivela al último plot, el brazo auxiliar conecta el inducido directamente a la línea y al mismo tiempo permite intercalar resistencia en el circuito de excitación. El brazo auxiliar se mantiene en esta posición gracias al carrete de retención. Si se desea aumentar la velocidad del motor, se mueve la manivela hacia la izquierda, con lo que se aumenta la resisten en el circuito de excitación y por lo tanto la velocidad. Si se vuelve la manivela a su punto de partida, el carrete de retención quedará desconectado, se soltará el brazo auxiliar y el motor quedará desconectado de la red.

Adición de un conmutador inversor a los reóstatos de tres y de cuatro bornes

En el capítulo VII ya se dijo que había dos métodos para invertir el sentido de rotación en los motores de corriente continua: invertir la corriente en el inducido o bien en el inductor. El método usual es el de invertir la corriente en el inducido. En los reóstatos manuales se utiliza para la inversión un conmutador bipolar de dos posiciones, como el indicado en la figura 8.13. También se utilizan otros mecanismos, aunque en esencia son iguales. Las figuras 8.14 a 8.16 muestran tres esquemas sobre la inversión de la marcha de un motor serie con un conmutador bipolar en el circuito del inducido.

En el motor derivación puede invertirse la marcha del mismo modo, como indican las figuras 8.17 y 8.18.

El esquema de conexiones para el motor compound es similar al correspondiente al motor serie, ya que el arrollamiento derivación no interviene en la inversión y va conectado directamente a la línea. Cuando deba conectarse un motor compound a un conmutador / inversor, deberá ser primeramente conectado como motor serie y luego conectar el arrollamiento derivación a la red, como se indica en la figura 8.19. Si hay seis terminales exteriores, hay que tener cuidado de conectar el motor para que funcione como aditivo; si sólo son cinco los terminales exteriores, el terminal correspondiente a la combinación de los dos arrollamientos, serie y derivación, se conectará a un hilo de la línea. Si se trata de invertir el sentido de rotación en un motor con polos auxiliares, habrá que invertir el sentido de la corriente en el inducido y en los polos auxiliares. Una precaución que debe tenerse muy en cuenta al invertir la marcha de un motor, cualquiera que sea el tipo, es esperar a que se pare por completo antes de ponerlo en marcha en sentido contrario.

Conmutador inversor en el circuito del inducido de un motor derivación conectado a un reóstato de tres bornes. En el esquema de la figura 8.20 se indica esta conexión. El circuito es el mismo de la figura 8.17, con la intercalación del reóstato. Para invertir la marcha del motor se abre primero el interruptor de línea y se espera a que el motor quede completamente parado y que la manivela vuelva a su posición primitiva. Seguidamente se pone el conmutador en la otra posición, se cierra el interruptor de línea y se va corriendo poco a poco la manivela del reóstato hasta el último plot.

Motor compound conectado a un reóstato de tres bornes y a un conmutador inversor. Exceptuando el arrollamiento serie, el esquema de conexiones es exactamente el mismo que el de la figura 8.20. Por el esquema de la figura 8.21 podrá observarse que el sentido de la corriente se invierte simultáneamente en el inducido y en los polos auxiliares; si sólo se invirtiera en el inducido, se producirían chispas en las escobillas y el motor se calentaría excesivamente.

Motor derivación conectado a un reóstato de cuatro bornes y a un conmutador inversor. Para conectar un motor derivación a un reóstato de cuatro bornes y a un conmutador / inversor, basta seguir el esquema de la figura 8.20 y añadir luego el hilo para el nuevo borne de línea (véase la fig. 8.22).

Motor compound conectado a un reóstato de cuatro bornes y a un conmutador inversor. Un motor compound se conectará a un reóstato de cuatro bornes y a un conmutador / inversor como indica la figura 8.23.

Inversor de tambor para motores pequeños. En su aspecto exterior este inversor se parece mucho a los combinadores usados en las grúas, si bien es de tamaño mucho más pequeño. Es totalmente cerrado, con manivela en su cara superior y orificios en la base para la entrada de cables. La figura 8.24 representa uno de estos inversores de tambor. Cuando el motor está parado, la manivela se encuentra en el punto central; para la marcha en un sentido se mueve la manivela hacia la derecha, y para la marcha en sentido inverso se dispone primeramente la manivela en la posición de PARO, y luego se mueve hacia la izquierda. El motor debe estar completamente parado antes de mover la manivela en la otra dirección.

Quitando la cubierta al inversor, se verán en su interior dos juegos de contactos fijos dispuestos por el orden representado en la figura 8.25. Estos contactos fijos son ocho en total, cuatro a cada lado del tambor, debidamente aislados entre sí y de la armazón. Los contactos móviles van dispuestos sobre un eje o cilindro giratorio, como se indica en la figura 8.26, a cuyo extremo se dispone la manivela. Al moverse ésta en una u otra dirección, los contactos móviles tocan a los fijos.

Con los contactos móviles sin tocar a los fijos estará el motor parado, pero con los contactos en cualquiera de las dos combinaciones representadas en las figuras 8.27 y 8.28, el motor marchará en uno u otro sentido. Para conectar un inversor de tambor a un motor serie (fig. 8.29) se empalman los terminales del inducido a los contactos 3 y 4 y el arrollamiento inductor a los 5 y 7; los hilos de línea se conectan a los contactos 2 y 8. El esquema de la figura 8.29 muestra las conexiones para giro directo u horario, y el de la figura 8.30 para giro inverso. Para un motor derivación se conecta el inducido del mismo modo, pero el arrollamiento inductor va empalmado a los contactos 1 y 7; los contactos 5 y 7 van conectados entre sí. Los esquemas de las figuras 8.31 y 8.32 muestran las conexiones para marcha adelante y marcha atrás.

El motor compound, como combinación que es de uno serie y otro derivación, deberá conectarse de acuerdo con los esquemas representados en las figuras 8.33 *a* y *b* para giro en una u otra dirección.

Disyuntores y relés de sobrecarga

Para proteger un motor, su reóstato o ambos a la vez, contra sobrecargas accidentales o de larga duración, se emplean diversos aparatos cuya misión es desconectar automáticamente el motor de la red en cuanto la intensidad de la corriente alcanza un valor dado. Puede conseguirse esta protección con fusibles, con disyuntores magnéticos o térmicos, o con relés.

Los fusibles se intercalan a menudo en las líneas de alimentación de motores eléctricos, y confieren una protección suficiente contra cortocircuitos. Sin embargo, si tales defectos ocurren con frecuencia es preferible montar disyuntores en el circuito, que pueden volver a entrar en funciones rápidamente tras la reparación de la avería.

Disyuntores magnéticos. Son aparatos de protección cuya misión es interrumpir el circuito del motor cuando la intensidad de la corriente rebasa cierto límite prefijado. Consisten en una bobina de hilo lo suficientemente grueso para poder soportar la corriente que alimenta el motor. Esta bobina, que va conectada en serie con la red, lleva un núcleo central que empuja una palanca en cuanto la intensidad rebasa el límite prefijado. Dicha palanca se encarga de interrumpir el circuito del motor. En la figura 8.34 se representa un disyuntor del tipo descrito. La posición del núcleo en reposo puede ser regulada con un tope móvil, lo que permite graduar la intensidad máxima admisible de corriente. Hay disyuntores de acción instantánea y de acción diferida; los primeros interrumpen el circuito en cuanto se presenta la sobreintensidad y los segundos al cabo de cierto tiempo. Los disyuntores de este último tipo suelen ir equipados con un *amortiguador* o bien con un elemento térmico.

Disyuntores térmicos. El disyuntor térmico es completamente diferente del magnético que acabamos de describir. En lugar de bobina lleva un elemento bimetálico u otro elemento térmico, que es el encargado de interrumpir el circuito. El principio de funcionamiento de un elemento bimetálico se basa en la diferente dilatación de dos láminas de metales distintos, al ser calentadas conjuntamente. Al calentar un elemento formado por dos de estas láminas soldadas, dicho elemento se curva y abre dos contactos normalmente cerrados, los cuales interrumpen el circuito de una bobina de retención, la cual a su vez abre los contactos principales.

Relés magnéticos de sobrecarga. Estos relés se utilizan tanto en los aparatos de arranque manuales como en los automáticos. En los antiguos reóstatos movidos a mano, como los de tres y los de cuatro puntos, el relé de sobrecarga es una bobina en serie con la línea, igual que el disyuntor magnético. La corriente normal, o una ligeramente superior, no produce efecto sobre el relé. En cambio, si la corriente es excesiva, la bobina atrae o levanta una pequeña palanca que pone en cortocircuito dos contactos. Si los terminales del carrete de retención del reóstato van conectados a dichos contactos (fig. 8.35), la corriente, que normalmente circula a través del correte, no pasará, y se soltará la manivela del reóstato quedando el motor desconectado.

En la figura 8.36 se representa otro tipo de relé magnético llamado "de émbolo". En este relé, cuando la corriente que circula por la bobina llega al valor prefijado con el tornillo de ajuste, el émbolo se levanta y abre dos contactos. Este tipo de relé puede utilizarse tanto en los reóstatos de mano como en los automáticos. Con los primeros se conecta como indica la figura 8.39.

Los relés están previstos de manera que puedan volverse a poner en servicio automática o manualmente.

En arrancadores automáticos o semiautomáticos puede usarse un relé de sobrecarga para abrir los contactos de un contactor magnético, como el de la figura 8.37. El relé abre el circuito de la bobina del contactor, cuyo brazo, al retroceder, interrumpe el circuito principal. Más adelante se hablará detalladamente de los contactores.

Los contactores se representan en los esquemas por cualquiera de los cuatro símbolos indicados en la figura 8.38. La figura 8.39 muestra el esquema de conexiones de un contactor magnético combinado con un relé de sobrecarga.

Este circuito funciona de la manera siguiente. Cuando se cierra el interruptor circula corriente por la bobina del contactor, el cual cerrará el circuito de L_1. Si por cualquier causa se produce una sobrecarga prolongada, el relé entra en funciones: su émbolo se levanta y abre los dos contactos del relé, quedando interrumpido el circuito de la bobina del contactor, con lo que caerá su brazo. Obsérvese que encontrándose la manivela del reóstato en el último plot, al abrirse los contactos del relé y los correspondientes del contactor, deja de ser atraída la manivela por el carrete de retención y vuelve a su posición inicial. En el presente esquema se ha supuesto un simple interruptor de resorte para el cierre del circuito del contactor; pero podría emplearse también una estación de pulsadores ARRANQUE - PARO si el contactor estuviese provisto de un contacto auxiliar para gobierno trifilar.

Relés térmicos. Muchos de los relés utilizados en los reóstatos modernos son del tipo térmico. El relé térmico consiste en un elemento formado por dos finas tiras metálicas cuyos coeficientes de dilatación son diferentes. Ambas tiras van soldadas una a la otra. Si se calienta el elemento se curvará por la diferencia de dilatación y con uno de sus extremos abrirá dos contactos normalmente cerrados, los que, a su vez, interrumpen el circuito de alimentación de un contactor, cuyos contactos principales se abren. El elemento bimetálico se calienta con una resistencia montada junto a aquél, y en serie con la línea, en la que se desarrolla el calor necesario cuando circula por ella una corriente de excesivo valor. Una ventaja del relé térmico es su acción diferida, pues no interrumpe el circuito hasta al cabo de algunos segundos de haberse presentado la sobrecarga, lo que tiene importancia en el arranque del motor, ya que entonces la corriente experimenta necesariamente un aumento de poca duración. El relé térmico constituye, en cambio, una protección del motor contra sobrecargas de larga duración. La reconexión de estos relés se efectúa manual o automáticamente. Las figuras 5.9 *a* y 5.9 *b* reproducen el aspecto de dos relés de este tipo, de distinta fabricación.

Otro tipo de relé térmico es el de aleación fusible. Consiste esencialmente en un manguito relleno de una aleación eutéctica, dentro de la cual está inmerso e inmovilizado el eje de una rueda de trinquete. Este manguito está rodeado por una bobina de caldeo, a través de la cual circula la corriente de alimentación del motor. Cuando esta corriente aumenta excesivamente en forma de sobrecarga prolongada, la temperatura del manguito se eleva por encima del punto de fusión de la aleación eutéctica y ésta se funde, liberando así el eje de la rueda de trinquete, que al girar abre los contactos del relé. Para la reconexión manual del relé es preciso aguardar unos dos minutos. La figura 5.10 muestra un relé de este tipo.

La manera usual de representar un relé térmico de sobrecarga en los esquemas es dibujar unos contactos normalmente cerrados próximos al símbolo de un elemento de caldeo (fig. 840). La figura 8.41 muestra una aplicación en la que un relé térmico va asociado a un contactor magnético.

Contactores magnéticos para corriente continua

Los contactores para corriente continua son interruptores magnéticos compactos, adecuados para el gobierno a distancia de circuitos de alumbrado, circuitos de potencia (motores) con protección independiente contra sobrecargas, circuitos de carga de baterías y otras aplicaciones en las que es necesario disponer de un sistema de interrupción seguro y eficiente. Los contactores no llevan relés de sobrecarga incorporados.

Los contactores magnéticos pueden ser unipolares, bipolares o tripolares. En cualquiera de los tipos se utiliza siempre una sola bobina para cerrar los contactos del interruptor. La figura 8.42 A muestra las partes principales de un contactor magnético unipolar: un carrete de retención, un brazo móvil, los contactos principales y los contactos auxiliares. Cerca de los contactos principales está dispuesta, además, una bobina de extinción que tiene por objeto apagar el arco formado al separarse dichos contactos. La bobina de extinción es de hilo grueso y va conectada en serie con la línea de alimentación. La corriente que circula por ella crea un campo magnético que, al reaccionar sobre otro campo similar generado por el arco, desplaza este último hacia arriba, lo cual provoca su rápida extinción.

La figura 8.42 A permite ver que los contactos principales se cierran cuando se excita el carrete de retención. Basta una corriente muy pequeña para excitar este carrete y lograr de esta forma que atraiga el brazo móvil. La ventaja principal de un contactor magnético es precisamente la posibilidad de poderlo maniobrar, cualquiera que sea su tamaño, enviando una corriene de poca intensidad a través de su carrete. Otra ventaja es que puede ser gobernado desde una estación de pulsadores ARRANQUE - PARO situada a distancia. La figura 8.42 B indica la forma de representar un contactor magnético de manera esquemática.

En otros tipos de contactores, el cierre de los contactos se efectúa por un pequeño pistón que se desplaza en el interior de un solenoide. Algunos contactores llevan imanes permanentes montados en la zona de establecimiento del arco. Los contactores bipolares disponen normalmente de dos juegos de contactos en serie para uno de los polos, y de un solo juego de contactos para el otro (fig. 8.42 C); en general, están desprovistos de relés de sobrecarga.

Estaciones de pulsadores. Los contactores magnéticos se maniobran generalmente desde una estación de pulsadores. Las estaciones corrientes llevan dos botones o pulsadores: el de ARRANQUE y el de PARO. Pulsando el botón de ARRANQUE se cierran dos contactos normalmente abiertos, y pulsando el de PARO se abren los contactos normalmente cerrados. Al dejar de pulsar un botón cualquiera, un muelle se encarga de hacerle recobrar su primitiva posición. La figura 8.43 indica diversas maneras de representar esquemáticamente estaciones de pulsadores ARRANQUE - PARO.

Para maniobrar un contactor magnético con una estación de pulsadores basta conectar esta última de manera que al pulsar el botón de ARRANQUE se cierre el circuito de alimentación del carrete del contactor, y al pulsar el botón de PARO quede interrumpido dicho circuito. Los contactos auxiliares tienen por objeto mantener cerrado el circuito de alimentación del carrete cuando se deja de pulsar el botón de ARRANQUE. Los esquemas de las figuras 8.44 y 8.45 representan un contactor magnético maniobrado desde una estación de pulsadores ARRANQUE - PARO.

En el circuito de la figura 8.46, al pulsar el botón de ARRANQUE circula la corriente a través del carrete M, que al excitarse cierra los contactos principales y los auxiliares. El motor queda así conectado a la red, y la alimentación del carrete queda asegurada a través de los contactos auxiliares tan pronto se deja de pulsar el botón de ARRANQUE.

Si se pulsa el botón de PARO queda interrumpido el circuito de alimentación del carrete, se abren los contactos principales y el motor se para. Obsérvese que los contactos auxiliares van conectados en paralelo con los del pulsador de ARRANQUE.

Arrancadores magnéticos para conexión a plena tensión

Los arrancadores magnéticos se distinguen esencialmente de los contactores porque están diseñados ante todo para arrancar motores. Consisten en la asociación de un contactor y un relé de sobrecarga, por lo general del tipo de reconexión manual. Estos arrancadores sólo pueden utilizarse con motores de pequeña potencia (hasta 2 CV aproximadamente) o cuando la aplicación de la plena tensión de la red no puede suponer peligro alguno para el motor. Con este tipo de arrancador el motor queda protegido contra sobrecargas, subtensiones y ausencia de tensión. En caso de sobrecarga prolongada, el relé se dispara e interrumpe el circuito de alimentación de la bobina del contactor, que al desexcitarse abre los contactos principales (figs. 8.47 A y B). La ausencia de tensión en la línea o un fuerte bajón de la misma determina asimismo la desexcitación de la bobina de retención.

Muy a menudo es conveniente poder maniobrar un motor desde más de un puesto de mando. Esto se consigue fácilmente utilizando varias estaciones de pulsadores. La figura 8.48 muestra un arrancador magnético accionado desde dos estaciones de pulsadores ARRANQUE - PARO. En los esquemas de las figuras 8.49 y 8.50, el gobierno se efectúa desde tres estaciones análogas. Hay que tener presente que los de PARO deben ir siempre conectados en serie entre sí, a fin de poder parar el motor desde un punto cualquiera en caso necesario. La maniobra de un motor puede efectuarse desde cualquier número de estaciones, si están correctamente conectadas. A este respecto es útil recordar que los pulsadores de PARO siempre deben ir unidos en serie, y los de ARRANQUE, en paralelo.

Arrancadores / inversores para conexión a plena tensión

El sentido de giro de todo motor de corriente continua puede invertirse si se invierte a su vez el sentido de circulación de la corriente a través de su circuito de inducido o de su arrollamiento inductor. Si hay dos arrollamientos inductores, como sucede en los motores compound, la segunda solución exige la inversión de la corriente tanto en el arrollamiento serie como en el derivación. Por consiguiente, es mucho más sencillo efectuarla en el circuito del inducido. El esquema de la figura 8.51 muestra el modo de conseguirlo. Obsérvese, en efecto, que cuando los contactos R están cerrados y los F abiertos, la corriente circula por el inducido en un sentido; por el contrario, cuando los contactos F están cerrados y los R abiertos, dicho sentido de circulación es opuesto al anterior. Este arrancador está gobernado desde una estación de pulsadores DIRECTO - INVERSO - PARO. Antes de invertir la marcha del motor debe esperarse a que esté completamente parado.

En este tipo de arrancador, los contactos F y R están enclavados de forma mecánica al objeto de evitar que puedan cerrarse simultáneamente. Muchos arrancadores cuentan todavía con un sistema de enclavamiento eléctrico, que confiere una protección adicional a este respecto. La figura 8.52 *a* muestra el circuito de un arrancador / inversor equipado con sistema de enclavamiento eléctrico (bobinas de retención F y R). El circuito de control de la figura 8.52 *b* emplea pulsadores dobles para la interconexión eléctrica. Cada pulsador DIRECTO o INVERSO determina, al ser oprimido, el cierre de sus contactos frontales y la apertura de sus contactos posteriores, que interrumpen el circuito de alimentación del pulsador contrario.

Los arrancadores / inversores magnéticos suelen ir también equipados con un relé de retardo, cuyo objeto es impedir la inversión del sentido de giro del motor antes de que éste se halle completamente parado. El funcionamiento de los mismos es como sigue (fig. 8.53): al poner el motor en marcha, por ejemplo en sentido directo, la bobina TR del relé se excita y abre los contactos normalmente cerrados TR, dejando de esta forma los dos pulsadores DIRECTO e INVERSO fuera de servicio. Para invertir la marcha del motor es preciso entonces accionar previamente el pulsador de PARO. En este instante la bobina del relé queda desexcitada, pero debido al mecanismo de retardo, el relé no permite el cierre de los contactos TR hasta transcurrido cierto intervalo de tiempo, que es el que se estima necesario para asegurar la detención completa del motor. A partir de entonces puede ya accionarse el pulsador INVERSO. Con ello se excita la bobina de retención R, que cierra todos los contactos R normalmente abiertos y abre los contactos R normalmente cerrados de interconexión. Al propio tiempo la bobina TR del relé se excita nuevamente y abre los contactos normalmente cerrados TR, inutilizando así los dos pulsadores DIRECTO e INVERSO, mientras el motor está en servicio.

Arrancadores magnéticos para marcha intermitente

Cuando interesa que el motor pueda funcionar también durante breves períodos de tiempo, se añade un tercer pulsador (INTERMITENTE) a la estación normal ARRANQUE - PARO. Al oprimir el pulsador INTERMITENTE el motor se pone en marcha; sin embargo, tan pronto como deja de accionarse dicho pulsador el motor vuelve a pararse, sin necesidad de tocar en absoluto el pulsador de PARO. Las figuras 8.54 y 8.55 muestran dos esquemas del circuito de conexiones de un arrancador magnético gobernado desde una estación de tres pulsadores ARRANQUE -

INTERMITENTE - PARO. Observando cualquiera de ellos, por ejemplo el más detallado (fig. 8.55), se ve fácilmente el modo de operar.

Al apretar el pulsador de ARRANQUE se cierra el circuito de L_1 a L_2 a través de los tres pulsadores, los contactos del relé de sobrecarga y la bobina de retención M. Esta se excita y cierra los contactos principales M, con lo cual el motor se pone en marcha. Puesto que los contactos auxiliares M también se cierran, la alimentación de dicha bobina queda asegurada aun después de soltar el pulsador de ARRANQUE. Si se aprieta ahora el pulsador de PARO, todos los contactos se abren y el motor se para. Si en vez del pulsador de ARRANQUE se oprime el de marcha INTERMITENTE, el circuito se cierra de L_1 a L_2 a través de los pulsadores de PARO e INTERMITENTE, los contactos del relé de sobrecarga y la bobina de retención M, la cual, al excitarse, determinará, como antes, la puesta en marcha del motor. Sin embargo, como ahora los contactos auxiliares M permanecen fuera de circuito, en cuanto deja de apretarse el pulsador de INTERMITENTE queda interrumpida la alimentación de la bobina M, y por tanto también la del motor, que se para.

Los figuras 8.56 y 8.57 representan dos esquemas análogos a los anteriores, pero con la diferencia que ahora la estación de mando cuenta con un pulsador selector. El tercer pulsador, en efecto, lleva un tambor giratorio que puede adoptar las posiciones PERMANENTE o INTERMITENTE. Cuando el tambor del pulsador ocupa la segunda de estas posiciones, los contactos superiores quedan desconectados, como indican las líneas de trazos, cortando de este modo la alimentación a los contactos auxiliares M. Por consiguiente, si se aprieta dicho pulsador el motor se pondrá en marcha, pero volverá a detenerse en cuanto deje de ejercerse presión sobre el primero (marcha INTERMITENTE). Cuando el tambor del pulsador se halla en la primera de las posiciones mencionadas, los contactos superiores permanecen conectados. Al oprimir dicho pulsador o el de ARRANQUE, la bobina M se excita y cierra todos los contactos M. Aunque se suelten estos pulsadores, la bobina sigue alimentándose a través de los contactos auxiliares M, con lo cual el motor se mantiene en régimen de marcha PERMANENTE.

Algunos arrancadores utilizan relés auxiliares (véase capítulo V, página 186) para conseguir la marcha intermitente, a base de impedir, por medio de contactos en paralelo con el pulsador de ARRANQUE, que la bobina M pueda quedar permanentemente excitada.

ARRANCADORES PARA CONEXION A TENSION REDUCIDA

Los motores de potencia superior a medio caballo suelen requerir la inserción de resistencia en el circuito del inducido durante la puesta en marcha inicial, con objeto de mantener la corriente de arranque a un valor prudencial. A medida que el motor se va acelerando se suprime esta resistencia automáticamente de una vez o en varias etapas, según el tamaño del motor y el tipo de arrancador empleado. La supresión automática de resistencia en el circuito del motor puede lograrse de diferentes maneras. A continuación se describirán los siguientes tipos de arrancador automático a tensión reducida:

1. De fuerza contraelectromotriz.
2. De enclavamiento.
3. Magnético, con ajuste de tiempo.
4. Mecánico, con ajuste de tiempo.
5. De tambor.

Arrancador de fuerza contraelectromotriz

Al aumentar la velocidad de rotación de un motor, aumenta asimismo la fuerza contraelectromotriz generada en su inducido, reduciéndose por tal motivo la intensidad en el circuito del mismo. Esta disminución de intensidad reduce la caída de tensión en la resistencia de arranque del inducido y, en consecuencia, aumenta la tensión entre los terminales del mismo. Por lo tanto, si la bobina de un electroimán previsto para funcionar a 50 voltios se conecta a los terminales del inducido (figs. 8.58 y 8.59), es evidente que sólo actuará cuando la tensión en el inducido sea igual o superior a 50 V. El electroimán actúa sobre un contactor que, al cerrar sus contactos (llamados *de aceleración*), cortocircuita parte de la resistencia de arranque inserta en serie con el inducido, o bien toda ella (fig. 8.60). En esta figura puede verse la posición de los contactos de aceleración en el instante del arranque y con el motor ya en marcha.

El funcionamiento del circuito de la figura 8.58 es el siguiente: al oprimir el pulsador de ARRANQUE pasa corriente por el carrete de retención M y se cierran los contactos principales, quedando cerrado el circuito a través de la resistencia de arranque y del inducido. Al mismo tiempo circula corriente por el arrollamiento derivación. A medida que el motor se acelera, la tensión en el inducido aumenta, y al alcanzar aquélla un determinado valor, el electroimán A entra en acción y cierra los contactos de aceleración. La resistencia queda cortocircuitada y el inducido conectado directamente a la red.

Los arrancadores de fuerza contraelectromotriz se fabrican también con varias resistencias y electroimanes de aceleración. La figura 8.61 muestra un arrancador con tres etapas de aceleración. Cada electroimán trabaja a tensión distinta. A medida que aumenta la tensión en el inducido a la par que la velocidad, se van excitando sucesivamente los electroimanes, cuyos respectivos contactos ponen en cortocircuito una resistencia de arranque, hasta que, por último, el inducido queda conectado directamente a la red.

En algunos arrancadores, el electroimán de aceleración queda conectado en serie con el carrete de retención después de cerrados los contactos de aceleración; en otros suele haber una resistencia conectada en serie con el electroimán, a fin de limitar la corriente en el mismo. También hay arrancadores de fuerza contraelectromotriz con un gran electroimán encargado de maniobrar varios contactos de aceleración; en este tipo, los brazos de los contactos de aceleración, que van montados a distintas distancias del núcleo del electroimán, se cierran sucesivamente a medida que va aumentando la tensión en la bobina de éste, con lo que van eliminándose resistencias del circuito del inducido.

La figura 8.62 muestra el esquema de un arrancador de fuerza contraelectromotriz en el que se utilizan relés para operar los contactos que determinan el cierre de los contactos de aceleración. El funcionamiento es el siguiente. Al apretar el pulsador de ARRANQUE se excita la bobina del contactor M, el cual cierra los contactos principales M y auxiliar M. El motor compound arranca entonces con las resistencias R_1 y R_2 en serie con el circuito del inducido. Cuando la fuerza contraelectromotriz desarrollada por el inducido alcanza un determinado valor, la bobina del relé 1 R se excita y cierra el contacto 1 R; con ello se excita a su vez la bobina del contactor 1 A, el cual cierra el contacto de aceleración 1 A. La resistencia R_1 queda cortocircuitada, y el motor acelera su marcha. Cuando la nueva fuerza contraelectromotriz desarrollada asume un nuevo valor más elevado, se excita la bobina del relé 2 R, y cierra el contacto 2 R; ahora queda alimentada la bobina del contactor 2 A, y éste cierra el contacto de aceleración 2 A. Con ello se suprime también la resistencia R_2, y el circuito del inducido recibe la plena tensión de la red.

Arrancador de enclavamiento

Los contactores de aceleración usados en los arrancadores de este tipo se llaman *contactores serie de enclavamiento,* porque las bobinas de aceleración van conectadas en serie con el inducido y están ajustadas para que los contactores permanezcan abiertos mientras la corriente del motor es grande, como ocurre al arrancar, y se cierran cuando ésta decrece, una vez el motor ya acelerado. Los contactores de enclavamiento pueden ser de una o de dos bobinas, pero éstas van siempre en serie con el inducido.

Los arrancadores de este tipo se llaman también de *corriente límite,* ya que la aceleración del motor está regulada por el valor de la corriente que pasa a través del mismo.

Contactor de enclavamiento con dos bobinas. La figura 8.63 representa un contactor serie de enclavamiento con dos bobinas, conectadas en serie entre sí y con el inducido. La bobina superior es la de cierre o sea la que cierra los contactos, y la inferior es la de enclavamiento, o sea la que tiende a mantener los contactos abiertos. Las bobinas están diseñadas de modo que si la corriente es elevada predomine la fuerza de atracción de la bobina de enclavamiento sobre la de cierre. Puesto que durante el arranque la intensidad de la corriente es máxima, la fuerza de atracción de la bobina de enclavamiento predomina, manteniéndose los contactos abiertos. A medida que se acelera el motor, la intensidad disminuye hasta llegar a un valor que hace entrar en acción a la otra bobina, y se cierran los contactos.

Las figuras 8.64 *a, b* y *c* muestran un arrancador de este tipo con una etapa de resistencia. Al oprimir el pulsador de ARRANQUE se cierran los contactos principales y la corriente circula por las dos bobinas, por la resistencia y por el inducido. La corriente inicial excita hasta tal punto la bobina de enclavamiento, que los contactos de cierre se mantienen abiertos. A medida que el motor se acelera, la corriente disminuye, llegando un momento en que predomina la fuerza atractiva de la bobina de cierre, la cual cierra los contactos y pone en cortocircuito la bobina de enclavamiento y la resistencia. La figura 8.65 reproduce el esquema simplificado de este circuito. Obsérvese que el arrollamiento derivación permanece conectado en bornes de la línea durante todas las maniobras del arrancador.

Estos arrancadores de enclavamiento se construyen también con dos o con tres etapas de resistencia. En este caso cada resistencia lleva su juego de contactos. Las figuras 8.66 y 8.67 muestran los esquemas de un arrancador con dos etapas de resistencia.

Si el motor queda sometido a una sobrecarga, la atracción de la bobina de enclavamiento abrirá los contactos y se introducirá la resistencia en el circuito. El motor continuará marchando así hasta que desaparezca la sobrecarga o hasta que se acelere lo suficiente para hacer bajar el valor de la corriente. Por otra parte, si la carga del motor es escasa, la atracción de la bobina de cierre hará cerrar los contactos y el motor se acelerará demasiado rápidamente.

Contactor de enclavamiento de una bobina. Este tipo de contactor es similar al de dos bobinas ya descrito, con la única diferencia de que se forman dos circuitos magnéticos en una misma bobina. Si la corriente que fluye por la bobina es elevada, se engendra un campo magnético intenso que mantiene los contactos abiertos; cuando circula una corriente normal por la bobina, el campo magnético ocasiona el cierre de los contactos.

Un contactor de este tipo es el representado en la figura 8.68. Los dos circuitos magnéticos que se forman son: uno a través de la pieza B, y el otro a través de la conexión metálica C, alrededor de la cual está dispuesto un manguito de cobre. Si la corriente que circula por la bobina es elevada, se establece un intenso flujo magnético a través de la pieza B, que al ser atraída por el apédice de los base de la bobina mantiene los contactos A abiertos. Al disminuir las intensidad de la corriente, se intensifica el flujo magnético a través de C, y los contactos se cierran. El manguito de cobre limita el flujo que pasa por C cuando circula una corriente intensa, resultando que la mayor parte de aquél pasa por la pieza B.

Hay muy diversos tipos de contactos de enclavamiento de una sola bobina, aunque en resumen todos se basan, con ligeras diferencias, en el mismo principio.

De los esquemas de las figuras 8.69 y 8.70 se deduce que, al oprimir el pulsador de ARRANQUE se cierran los contactos principales y se cierra el circuito del positivo de la red al negativo, a través de la bobina del contactor, la resistencia y el inducido. Al reducirse la corriente inicial cuando el motor se acelera, se cierran los contactos de aceleración, la resistencia queda en cortocircuito y la corriente pasa directamente de la bobina del contactor al motor y al negativo de la red.

Las figuras 8.71 y 8.72 muestran el esquema de un arrancador de enclavamiento con dos etapas de resistencia. Al apretar el pulsador de ARRANQUE se cierran los contactos principales y circula la corriente del positivo al negativo de la red a través de R_1, la bobina A, R_2 y el inducido. Cuando la corriente inicial ha descendido suficientemente, los contactos A se cierran, cortocircuitan la resistencia R_1 y ponen en servicio la bobina B. El nuevo circuito se establece, pues, a través de

B, A, R_2 y el inducido. Al acelerarse el motor, la intensidad de la corriente vuelve a disminuir y se cierran los contactos B, que dejan en cortocircuito la resistencia R_2, quedando únicamente la bobina B en serie con el inducido.

Arrancador magnético con ajuste de tiempo

Como los demás arrancadores a tensión reducida, el arrancador magnético con ajuste de tiempo va suprimiendo por etapas la resistencia de arranque, a medida que el motor se acelera. No obstante, los contactores de aceleración para este arrancador actúan basándose en un principio distinto al de los otros tipos.

La bobina del contactor lleva alrededor de su núcleo de hierro un manguito de cobre. Al bajar la excitación de la bobina, el flujo decreciente induce en el manguito una corriente que hace más lenta la pérdida del magnetismo del núcleo, el cual mantiene por espacio de algunos segundos los contactos abiertos, hasta que el motor ha tenido tiempo de acelerarse. En estos contactores los contactos están normalmente cerrados. Al excitarse la bobina se abren los contactos; al cesar la excitación, transcurren varios segundos antes de que los contactos se cierren. El tiempo de permanencia de los contactos abiertos se gradúa ajustando la tensión del muelle del contactor.

Las figuras 8.73 y 8.74 muestran los esquemas de un arrancador de este tipo conectado a un motor compound. La ventaja de estos arrancadores es que el período de aceleración no depende de la corriente que circula por el motor ni de la velocidad del mismo. Su funcionamiento puede seguirse fácilmente con auxilio de estos esquemas. Al apretar el pulsador de ARRANQUE se excita la bobina de aceleración A, la cual abre los contactos A y cierra los contactos 1 A. Con ello se excita la bobina de retención M, que cierra los contactos M y 1 M y abre los contactos 2 M, normalmente cerrados. Entonces circula corriente a través de la resistencia y del inducido. Los contactos 1 M mantienen excitada la bobina de retención M, y los contactos 2 M desexcitan la bobina A. Transcurrido un tiempo determinado, los contactos A vuelven a cerrarse y cortocircuitan la resistencia, con lo cual el motor queda conectado directamente a la plena tensión de la red.

Arrancador magnético con ajuste de tiempo, gobernado desde una estación arranque - paro - intermitente. Con una estación de este tipo se puede mantener el motor en marcha durante cortos intervalos de tiempo. El esquema de la figura 8.75 corresponde al mismo arrancador representado en el de la figura 8.74, pero se observa que la estación de mando va provista ahora del pulsador adicional INTERMITENTE. Al apretar este pulsador se excita la bobina A, se abren los contactos A y se cierran los contactos 1 A.

Mientras se mantiene apretado el pulsador de marcha INTERMITENTE, la bobina de retención M permanece excitada. Al cesar de oprimir dicho pulsador, la bobina M queda desexcitada y abre el contacto principal M.

Arrancador magnético con ajuste de tiempo y dos etapas de resistencia. Para motores grandes se utilizan arrancadores con dos etapas de resistencia, como el representado en la figura 8.76. Su funcionamiento es el mismo que el del arrancador antes descrito, pero con la diferencia de que se utilizan dos contactores de aceleración en lugar de uno. El contactor A_1 pone en cortocircuito a la resistencia R_1, mientras que el A_2 lo hace con la R_2. Al apretar el pulsador de ARRANQUE se excita la bobina A_1 y cierra el correspondiente contacto auxiliar A_1, que a su vez excita la bobina A_2, la cual cierra el contacto auxiliar A_2. Las bobinas A_1 y A_2 abren los contactores A_1 y A_2, y, al mismo tiempo, por el contacto auxiliar A_2 se excita la bobina M, la cual cierra los contactos principales M. Entonces circula corriente del positivo al negativo de la red a través de las resistencias y del inducido. Transcurrido un tiempo, la bobina M abre el correspondiente contacto auxiliar M, que interrumpe el circuito de alimentación de la bobina A_1, cerrándose el contactor A_1 y dejando R_1 en cortocircuito. Al no pasar corriente por la bobina A_1 se abren el correspondiente contacto auxiliar A_1 y el circuito de la bobina A_2; al cabo de algún tiempo queda R_2 en cortocircuito, y el motor conectado directamente a la red.

Arrancador magnético con ajuste de tiempo y frenado dinámico. Muchas veces interesa que el motor se detenga rápidamente, en lugar de esperar a que lo haga por sí solo. Esto puede conseguirse mediante un frenado mecánico o eléctrico, o bien por ambos a la vez. Los montacargas, las grúas y los trenes van equipados con frenos mecánicos, pero en muchos casos, a fin de evitar el excesivo desgaste de frenos y también para conseguir el paro con mayor rapidez, se utilizan combinadores que aprovechan la acción generatriz del motor como freno (*frenado dinámico*).

Ya se dijo anteriormente que todo motor engendra una fuerza electromotriz de sentido opuesto a la tensión aplicada. Si estando un motor en marcha se abre el interruptor de línea, el motor continuará girando, pero irá reduciendo gradualmente su velocidad hasta pararse. Durante el tiempo en que el motor gira por inercia, generará tensión si su arrollamiento derivación sigue excitado. Por consiguiente, si en el transcurso de este período se conecta una resistencia en bornes del inducido, dicha tensión hará circular una corriente por el inducido que engendrará un par de sentido opuesto al de rotación del motor, el cual se detendrá rápidamente.

Para conseguir este resultado, el contactor principal de los combinadores previstos para frenado dinámico va equipado con dos juegos de contactos: uno para la alimentación, con los contactos normalmente abiertos; el otro para el frenado eléctrico, con los contactos normalmente cerrados. Al oprimir el pulsador de ARRANQUE se excita el carrete de retención, se cierra los contactos principales y quedan abiertos los de frenado como indica la figura 8.77. Al apretar el pulsador de PARO se abren los contactos principales y se cierran los de frenado, con lo cual la tensión generada por el motor determina la circulación de una corriente de sentido opuesto al de antes (fig. 8.78), la cual genera a su vez el par de frenado.

La figura 8.79 reproduce el esquema simplificado de un motor compound accionado por un arrancador magnético con ajuste de tiempo, provisto de frenado dinámico. Obsérvese que las únicas diferencias entre este esquema y el de la figura 8.74 son la adición de la resistencia de frenado y la conexión directa a la red del arrollamiento derivación.

Arrancador mecánico con ajuste de tiempo

El arranque de los motores de corriente continua puede gobernarse también automáticamente mediante dispositivos mecánicos con ajuste de tiempo. Se emplean a tal efecto pistones amortiguadores y mecanismos de ruedas dentadas y escape.

Arrancadores con pistón amortiguador. El elemento que indirectamente determina el cortocircuito progresivo de la resistencia de arranque es el núcleo de hierro de un electroimán, que se levanta al ser excitada la bobina del mismo. Para evitar que el ascenso del núcleo sea rápido, como sucedería en condiciones normales, se une el extremo inferior de este último a un pistón que puede desplazarse a lo largo de un cilindro lleno de aceite o de aire. Al excitarse el electroimán, el pistón será arrastrado hacia arriba por el núcleo. Este movimiento será sin embargo lento, ya que el pistón debe vencer la resistencia que le oponen el aceite o el aire para pasar de la cámara superior a la cámara inferior del cilindro. En su ascenso, el núcleo actúa sobre una varilla que cortocircuita la resistencia de arranque en varias etapas (fig. 8.80).

La figura 8.81 muestra el esquema de un arrancador provisto de pistón amortiguador. Su funcionamiento es el siguiente: al oprimir el pulsador de ARRANQUE se excita la bobina M del contactor y se cierran los contactos principales M. La corriente circula entonces por toda la resistencia, el inducido y el arrollamiento serie, y el motor arranca lentamente. Al cerrarse el contacto inferior M pasa corriente por la bobina DP del electroimán, cuyo núcleo, al ascender lentamente hacia arriba, cierra primeramente los contactos DP_1, y luego en sucesión los restantes DP_2, DP_3 y DP_4, con lo cual se va eliminando poco a poco resistencia, y el motor se acelera gradualmente.

Los arrancadores a tensión reducida representados en las figuras 8.82 y 8.83 llevan incorporado un mecanismo de retardo a base de un amortiguador de fluido. Con ellos se consigue una aceleración por tiempo definido. El funcionamiento es el siguiente: al apretar el pulsador de ARRANQUE se excitan las bobinas LS del contactor y AC del motor amortiguador. Los contactos principales LS se cierran, y el motor arranca con toda la resistencia conectada en serie, que limita la corriente inicial. A intervalos de tiempo definidos, regulados por el mecanismo de retardo, uno o más elementos de resistencia quedan puestos en cortocircuito por el cierre de los contactos AC.

El arrancador cuyo esquema reproduce la figura 8.84 es apropiado para un servicio duro, es decir, con arranques frecuentes. La acción diferida corre a cargo de mecanismos neumáticos. Al apretar el pulsador de ARRANQUE se excita la bobina M del contactor, que cierra todos los contactos M. El motor queda conectado en serie con toda la resistencia de arranque. Tras un intervalo definido de tiempo se excita la bobina 1 A, que al cerrar sus contactos cortocircuita la primera mitad de la resistencia y pone en marcha el segundo mecanismo neumático de retardo. Transcurrido otro intervalo definido de tiempo, se excita la bobina 2 A, cuyos contactos cortocircuitan la segunda mitad de la resistencia.

La figura 8.85 muestra el esquema de otro arrancador de acción diferida muy similar al precedente.

Los motores con velocidad ajustable suelen ir equipados con un relé de aceleración que actúa sobre el arrollamiento derivación. Este relé asegura una plena excitación durante el período de aceleración normal hasta la velocidad de régimen, y al propio tiempo limita la corriente absorbida por el inducido si, al debilitarse el campo inductor serie el motor tiende a embalarse. La bobina FA de este relé está conectada en serie con el inducido (figuras 8.86 y 8.87). Cuando es excesiva la corriente absorbida por el motor durante el período de aceleración o bien en caso de campo inductor serie debilitado, el relé de aceleración cierra sus contactos FA, los cuales cortocircuitan el reóstato de excitación y dejan por tanto el arrollamiento derivación conectado a la plena tensión de la red. El campo magnético creado por dicho arrollamiento es entonces máximo, lo cual impide que el motor se acelere tan rápidamente o bien que siga acelerándose.

El motor de la figura 8.87 lleva además un relé FL de fallo de la excitación, conectado en serie con el arrollamiento derivación. Los contactos FL de este relé están unidos en serie con los contactos M de retención situados en paralelo con los bornes del pulsador de ARRANQUE. De esta forma, caso de interrumpirse fortuitamente la corriente en el arrollamiento derivación, la bobina de dicho relé se desexcita y abre los contactos FL; entonces la bobina principal M del contactor se desexcita a su vez y abre los contacto M, que determinan el paro del motor. El funcionamiento (fig. 8.87) es como sigue: al apretar el pulsador de ARRANQUE se excita la bobina M, la cual cierra todos los contactos M. El inducido queda entonces alimentado a través de toda la resistencia de arranque, y el arrollamiento derivación excitado a través de su reóstato, con lo cual el motor se pone en marcha. Sin embargo, al circular corriente por la bobina FA, ésta se excita y cierra los contactos FA, que dejan el arrollamiento derivación conectado directamente a la red durante el período de aceleración. Transcurrido un tiempo determinado se cierra el contacto M de acción diferida y se excita la bobina 1 A, que cierra el contacto 1 A de aceleración y con ello cortocircuita parte de la resistencia de arranque. Pero simultáneamente pone también en marcha el contacto 1·A de acción diferida. Transcurrido un nuevo período de tiempo, dicho contacto se cierra y la bobina 2 A se excita. Al cerrarse en consecuencia el contacto 2 A, queda cortocircuitada toda la resistencia de arranque.

Arrancadores con mecanismo de ruedas dentadas y escape. Este mecanismo de retardo se parece al anterior por constar también de un núcleo que asciende cuando se excita la bobina o solenoide que lo rodea. El mecanismo lleva varias lengüetas que van cerrando contactos sucesivamente, a medida que el núcleo asciende. El tiempo que media entre el cierre de dos contactos sucesivos se ajusta mediante un simple péndulo, semejante al escape de un reloj. Al ascender el núcleo, las lengüetas tienden a cerrar los contactos y ejercen con ello un par sobre las ruedas dentadas del mecanismo, que las obliga a girar. Sin embargo, el sistema de escape les permite girar únicamente a cierta velocidad, de modo que el cierre de los contactos por las lengüetas tenga lugar sucesivamente y a intervalos determinados.

Las figuras 8.88 A y B muestran los esquemas de un tipo de arrancador como el descrito. Al oprimir el pulsador de ARRANQUE se excita la mitad superior del solenoide M a través del contacto de bloqueo M, normalmente cerrado. Este contacto se abre cuando se cierran los contastos principales M, dejando insertada en el circuito de retención la mitad inferior del solenoide. Las lengüetas del contactor van cerrando sucesivamente los contactos de aceleración M_a y M_b, dejando por fin el inducido conectado a la plena tensión de la red.

Arrancadores con mecanismo de retardo y frenado dinámico. Otro tipo de arrancador, similar al de la figura 8.88 en muchos aspectos, pero provisto de frenado dinámico, es el representado en la figura 8.89. Para el frenado se utiliza la propia resistencia de arranque. Al apretar el pulsador de ARRANQUE se excita el solenoide; inmediatamente se cierran los contactos principales 1 y se abren los del circuito de frenado 4. La corriente circula entonces por el motor a través de toda la resistencia de arranque. El mecanismo de retardo cierra luego sucesivamente los contactos 2 y 3, que cortocircuitan progresivamente dicha resistencia, dejando el motor conectado a toda la tensión de la red. Al apretar el pulsador de PARO se abren los contactos 1, 2 y 3 y se cierra el 4, con lo cual la resistencia queda aplicada en bornes del inducido, que se detiene rápidamente. El relé de frenado impide que el solenoide pueda cerrar los contactos 1 hasta que el motor está completamente parado.

Arrancador de tambor

Los arrancadores de tambor son interruptores de accionamiento manual muy empleados en trenes, cabrestantes, grúas, máquinas - herramienta y otras aplicaciones en las que es preciso suprimir resistencia del circuito del motor. El tipo usual de arrancador de tambor se construye para acelerar y para invertir el sentido de la marcha, pero también existen modelos capaces de efectuar otras maniobras, como por ejemplo el frenado dinámico y la regulación de la excitación. Exteriormente, el arrancador de tambor es similar al inversor ya descrito en este mismo capítulo, con la única diferencia de que el primero es mayor y lleva más contactos. En el interior del arrancador va un cilindro con varios juegos de contactos, todos ellos aislados entre sí y del propio cilindro: éstos son los *contactos móviles*. En el interior también hay otra serie de contactos que rozan sobre los primeros al girar el cilindro: son los *contactos fijos*. El cilindro se hace girar mediante una manivela situada encima del aparato, que puede moverse hacia uno u otro lado según el sentido de giro que se desee para el motor. La maniobra puede dejarse fija en cualquiera de sus posiciones y para ambos sentidos de giro gracias a un rodillo y una rueda acanalada. A cada posición sucesiva de la manivela, el rodillo se introduce dentro de la rueda acanalada y mantiene el cilindro sujeto hasta que lo acciona el operador.

Para evitar que se formen arcos al desplazarse los contactos de una posición a la otra, muchos arrancadores van provistos de bobinas de soplado magnético. Disponiendo pantallas de amianto o de otro material resistente al fuego entre contactos contiguos se aminora también la formación de arcos y se evita la posibilidad de cortocircuitos. Estas pantallas son desmontables y fáciles de substituir en caso de deterioro.

La figura 8.90 muestra esquemáticamente un arrancador de tambor de tipo sencillo, con dos etapas de resistencia para ambos sentidos de marcha. El esquema reproduce el cilindro desarrollado sobre una superficie plana. Hay dos juegos de contactos móviles y un juego de contactos fijos. Para la marcha adelante, uno de los juegos de contactos móviles se apoya sobre el de contactos fijos; para la marcha atrás entra en funciones el otro juego de contactos móviles. Obsérvese que la manivela puede disponerse en tres posiciones distintas para cada sentido de marcha. El funcionamiento (fig. 8.90) es el siguiente: en la primera posición, las lengüetas de contacto *a, b, c* y *d* tocan con los contactos fijos 7, 5, 4 y 3. La corriente pasa por 7, *a, b,* 5, inducido y 4. De 4 continúa luego por *c, d,* 3, toda la resistencia, el arrollamiento serie y el negativo de la red, o sea que recorre la trayectoria indicada en la figura 8.91. En la segunda posición, parte de la resistencia queda eliminada; en la tercera, queda aquélla fuera de circuito y el motor conectado directamente a la red. El arrollamiento derivación permanece conectado a la red.

DETECCION, LOCALIZACION Y REPARACION DE AVERIAS

El procedimiento que se sigue para la detección y localización de averías en los combinadores de corriente continua es similar al seguido para los de corriente alterna, por lo que se recomienda repasar bien el capítulo V. A continuación se enumeran las averías más corrientes que suelen presentarse en los combinadores de corriente continua de maniobra manual.

1. Si el motor no arranca después de haber corrido la manivela varios puntos, la avería puede ser debida a:
   a) Fusible, contactor o relé interrumpidos.
   b) Interrupción en alguna resistencia; puede comprobarse con la lámpara de prueba a 115 V tocando con sus terminales dos puntos de contacto contiguos. Si la lámpara no se enciende, es que la resistencia está interrumpida entre dichos contactos.
   c) Contacto deficiente entre el brazo y los contactos o polos; pueden formarse arcos.
   d) Conexión equivocada del arrancador. Esto puede suceder en los de cuatro bornes al ser conectados por vez primera; si los hilos de línea no están bien conectados, el motor no arrancará, pero la manivela quedará retenida si se lleva al último contacto o plot.
   e) Algún hilo roto en el circuito del inducido o en el de los arrollamientos inductores.
   f) Tensión insuficiente.
   g) Carga excesiva.
   h) Conexiones de los terminales flojas o sucias.
   i) Carrete de retención interrumpido en los arrancadores de tres bornes.
2. Si la manivela no queda retenida en la posición extrema, puede ser debido a:
   a) Interrupción en el carrete de retención a causa de algún hilo roto o quemado o por contacto deficiente.
   b) Tensión insuficiente.
   c) Carrete en cortocircuito.
   d) Conexión equivocada.
   e) Contactos del relé de sobrecarga abiertos.
3. Si saltan los fusibles al mover la manivela, la causa puede ser debida a:
   a) Contacto a masa en alguna resistencia, plot o hilo.
   b) Manivela movida con demasiada rapidez a su posición extrema.
   c) Interrupción del arrollamiento derivación en el arrancador; en arrancadores de tres bornes puede hallarse la avería en el carrete de retención.
   d) Resistencia en cortocircuito.
4. Si el arrancador se calienta en exceso, puede ser debido a:
   a) Motor sobrecargado.
   b) Demasiada lentitud al llevar la manivela a su posición extrema.
   c) Resistencia o plots en cortocircuito.
5. Si se emplea un contactor magnético en combinación con un arrancador manual, consúltense las averías reseñadas al final del capítulo V.

CAPÍTULO IX

Motores universales, motores de polos con espira auxiliar y motores para ventilador

Los motores que se describen en este capítulo se emplean para las más diversas aplicaciones y son de uso general.

MOTORES UNIVERSALES

Se llama motor universal al que puede funcionar indistintamente con corriente continua y con corriente alterna monofásica sin que su velocidad sufra variación sensible. Los motores universales no suelen ser de potencia superior a un caballo, y se emplean principalmente para el accionamiento de aspiradores de polvo, molinillos domésticos, barrenas y máquinas de coser.

Se trata de motores serie, con elevado par de arranque y características de velocidad variable. En vacío alcanzan una velocidad peligrosa (se embalan), por cuyo motivo forman siempre una sola unidad con el mecanismo o aparato que accionan. Hoy se construyen distintos tipos de motores universales. El más conocido es similar al motor serie bipolar, y lleva dos arrollamientos inductores concentrados; otro tipo lleva el arrollamiento inductor distribuido en ranuras, como el motor de fase partida. Estos motores se construyen generalmente con potencia comprendida entre 1/200 y 1/3 de caballo, aunque para ciertas aplicaciones los hay también mayores.

Puesto que el motor universal es parecido en muchos aspectos al motor serie de corriente continua, se aconseja al estudiante repasar bien los capítulos VI (Rebobinado de inducidos de corriente continua) y VII (Motores de corriente continua) antes de iniciar el estudio del presente capítulo.

Construcción del motor universal

Las partes principales del motor universal con arrollamiento inductor concentrado son: 1, la carcasa; 2, el estator; 3, el inducido, y 4, los escudos.

La *carcasa* suele ser por lo regular de acero laminado, de aluminio o de fundición con dimensiones adecuadas para mantener firmes las chapas del estator (fig. 9.1). Los polos suelen estar afianzados a la carcasa con pernos pasantes. Con frecuencia se construye la carcasa de una pieza, con los soportes o pies del motor.

El *estator* o *inductor,* que se representa junto con otras partes componentes en la figura 9.2, consiste en un paquete de chapas de forma adecuada, fuertemente prensadas y fijadas mediante remaches o pernos. Como puede verse en la figura 9.3, las mismas chapas forman los núcleos polares inductores.

El *inducido* es similar al de un motor de corriente continua pequeño. Consiste en un paquete de chapas que forma un núcleo compacto con ranuras normales u oblicuas, y un colector al cual van conectados los terminales del arrollamiento inducido. Tanto el núcleo de chapas como el colector van sólidamente asentados sobre el eje.

Los *escudos,* como en todos los motores, van montados en los lados frontales de la carcasa y asegurados con tornillos. En los escudos van alojados los cojinetes, que pueden ser de resbalamiento o de bolas, en los que descansan los extremos del eje. En muchos motores universales puede desmontarse sólo un escudo, pues el otro está fundido junto con la carcasa. Los portaescobillas van por lo regular sujetos al escudo frontal mediante pernos, como indica la figura 9.4.

Funcionamiento del motor universal

Este motor está construido de manera que cuando los devanados inducido e inductor están unidos en serie y circula corriente por ellos, se forman dos flujos magnéticos que al reaccionar provocan el giro del rotor, tanto si la tensión aplicada es continua como alterna.

Rebobinado del arrollamiento inductor

Casi todos los motores universales son bipolares y por lo tanto llevan dos bobinas inductoras. Como en el motor serie de corriente continua, los arrollamientos de los polos constan relativamente de pocas espiras: sólo algunos centenares, frente a las del arrollamiento derivación, que comprenden miles de espiras. Para rebobinar un inductor se procede del modo que a continuación se indica.

Primeramente se sacan de los polos las bobinas viejas, quitando los pasadores de sujeción (fig. 9.5). Hay también bobinas que en lugar de pasadores llevan delgadas tiras de metal para su sujeción, como se ve en la figura 9.6, o bien cuñas de fibra, como muestra la figura 9.7. La forma de las bobinas inductores se representa en la figura 9.8.

Una vez sacadas las bobinas viejas, se les quita el aislamiento de cinta y se toma nota del número de espiras y del calibre del hilo. Por lo regular el aislamiento de éste suele ser esmalte o formvar. Para el rebobinado habrá que emplear siempre conductor de igual sección y aislamiento que el original.

Seguidamente se aplana una bobina hasta dejarla de forma rectangular, a fin de determinar sus dimensiones (figura 9.9) y poder hacer una horma para devanar las nuevas bobinas. Es conveniente tomar las medidas con exactitud a fin de obtener una bobina idéntica a la original, ya que si aquélla resulta demasiado estrecha, costará mucho trabajo montarla en el polo, y, por el contrario, si resulta grande, puede dificultar el ajuste del escudo a la carcasa.

La pieza central de la horma se prepara cortando un trozo de madera de dimensiones iguales a las interiores de la bobina, dándole algo de conicidad y envolviéndolo con papel aislante, a fin de poder retirar cómodamente la bobina una vez devanada. A ambos lados de la pieza así preparada se disponen dos tablas sujetas por un perno, tal como se indica en la figura 9.10. Terminada la horma, se monta en el torno o en la devanadora y se arrolla el número de espiras conveniente, utilizando conductor de iguales características que el original. Antes de retirar la bobina de la horma se ata bien con cordeles pasados previamente por las muescas que para tal finalidad llevan las tablas laterales.

Las bobinas inductoras pueden confeccionarse también con auxilio de hormas ajustables como la representada en la figura 7.16.

Los extremos de las bobinas se empalman a terminales de cable flexible, de modo que no puedan desprenderse a causa de un tirón accidental. Luego se encinta la bobina del modo indicado en la figura 9.11, con una capa de cinta de batista barnizada y otra de cinta de algodón sin barnizar. Seguidamente se da a la bobina la forma conveniente para que se ajuste bien sobre el polo, se pinta o impregna con barniz y, una vez bien seca, se monta en el polo y se asegura con los pasadores, las tiras de metal o las cuñas de fibra.

Si la bobina resulta algo estrecha, al montarla en el polo hay que cuidar de no forzarla mucho, pues las espiras de hilo, al rozar con el núcleo, podrían hacer algún contacto a la masa o romperse. Para eliminar tal posibilidad se aconseja disponer un aislamiento adicional en los ángulos de la bobina. Al montar las bobinas hay que procurar no tirar de los terminales, pues los empalmes podrían aflojarse o romperse.

Conexión de las bobinas inductoras y del inducido

Las bobinas inductoras de un motor universal van montadas en serie y de modo que creen polaridades consecutivamente opuestas, lo mismo que los polos de un motor de corriente continua. Los métodos para verificar la polaridad de las bobinas inductoras son los explicados al tratar de los motores de corriente continua, o sea el método del clavo (fig. 9.12) o el de la brújula. Aunque estos métodos son los preferidos, también puede adoptarse un tercero, ya explicado en el capítulo VII, consistente en conectar las dos bobinas sin atender a la polaridad y fijarse si el motor funciona; si funciona, la polaridad es correcta, y si permanece parado, se invierten los terminales de una de ellas.

Igual que en el motor serie bipolar, ambas bobinas inductoras van conectadas en serie entre sí y con el inducido, como se representa en la figura 9.13. En la figura 9.14 puede verse que los hilos que van conectados a la red salen uno del inducido y el otro de una bobina inductora.

Otra conexión del motor universal consiste en conectar el inducido entre las dos bobinas inductoras, como muestra la figura 9.15. En este caso el final de la primera bobina va conectado a una escobilla, y a la otra escobilla el principio de la segunda bobina inductora.

Inversión del sentido de rotación

La inversión de marcha en el motor universal de polos concentrados se consigue invirtiendo el sentido de la corriente en el inducido o bien en las bobinas inductoras. El método más empleado consiste en permutar los terminales de los portaescobillas. En la figura 9.16 se muestra la conexión para giro directo (sentido de la agujas del reloj) y en la 9.17 la conexión para giro inverso.

La mayoría de los motores universales se construyen para giro en un solo sentido y por lo regular los portaescobillas son fijos. En estos motores la inversión de marcha puede igualmente obtenerse por el método explicado, aunque vendrá acompañada de gran producción de chispas por quedar las escobillas fuera de la línea neutra. Para eliminar las chispas no hay otro medio que cambiar la posición de los terminales en el colector. De ello se hablará con detalle más adelante.

Rebobinado del inducido

El inducido de un motor universal se rebobina del mismo modo que el de un pequeño motor de corriente continua. Como en cualquier otro inducido, lo primero que hay que hacer es extraer el arrollamiento antiguo y anotar todos los lados y detalles de utilidad para proceder al nuevo bobinado, tal como número de espiras, paso del bobinado, paso de las conexiones al colector, sección y aislamiento del hilo, etc.

Toma de datos. Antes de ocuparnos de esta operación vamos a exponer algunos puntos de importancia referentes a los inducidos de los motores universales.

Todos los inducidos de los motores universales hipolares llevan arrollamiento imbricado y, por tanto, el principio y el final de cada bobina van conectados a delgas contiguas, como muestra la figura 9.18. Muchos motores universales llevan también arrollamiento de bucles, como indica la figura 9.19; o sea una vez devanada una bobina se forma un bucle y sin cortar el hilo se empieza la bobina siguiente. Casi todos los inducidos de motores universales son de dos bobinas por ranura, resultando, pues, que el número de delgas es doble que el de ranuras y por tanto corresponden dos bucles por ranura. También hay inducidos de una y de tres bobinas por ranura, pero en este capítulo nos ocuparemos solamente de los de dos bobinas por ranura.

Para la toma de datos de un inducido universal procédase de la siguiente manera: cuéntense y anótense en la hoja de datos los números de ranuras y de delgas; pásese por el centro de una ranura un cordel tirante o una regla y véase si coincide con una delga o con una mica; apúntese este dato haciendo un croquis como el de la figura 9.20. Tómese el paso de las bobinas contando las ranuras abarcadas por la bobina superior completamente a la vista. En el inducido de la figura 9.21 el paso es 1 a 6. Como orientación, téngase en cuenta que el paso de las bobinas es aproximadamente igual a la mitad del número total de ranuras cuando el motor es bipolar.

Paso de las conexiones al colector. Los datos anteriormente citados se determinan sin necesidad de deshacer el arrollamiento; los que siguen se obtienen cuando se deshace el bobinado. El primer dato importante que hay que tomar es el paso de las conexiones al colector. Habrá que determinarlo con exactitud (aunque el barniz de las bobinas dificulte la operación), ya que de lo contrario se producirán chispas abundantes durante el funcionamiento del motor. Veamos el modo de proceder; se deshacen cuidadosamente varias bobinas (empezando por la superior) y se marcan las delgas donde vayan conectados los principios y finales de por lo menos dos bobinas contiguas.

Para poder deshacer la bobina superior será preciso alzar todos los terminales por encima de esta bobina. Al mismo tiempo que se deshace la bobina, se marcan con un punzón las ranuras en las que ésta va alojada, anotando si el bucle deshecho pertenece a la primera o a la segunda bobina de la ranura. La figura 9.22 muestra el procedimiento. Los terminales de las bobinas que se deshacen quedan todavía conectados a las delgas y se sueltan a medida que se va deshaciendo cada bobina. Así, puede verse en la figura que al terminar de deshacer la bobina 7 su principio continúa conectado a la delga 3, que se encuentra tres delgas más a la derecha de la ranura en la que ha sido devanada la bobina en cuestión. Habrá, pues, que marcar esta delga igual que las ranuras de la bobina 7. Toda esta información se recopila en la hoja de datos, acompañada de un croquis como el de la figura 9.22. A veces es imposible deshacer el bobinado del inducido espira por espira debido a la consistencia del barniz aislante.

Para rebobinar este inducido se empieza la primera bobina en las ranuras marcadas y se conecta el primer terminal a la delga 3. Los bucles siguientes van a delgas sucesivas. En la figura 9.22 puede verse que las bobinas se deshacen en el sentido de las agujas del reloj, lo que prueba que han sido devanadas en sentido contrario. Se observará igualmente que las bobinas progresan hacia la izquierda. Todos estos datos conviene también anotarlos. El número de espiras se determina al deshacer las bobinas, y el calibre del conductor mediante un micrómetro o una galga.

Por lo regular resulta imposible deshacer las bobinas superiores de un inducido debido a la consistencia que les confiere el barnizado y el secado. En tal caso no queda otro recurso que cortar cuatro o cinco bobinas hasta encontrar una que pueda ser deshecha con facilidad. Cuando las bobinas están quemadas o carbonizadas, resulta muy fácil deshacerlas: basta desarrollar las necesarias para obtener los datos requeridos, y cortar y extraer las restantes. Antes de deshacer las bobinas se quitarán todas las cuñas.

Empleo de la bobina de prueba para determinar el paso de las conexiones al colector. Si el inducido no está del todo en cortocircuito ni interrumpido, podrá procederse del modo siguiente: se dispone el inducido sobre el núcleo de la bobina de prueba (fig. 9.23), y se coloca una hoja de sierra. Si una bobina tiene cortocircuito, la hoja de sierra vibrará al ser puesta sobre la ranura en que vaya alojada la bobina averiada. Si dos delgas están en cortocircuito, se obtendrá el mismo resultado en dos ranuras. Este es el principio en que se basa la determinación del paso en el colector.

Con un alambre se ponen en cortocircuito dos delgas y con la hoja de sierra se localiza la ranura donde se produce la vibración. Se gira luego el inducido hasta que esta ranura quede en la parte superior. Se ponen en cortocircuito las dos delgas siguientes y se comprueba si la hoja de sierra vibra sobre la misma ranura. Si así ocurre se marcan las tres delgas probadas, así como las ranuras en donde se observó la vibración de la hoja de sierra.

Extracción del arrollamiento. Una vez tomados todos los datos se extrae el arrollamiento por completo, junto con el aislamiento de las ranuras. Esto se efectúa deshaciendo todas las bobinas o bien cortándolas por una cabeza con una sierra y empujando los conductores a través de las ranuras. Se dispondrá en las mismas nuevo aislamiento de igual espesor que el primitivo, pero cortando las tiras de manera que sobresalgan unos 6 ó 7 milímetros por encima de las ranuras y unos 2 milímetros por ambos extremos.

Antes de empezar a bobinar es conveniente comprobar el colector en busca de delgas en cortocircuito o en contacto a masa. Adquiérase la seguridad de que las muescas de las delgas para alojamiento de los terminales de las bobinas son de la misma anchura que el hilo utilizado en el arrollamiento.

Rebobinado del inducido. El procedimiento es el mismo que el descrito en el capítulo VI. Se empieza por una ranura cualquiera, se arrolla, con el paso del bobinado, el número conveniente de espiras y se forma un bucle. Acto seguido se arrollan en las mismas ranuras igual número de espiras y se forma con el hilo otro bucle. Partiendo de la siguiente ranura se confeccionan de igual manera las dos bobinas siguientes, procurando hacer los bucles de distinta longitud para facilitar la identificación de los terminales al conectarlos a las delgas; también se pueden usar manguitos de diferente color para tal fin.

Aunque el procedimiento para bobinar inducidos es aplicable a todos los motores universales, siempre se encontrarán en ellos algunas diferencias conctructivas. Por ejemplo, en algunos inducidos las bobinas van devanadas en el sentido de las agujas de un reloj, y en otros en sentido contrario. Hay también inducidos con bobinas que avanzan hacia la derecha, mientras que en otros progresan hacia la izquierda. En ciertos inducidos los terminales de las bobinas se encuentran en el lado de la polea, y en otros en el opuesto.

Análogamente, en unos inducidos los terminales de las bobinas quedan desplazados hacia la izquierda de las mismas, y en otros hacia la derecha. El mejor sistema a seguir es rebobinar siempre el inducido exactamente igual que el original. Así, si las bobinas primitivas estaban arrolladas en sentido horario (fig. 9.24), se confeccionarán las nuevas arrollándolas también en sentido horario; y si las primitivas estaban arrolladas en sentido antihorario, lo propio se hará con las nuevas (fig. 9.25). Si los terminales o bucles originales quedaban a la derecha de las bobinas (fig. 9.26) o a su izquierda (fig. 9.27), se respetarán estas posiciones.

A veces los terminales quedan al lado opuesto al colector (fig. 9.28), en cuyo caso es preciso hacerlos pasar a través de las ranuras para poderlos conectar a las delgas.

Posición de los terminales en el colector. Es de la mayor importancia que la posición de los terminales en el colector sea exactamente la misma que en el arrollamiento original, pues si hay una o dos delgas de diferencia se producirán chispas durante el funcionamiento del motor. La posición de los terminales suele estar determinada por el sentido de giro del motor y es distinta para los dos sentidos de giro. No obstante, hay motores universales aptos para girar en ambos sentidos, si bien la mayoría están diseñados para un solo sentido.

Si el motor está previsto para girar en el sentido de las agujas del reloj, los terminales de las bobinas van conectados normalmente dos o tres delgas hacia la derecha de la correspondiente bobina, como muestran las figuras 9.29 y 9.30. Para giro en sentido contrario, los terminales van conectados por lo regular varias delgas hacia la izquierda de la bobina (figs. 9.31 y 9.32). Si ha de girar en ambos sentidos, los terminales deben conectarse centrados respecto a las dos posiciones anteriores.

Si las bobinas primitivas estaban arrolladas en sentido horario y las nuevas se arrollan en sentido contrario, el motor girará también en sentido opuesto al de antes con abundantes chispas en el colector. Permutando los terminales de los portaescobillas se invertirá el sentido de giro del motor y cesarán las chispas.

Motor compensado de arrollamiento inductor distribuido

Este tipo de motor universal, cuyas partes principales se muestran en la figura 9.33, consta de un núcleo estatórico de chapas semejante al de un motor de fase partida y de un inducido similar al del motor de arrollamiento inductor concentrado. Hay que distinguir dos tipos: *motor compensado de un solo inductor,* que lleva un solo arrollamiento estatórico, y *motor compensado de dos inductores,* que lleva dos arrollamientos estatóricos.

El motor bipolar compensado de un solo inductor tiene un arrollamiento estatórico análogo al arrollamiento principal de un motor bipolar de fase partida, y va alojado en las ranuras de modo idéntico. Los polos son consecutivamente de polaridad opuesta y van conectados en serie con el inducido. Motores de este tipo se construyen también con cuatro o más polos. Para la inversión de marcha basta permutar los terminales del inducido o los de los polos inductores, y al mismo tiempo decalar las escobillas en sentido contrario al del giro del motor. Este decalado suele ser de varias delgas.

El motor compensado de dos inductores lleva dos arrollamientos estatóricos, el principal y el compensador. Estos dos arrollamientos son similares a los de servicio y arranque del motor de fase partida, y están dispuestos a 90° eléctricos uno de otro. El compensador tiene por objeto reducir la tensión reactiva en el inducido cuando el motor funciona con corriente alterna. Esta tensión engendrada por el flujo alterno, reduce la tensión en el inducido, con la consiguiente pérdida de potencia y velocidad.

Extracción del bobinado inductor y rebobinado del mismo. Al extraer el arrollamiento inductor de un motor universal hay que poner mucho cuidado en marcar bien las ranuras, a fin de poder disponer luego las nuevas bobinas en las mismas ranuras donde se encontraban las originales. Si al alojar las bobinas se comete un error de tan sólo una ranura, se producirán muchas chispas durante el funcionamiento del motor. En tal caso el único remedio consiste en decalar las escobillas convenientemente o bobinar de nuevo.

Para rebobinar un motor universal de dos inductores se empieza alojando el arrollamiento principal en las ranuras correspondientes, y luego el compensador a 90° eléctricos. Las bobinas son generalmente moldeadas o de madeja. Las figuras 9.34 y 9.35 muestran dos esquemas de un motor bipolar compensado. Obsérvese que el arrollamiento principal, el compensador y el inducido van conectados en serie.

Por regla general, los motores universales pequeños son de dos polos; los grandes suelen tener cuatro y hasta seis polos. Los polos principales llevan normalmente una bobina o dos por polo; los de compensación llevan tres o cuatro bobinas por polo. La figura 9.36 representa el diagrama de pasos de un motor bipolar de 12 ranuras estatóricas. Para invertir la marcha en este motor basta permutar los terminales del arrollamiento principal o bien los del arrollamiento compensador e inducido juntos. Las escobillas no precisan ningún nuevo decalado.

Gobierno de la velocidad en los motores universales

Puede conseguirse intercalando en el circuito del motor una resistencia en serie, utilizando un arrollamiento inductor con tomas o derivaciones, o bien mediante un mecanismo centrífugo.

Gobierno por resistencia. La velocidad de los motores universales pequeños, como, por ejemplo, los que se emplean para las máquinas de coser, puede gobernarse mediante una pequeña resistencia variable conectada en serie, como indica el esquema de la figura 9.37. La resistencia puede ser de grafito o de alambre de resistencia del tipo corriente; el control se lleva a cabo por intermedio de un pedal.

Otro tipo de gobierno de la velocidad (fig. 9.38) se obtiene mediante dos bloques de carbón que se comprimen fuertemente a mano uno contra el otro, cuando se quiere obtener una velocidad elevada. Cuando se separan ligeramente dejan pasar menos corriente y, en consecuencia, el motor marcha más despacio. Estos motores arrancan muy despacio porque ambos carbones se hallan inicialmente separados. A medida que se actúa sobre el interruptor aumenta la presión en los mismos, y con ella la intensidad de la corriente. Aunque los bloques de carbón permanezcan separados queda siempre en el circuito una resistencia fija. El condensador se emplea para evitar chispas.

Gobierno por arrollamiento inductor con tomas o derivaciones. En algunos motores universales se gobierna la velocidad sacando derivaciones o tomas de un arrollamiento inductor, como muestra la figura 9.39. Con ello se varía la intensidad del campo inductor y por tanto la velocidad. El arrollamiento inductor consta de varias porciones con hilo de distinto grueso y una toma en cada una de ellas. Otro método consiste en arrollar hilo "nicrom" sobre un polo y sacar derivaciones. La velocidad mínima se obtiene cuando el arrollamiento inductor queda íntegramente en el circuito, la velocidad media cuando sólo parte de él queda en circuito, y la máxima cuando todo él queda suprimido del circuito.

Gobierno por mecanismo centrífugo. Muchos motores universales, en particular los que se emplean para molinillos domésticos, están previstos para funcionar a varias velocidades. En estos motores se consigue el gobierno de la velocidad con un mecanismos centrífugo, dispuesto como indica la figura 9.40. Este mecanismo, que va montado en el interior del motor, se gradúa con una palanca exterior. Si el motor gira a una velocidad superior a la ajustada mediante la citada palanca, el mecanismo centrífugo abre dos contactos e intercala resistencia en el circuito, lo cual reduce la velocidad del motor. Al disminuir la velocidad se cierran los dos contactos, la resistencia queda en cortocircuito y el motor gira más aprisa. Este proceso se repite con tanta rapidez que no se percibe la oscilación de la velocidad.

La resistencia está en derivación con los dos contactos del mecanismo; el condensador sirve para suprimir las chispas de apertura y cierre de los contactos. Con este sistema pueden obtenerse hasta dieciséis velocidades diferentes.

Detección, localización y reparación de averías en motores universales

Pruebas. Tanto el arrollamiento inductor como el del inducido deben verificarse detenidamente antes y después de su montaje. El arrollamiento inductor se comprobará en busca de contactos a masa, cortocircuitos, interrupciones e inversiones de polaridad, tal como se expuso en el capítulo VII al tratar de los motores de corriente continua. Con los motores universales de arrollamiento inductor distribuido se procederá según se expuso en el capítulo I (Motores de fase partida). En cuanto al inducido, por ser igual en los motores universales que en los de corriente continua, se seguirán los procedimientos expuestos en el capítulo VI. No hay que olvidar que antes de rebobinar un inducido hay que verificar el colector en busca de posibles delgas en cortocircuito o contactos a masa.

Reparación. Las averías que pueden presentarse en los motores universales son las mismas que ocurren en los de corriente continua. A continuación se enumeran las más corrientes, cuya reparación ya se detalló en los capítulos VI y VII.

1. Si se producen chispas abundantes en funcionamiento, las causas pueden ser:
   a) Terminales de bobinas conectados a delgas que no corresponden.
   b) Polos inductores con cortocircuitos.
   c) Interrupción en las bobinas del inducido.
   d) Cortocircuitos en bobinas del inducido.
   e) Terminales de bobinas invertidos.
   f) Cojinetes desgastados.
   g) Láminas de mica salientes.
   h) Sentido de rotación invertido.
2. Si el motor se calienta en exceso, puede ser debido a:
   a) Cojinetes desgastados.
   b) Falta de engrase en los cojinetes.
   c) Bobinas con cortocircuitos.
   d) Sobrecarga.
   e) Arrollamientos inductores con cortocircuitos.
   f) Escobillas mal situadas.
3. Si el motor desprende humo, las causas pueden ser:
   a) Inducido con cortocircuitos.
   b) Arrollamientos inductores con cortocircuitos.
   c) Cojinetes desgastados.
   d) Tensión inadecuada.
   e) Sobrecarga.
4. Si el par motor es débil, puede ser debido a las siguientes causas:
   a) Bobinas con cortocircuitos.
   b) Arrollamiento inductores con cortocircuitos.
   c) Escobillas mal situadas.
   d) Cojinetes desgastados.

MOTORES DE POLOS CON ESPIRA AUXILIAR

El motor de polos con espira auxiliar es un motor monofásico de potencia comprendida entre 1/100 y 1/20 de caballo. Su empleo se limita a aplicaciones donde se precisa un par de arranque muy reducido, como ventiladores y sopladores. La figura 9.41 representa un motor de este tipo.

Construcción del motor de polos con espira auxiliar

Las partes principales de este tipo de motor están representadas en la figura 9.42. Son éstas: el estator o carcasa, el rotor y los escudos.

El estator es por lo regular igual al del motor universal de arrollamiento inductor concentrado, y está formado por un paquete de chapas con polos salientes, alrededor de los cuales van arrolladas las bobinas inductoras. Los polos llevan cerca de un extremo una ranura longitudinal en la que se aloja un anillo de cobre o espira en cortocircuito (*espira auxiliar*). Hay también motores de este tipo con estator ranurado, como el de un motor de fase partida; en tal caso el arrollamiento inductor va alojado en dichas ranuras.

Todos los motores de polos con espira auxiliar tienen rotor del tipo de jaula de ardilla, como el de los motores de fase partida y los polifásicos. En muchos motores tan sólo puede ser desmontado un escudo, por estar el otro fundido conjuntamente con la carcasa. Los cojinetes pueden ser de bolas o de resbalamiento.

Funcionamiento del motor de polos con espira auxiliar

Todos los motores monofásicos de inducción necesitan un arrollamiento auxiliar para producir el par de arranque necesario. En los motores de fase partida y en los motores con condensador se emplea a tal efecto un arrollamiento de arranque dispuesto a 90° eléctricos del de trabajo. El motor de polos con espira auxiliar necesita también un arrollamiento de arranque, el cual está formado precisamente por los anillos de cobre o espiras auxiliares alojados en las ranuras de los extremos de cada polo.

Durante el arranque los polos principales inducen en los anillos de cobre una corriente, que a su vez engendra un campo magnético desfasado con respecto al de los polos principales. Los dos campos crean, al combinarse, un par giratorio que hace arrancar el rotor. Una vez acelerado el motor suficientemente, el efecto de las espiras auxiliares es despreciable.

Al inducirse corriente en las espiras auxiliares, se crea un flujo en las mismas, el cual tiende a oponerse al del polo principal que indujo aquella. A causa de la naturaleza de la curva sinusoidal y de la variación continua de sus valores instantáneos durante un período, el flujo generado por la espira auxiliar tenderá a concentrar el flujo principal en la parte de polo no abarcada por dicha espira mientras el flujo principal crece de cero hasta un valor próximo al máximo. Durante el paso de este punto hasta otro simétrico correspondiente al inicio de disminución del flujo, la corriente inducida en la espira auxiliar es prácticamente nula, por lo cual el flujo principal se distribuye sobre toda la sección del polo. Se observa, pues, que a lo largo de este intervalo el eje del campo magnético se ha desplazado del extremo donde está la espira auxiliar al centro del polo. Durante el intervalo en que la curva sinusoidal del flujo desciende de un valor próximo al máximo hasta cero, vuelve a inducirse corriente en la espira auxiliar, la cual engendra un flujo intenso que, esta vez, tiene el mismo sentido que el principal y, por consiguiente, lo refuerza en la zona abarcada por la espira. En el transcurso de un semiperíodo, pues, el eje del campo magnético se habrá desplazado desde el extremo del polo no abarcado por la espira auxiliar hasta el extremo abarcado por ella. Este desplazamiento es suficiente para arrastrar el rotor en el mismo sentido.

Arrollamientos estatóricos de los motores de polos con espira auxiliar

El motor de polos con espiras auxiliar del tipo corriente lleva sus polos salientes con ranuras en uno de sus extremos, donde van alojadas las espiras en cortocircuito (fig. 9.43). Las bobinas que van montadas en los polos principales se confeccionan por lo regular con molde, lo mismo que las bobinas inductoras de los motores de corriente continua y de los universales con arrollamiento de excitación concentrado. Una vez soldados los terminales a las bobinas, éstas se encintan y se montan en su respectivo polo. Las bobinas se afianzan normalmente por medio de una cuña metálica situada entre polos. Si ésta es de hierro o de cualquier otro material magnético, el funcionamiento del motor puede mejorarse.

Al rebobinar es preciso confeccionar cada bobina con el mismo número de espiras que las antiguas, y con hilo de igual diámetro y aislamiento. También hay que cuidar que el tamaño de la bobina resulte igual al de la original, pues de lo contrario se encontrarán dificultades para montarla en el polo. Es buena práctica disponer tiras de material aislante en las aristas del polo o por todo su alrededor, a fin de proteger la bobina contra posibles contactos a masa.

Estos motores se construyen con dos, cuatro, seis y ocho polos, conectados de modo que sus polaridades vayan alternándose. La figura 9.44 muestra el esquema de conexiones de un motor tetrapolar con arrollamiento inductor del tipo concentrado.

Los motores de polos con espira auxiliar se construyen también con estator similar al del motor de fase partida, o sea para llevar arrollamiento distribuido. En lugar de las espiras en cortocircuito de los motores con inductor concentrado, hay un arrollamiento auxiliar que va alojado en las ranuras del estator. En las figuras 9.45 y 9.46 se representan el diagrama de pasos y el esquema de conexiones de los arrollamientos estatóricos de un motor tetrapolar de doce ranuras con arrollamiento auxiliar en substitución de las espiras en cortocircuito. Se observará que este nuevo arrollamiento va conectado formando polaridades alternadas, está cerrado sobre sí mismo y abarca solamente un tercio de cada polo.

Inversión del sentido de giro en motores de polos con espira auxiliar

Algunos motores de polos con espira auxiliar son de construcción tal que el sentido de giro puede invertirse por la simple maniobra de un conmutador; no obstante, en la mayoría de los motores hay que desmontar los escudos, invertir los lados del estator y volver a montar el conjunto. Siendo el sentido de rotación en esta clase de motores del polo principal al que lleva la espira auxiliar, resultará que en la figura 9.47 el giro será directo (sentido de las agujas del reloj) y en la 9.48 inverso. Este método de inversión se adoptará siempre que el motor no sea reversible desde el exterior.

Hay también un tipo de motor de polos con espira auxiliar, reversible desde el exterior, que lleva un arrollamiento principal y dos auxiliares (fig. 9.49). El estator es ranurado; el arrollamiento principal abarca normalmente varias ranuras, pero puede constar sólo de una sola bobina por polo. Como se ve en la figura 9.49, los dos arrollamientos auxiliares forman en cada polo principal dos polos, uno en cada extremo, si bien durante el funcionamiento sólo se utiliza un arrollamiento auxiliar. La figura 9.50 muestra un típico diagrama de pasos correspondiente a un motor tetrapolar de doce ranuras; en la 9.51 se representa el esquema de conexiones de este motor. Los polos principales están conectados en serie y con polaridad alternada, lo mismo que los auxiliares. Cuando se desea que el motor gire en un sentido, se cierra el circuito de uno de los arrollamientos auxiliares y se deja el otro abierto; para el giro en sentido contrario se procede a la inversa, como indica claramente la figura 9.51, con lo cual cambia la posición relativa de los polos auxiliares con respecto a los principales.

Otro tipo de motor de polos con espira auxiliar, reversible desde el exterior, lleva dos arrollamientos principales y uno auxiliar. La figura 9.52 muestra dos polos de un arrollamiento de este tipo, y la 9.53 el diagrama de pasos típico de un motor tetrapolar con doce ranuras. En este tipo de motor el arrollamiento auxiliar puede ser devanado o consistir de simples anillos de cobre. Para el giro directo se utiliza uno de los arrollamientos principales y se interrumpe el otro. Para el giro inverso se permutan los arrollamientos principales.

Para la detección, localización y reparación de averías en estos motores se siguen los mismos procedimientos que para los de los otros tipos.

MOTORES PARA VENTILADOR (VARIACION DE LA VELOCIDAD)

Sobre estos motores ya tratamos detalladamente en los capítulos referentes a los motores de fase partida, a los motores con condensador y a los polifásicos, y también al principio de este capítulo. En este apartado se describirán únicamente los métodos para variar su velocidad cuando se emplean para accionar ventiladores o sopladores.

Motores para ventiladores de techo

El motor de fase partida y el motor con condensador son los que más se usan para accionar ventiladores de techo. Los motores de fase partida con dos velocidades llevan por lo general dos arrollamientos de servicio y uno o dos de arranque. Las figuras 9.54 y 9.55 muestran dos esquemas de este tipo de motor, con uno y con dos arrollamientos de arranque.

La figura 9.56 representa un motor de tres velocidades con un arrollamiento de servicio, otro auxiliar y otro de arranque. Los arrollamientos de servicio y auxiliar están alojados en las mismas ranuras, y el de arranque dispuesto a 90° eléctricos de los dos citados. Para funcionamiento a la velocidad mayor, el arrollamiento de servicio queda conectado directamente a la red; el de arranque y el auxiliar van unidos en serie. Para la velocidad media, el arrollamiento de servicio se conecta en serie con la mitad del auxiliar, y el de arranque también en serie con la otra mitad del auxiliar. Para la velocidad menor, los arrollamientos de servicio y auxiliar son conectados en serie, y el de arranque directamente a la red. Como muestra el esquema de la figura 9.56, el arrollamiento auxiliar lleva una forma central y el motor va equipado con interruptor centrífugo. Este motor se emplea también para ventiladores de pared.

En otro tipo de motor de fase partida para ventilador con dos velocidades hay tan sólo un arrollamiento de servicio y otro de arranque. Consideremos un motor tetrapolar, aunque de este tipo se construyen también motores con otros números de polos. Para funcionar a la velocidad mayor, los cuatro polos principales quedan conectados en dos ramas iguales en paralelo, que dan polaridades alternas en polos contiguos. Para la velocidad menor, los cuatro polos van conectados en serie, y se obtienen polaridades iguales en polos contiguos. La conexión en este último caso es de polo consecuente, y motiva la formación de cuatro polos adicionales entre los principales. De resultas de ello el motor girará a la velocidad correspondiente a ocho polos. En ambos casos el arrollamiento de arranque está conectado directamente a la red. Este tipo de motor lleva dos polos salientes de arranque con conexión de polo consecuente, que dan origen a cuatro polos para ambas velocidades. Ordinariamente salen cuatro terminales al exterior. La figura 1.77 reproduce el esquema de este motor.

El motor de dos velocidades con condensador se usa también para ventiladores de techo. Existe un tipo similar al representado en la figura 9.54, con la única diferencia de haber un condensador intercalado en el circuito del arrollamiento de arranque (fig. 9.57).

Otro tipo de motor de dos velocidades con condensador, para ventiladores de techo, es el representado en la figura 9.58. Este motor, que no emplea interruptor centrífugo, puede habilitarse para tres velocidades sacando una derivación central del arrollamiento auxiliar, como indica la figura 9.59, la cual permite el funcionamiento a una velocidad intermedia. El motor es similar al de fase partido de tres velocidades, con la substitución del interruptor centrífugo por un condensador. Este tipo de motor se emplea bastante para accionar sopladores en instalaciones de acondicionamiento de aire.

Ventiladores de mesa y de pared

Para estos ventiladores se emplean los más diversos tipos de motores: universales, de fase partida, de condensador, de polos con espira auxiliar e incluso trifásicos. Todos ellos trabajan con corriente monofásica.

El motor universal para ventilador lleva en su base un reóstato para graduar la velocidad (fig. 9.60). Una palanca que se prolonga al exterior sirve para intercalar más o menos resistencia en el circuito.

Los motores de fase partida para ventiladores de pared van devanados como los ordinarios de aquel tipo, aunque en muchos de ellos se suprime el interruptor centrífugo. Para variar la velocidad se utiliza un autotransformador montado en la base del ventilador (fig. 9.61), que al mismo tiempo sirve para producir un desfase de corriente en el arrollamiento de arranque. El primario del transformador lleva varias tomas o derivaciones para las diversas velocidades, y va conectado en serie con el arrollamiento principal; el arrollamiento de arranque va en bornes del secundario del transformador. Estos motores suelen ser por lo regular hexapolares.

La figura 9.62 muestra el esquema de conexiones de un motor con condensador empleado para ventiladores de pared. El condensador, que es de 1μF, va intercalado en el circuito del arrollamiento de arranque. Para aumentar la energía almacenada en el condensador, y por lo tanto el par de arranque del motor, aquél va conectado a un autotransformador. Las tomas o derivaciones de éste permiten elegir (entre varias) la velocidad del ventilador.

Ventiladores para aparatos calefactores

Los aparatos calefactores suelen estar suspendidos del techo de habitaciones o locales amplios, y están equipados con un ventilador encargado de distribuir el aire caliente por todo el local. El motor utilizado para este ventilador acostumbra estar conectado a un autotransformador para la variación de la velocidad, que se efectúa mediante un interruptor de llave (fig. 9.63). El motor suele ser del tipo con condensador permanente de una sola capacidad. Para reducir la velocidad basta reducir la tensión en los arrollamiento de servicio y de arranque mediante el autotransformador; cuanto menor sea la tensión aplicada, tanto menor será la velocidad del motor.

Existen también otros métodos para variar la velocidad. En algunos motores se hace variar la tensión tan sólo en el arrollamiento de servicio, pero se mantiene constante en el de arranque. En otros motores el arrollamiento de servicio consta de dos secciones que se conectan en serie para funcionamiento a la velocidad mayor. Para la velocidad menor se conectan las dos secciones a la mitad de tensión a través de un autotransformador. Por lo regular, estos motores pueden funcionar a tres velocidades distintas.

También hay ventiladores con motores de polos con espira auxiliar. Su velocidad se varía intercalando en el circuito del arrollamiento principal una bobina de reactancia, como indica la figura 9.64. Las diferentes velocidades se consiguen según la toma o derivación elegida de la bobina.

Las figuras 9.65 a 9.67 muestran los esquemas de conexiones de motores de polos con espira auxiliar y velocidades múltiples, empleados para el accionamiento de ventiladores, pequeños sopladores y aparatos calefactores. La velocidad se varía en los mismos eligiendo diferentes tomas de sus arrollamientos. Las figuras 9.65 y 9.66 muestran las conexiones internas, y la figura 9.67 las externas.

Algunos motores para ventilador llevan un arrollamiento trifásico en estrella, aunque trabajan con corriente monofásica. En estos motores, uno de los arrollamiento tiene las bobinas ejecutadas con hilo de resistencia (fig. 9.68), lo que hace que la corriente en dicho arrollamiento quede desfasada con respecto a la de los demás. Otro de los arrollamientos va conectado en serie con una reactancia montada en la base del ventilador y provista de tomas o derivaciones para la elección de la velocidad. El tercer arrollamiento va conectado directamente a la red. La resistencia y la reactancia engendran un campo giratorio, que arrastra al rotor.

Motores trifásicos de una sola velocidad

Los motores para grandes ventiladores o sopladores están por lo general devanados y conectados para corriente trifásica, y suelen estar previstos para una sola velocidad. En las figuras 9.69 y 9.70 se muestran dos esquemas del bobinados de un motor trifásico de 48 ranuras y 24 bobinas, conectado en estrella - serie para ocho polos. Las bobinas de este motor están alojadas en ranuras alternadas, y cada una ocupa dos ranuras completas. Si el motor está previsto para dos tensiones, llevará seis terminales exteriores. Para la tensión menor deberán conectarse sus arrollamientos en triángulo / serie, y para la tensión mayor, en estrella / serie.

Tabla para la selección de motores pequeños

La tabla reproducida en la figura 9.71 pone de manifiesto las características comparativas de los principales tipos normalizados de motores pequeños susceptibles de satisfacer las exigencias impuestas por casi todas las aplicaciones.

Capítulo X

Generadores de corriente continua. Motores y generadores síncronos. Sincronizadores. Gobierno de motores mediante tubos electrónicos

Antes de estudiar los generadores de corriente continua es conveniente dejar bien sentada cuál es la diferencia existente entre un motor y un generador eléctricos. Ya se ha dicho anteriormente que un motor eléctrico es una máquina que, alimentada con corriente eléctrica, es capaz de ejecutar un trabajo mecánico cualquiera, como por ejemplo impulsar un ascensor o bien accionar una bomba. Un generador eléctrico es, por el contrario, una máquina que, accionada mecánicamente (por ejemplo, mediante una máquina de vapor, un motor diesel o un motor eléctrico), produce energía eléctrica.

GENERADORES DE CORRIENTE CONTINUA

Estos generadores, llamados normalmente *dínamos*, son similares, en aspecto y construcción, a los motores de corriente continua. Tanto el inducido como los polos inductores son idénticos en ambas máquinas. Por dicha razón una dínamo puede transformarse fácilmente en motor de corriente continua, y viceversa.

Los generadores de corriente continua se construyen de muy diversos tamaños, que abarcan potencias comprendidas entre una fracción de quilovatio (kW) y varios millares de kW. La figura 10.1 muestra el aspecto exterior de una dínamo de potencia mediana.

Funcionamiento de la dínamo

Si se hace mover un conductor en un campo magnético de manera que corte sus líneas de fuerza, se engendrará en el primero una fuerza electromotriz (fig. 10.2), cuyo valor puede medirse conectando los terminales de un voltímetro a los extremos del citado conductor. Si en lugar de un conductor hay varios, y están conectados en serie (como las espiras de una bobina), el valor de la fuerza electromotriz inducida será el de la suma de las fuerzas electromotrices o tensiones engendradas en cada uno de los conductores. El valor de la tensión inducida depende también de la intensidad del campo magnético y de la velocidad con que los conductores cortan sus líneas de fuerza. Cuanto mayor sea la intensidad del campo, tanto mayor será la tensión inducida; cuanto mayor sea la velocidad de corte, tanto mayor será también la tensión inducida.

Si el conductor representado en la figura 10.2 se mueve hacia abajo, la corriente inducida en el mismo tendrá el sentido indicado por las flechas. Si el conductor se mueve hacia arriba, la corriente inducida tendrá un sentido contrario. El sentido de la corriente depende, pues, del sentido del movimiento del conductor. Asimismo, el cambio de sentido de las líneas de fuerza magnéticas motiva el cambio de sentido de la corriente inducida.

En la figura 10.3 se representa un conductor arrollado en forma de bobina de inducido, con sus extremos conectados a un colector de dos delgas. Si esta bobina se hace girar, sus lados cortarán líneas de fuerza y se obtendrá una tensión continua en las escobillas que hacen contacto sobre dichas delgas.

De lo expuesto se deduce que para engendrar la corriente eléctrica se necesitan tres factores: 1, líneas de fuerza (flujo) magnéticas; 2, un conductor, y 3, que este último corte a las primeras. El campo magnético necesario para la producción de la corriente eléctrica puede conseguirse de tres maneras diferentes:

1. Mediante imanes permanentes, como ocurre en las magnetos.
2. Excitando las bobinas inductoras de la dínamo con corriente continua procedente de una batería o de una excitatriz (*excitación independiente*).
3. Excitando las bobinas inductoras con la corriente generada por la propia dínamo (*autoexcitación*).

Dínamo con excitación independiente

Cuando las bobinas inductoras se excitan con corriente continua suministrada por una fuente eléctrica exterior, se dice que la dínamo tiene *excitación independiente*. La figura 10.4 muestra el esquema de una dínamo bipolar excitada por una batería de acumuladores. Al girar el inducido en el campo magnético, la tensión inducida hace circular corriente por el circuito de utilización o carga.

Dínamo con autoexcitación

La mayoría de las dínamos utilizan como corriente de excitación toda o parte de la corriente generada en su inducido, por lo que se las llama dínamos con *autoexcitación*. La figura 10.5 representa el esquema de una dínamo de este tipo. Mientras el inducido permanece en reposo el campo inductor es muy débil, ya que consiste únicamente en el magnetismo remanente de los núcleos polares. Cuando el inducido empieza a girar, sus conductores cortan este campo débil y se induce en ellos una tensión también muy pequeña. Sin embargo, esta tensión excita ligeramente las bobinas inductoras, que crean líneas de fuerza adicionales. Puesto que el inducido gira ahora en un campo más intenso, genera una tensión mayor; ésta determina una mayor excitación de las bobinas inductoras, que a su vez se traduce en un nuevo aumento de flujo magnético. Este proceso se va repitiendo hasta que los polos inductores quedan saturados magnéticamente.

Hay tres tipos de dínamos con autoexcitación: la dínamo serie, la dínamo derivación y la dínamo compound.

Dínamo serie. Este tipo de generador, cuyo esquema muestra la figura 10.6, se utilizó antiguamente para el alumbrado de calles, pero hoy se emplea raras veces. Como puede observarse, sus conexiones son iguales que las de un motor serie, pero con el circuito de utilización o de carga en vez de la red de alimentación. El inducido, los arrollamientos inductores y la carga van conectados en serie. Si ésta se desconecta de los bornes de la dínamo, quedará interrumpido el circuito de excitación y por tanto no se producirá en el inducido tensión alguna. En cambio, si se conecta una carga pequeña (una lámpara por ejemplo), circulará una corriente débil por el arrollamiento inductor y en consecuencia se generará en el inducido una fuerza electromotriz también débil. Si la carga conectada es mayor, también serán mayores la corriente de excitación y la fuerza electromotriz engendrada. Generalizando, al aumentar la carga aumenta la fuerza electromotriz inducida. Esta es una de las características de la dínamo serie: sin carga, o sea en vacío, la tensión en bornes es nula, y a plena carga, máxima.

Dínamo derivación. En esta dínamo, las bobinas inductoras y el inducido están conectados en paralelo (fig. 10.5); la intensidad del campo inductor es, por tanto, prácticamente constante e independiente de la carga. Sin embargo, al aumentar la carga disminuye la tensión en los bornes debido a la mayor caída de tensión que se produce en el inducido. Una característica de la dínamo derivación es, pues, el ligero descenso de la tensión en los bornes al aumentar la carga. La tensión es máxima en vacío y decrece gradualmente a medida que la carga aumenta.

Dínamo compound aditivo. Hay varios tipos de dínamos compound; el más usual es el aditivo de derivación corta. Igual que en el motor compound de corriente continua del mismo nombre, lleva el arrollamiento derivación conectado en bornes del inducido; por otra parte, la corriente circula en el mismo sentido por ambos arrollamientos inductores (derivación y serie). Esta dínamo puede transformarse fácilmente en otra de derivación larga variando la correspondiente conexión.

Los esquemas de las figuras 10.7 y 10.8 representan una dínamo compound aditiva de derivación corta. La tensión suministrada por este generador es sensiblemente constante, o sea independiente de la carga; sin embargo, dicha tensión puede ajustarse variando el número de espiras del arrollamiento serie o bien conectando un reóstato en paralelo con este arrollamiento, con objeto de variar la corriente que circula por él. En general, las características de la dínamo compound son una combinación de las características de las dínamos serie y derivación.

Variando el número de espiras del arrollamiento serie se pueden obtener tres tipos de dínamo compound: 1, hipercompound; 2, compound propiamente dicha, y 3, hipocompound.

1. Si el número de espiras del arrollamiento serie es superior al que se necesita para obtener la misma tensión de bornes con cualquier carga, la dínamo es *hipercompound.* Esto significa que cuando la carga aumenta, aumenta también la tensión generada. En vacío, la tensión de bornes es la nominal; a plena carga, dicha tensión se incrementa aproximadamente en un 5 %. Estas condiciones son las que interesan cuando el generador se halla alejado de la carga, pues el aumento de tensión compensa la caída que se produce en la línea.
2. Si el número de espiras del arrollamiento serie es justamente el que se

necesita para que la tensión a plena carga y la tensión en vacío sean iguales, la dínamo es *compound* propiamente dicha. Este tipo de dínamo se emplea cuando la carga no está muy alejada (por ejemplo, en el mismo edificio).

3. Si el número de espiras del arrollamiento serie es inferior al de la dínamo compound, se obtiene la dínamo *hipocompound*. En esta máquina, la tensión en vacío es la nominal, pero baja rápidamente en cuanto la carga aumenta, y a plena carga llega a valer un 80 % de la tensión nominal. Esta dínamo resulta útil cuando pueden ocurrir cortocircuitos en el receptor que alimenta (por ejemplo, una máquina de soldar).

Dínamo compound diferencial. La figura 10.9 muestra el esquema de una dínamo compound diferencial con derivación corta. Obsérvese cómo la corriente en el arrollamiento serie es de sentido contrario a la del arrollamiento derivación. En consecuencia, al aumentar la carga aumenta también la intensidad del campo inductor serie, pero como éste se halla en oposición con el campo inductor derivación, el flujo resultante se debilita rápidamente. La característica de esta dínamo será, pues, tensión nominal en vacío y fuerte descenso de la misma al aumentar la carga.

Polos auxiliares o de conmutación

Todas las dínamos mencionadas llevan por lo regular polos auxiliares. Estos polos van conectados en serie con el inducido, lo mismo que en los motores de corriente continua. No obstante, la polaridad de los polos auxiliares en una dínamo es contraria a la de los de un motor. La regla es la siguiente: en todo generador de corriente continua, la polaridad de un polo auxiliar es la misma que la del polo principal que le precede en el sentido de la rotación del inducido. Los polos inductores se verifican de igual modo que en los motores de corriente continua. De la dínamo se sacan al exterior cinco o seis terminales. La figura 10.10 muestra el esquema de una dínamo bipolar con un polo auxiliar.

Conversión de un motor compound en dínamo

La conexión de un motor compound suele ser aditiva con derivación larga. Para convertir este motor en dínamo es necesario transformar la derivación larga en corta y permutar los terminales del arrollamiento serie. La primera modificación es de comprensión inmediata, y sólo debe llevarse a cabo cuando interesa expresamente. La permutación de los terminales del arrollamiento serie es necesaria porque en una dínamo las bobinas inductoras se alimentan del inducido; por consiguiente, de no efectuarse dicha permutación en el arrollamiento serie, la dínamo quedaría excitada como compound diferencial (fig. 10.11). Obsérvese que, con la conversión, el sentido de giro de la máquina permanece inalterado.

Gobierno de la tensión

Para tal fin se utiliza un reóstato de excitación en serie con el arrollamiento derivación, como muestra la figura 10.12. Mediante esta disposición puede variarse la corriente en el arrollamiento citado y por tanto el número de líneas de fuerza del campo inductor. Cuando circula la corriente máxima por el arrollamiento derivación, la tensión engendrada es también la máxima; si se intercala resistencia en el circuito, la tensión se va reduciendo.

Manera de medir la tensión y la corriente de una dínamo

Los instrumentos utilizados para tal fin son el voltímetro y el amperímetro, respectivamente. El voltímetro se conecta siempre en *paralelo* y el amperímetro en *serie,* como indica la figura 10.13. El amperímetro es en realidad un milivoltímetro con un shunt interno, y mide la caída de tensión que se produce en el citado shunt; éste se halla calibrado de modo que las lecturas del instrumento estén expresadas directamente en amperios. Algunas veces el amperímetro va equipado con un shunt externo, en cuyo caso la conexión del mismo es la indicada en el esquema de la figura 10.14. Para medir la tensión y la intensidad en un motor se procede del mismo modo, o sea conectando el voltímetro en paralelo y el amperímetro en serie con la línea.

Acoplamiento en paralelo de dínamos compound

Cuando la carga aplicada a un generador es superior a la capacidad de éste, no queda otro remedio que disminuir la carga o bien acoplarle otro generador en paralelo para repartir la carga entre los dos. Este acoplamiento se representa en el esquema de la figura 10.15.

Para el acoplamiento de dos dínamos en paralelo es preciso que la tensión de ambas sea exactamente la misma. La tensión se ajusta con el reóstato de excitación y se mide con el voltímetro del modo indicado. En primer lugar deben unirse entre sí los bornes de igual polaridad; luego se conectan en paralelo, mediante uniones compensadoras, los arrollamientos serie de ambas máquinas. Las uniones compensadoras son necesarias por la siguiente razón: si la velocidad de la máquina 1 (fig. 10.16 izquierda) es ligeramente superior a la de la máquina 2, la tensión de la primera será mayor y por tanto, al pasar más corriente por su arrollamiento serie, la potencia útil de la misma será también superior. Por tal motivo, la dínamo 1 tomará más carga que la dínamo 2. Al disminuir la carga en la dínamo 2 volverá a incrementarse, por la misma razón, la carga de la dínamo 1, hasta llegar un momento en que esta última tomará toda la carga y la otra funcionará como motor.

Con el empleo de uniones compensadoras, el exceso de corriente de la dínamo 1 se distribuye entre los arrollamientos serie de ambas dínamos, impidiendo que una tome más carga que la otra. Esto se comprende fácilmente examinando el esquema de la figura 10.16 derecha, donde, para simplificar, se ha omitido la representación de los arrollamientos derivación. Cada generador tiene entonces la misma excitación y, por tanto, engendra la misma tensión; luego ambos se reparten la carga equitativamente.

Detección, localización y reparación de averías

Las pruebas para detectar defectos en dínamos son análogas a las que se aplican a los motores de corriente continua. Los defectos que pueden presentarse en las primeras, pero no en los segundos, junto con las causas que los determinan, son los siguientes:

1. Si no se genera corriente, las causas pueden ser:
   a) Pérdida del magnetismo remanente. Si los polos han perdido el magnetismo remanente, el inducido no corta líneas de fuerza y no genera corriente. Para remediar tal avería basta conectar el arrollamiento derivación a una fuente de corriente continua durante varios segundos.
   b) Exceso de resistencia en el circuito del arrollamiento inductor. Puesto que el funcionamiento de una dínamo se basa en el incremento progresivo de su excitación, se comprende que la máquina no llegue a generar tensión si una resistencia excesiva en el arrollamiento derivación impide que circule por él la corriente de excitación necesaria. Esta resistencia excesiva puede ser debida al reóstato de excitación, a una interrupción en el arrollamiento derivación, a conexiones flojas, a un mal contacto de las escobillas o a la rotura del terminal flexible de una escobilla.
   c) Conexión equivocada del arrollamiento derivación. El magnetismo remanente de una dínamo crea líneas de fuerza que van del polo norte al polo sur. Si la corriente que circula por el arrollamiento inductor no va en el sentido debido, como es el caso de la figura 10.17, se producirán líneas de fuerza en sentido opuesto a las anteriores, la intensidad del campo resultante será nula y no se engendrará

tensión. La solución consiste en permutar los terminales del arrollamiento derivación o bien en invertir el sentido de giro de la dínamo.

d) Rotación en sentido contrario. Es un caso similar al de la inversión de polaridad inductora, ya que en ambos casos la corriente circula por el arrollamiento derivación en sentido incorrecto. Se remedia esta avería invirtiendo el sentido de giro de la máquina o permutando los terminales del arrollamiento derivación.

e) Cortocircuito en el inducido o en el arrollamiento inductor. Un cortocircuito en cualquiera de estos dos puntos sólo permitirá que se genere una tensión muy baja. Si el cortocircuito es completo, la tensión no aumentará y el inducido humeará. Si todos los demás defectos quedan descartados, procédase a la detección de cortocircuitos en el inducido o en el arrollamiento inductor, siguiendo los métodos descritos para los motores de corriente continua (capítulo VII).

2. Si la tensión cae rápidamente al conectar la carga, puede ser debido a las causas siguientes:

a) Conexión diferencial.
b) Cortocircuito en el inducido.
c) Sobrecarga.

3. Si la tensión no llega a alcanzar el valor máximo previsto, las causas pueden ser:

a) Escobillas mal decaladas. Se dispondrán en la posición correcta (línea neutra) de acuerdo con lo expuesto en el capítulo VII; en las dínamos con polos auxiliares deberán situarse precisamente debajo de dichos polos.
b) Cortocircuito en el inducido o en la bobinas inductoras.
c) Resistencia en el circuito del arrollamiento inductor.
d) Poca velocidad de giro.

Además de las averías acabadas de enumerar pueden presentarse las usuales en los motores de corriente continua (por ejemplo, las chispas en las escobillas). Las reparaciones se efectuarán lo mismo que en dichos motores, para lo cual remitimos el lector al capítulo VII.

MOTORES Y GENERADORES SINCRONOS

Un motor síncrono es un alternomotor cuyo rotor gira en sincronismo con el campo magnético rotatorio creado por el arrollamiento estatórico. Así, por ejemplo, como en un motor síncrono tetrapolar alimentado a una frecuencia de 50 períodos el campo giratorio estotórico se desplaza a razón de 1.500 revoluciones por minuto, el rotor de dicho motor girará también a esta velocidad.

En el motor usual de inducción o asíncrono, el rotor debe girar ligeramente por debajo de la velocidad síncrona para que exista un desplazamiento *relativo* entre las barras de la jaula de ardilla y el campo inductor rotatorio, sin el cual no habría corte de líneas de fuerza ni tensión rotórica inducida. La diferencia porcentual (referida a la velocidad síncrona) entre ésta y la velocidad real del rotor se llama *deslizamiento*. El deslizamiento de un motor síncrono es, pues, nulo.

Los motores síncronos del tipo representado en la figura 10.18 se construyen con potencias comprendidas entre 20 caballos y varios centenares de caballos, y se utilizan en todas las aplicaciones que requieran una velocidad constante. En muchos casos se emplean también para mejorar el factor de potencia de la red eléctrica en centrales o fábricas. También se fabrican motores síncronos pequeños, si bien su construcción difiere de la de los motores grandes.

Motores síncronos con rotor excitado

Hay motores síncronos cuyo rotor está excitado con corriente continua; otros no tienen excitación en el rotor. Los del primer tipo tienen un núcleo y un arrollamiento estatóricos como los de un motor trifásico de inducción; el rotor tiene polos salientes (fig. 10.19), semejantes a los de un motor de corriente continua. De las bobinas inductoras, montadas en los polos del rotor y conectadas en serie de modo que formen polaridades alternadas, parten dos hilos que van conectados a dos anillos de toma montados sobre el eje del motor. Las bobinas inductoras del rotor se excitan con corriente continua, que suministra una pequeña dínamo (excitatriz) montada generalmente en el propio eje del motor. El arrollamiento estatórico se conecta normalmente a una red de alimentación trifásica.

El rotor está provisto además de una jaula de ardilla, dispuesta a su alrededor, y exactamente igual que la de los motores asíncronos de inducción. Este arrollamiento auxiliar es necesario para poner la máquina en marcha, pues el motor síncrono no puede arrancar por sí solo.

Funcionamiento del motor síncrono

Al cerrar el interruptor de línea y circular corriente por el arrollamiento estatórico, se forma en el motor un campo magnético giratorio, que induce una corriente en la jaula de ardilla; el campo rotórico reacciona entonces con el estatórico, y se produce un par que hace que el motor arranque. La velocidad de éste va aumentando poco a poco hasta llegar casi a la de sincronismo. En este momento se excitan las bobinas inductoras del rotor con corriente continua, quedando así formados sobre éste unos polos magnéticos definidos, que tienden a situarse frente a los giratorios del estator de nombre contrario. Con ello se incrementa la velocidad del rotor hasta alcanzar la de sincronismo.

Cuando el motor síncrono se emplea para corregir el factor de potencia en una red de corriente alterna, se sobreexcitan los arrollamientos del rotor; esto hace que el motor absorba una gran corriente en avance de fase. Así se corrige el desfase en retraso propio de las redes donde van conectados muchos motores de inducción. La corriente adelantada que absorbe el motor síncrono sobreexcitado compensa la corriente atrasada que toman los motores asíncronos de la red. Cuando el motor síncrono se emplea con esta finalidad recibe el nombre de *condensador síncrono.*

Arrollamientos

El arrollamiento estatórico de un motor síncrono consiste en una serie de bobinas alojadas en ranuras, igual que en el motor trifásico de inducción. La conexión de las bobinas puede ser en estrella o en triángulo, pero de modo que se forme un determinado número de polos. Del estator salen al exterior tres hilos para conexión a la red, como indica la figura 10.20.

Las bobinas rotóricas, en número igual al de polos del estator, se devanan de igual manera que las bobinas inductoras de los motores de corriente continua. La jaula de ardilla, que sólo sirve para el arranque, va embutida en el núcleo de los polos; sus barras quedan unidas por ambos extremos mediante dos anillos de cobre.

El arrollamiento rotórico va arrollado en los diversos polos; sus bobinas están unidas en serie de modo que se produzcan polaridades alternadas. Dos terminales exteriores están conectados a los anillos de toma, por los que se envía corriente continua al arrollamiento (véase figuras 10.20 y 10.21).

Motor síncrono sin escobillas

Este tipo de motor síncrono carece de escobillas, de anillos de toma y de colector en el rotor. Anteriormente ya se ha indicado que es preciso equipar el motor con una pequeña dínamo o excitatriz, para suministrar la corriente continua de alimentación al arrollamiento inductor. Ello exige el empleo de escobillas y de colector en la excitatriz, por un lado, y de escobillas y anillos de toma en el motor síncrono, por el otro. En el motor síncrono sin escobillas sigue siendo necesaria la excitación por corriente continua, pero se obtiene mediante un generador de tensión alterna, la cual se convierte inmediatamente en continua con auxilio de rectificadores de silicio de gran capacidad. Los rectificadores de silicio sólo permiten la circulación de la corriente en un solo sentido, y ejercen de este modo una acción rectificadora si necesidad de contactos mecánicos deslizantes. Estos rectificadores se llaman comúnmente *diodos semiconductores,* y von montados según una conexión trifásica de puente. El puente trifásico de diodos, el rotor de la máquina excitatriz y el rotor del motor síncrono giran conjuntamente sobre el eje de este último, con lo cual queda suprimida toda necesidad de escobillas, colector y anillos de toma.

Los diodos semiconductores se describen detalladamente en el capítulo XI. Aquí sólo se indicarán, por tanto, esquemas elementales, sin entrar para nada en la teoría de la rectificación. La figura 10.22 muestra el esquema de un motor síncrono y del sistema generador de la corriente continua necesaria para alimentar su arrollamiento rotórico. El funcionamiento es el siguiente: el arrollamiento inductor de la excitatriz es alimentado con la tensión continua suministrada por un puente monofásico de rectificadores conectado a la red de corriente alterna. Cuando el rotor de la excitatriz gira en el campo magnético creado por dicho arrollamiento inductor, genera una tensión trifásica, que es aplicada a un puente trifásico de rectificadores y convertida por éstos en tensión continua. Con esta tensión se excita el arrollamiento rotórico del motor síncrono. El arrollamiento estatórico del mismo va conectado a una red normal trifásica de alimentación. Todos estos órganos, exceptuando el arrollamiento inductor de la excitatriz y el estator del motor síncrono, giran conjuntamente con el eje de este último.

El motor síncrono se arranca con auxilio de la jaula de ardilla de que está provisto su rotor; una vez alcanzada una velocidad próxima a la síncrona, el arrollamiento rotórico es excitado con corriente continua del modo indicado, con lo cual los polos creados entran en sincronismo con el campo giratorio debido al arrollamiento estatórico. Son necesarios otros componentes semiconductores para que la excitación sea aplicada a la velocidad conveniente y para cortocircuitar el arrollamiento rotórico durante la fase de arranque. Un reóstato intercalado en el circuito inductor de la excitatriz permite gobernar la tensión generada por la misma. Puede conseguirse un resultado análogo utilizando otros componentes semiconductores.

Motores síncronos con rotor no excitado

Estos motores pueden construirse tanto para alimentación monofásica como polifásica. Existe un tipo de ellos con un estator análogo al de un motor de fase partida o al de uno polifásico, y un rotor de jaula de ardilla en cuya periferia han sido talladas superficies planas (figura 10.23), formándose así una especie de polos salientes. El número de estos polos salientes debe ser igual que el de polos estatóricos, de los cuales reciben el magnetismo por inducción.

La jaula de ardilla sirve únicamente para arrancar el motor y acelerarlo hasta una velocidad próxima a la síncrona, que permita a los polos salientes del rotor entrar en sincronismo con el campo giratorio estatórico. Alcanzada ya la velocidad síncrona, la jaula de ardilla deja de ejercer efecto y la rotación del motor queda asegurada por la atracción entre los polos salientes del rotor y los polos del estator. Ciertos motores llevan los polos rotóricos de acero magnético, con lo cual conservan permanentemente su magnetismo.

Motores síncronos para relojes eléctricos

Un tipo muy corriente de motor síncrono es el utilizado hoy en gran escala para los relojes eléctricos. La mayoría de estos motores pueden arrancar por sí solos, mientras que algunos tienen que ser arrancados a mano. Los primeros llevan para el arranque polos con espira auxiliar (fig. 10.24) y son por lo general bipolares, por lo cual giran a 3.000 revoluciones por minuto (suponiendo una frecuencia de 50 Hz). No obstante, el rotor se construye también con 8, 16 o más polos salientes (el representado en la figura 10.25 tiene doce), y va provisto de la correspondiente jaula de ardilla. El motor arranca al enchufar el reloj, pues en este mismo instante se crea un campo rotativo que, al cortar los barras de la jaula de ardilla, proporciona el par de giro. Cuando el rotor alcanza una velocidad próxima a la de sincronismo (500 revoluciones por minuto en un motor de 12 polos), los polos del rotor, que han quedado polarizados por el campo del estator, entran en sincronismo con dicho campo y el motor gira a la velocidad síncrona.

En otro tipo de motor síncrono para relojes eléctricos, el rotor está constituido por varias chapas con la periferia cortada de modo que se formen muchos polos salientes (fig. 10.26). El estator consiste en un núcleo bipolar en forma de herradura, y de una o dos bobinas inductoras. Las piezas polares del estator están también cortadas de modo que se formen polos salientes de igual tamaño que los del rotor.

Estos motores no llevan espira auxiliar en los polos y, por tanto, no pueden arrancar por sí solos. Al enchufar el reloj se produce un campo magnético pulsatorio que corta los polos del rotor y los magnetiza, pero sin producir par de arranque. Ahora bien, si se imprime al rotor un giro inicial, a mano, sus polos serán atraídos por los del estator, se obtendrá un par de rotación y el motor girará a la velocidad de sincronismo. Esta velocidad depende del número de polos salientes y de la frecuencia de la corriente, y puede variar entre 375 revoluciones por minuto para 16 polos y 185 para 32 polos, si la frecuencia es de 50 períodos por segundo. En la figura 10.26 se representa un motor síncrono para reloj con 32 polos. Existen otros tipos de motores síncronos para relojes, que sólo difieren de los descritos en pequeños detalles y se fundan en el mismo principio.

Averías más comunes de los motores síncronos para relojes. Las más corrientes son la falta de engrase y el desgaste de los cojinetes. Por lo general, unas pocas gotas de aceite en los cojinetes remedian la avería. Si los cojinetes están muy desgastados, no habrá otro remedio que renovarlos, operación que debe practicar un relojero. Si el arrollamiento del motor está interrumpido o quemado, se renovará por entero; el rebobinado de un motor síncrono para relojes es difícil y caro.

Generadores síncronos (alternadores)

Un alternador es similar en construcción a un motor síncrono de rotor excitado. Consiste en un estator con arrollamiento trifásico y un rotor de polos inductores salientes excitados con corriente continua. La presencia o ausencia de jaula de ardilla depende del uso a que se destine el alternador.

Lo mismo que la dínamo, el alternador tiene que ser accionado por un motor eléctrico, una turbina de vapor, un motor Diesel, etc. Del arrollamiento del estator, que por lo regular va conectado en estrella, salen al exterior tres hilos o cuatro si la distribución se hace con tres fases y neutro.

Para entrar en servicio un alternador, se lleva primero a la velocidad de régimen y luego se excitan lentamente los polos rotóricos con corriente continua. Al girar el campo magnético creado por el rotor, el arrollamiento estatórico corta líneas de fuerza, y por tanto se induce en él una tensión. Si el estator lleva arrollamiento trifásico, se engendrará una tensión trifásica; si se necesita monofásica, sólo se utilizan dos de los hilos exteriores, o, si la conexión es en estrella, un hilo de fase y el neutro. Si se desea tensión bifásica, habrá que transformar la tensión trifásica en bifásica, o bien utilizar un alternador bifásico.

La figura 10.27 representa el esquema de conexiones de un alternador trifásico en estrella. Obsérvese su semejanza con el del motor síncrono de la figura 10.21. Siendo la frecuencia de la tensión generada por un alternador función de la velocidad y del número de polos de la máquina, la variación de la tensión de excitación no influirá sobre la frecuencia, aunque sí sobre la tensión engendrada por la máquina. Esta tensión varía con la carga, razón por la cual si se desea mantener la primera constante es preciso gobernar la tensión de excitación, sea manualmente, sea con auxilio de un regulador automático.

Alternador sin escobillas

El alternador sin escobillas es de construccion muy similar a la del motor síncrono sin escobillas que ya hemos descrito. Los órganos giratorios son ahora el rotor del alternador, provisto de los polos inductores con su arrollamiento, el rotor de la excitatriz y el grupo de diodos semiconductores. Puesto que todos ellos giran conjuntamente con el eje del alternador, no se necesitan anillos de toma, escobillas ni colector. La figura 10.28 muestra el esquema de un generador síncrono sin escobillas. El arrollamiento inductor de la excitatriz se alimenta desde una red de corriente alterna monofásica, a través de un rectificador. La tensión trifásica generada por la excitatriz cuando se acciona mecánicamente su eje, se rectifica a tensión continua por medio de un puente trifásico de diodos semiconductores. Con esta tensión continua se alimenta el arrollamiento inductor de los polos rotóricos del alternador. Como este rotor también es accionado mecánicamente, las líneas de fuerza del campo rotórico cortan el arrollamiento estatórico e inducen una tensión trifásica en él.

Pueden utilizarse componentes a base de semiconductores no sólo para la rectificación, sino también para la regulación estática de la tensión, y la detección y compensación previas de las tensiones a efectos de un acoplamiento en paralelo. Se recuerda que es necesaria una máquina motriz (por ejemplo, un motor eléctrico, un motor Diesel, etc.) para impulsar el alternador.

Acoplamiento de alternadores en paralelo

Antes de acoplar dos o más alternadores en paralelo es preciso que se cumplan determinadas condiciones.

1. Las tensiones generadas por los alternadores tienen que ser iguales, y sus frecuencias también. Suponiendo que hayan de acoplarse en paralelo dos alternadores, se ajustará primero en ambos la tensión variando la tensión aplicada al arrollamiento inductor de la excitatriz; la frecuencia se ajustará variando la velocidad de la máquina motriz.

2. Las polaridades de los alternadores deben estar sincronizadas. Esta operación se llama "poner los alternadores en fase", y se efectúa como sigue: supongamos que se desea acoplar al alternador B con el A (fig. 10.29). Se conectan tres series de lámparas como indica el esquema. Suponiendo que ambos alternadores giran a la velocidad conveniente y generan la tensión prevista, si las tres lámparas se encienden y se apagan a un mismo tiempo, se indica que ambas máquinas tienen las polaridades sincronizadas. Se ajusta entonces nuevamente la tensión y la frecuencia del alternador B hasta que todas las lámparas permanezcan apagadas. En este momento puede cerrarse el interruptor trifásico, puesto que ambos alternadores cumplen las condiciones requeridas para ser acoplados en paralelo. Pero si cada serie de lámparas se enciende y se apaga alternativamente, es señal de que no hay correspondencia de fases entre las dos máquinas. En tal caso basta permutar dos terminales cualesquiera del alternador B en el interruptor trifásico y efectuar seguidamente las operaciones anteriores. Este método se llama el de "todo apagado".

Otro sistema de sincronización consiste en conectar los tres juegos de lámparas de la manera que muestra la figura 10.30. Este método, que se llama el de "uno apagado y dos encendidos", es más recomendable que el anterior. Estando ambos alternadores en marcha, sus fases estarán sincronizadas cuando un juego de lámparas permanezca apagado y los otros dos encendidos. Estonces podrá cerrarse el interruptor trifásico de acoplamiento.

SINCRONIZADORES

Un sincronizador (a veces llamado "sincro") es una pequeña máquina rotativa muy similar a un alternador. La diferencia estriba en que el arrollamiento inductor del alternador se excita con corriente continua, mientras que el del sincro se excita con corriente alterna. El arrollamiento estatórico es trifásico. Los sincros no se utilizan como motores, motivo por el cual no se indica su potencia en caballos, sino el par ejercido en gramos · centímetro. Los sincronizadores se utilizan para señalización, gobierno o indicación a distancia, y se emplean siempre en combinación con otra o varias máquinas similares. Cuando gira uno de los sincros (el transmisor), el otro (el receptor) gira un ángulo exactamente igual, tanto si el primero ha dado una vuelta completa como si tan sólo ha girado un grado.

Construcción de un sincronizador

Hay diferentes tipos de sincros. El más corriente consiste en un estator como el de la figura 10.31, similar al de un motor de fase partida o al de uno polifásico de inducción; en sus ranuras se aloja un arrollamiento trifásico conectado en estrella. Del estator salen tres hilos al exterior para la conexión a otro soncronizador. El rotor consiste por lo regular en un núcleo con dos polos salientes (fig. 10.32), cuyas bobinas inductoras están conectadas de modo que creen polaridades contrarias. Los terminales de este arrollamiento inductor están unidos a dos anillos de toma sobre los cuales rozan las dos escobillas que lo alimentan con corriente alterna. También existen sincronizadores diseñados con el arrollamiento trifásico en el rotor y con un arrollamiento bipolar distribuido en el estator. Todos los sincros van equipado con cojinetes de bolas muy bien ajustados, que aseguran un funcionamiento excepcionalmente suave.

Funcionamiento de un sincronizador

Todo sincronizador puede considerarse como un transformador. El arrollamiento inductor (rotor) obra como primario, y va conectado a una fuente de corriente alterna; el arrollamiento trifásico (estator) hace las veces de secundario. Por ser tres las fases existentes en el estator, se inducirá una tensión en cada una. Estas tensiones diferirán según la posición del rotor con respecto al estator. Si el rotor se hace girar lentamente a mano, se inducirán diferentes tensiones en el arrollamiento trifásico. La figura 10.33 muestra el esquema de conexiones de un sincro. Como puede observarse, hay cinco terminales exteriores, tres del arrollamiento trifásico y dos del arrollamiento del rotor. Obsérvese además que este último arrollamiento se excita con corriente alterna a 120 V.

Hay un sincronizador situado en la estación transmisora y otro en la receptora. Los dos sincros se conectan como indica la figura 10.34: los arrollamientos trifásicos (secundarios) uniendo sus terminales homólogos, y los rotóricos (primarios) derivados de la misma red de corriente alterna de alimentación.

Si los rotores de ambos sincronizadores ocupan la misma posición, las tensiones generadas en las correspondientes fases de los arrollamientos secundarios serán iguales. Como las fases homólogas van interconectadas, las tensiones inducidas serán de sentido contrario y, por tanto, ni circulará corriente. Pero si el rotor del transmisor se aparta de su posición inicial (fig. 10.35), las tensiones inducidas en ambas máquinas serán desiguales y opuestas y pasará corriente de un estator a otro. Esta corriente originará un par en el receptor y hará girar su rotor hasta una posición exactamente igual a la que ocupa el rotor del transmisor. Cuando ambos rotores se encuentren en la misma posición ya no circulará corriente, y el rotor del receptor se parará.

Si el receptor gira en sentido opuesto al transmisor habrá que permutar dos hilos de su arrollamiento trifásico. Es de capital importancia que los primarios de ambas máquinas vayan conectados a la misma línea de alimentación, pues de no ser así puede producirse un desfase y el conjunto de sincronizadores dejará de funcionar correctamente.

GOBIERNO DE MOTORES MEDIANTE TUBOS ELECTRONICOS

El gobierno o la maniobra de un motor comprende operaciones diversas, como son el arranque y el paro del mismo, la inversión de su sentido de giro e incluso, dentro de ciertos límites, la variación de su velocidad. El aparellaje necesario para ejecutar estas funciones en motores de corriente continua está diseñado para alterar la magnitud y el sentido de la corriente que circula por los arrollamientos inductor o inducido. En el capítulo VII, donde se ha estudiado y descrito dicho aparellaje, se ha visto que consiste principalmente en resistencias, interruptores, contactores y electroimanes.

Sin embargo, este gobierno puede ejercerse no sólo por medios electromecánicos y electromagnéticos, sino también electrónicamente, por medio de *tubos de vacío* o de *tubos de gas*. Existen dispositivos electrónicos diseñados para accionar un relé que, a su vez, lleva a cabo la maniobra deseada. Otros dispositivos varían la magnitud y el sentido de la corriente que circula por el circuito del motor, es decir, actúan directamente sobre este último. Ambos tipos de dispositivos pueden estar asociados en un mismo aparato de gobierno electrónico. Antes de estudiar la manera cómo operan tales aparatos es conveniente dar algunos detalles sobre los tipos de tubos electrónicos más comúnmente empleados.

Teoría del tubo electrónico de vacío

La base de todos los dispositivos de gobierno electrónico es el tubo (llamado también válvula o lámpara) de vacío, que consiste en una envoltura o ampolla de vidrio o de metal que contiene varios electrodos y en cuyo interior se ha practicado el vacío. Tubos de esta clase son los que se encuentran en los aparatos receptores de radio. El más sencillo de todos es el *diodo*, que tiene sólo dos electrodos: el ánodo o placa, y el cátodo. Los diodos se representan esquemáticamente como indica la figura 10.36.

Para que este tubo pueda funcionar es necesario que el cátodo emita electrones. El cátodo está construido, pues, de manera que sea capaz de liberar o desprender electrones cuando se calienta. Hay cátodos análogos al filamento de una lámpara de incandescencia, el cual está recubierto por una capa de una materia especial (generalmente óxido de bario) susceptible de liberar gran número de electrones cuando el filamento se caldea por el paso de una corriente (fig. 10.37). El tubo deja de funcionar cuando, a causa de su prolongado uso, el recubrimiento catódico se ha volatilizado.

En otros tubos el cátodo se caldea indirectamente. El cátodo, que tiene forma de manguito, rodea el filamento, el cual actúa como elemento de caldeo. El símbolo empleado para representar dichos tubos es el de la figura 10.38.

Para llegar a un resultado práctico, los electrones desprendidos por el cátodo tienen que ser captados, pues de lo contrario no harían más que flotar por el interior de la válvula o volverían al cátodo. El electrodo colector es el ánodo o placa, cuando se polariza positivamente (figura 10.39). Esto se consigue conectando la placa al polo positivo de una batería de acumuladores; de este modo los electrones, que están cargados de electricidad negativa, salvan rápidamente el vacío entre ambos electrodos, con lo cual se establece una corriente electrónica del cátodo al ánodo.

Veamos el funcionamiento del circuito de la figura 10.39. La batería de acumuladores tiene el polo positivo conectado al ánodo y el negativo al cátodo. El filamento de caldeo va conectado al secundario del transformador, del cual recibe la corriente necesaria para calentar el cátodo y hacerle emitir electrones, que al desprenderse son atraídos por la placa. Se forma, por tanto, un circuito electrónico del cátodo al ánodo a través del amperímetro y de la batería. Obsérvese que el camino recorrido por los electrones, del polo negativo al positivo, es contrario al convencionalmente admitido para la corriente, o sea del polo positivo al negativo. Si se invierte la polaridad de la batería, como muestra la figura 10.40, los electrones serán repelidos por la placa y no circulará corriente; el circuito electrónico quedará interrumpido. Los electrones solamente pasan del cátodo al ánodo cuando éste es positivo.

Rectificadores de media onda

La principal ventaja del diodo es su facultad de convertir la corriente alterna en continua pulsatoria. En efecto, si la placa deviene alternativamente positiva y negativa, la corriente circulará únicamente cuando aquélla sea positiva, pues sólo entonces son atraídos los electrones. Tal es el caso de la figura 10.41. La batería anódica ha sido substituida ahora por el secundario de un transformador (manantial de corriente alterna), y por tanto la polaridad de la placa es positiva o negativa según la alternancia de la corriente. En tales condiciones el diodo actúa como "rectificador", pues sólo permite el paso de la corriente en un sentido; por tanto rectifica la corriente, convirtiendo la alterna en continua.

El esquema de la figura 10.42 muestra un diodo rectificando corriente alterna (para mayor sencillez del esquema se ha suprimido el circuito de caldeo). Durante el semiperíodo en que el ánodo es positivo, los electrones son atraídos por él; en este preciso instante el otro extremo de la bobina secundaria es negativo.

Se cierra, pues, el circuito del cátodo al ánodo a través de la bobina secundaria del transformador y de la carga. Durante el semiperíodo siguiente el ánodo es negativo, los electrones son repelidos y, por tanto, no circula corriente. Este diodo deja pasar tan sólo media onda de la corriente alterna; es decir, la corriente circula durante medio período y se interrumpe durante el medio período siguiente. Por esta razón el diodo recibe el nombre de rectificador de media onda. La corriente así rectificada se denomina *corriente pulsatoria* y tiene la forma representada en la figura 10.43.

Rectificadores de onda completa

Aunque la rectificación de media onda es suficiente para muchas aplicaciones, puede mejorarse el resultado con un segundo diodo (figura 10.44), formando así el rectificador de *onda completa.* Los díodos A y B son rectificadores de media onda y van conectados en oposición, de modo que el ánodo de A es positivo cuando el de B es negativo, y viceversa. Por tanto, la válvula A dejará pasar corriente a la carga durante la media onda en que la placa de válvula B es negativa; durante la media onda siguiente es la válvula B la que deja pasar corriente a la carga. Por el circuito de carga circula entonces corriente en igual sentido durante las dos semiondas, resultando así una corriente rectificada (fig. 10.45). En lugar de los diodos puede utilizarse una sola válvula rectificadora con dos ánodos, como la representada en la figura 10.46.

Tubos llenos de gas

Las válvulas hasta ahora citadas son de vacío y sólo permiten el paso de corrientes débiles. Para corrientes mayores se emplean válvulas llenas con un gas inerte como argón, neón o vapor de mercurio. El empleo del gas en el interior de la válvula permite obtener corrientes electrónicas mucho mayores. En los esquemas se representan las válvulas de gas como las de vacío, pero marcando un punto en el interior de la válvula (fig. 10.47). El cátodo de estas válvulas es bastante más grueso que el de las válvulas de vacío y por eso tarda aproximadamente un minuto en calentarse. En consecuencia, los equipos con válvulas de gas suelen llevar un dispositivos de retardo que no permite que se aplique la tensión al ánodo hasta que el cátodo está suficientemente caldeado.

Las válvulas pequeñas y las de tamaño medio se utilizan como rectificadores para la carga de baterías; las válvulas mayores, con vapor de mercurio, se utilizan como rectificadores para alimentar motores de corriente continua. Su principal ventaja es que, además de permitir el paso de corrientes intensas, presentan una caída de tensión constante una vez cebadas, y por tanto hacen posible un gobierno de la tensión mucho más perfecto que las válvulas de vacío.

La figura 10.48 muestra el empleo de un rectificador de onda completa a base de dos simples diodos de gas, destinado a la alimentación de un motor de corriente continua a partir de una red de corriente alterna. En este circuito la corriente alterna se convierte, mediante los diodos, en continua pulsatoria de onda completa, y con ésta se alimenta directamente el motor de corriente continua. Para el ajuste de la velocidad del motor puede utilizarse un reóstato de excitación. Así es posible obtener todas las ventajas que el motor de corriente continua posee en cuanto a gobierno de la velocidad, aunque no se disponga de ninguna red de corriente continua.

El triodo de vacío

Para poder gobernar la corriente que circula a través de la válvula se dispone entre el cátodo y el ánodo un tercer elemento, llamado *rejilla*. La válvula que lleva estos elementos se llama *triodo,* y se representa esquemáticamente como indica la figura 10.49. El filamento no cuenta como electrodo cuando se utiliza para caldear el cátodo.

La rejilla consiste en un enrejado dispuesto alrededor del cátodo y con mallas lo bastante grandes para permitir el fácil paso de los electrones hacia el ánodo. No obstante, si se polariza la rejilla suficientemente negativa, como indica la figura 10.50, los electrones que se desprenden del cátodo serán repelidos y no llegarán al ánodo aunque éste sea positivo. La tensión de rejilla necesaria para que la corriente de placa se anule depende de la tensión anódica. Cuanto mayor sea la tensión anódica, tanto mayor deberá ser la tensión de rejilla necesaria para anular la corriente de electrones.

Si se reduce la tensión de rejilla o *polarización,* aumentará el número de electrones que llegan al ánodo; cuanto menor sea la tensión de rejilla, tanto mayor será la corriente en el circuito anódico o de placa. Ello puede comprobarse conectando un potenciómetro como indica la figura 10.51 y ajustando con él la tensión de rejilla que suministra la batería de acumuladores de la izquierda. La importancia del triodo es que una reducida tensión entre rejilla y cátodo surte el mismo efecto sobre la corriente anódica que una tensión elevada entre ánodo y cátodo. El triodo es muy útil como amplificador.

El tiratrón

El tiratrón es un triodo lleno de gas inerte, cuyo funcionamiento difiere sensiblemente del triodo de vacío. Como ya se dijo anteriormente, una válvula con gas permite la circulación de una corriente mayor que otra de vacío. Los electrones desprendidos del cátodo entran en colisión con los átomos del gas, que se encuentran en estado neutro, y estos choques arrancan electrones de dichos átomos. En el interior del tubo se crea, pues, un flujo de electrones formado por los que proceden del cátodo y los que han sido arrancados de los átomos de gas.

Ahora bien, los átomos desprovistos de uno o más electrones (llamados *iones*) quedan por este hecho cargados positivamente, y en consecuencia son atraídos por la rejilla. A causa del fuerte potencial negativo inicial de esta última, el espacio entre cátodo y rejilla se halla ocupado por millones de electrones formando la llamada *carga espacial,* que impide el paso del flujo electrónico hacia el ánodo. A medida que esta carga espacial va quedando neutralizada por los iones positivos del gas, aumenta la corriente de electrones hacia el ánodo.

En el triodo de vacío, la corriente anódica aumenta proporcionalmente con la reducción de la tensión de rejilla. En el tiratrón no circula corriente anódica alguna hasta que se aplica a la rejilla (también llamada *ánodo de arranque*) la tensión apropiada. Si la rejilla tiene una polarización negativa excesiva, repelerá los electrones y no circulará corriente; al reducir el potencial negativo de rejilla (con la tensión anódica apropiada), llegará un momento en que algunos electrones alcanzarán la placa y circulará corriente por el circuito cátodo - placa. Una vez iniciado el flujo electrónico y por tanto el proceso de ionización del gas, la corriente se irá incrementando hasta alcanzar su valor de régimen, y permanecerá en él independientemente del grado de polarización negativa de la rejilla. La única manera de interrumpir la corriente electrónica en el tiratrón es anular la tensión anódica o bien interrumpir el circuito de placa, como indica la figura 10.52. Debido a la clase de función que ejerce, el tiratrón recibe también el nombre de *válvula de disparo.*

Rectificación y control de la corriente alterna mediante tiratrones. Este control puede efectuarse variando en magnitud o en fase la tensión de polarización aplicada a la rejilla.

Aplicando una tensión alterna al ánodo de un tiratrón (fig. 10.53), es evidente que el flujo electrónico de descarga se interrumpirá automáticamente cuando el ánodo tiene polaridad negativa (semiperíodo negativo de la corriente alterna). Tan pronto como el tubo cese de conducir, la rejilla del mismo recuperará sus funciones de control. El tiratrón actúa, pues, en este circuito, como un rectificador de media onda; pero con la importante excepción de que no vuelve a conducir así que la polaridad del ánodo es positiva, sino hasta que lo permita la tensión de polarización aplicada a la rejilla. El control de la corriente alterna por ajuste de la tensión de rejilla sólo puede ejercerse, por tanto, durante un intervalo de tiempo inferior a un semiperíodo (fig. 10.54).

Por otra parte, dicho control no puede tampoco ejercerse durante menos de un cuarto de período, puesto que si el tiratrón no empieza a conducir antes de que la tensión anódica pase por su valor máximo, no llega a cebarse.

Si se aplica, en cambio, una tensión alterna a la rejilla, de igual frecuencia que la aplicada al ánodo, pero cuyo desfase respecto a ésta pueda variarse a voluntad, será posible gobernar el funcionamiento del tiratrón de manera que empiece a conducir en el punto de la semionda que se desee. Con esto se obtiene un control de la corriente electrónica que circula por el tubo mucho más preciso que con el sistema de la figura 10.53. El gobierno *por desfase* encuentra gran aplicación en operaciones de soldadura y en el control de la velocidad en motores de corriente continua

Maniobra de motores de corriente continua mediante tiratrones alimentados con tensión alterna. Con el circuito de la figura 10.55 es posible accionar con un tiratrón un pequeño motor de corriente continua. Con algunas adiciones en el circuito pueden igualmente hacerse funcionar motores de potencia mayor. Al cerrar el interruptor S, la corriente que pasa a través de la resistencia R_2 comunica a la rejilla una tensión positiva y la válvula se hace conductora. La resistencia R_1 tiene por misión evitar que la válvula funcione con el interruptor S abierto, y su valor determina la velocidad del motor cuando el interruptor S está cerrado. Cuando el tiratrón es conductor, por el inducido del motor circulará una corriente continua pulsatoria. La excitación del motor la suministra el rectificador de onda completa que figura en la parte superior del esquema.

Gobierno de la velocidad de un motor de corriente continua. El circuito de la figura 10.56 es similar al de la 10.55, con la adición de una inductancia y una resistencia variables para el gobierno de la velocidad del motor. La inductancia variable tiene por objeto desfasar la tensión de rejilla del tiratrón, sea para impedir que circule corriente a través del mismo, sea para hacerlo conductor en cualquier punto de la semionda. Si sólo se hace conductor durante una pequeña porción de semionda, la velocidad del motor será pequeña; si se hace conductor durante una mayor parte de semionda, se obtendrá una velocidad mayor. La resistencia variable puede servir también para el gobierno de la velocidad, en función del valor ajustado para la inductancia.

Cuando se trata de motores grandes es preciso emplear muchos tubos y controles diferentes, que complican notablemente el esquema.

Inversión de la marcha en un motor de corriente continua, con dos tiratrones. Con dos tiratrones puede invertirse el sentido de rotación de un motor de corriente continua. El circuito, que comprende además un conmutador unipolar de dos posiciones, se representa en la figura 10.57, y sólo difiere del de la figura 10.55 por contener un tiratrón más. Si se dispone la palanca del conmutador en la posición marcha ADELANTE (F), el motor girará en sentido de las agujas del reloj. Disponiendo la palanca en posición marcha ATRÁS (R), entra en funciones el otro tiratrón y la corriente circula por el inducido en sentido contrario, con lo cual se invierte su sentido de rotación. Si la palanca del conmutador se cambia de posición con rapidez, el motor se parará inmediatamente. Toda interrupción en el circuito de rejilla de los tiratrones determinará el paro del motor.

La fotocélula o célula fotoeléctrica

Muchos gobiernos electrónicos se basan en la célula fotoeléctrica, dispositivo que responde a la acción de la luz. La célula fotoeléctrica es fundamentalmente un diodo, y como tal lleva dos electrodos, un ánodo y un cátodo (fig. 10.58). La corriente circula cuando el ánodo es positivo con respecto al cátodo y cuando este último está iluminado.

En las válvulas anteriormente descritas, el cátodo emitía electrones al ser calentado; en la célula fotoléctrica los electrones se desprenden del cátodo al ser iluminado. Para que la célula fotoeléctrica funcione, el ánodo tiene que ser positivo y el cátodo estar iluminado. Cuanto mayor sea la intensidad luminosa que éste reciba, tanto mayor será la corriente que circule por la célula; en el mejor de los casos, no obstante, será una corriente muy pequeña, de unas veinte millonésimas de amperio. Se comprende que una corriente tan débil no puede ejercer mucho efecto, por lo que es preciso amplificarla con auxilio de un triodo antes de alimentar con ella el circuito del relé que determina el arranque o el paro del motor.

El funcionamiento de la célula fotoeléctrica queda evidenciado mediante el simple circuito de la figura 10.59. Cuando la célula no está iluminada no circula ninguna corriente por ella, y en consecuencia toda la tensión de la batería C queda aplicada a la rejilla G del triodo. Como en tales condiciones el triodo no es conductor, el relé, intercalado en el circuito anódico, permanece sin excitación.

Cuando incide luz sobre el cátodo de la célula fotoeléctrica, éste emite electrones y cierra con ello el circuito de la batería C y la resistencia R (de valor muy elevado). A pesar de ser muy exigua la corriente que circula, se produce una caída de tensión apreciable en bornes de la resistencia R y por tanto disminuye la tensión en el punto G. Al hacerse la rejilla del triodo menos negativa, el tubo se cebará (gracias a la presencia de la batería B entre su ánodo y su cátodo) y la bobina del relé quedará excitada. El relé puede estar dispuesto de modo que determine el paro o la puesta en servicio de un motor. El circuito de la figura 10.59 se alimenta a base de baterías, pero puede conseguirse exactamente el mismo resultado empleando corriente alterna en vez de continua, como indica la figura 10.60.

Disponiendo varios contactos en el relé puede conseguirse que la fotocélula ejecute diversas funciones. La figura 10.61 muestra una aplicación típica. Cuando el haz luminoso que incide sobre el cátodo de la célula es interceptado por una persona u objeto cualquiera que pasa entre la lámpara y el relé fotoeléctrico, el motor se pone en marcha. De esta manera puede utilizarse la fotocélula para abrir puertas, accionar contadores, accionar fuentes de agua automáticas, etc.

Maniobra de grandes motores con células fotoeléctricas. En el circuito de la figura 10.60, la célula fotoeléctrica acciona un relé, que a su vez cierra el interruptor de maniobra de un motor pequeño. Con una pequeña ampliación, intercalando un contactor magnético, puede maniobrarse también un motor de mayor potencia (fig. 10.62).

Se utiliza un conmutador bipolar de dos posiciones para permitir el gobierno con la célula fotoeléctrica o desde una estación de pulsadores. Cuando se ilumina la célula, la gran caída de tensión que se produce a través de la resistencia R disminuye la polaridad negativa de la rejilla del triodo amplificador, circula corriente por la válvula y se excita el relé. Los contactos de éste se cierran y excitan la bobina de retención del contactor, cuyos contactos cierran a su vez el circuito del motor. Al cesar la iluminación, el triodo deja de ser conductor, se abren los contactos del relé y el motor se para. Disponiendo la palanca del conmutador en la otra posición, el motor sólo puede ser accionado manualmente oprimiendo el pulsador de ARRANQUE.

Los circuitos descritos son sólo unos pocos de los muchos existentes para el gobierno electrónico de los motores. En la mayoría de ellos es preciso un detallado estudio antes de intentar localizar o reparar posibles averías.

CAPÍTULO XI

Gobierno electrónico de motores mediante semiconductores

INTRODUCCION

En el capítulo anterior se ha visto que es posible conseguir el gobierno de los motores no sólo electromecánica y electromagnéticamente, sino también electrónicamente, por medio de tubos de vacío y de gas. El presente capítulo estará dedicado a la descripción del gobierno electrónico de motores mediante componentes o elementos básicos formados por materiales semiconductores. Precederá a esta descripción una breve exposición sobre la naturaleza y el comportamiento de dichos materiales y un estudio sucinto sobre el funcionamiento de los elementos básicos que, constituidos por ellos, aparecen en los circuitos de gobierno (diodos rectificadores, transistores y tiristores).

NATURALEZA DE LOS SEMICONDUCTORES

Desde el punto de vista de su conductibilidad eléctrica, todos los materiales pueden clasificarse en tres categorías: aislantes, conductores y semiconductores. Son materiales *aislantes* aquellos que presentan una resistencia muy elevada al paso de la corriente eléctrica, y *conductores,* por el contrario, los que permiten fácilmente la circulación de la misma. En una posición intermedia se hallan los *semiconductores,* puesto que su conductibilidad eléctrica es superior a la de los aislantes, pero inferior a la de los conductores. En otros términos, los semiconductores no son ni buenos aislantes ni buenos conductores.

La explicación de estas diferencias de conductibilidad radica en la estructura atómica de la materia. Sabido es que el *átomo* constituye la partícula más pequeña de todo elemento químico, que todavía conserva las características de este último. También se sabe que los átomos están formados por un núcleo central rodeado de partículas llamadas *electrones,* dispuestas en una o más capas exteriores. Así, por ejemplo, la figura 11.1 muestra la estructura de un átomo de silicio. Obsérvese que los electrones están dispuestos en tres capas y de la siguiente manera; 2 electrones en la capa interna, 8 en la intermedia y 4 en la externa. El núcleo se compone a su vez de *protones* y de *neutrones.* Los protones tienen carga eléctrica *positiva,* y por tanto tienden a repelerse entre sí. Los electrones dispuestos alrededor del núcleo tienen carga eléctrica *negativa,* y, de modo análogo, tienden también a repelerse entre sí. Los neutrones carecen de carga eléctrica, y en consecuencia no ejercen ninguna acción mutua.

El número total de electrones dispuestos alrededor del núcleo es siempre igual al número de protones contenidos en el núcleo. Puesto que las cargas de un protón y un electrón son iguales y de signo opuesto, un átomo normal se halla en estado neutro, es decir, carece de carga eléctrica. Sin embargo, si un átomo pierde un electrón adquiere inmediatamente una carga positiva, puesto que en el mismo hay entonces más protones que electrones: un átomo como el considerado recibe el nombre de *ion positivo.* Por el contrario, si un átomo gana un electrón adquiere una carga negativa, y recibe el nombre de *ion negativo.* La manera cómo un átomo gana o pierde electrones se explicará más adelante, pero queda bien claro que la carga de un átomo varía según que haya en él exceso o falta de electrones.

Se ha dicho anteriormente que los electrones están dispuestos alrededor del núcleo en una o varias *capas,* según el elemento o compuesto químico de que se trate. Los electrones que se hallan en la capa más externa, llamados *electrones de valencia,* son los que poseen mayor energía y los que, por hallarse más alejados del núcleo, pueden separarse más fácilmente del átomos. Los cuerpos que tienen pocos electrones de valencia (menos de cuatro) tienden a desprenderse de ellos para adquirir una configuración más estable, y por tanto abundan en *electrones libres.* Bajo la acción de una diferencia de potencial, estos electrones libres se desplazan de manera conjunto y ordenada, formando una *corriente eléctrica.* Los materiales que permiten el fácil establecimiento de una corriente eléctrica cuando se les aplica una diferencia de potencial son buenos conductores de la primera, y se les da el nombre genérico de *conductores*. La figura 11.2 A muestra la estructura de un átomo de aluminio, que por tener electrones de valencia es un elemento conductor.

Las substancias con más de cuatro electrones de valencia en el átomo tienden precisamente a capturar todavía más para adquirir una configuración más estable. En consecuencia, carecen de electrones libres y no son conductores de la corriente eléctrica. El fósforo, con cinco electrones de valencia en el átomo (fig. 11.2 B), es un ejemplo de tales substancias, que reciben el nombre de *aislantes*.

Los cuerpos cuyo átomo tiene 4 electrones de valencia poseen unas características de conducción intermedias, y por este motivo se llaman *semiconductores*. Los cuerpos o elementos semiconductores son dos: el silicio y el germanio. Ambos se utilizan ampliamente en electrónica porque además de reunir las propiedades eléctricas y mecánicas necesarias, son de obtención fácil y barata. Para la fabricación de tiristores se prefiere el silicio al germanio, ya que el primero posee varias ventajas sobre el segundo; una de ellas es la mayor resistencia de su estructura cristalina a temperaturas y tensiones de servicio elevadas.

COMPORTAMIENTO DE LOS SEMICONDUCTORES

El átomo normal de silicio tiene cuatro electrones periféricos que son atraídos fuertemente por el núcleo y, por tanto, no pueden utilizarse como electrones libres o móviles de transporte de cargas. Dicho en otros términos, el silicio puro ofrece una elevada resistencia al paso de la corriente eléctrica y se comporta como un aislante más bien que como un conductor.

Para poder utilizar el silicio como conductor es preciso mezclarle o adicionarle pequeñas cantidades de “impurezas”, es decir, de elementos químicos cuyo átomo posea cinco o bien tres electrones de valencia. La adición de tales impurezas recibe el nombre de “dopado”, y el resultado de la misma es la obtención de un material con exceso de electrones libres o bien con deficiencia de electrones libres (exceso de “huecos”).

En efecto, si se añade una pequeña cantidad de arsénico (elemento cuyo átomo tiene cinco electrones periféricos) a silicio puro molido, cuatro de estos electrones periféricos formarán enlaces covalentes con los electrones de cuatro átomos contiguos de silicio, y el electrón restante quedará libre para desplazarse al azar dentro del cristal de silicio.

Estos electrones libres constituirán una corriente electrónica en cuanto se aplique exteriormente una diferencia de potencial al cristal de silicio. Cuando al adicionar una impureza al silicio o germanio químicamente puros se obtiene un material con numerosos electrones libres (exceso de electrones), este material recibe el nombre de *semiconductor de tipo N,* pues reúne todas las características necesarias para operar como un semiconductor. Así, por ejemplo, si se aplica una tensión continua entre los extremos de un bloque de semiconductor de tipo N (fig. 11.3), los electrones libres de dicho bloque serán repelidos por el borne negativo de la fuente de tensión y atraídos por el borne positivo de la misma. Este desplazamiento de electrones desde el borne negativo al positivo de la fuente de tensión constituye una circulación de corriente. Los electrones libres actúan, pues, como *portadores negativos de corriente.*

Se entienden por *enlaces covalentes* en una red cristalina las uniones existentes entre átomos próximos que comparten sus electrones de valencia. Eso significa que cada uno de los cuatro electrones periféricos de un átomo de silicio pertenece, no sólo a la capa exterior de dicho átomo, sino también a la de otro átomo vecino. En consecuencia, cada electrón se halla sujeto a la influencia de dos átomos más bien que a la de uno solo.

Si se añade, por el contrario, una pequeña cantidad de aluminio (elemento cuyo átomo tiene tres electrones periféricos) a silicio o germanio puros, estos tres electrones formarán enlaces covalentes con tres electrones de los átomos contiguos de silicio (o germanio), y quedará un enlace incompleto por faltar precisamente un electrón. La ausencia de un electrón se designa con el nombre de *hueco.* Una substancia que, como la obtenida de esta manera, posee un déficit de electrones —o sea un exceso de huecos en su estructura cristalina—, se llama *semiconductor de tipo P.* Si se conectan los polos de una batería a los extremos de un bloque de semiconductor de tipo P, se establecerá una corriente electrónica que, partiendo del polo negativo de la batería, atravesará el bloque de semiconductor y regresará al polo positivo. Para que los electrones puedan moverse a lo largo de dicho bloque es preciso que rompan sus enlaces covalentes. Cada vez que un electrón rompe un enlace covalente deja tras de sí un hueco, el cual es ocupado a continuación por otro electrón también liberado de su enlace. Resulta, pues, que si bien los electrones circulan a través del semiconductor en el sentido indicado, los huecos que van dejando se desplazan en sentido contrario. Los huecos actúan, por tanto, como *portadores positivos de corriente.*

Los semiconductores de tipo P y N se usan raramente, excepto en combinación o asociación mutua.

DIODOS SEMICONDUCTORES

Se llama diodo semiconductor a la unión o combinación de dos semiconductores, uno de tipo P y el otro de tipo N, formando una unidad PN. Hay diversos métodos para fabricar una diodo PN, pero, independientemente del método usado, se obtiene así una unidad cuyas características electrónicas la convierten en un elementos útil.

La figura 11.4 representa esquemáticamente un diodo semiconductor PN. La zona intermedia o de transición entre las zonas P y N recibe el nombre de *unión* o *barrera.* En esta zona de transición ocurre un interesante fenómeno: algunos de los electrones libres procedentes de la zona N se difunden a través de la unión para ocupar los huecos existentes en la zona P. Por consiguiente, el lado P de la unión adquirirá una pequeña carga negativa, puesto que gana electrones, y el lado N de la unión una pequeña carga positiva, puesto que pierde electrones. Como que cada lado de la unión adquiere una carga igual y de signo contrario a la del lado opuesto, se establece entre ambos una diferencia de potencial (fig. 11.5). Esta diferencia de potencial impide el paso de nuevos electrones de N hacia P, y justifica el nombre de *barrera* dado a la unión. En efecto, la polaridad negativa del lado P de la barrera repele a los demás electrones libres que pretenden introducirse en la zona P. Gracias a esta pequeña barrera de potencial, que impide la completa difusión de los electrones de N hacia P, el diodo puede conservar sus características originales.

Polarización inversa y directa

Si a los extremos de una unidad PN se conecta una batería externa del modo indicado en la figura 11.6, a través de la unión o barrera circulará una corriente muy exigua o nula. En efecto, observando atentamente el esquema se notará que el polo negativo de la batería está conectado al extremo libre de la zona P y el polo positivo al extremo libre de la zona N. En estas condiciones, la diferencia de potencial en la unión queda incrementada y por tanto también la acción de la barrera, que sólo permite la circulación de una corriente insignificante (del orden de millonésimas de amperio). Siempre que la tensión continua se aplica al diodo del modo descrito, se dice que éste recibe *polarización inversa.*

Por el contrario, si las conexiones de la batería se invierten, como muestra la figura 11.7 (polo positivo al extremo libre de la zona P y polo negativo al extremo libre de la zona N), la diferencia de potencial existente en la unión queda sensiblemente reducida y circula un notable flujo de electrones a través de la barrera. En tal caso se dice que el diodo recibe *polarización directa*. Por consiguiente, un diodo PN ofrece elevada resistencia al paso de la corriente cuando se le aplica polarización inversa y baja resistencia cuando se le aplica polarización directa. Resulta, pues, que la resistencia opuesta por el diodo a la corriente que circula en un sentido es mucho mayor que la que opone a la corriente que circula en sentido contrario. En otros términos, un diodo PN conduce mucho mejor en un sentido que en el opuesto; de ahí que pueda utilizarse para rectificar una corriente alterna en una corriente continua pulsatoria.

El diodo rectificador PN de silicio o germanio

Se llama rectificador a todo dispositivo eléctrico que sólo permite el paso de la corriente en un sentido. En el capítulo X se ha visto cómo se llevaba a cabo la rectificación con auxilio del tubo electrónico de vacío. Ahora acabamos de indicar que un diodo PN puede cumplir también esta función rectificadora. Estudiemos esta cuestión con mayor detalle.

La figura 11.8 muestra los símbolos utilizados para representar un diodo PN. La zona P, donde va la flecha, se llama *ánodo,* y la zona N, *cátodo*. Sabemos que un diodo posee elevada conductividad cuando el polo negativo de la fuente de tensión se conecta a su cátodo y el polo positivo de la misma a su ánodo (fig. 11.9). Entonces se cierra el circuito desde el polo negativo al positivo a través del cátodo, del ánodo y de la carga. Obsérvese que el flujo de electrones se desplaza por el circuito exterior desde el polo negativo al positivo de la fuente de energía, o sea contrariamente al sentido convencional atribuido a la circulación de la corriente. Por otra parte, sabemos que si se aplica al diodo una polarización inversa (fig. 11.10), no conduce prácticamente corriente.

La polarización directa mínima que debe aplicarse a un diodo PN para que empiece a conducir corriente es del orden de 0,5 V. Este valor se llama *umbral de tensión*. Por consiguiente, la tensión de la batería de polarización debe ser superior al valor de umbral para que el diodo pueda conducir la corriente de régimen. Sin embargo, es evidente que si la tensión de polarización se aumenta arbitrariamente hasta el punto de provocar una circulación de corriente superior al límite máximo prescrito, el diodo corre el riesgo de destruirse irreparablemente a causa del excesivo calor generado en su interior. En la mayoría de los diodos rectificadores, la corriente nominal está fijada por el máximo aumento admisible de temperatura en su interior, debido a la potencia perdida y transformada en calor. Por este motivo los rectificadores de alta intensidad de corriente van montados sobre un espárrago roscado, donde se hallan sometidos a la acción de un "extractor de calor". Los rectificadores de baja intensidad no necesitan ningún extractor de calor y se refrigeran simplemente por ventilación natural.

El gráfico de la figura 11.11 muestra la curva característica representativa de las variaciones de la corriente de un diodo PN en función de la tensión de polarización aplicada, tanto directa como inversa. Obsérvese que en el primer caso la corriente que circula es del orden de miliamperios (milésimas de amperio), y en el segundo, del orden de microamperios (millonésimas de amperio). La curva muestra que, mientras la polarización inversa aplicada al diodo no excede de cierto límite, la corriente que circula es de sólo unos escasos microamperios, pero que en cuanto dicha polarización rebasa un valor crítico (punto *x*), la corriente aumenta súbita y rápidamente. Ello acarrea consigo la destrucción del diodo, a menos que sus características especiales le permitan resistir esta corriente inversa. Tal es el caso del *diodo Zener,* del cual se hablará más adelante.

La figura 11.12 reproduce el aspecto exterior de algunos tipos de diodos. Los diodos se marcan a menudo con un signo + en el lado del cátodo o con una flecha que señala el sentido de elevada resistencia a la conducción. La flecha apunta al propio tiempo hacia el + convencional.

Rectificación de media onda

El diodo PN tiene la facultad de convertir la corriente alterna en corriente continua pulsatoria. Si se aplica corriente alterna al cátodo de un diodo, su polaridad irá variando con cada semionda de la corriente. Cuando el cátodo sea negativo con respecto al ánodo circulará corriente por el diodo y por el circuito de carga, pero cuando el cátodo sea positivo con respecto al ánodo no habrá paso de corriente. En consecuencia, la carga sólo será recorrida por una semionda de la corriente alterna.

Lo dicho anteriormente puede verse con claridad considerando el circuito de la figura 11.13. Este circuito es análogo al de la figura 11.9, con la salvedad de que la fuente de corriente continua ha sido substituida por el secundario de un transformador. El diodo PN representado funciona como rectificador, es decir, transforma la onda original de corriente alterna (fig. 11.14) en semiondas de corriente unidireccional pulsatoria (fig. 11.15), que constituyen la primera aproximación de una corriente continua. En efecto, durante la semionda positiva de la corriente alterna el ánodo del diodo es positivo con respecto al cátodo, y circula una corriente (fig. 11.13) del borne negativo al borne positivo del secundario del transformador, a través de cátodo, ánodo y carga. Durante la semionda negativa, por el contrario, el ánodo del diodo es negativo con respecto al cátodo, y no puede circular corriente a través de la carga. Esta clase de rectificación se llama de *media onda,* pues sólo permite el paso de las porciones de onda situadas por encima del eje horizontal (fig. 11.15), o sea de las semiondas positivas.

Filtrado de la corriente pulsatoria

Para determinados usos, la corriente pulsatoria obtenida con un diodo rectificador como el descrito no es adecuada a efectos de alimentación. Con el fin de eliminar las fluctuaciones u oscilaciones de la misma suele conectarse un condensador en paralelo con la carga (figura 11.16). Dicho condensador actúa de "filtro" de la corriente pulsatoria en el circuito.

En efecto, durante el semiperíodo en que el diodo rectificador conduce, circula corriente desde el borne negativo al positivo del secundario del transformador a través de la carga y del diodo. Al propio tiempo, y mientras la semionda de tensión va creciendo, el condensador se carga hasta su valor de cresta (tensión máxima que aparece entre sus placas o armaduras). Cuando el valor instantáneo de la semionda de tensión decreciente es inferior al de la tensión existente en bornes del condensador, éste se descarga a través de R. El fenómeno es el representado en el gráfico de la figura 11.17. Puede observarse cómo el condensador se carga inicialmente durante un cuarto de período y se descarga inmediatamente después sobre el circuito de utilización, permitiendo así que por este último circule corriente de amplitud mucho menos variable que la pulsatoria y durante el período entero.

Rectificación de onda completa

La rectificación de media onda, si bien útil y satisfactoria para muchas aplicaciones, puede mejorarse substancialmente utilizando varios diodos rectificadores en vez de uno solo. Estos diodos se disponen de manera que permitan la rectificación de la onda completa de corriente alterna. A continuación se describirán dos de los sistemas más empleados: 1, a base de transformador con toma central en el secundario, que requiere dos diodos rectificadores; 2, a base de transformador normal (sin toma central en el secundario) y puente rectificador constituido por cuatro diodos.

El primer sistema es el representado en los esquemas de las figuras 11.18 y 11.19. Durante el semiperíodo en que A es positivo con respecto a C (fig. 11.18), la corriente circulará de C hacia A a través de la carga y del diodo D_1. El diodo D_2, por el contrario, no permitirá el paso de corriente alguna. Durante el semiperíodo siguiente, B será positivo con respecto a C (fig. 11.19), y por tanto circulará corriente de C hacia B a través de la carga, y el diodo D_2; el diodo D_1, en cambio, bloqueará la parte superior del circuito. El sentido de las flechas indica en ambos esquemas el diferente sentido de circulación de la corriente durante cada semiperíodo. A pesar de ello, obsérvese que a través de la carga fluye *siempre* corriente en el mismo sentido, tanto durante el semiperíodo positivo como durante el negativo. La corriente pulsatoria obtenida con la rectificación de onda completa puede también filtrarse mediante un condensador conectado en paralelo con la carga (fig. 11.20). Con ello se atenúan considerablemente las fluctuaciones de aquélla. Los gráficos de la figura 11.21 permiten comparar el aspecto de la corriente pulsatoria sin filtrado y con filtrado.

Las figuras 11.22 *a* y *b* muestran el sistema de rectificación de onda completa mediante un puente con cuatro diodos. Durante el semiperíodo en que A es positivo y B negativo, la corriente circula de B hacia A a través del diodo D_2, la carga y el diodo D_3. La carga es, pues, recorrida por la corriente en el sentido de C a E. Durante el semiperíodo siguiente, cuando B es positivo y A negativo, la corriente circula de A hacia B a través del diodo D_1, la carga y el diodo D_4. La corriente también recorre la carga en el sentido de C a E, o sea en el mismo sentido de antes. La posibilidad de conectar en paralelo con la carga un condensador de filtrado se ha representado con auxilio de línea de trazos.

El esquema de las figuras 11.22 posee dos ventajas esenciales frente al de la figura 11.20: no necesita transformador con toma central en el secundario, y proporciona una tensión de servicio doble que la que se obtendría con el mismo transformador provisto de toma central secundaria. Por otra parte, la caída de tensión en el circuito es también mayor, puesto que hay dos diodos en serie con la carga, en vez de uno.

Diodos Zener

La figura 11.23 muestra tres símbolos diferentes utilizados para representar un diodo Zener. Como ya se ha explicado anteriormente, un diodo PN conduce cuando recibe una polarización directa. Si la polarización es inversa, el diodo sólo deja circular unos pocos microamperios. No obstante, si dicha polarización inversa se aumenta más allá de cierto límite, llamado *punto crítico de descarga,* tiene lugar un incremento brusco de la corriente electrónica, y entonces basta un ligero aumento de la tensión de polarización para provocar un notable crecimiento de la corriente. Todo ello queda puesto de manifiesto en el gráfico de la figura 11.24, el cual no es más que la característica de un diodo. Los diodos diseñados para trabajar en esta zona de su característica se llaman *diodos Zener,* y se emplean a menudo como estabilizadores de tensión.

La figura 11.25 muestra un circuito provisto de un diodo Zener, cuyo objeto es mantener constante la tensión en bornes de la carga aunque la tensión de alimentación pueda experimentar fluctuaciones. El diodo D_1 está conectado en paralelo con la carga cuya tensión debe estabilizar; en serie con ambos se halla dispuesta la resistencia R_1. Obsérvese además que el diodo recibe polarización inversa, por lo que la corriente circulará del ánodo al cátodo a través de él. Como sabemos, la característica de funcionamiento del diodo Zener más allá del punto crítico es que un ligero aumento de la tensión aplicada a sus bornes aumenta considerablemente la corriente que lo atraviesa, es decir, reduce notablemente su resistencia interna. Por consiguiente, si por un motivo cualquiera la tensión continua de la fuente de alimentación tiende a aumentar, crecerá automáticamente la tensión en bornes de R_1, que permanece invariable, pero no en bornes de D_1, pues el aumento de la corriente que circula por él está sensiblemente compensado por la disminución de resistencia que experimenta. De modo análogo, si la tensión de alimentación tiende a disminuir, disminuye también la tensión en bornes de R_1, pero la caída en el diodo D_1 permanece casi constante, ya que la disminución de la corriente va acompañada de un aumento de resistencia. En definitiva, las fluctuaciones de la tensión de alimentación son acusadas por R_1; la tensión en D_1 es prácticamente invariable, y por tanto también la tensión aplicada a la carga, por estar ésta conectada directamente en bornes de D_1.

EL TRANSISTOR

Hasta aquí se ha estudiado la constitución y el funcionamiento del diodo semiconductor. A partir de ahora dedicaremos nuestra atención al triodo semiconductor o *transistor*. La figura 11.26 muestra el aspecto exterior de diferentes tipos de transistores. Obsérvese que todos ellos llevan tres terminales. Así como el diodo está formado por dos capas de material semiconductor, el transistor lo está por tres. Las dos capas exteriores están compuestas por un mismo tipo de semiconductor, y la capa central por el otro tipo. Así, si las dos capas exteriores son bloques de silicio tipo N, la capa intermedia es de silicio tipo P. Con esta disposición se obtiene un transistor NPN (fig. 11.27). Cuando las dos capas exteriores son bloques de silicio tipo P y la capa central es de silicio N, el transistor que resulta se llama PNP (fig. 11.28). Con respecto a las otras dos zonas, la zona central, llamada *base,* es una capa sumamente delgada, del orden de 0,02 a 0,03 mm. Las dos zonas exteriores reciben respectivamente los nombres de *emisor* y *colector*. La figura 11.29 muestra los símbolos utilizados para representar un transistor. Obérvese que el terminal que está provisto de flecha corresponde siempre al emisor. Si la punta de la flecha señala hacia la base, se trata de un transistor PNP, y si señala en dirección opuesta a la base, de un transistor NPN.

Los dos tipos básicos de transistores que acabamos de definir pueden considerarse como el acoplamiento de los diodos PN muy próximos y en oposición (fig. 11.30). Puesto que en cada diodo hay una unión o barrera, el transistor básico cuenta con dos uniones o barreras. Si entre los extremos de un acoplamiento así formado (por ejemplo, el NP - PN) se conecta una batería del modo indicado en la figura 11.31, es evidente que por la unión A se desplazarán fácilmente electrones, puesto que su polarización es directa; la unión B, por el contrario, tiene polarización inversa, y bloquea por consiguiente el paso a los electrones. Lo propio sucedería si en vez del acoplamiento de diodos considerado se operase con un transistor NPN (fig. 11.32). Debido a la polarización inversa de la unión B circulará, pues, muy poca corriente del emisor E al colector C.

Si en lugar de una batería se conectan dos baterías iguales en serie como muestra la figura 11.33, seguirá circulando muy poca corriente de E a C, puesto que la unión M continúa recibiendo polarización inversa. Sin embargo, si el terminal de la base se conecta entre estas dos baterías (fig. 11.34), quedará abierto un camino a los electrones que atraviesan la unión A. En efecto, puesto que la zona emisor - base del transistor recibe polarización directa, habrá circulación de corriente desde el polo negativo al positivo de la batería de la izquierda, a través del emisor y la base. Ahora bien, en la figura 11.35 se ve que el colector del transistor está unido al polo positivo de la batería 2. Como la batería 2 está conectada en serie con la batería 1, el colector adquiere una elevada tensión positiva y capta por este hecho la mayoría de los electrones procedentes del emisor, que atraviesan fácilmente la base en razón de su extrema delgadez. El circuito de estos electrones captados por el colector se cierra a través de las baterías 2 y 1 hasta el emisor. Se calcula que sólo un 2 % del total de los electrones que salen del emisor no atraviesan la zona base - colector del transistor y pasan directamente de la base al polo positivo de la batería 1. En la figura 11.35 se indican claramente los circuitos seguidos por ambas corrientes electrónicas y el sentido en que están recorridos. En la figura 11.36 se ha representado simbólicamente el mismo esquema de la figura 11.35, que por razones obvias se denomina *montaje con base común.* Las mayores dimensiones y espesor de la flecha central sirven para poner de manifiesto que la corriente electrónica que atraviesa la base y circula hacia el colector es muy superior a la que no atraviesa la base y pasa de ella a la batería 1.

Ahora bien, es precisamente esta pequeña corriente que circula por la zona de polarización directa la que permite la elevada corriente a través de la zona de polarización inversa. En efecto, ya se ha visto antes que sin la primera (terminal de la base sin conectar, como en la figura 11.38) no hay tampoco la segunda. Por otra parte, acabamos de ver ahora que un pequeño aumento de la primera provoca un gran incremento de la segunda. De hecho, las variaciones de aquélla ejercen un efecto proporcional sobre la magnitud de ésta. Por consiguiente —y ésta es la función más ventajosa del transistor—, la corriente de la base puede utilizarse para gobernar la corriente del colector.

El transistor PNP es similar al transistor NPN, con ligeras diferencias. Cuando se emplea un transistor PNP es preciso invertir las polaridades de las baterías, con objeto de que la zona emisor - base reciba también polarización directa y la zona base - colector polarización inversa.

Adoptando otros tipos de montaje pueden conseguirse ganancias (amplificaciones) de potencia excepcionalmente elevadas. La figura 11.37 muestra, por ejemplo, el montaje con emisor común, que es uno de los más empleados en sistemas de control por semiconductores. Más adelante se volverá a tratar de esta cuestión.

Por ser el transistor un elemento muy importante en circuitos de gobierno de motores, puede no carecer de interés resumir a continuación sus características principales constructivas y funcionales.

1. Los dos tipos básicos de transistor son el NPN y el PNP.
2. Los tres terminales de un transistor reciben los nombres respectivos de *emisor, base* y *colector.*
3. La unión emisor base recibe siempre polarización directa, y la unión base - colector, polarización inversa.
4. El sentido de la corriente electrónica es siempre inverso al que indica la flecha del emisor.
5. La primera y la segunda letras de la designación indican la polaridad de emisor y colector, respectivamente.
6. En un transistor NPN la corriente electrónica circula de emisor al colector.
7. En un transistor PNP la corriente electrónica circula del colector al emisor.
8. La base del transistor es una capa muy delgada (de unos 0,025 mm).
9. Variando la corriente de la base se consiguen variaciones proporcionales (amplificadas) en la corriente del colector.

Analogía entre el triodo de vacío y el transistor

El transistor es por todos los conceptos equiparable al triodo de vacío descrito en el capítulo X. Para empezar, existe una estrecha analogía entre sus elementos básicos. Así, la placa o ánodo del triodo de vacío capta el flujo de electrones, y el colector del transistor también; por consiguiente ambos elementos, es decir, placa y colector, cumplen funciones similares. El cátodo del tubo emite el flujo de electrones que viaja hasta el ánodo, y el emisor del transistor libera los electrones que son captados por el colector; por tanto, el cátodo del tubo y el emisor del transistor cumplen funciones análogas. Finalmente, en el triodo de vacío la corriente electrónica de placa circula a través de la rejilla y es gobernada por la tensión de polarización de esta última. En el transistor, la corriente electrónica del colector circula a través de la base y es gobernada por la tensión de polarización aplicada entre emisor y base. Estas profundas analogías (fig. 11.38) permiten ver fácilmente que el triodo de vacío y el transistor ejecutan funciones similares.

Montajes posibles con transistores

Estos montajes son tres: 1, con base común; 2, con emisor común; 3, con colector común. Cada uno de ellos presenta sus propias ventajas, y se emplea en los circuitos donde sus características específicas (ganancia de potencia, amplificación de corriente, etc.) satisfacen mejor las exigencias impuestas por el funcionamiento eficiente de un accionamiento determinado.

Las figuras 11.39 representan los esquemas de estos montajes con transistores de tipo NPN y de tipo PNP. En todos ellos la corriente del colector es igual a la corriente del emisor menos la corriente de la base. La resistencia R_1 sirve para limitar la corriente de la base, y se ajusta de acuerdo con las especificaciones que rigen para el transistor. R_2 es la resistencia de carga, entre cuyos bornes aparece la señal de tensión amplificada.

El montaje con emisor común es el más frecuentemente usado para amplificación, puesto que proporciona una elevada ganancia de tensión, de corriente y de potencia.

El transistor uniunión

Este tipo de transistor se usa principalmente en combinación con un tiristor, y difiere del transistor básico ya estudiado por su estructura. Se compone, en efecto, de una sola barra de silicio semiconductor del tipo N, con terminales en ambos extremos, y de una sola zona de silicio del tipo P, dispuesta a un lado de la barra y aproximadamente a igual distancia de cada extremo (fig. 11.40). Obsérvese que los extremos de la barra N están señalados con las designaciones "base 1" y "base 2", mientras la zona P recibe el nombre de "emisor". Obsérvese también que en este transistor hay una sola unión o barrera (de donde deriva su nombre). De hecho, el transistor uniunión no es más que un diodo PN con una zona P simple y una zona N doble.

Si entre los terminales B_2 y B_1 del transistor se aplica la tensión de una batería, de modo que el polo positivo de la misma quede unido a B_2 y el negativo a B_1 (fig. 11.41), la barra de silicio de tipo N actuará como una resistencia y permitirá la circulación de una débil corriente en el sentido de la flecha. A causa de esta corriente, la tensión aplicada se repartirá a lo largo de la barra; si la tensión de la batería es, por ejemplo, de 10 V, la tensión en el punto donde se halla la unión (zona P o emisor) será de unos + 6 V. Si por medio de una segunda batería se aplica ahora al emisor otra tensión positiva con respecto a B_1, pero inferior a estos 6 V, todo seguirá como antes, pues la unión PN recibirá polarización inversa y no conducirá. Sin embargo, si dicha tensión excede de los 6 V indicados (por ejemplo, es de + 7 V), la zona emisor - base B_1 recibirá polarización directa y empezará a circular corriente a través de la unión PN. Esta corriente aumentará en seguida vertiginosamente, pues cuanto mayor es más disminuye la resistencia del tramo emisor - base B_1. Por consiguiente, al excitar un transistor uniunión (aplicarle polarización directa) la resistencia entre el emisor y la base B_1 pasa a ser prácticamente cero.

El transistor uniunión encuentra diversas aplicaciones, pero la más frecuente es para el cebado de tiristores. En tal caso se emplea el circuito de la figura 11.42, llamado *oscilador de relajación.* La alimentación se efectúa por medio de una fuente de tensión continua (batería), conectada del modo indicado. Al cerrar el interruptor, la tensión de la batería quedará aplicada entre los extremos del transistor, y por tanto la unión adquirirá un determinado potencial positivo. Como la tensión de la batería queda simultáneamente aplicada a la rama donde se hallan C_1 y R_1, el punto común entre ambos, al cual va unido el terminal del emisor, adquirirá inicialmente el potencial del borne negativo de la batería, puesto que en el primer instante el condensador C_1 todavía no ha empezado a cargarse. Sin embargo, a medida que el condensador va cargándose, el potencial del punto común entre C_1 y R_1 adquiere valores positivos crecientes. Transcurrido cierto intervalo de tiempo, que depende de la magnitud de la resistencia R_1, la tensión de dicho punto común alcanza y supera la tensión existente en la unión del transistor. Al recibir una polarización directa, la unión se vuelve conductora y permite que el condensador C_1 se descargue sobre R_3 a través de B_1, como indica la línea de trazos. El impulso positivo de tensión que entonces aparece en bornes de la resistencia R_3 es el que se utiliza para cebar el tiristor. Una vez descargado el condensador, el emisor queda sin polarización directa y el transistor deja de operar hasta que se ha completado un nuevo ciclo.

EL TIRISTOR

El tiristor, tiratrón de silicio o rectificador gobernado de silicio (RGS) es esencialmente un interruptor constituido por capas de silicio semiconductor, y susceptible, como su nombre indica, de rectificar la corriente alterna para convertirla en continua *de amplitud modulable.* Es un componente electrónico de pequeño tamaño, compacto, ligero, resistente a los choques y de funcionamiento silencioso. Posee una conductibilidad eléctrica elevada, no necesita caldeo previo para operar (como ocurre con los tiratrones) y carece de partes móviles. La figura 11.43 A muestra el símbolo empleado para representarlo, la figura 11.43 B su aspecto constructivo exterior, y la figura 11.43 C su constitución interna. Esta última permite observar que está formado por cuatro capas PNPN de silicio semiconductor (alternadamente de tipo P y de tipo N), llamadas respectivamente *de ánodo, de bloqueo, de gobierno* y *de cátodo,* y que lleva tres terminales cuyos nombres son *ánodo, cátodo* y *puerta* o *electrodo auxiliar.* El ánodo va unido a la capa extrema P, el cátodo a la capa extrema N y la puerta a la capa intermedia P.

Curvas características del tiristor

En condiciones normales de funcionamiento, el tiristor sólo conduce cuando el ánodo es positivo con respecto al cátodo, o sea cuando el tiristor recibe polarización directa. Sin embargo, esta conducción no tiene lugar inmediatamente. La figura 11.44 *a* muestra la curva característica de la corriente en función de la tensión de polarización para un tiristor con el electrodo auxiliar (puerta) libre. Se observa que la aplicación de una polarización directa sólo permite al principio la circulación de una débil corriente, llamada *corriente de bloqueo directa.* Esta corriente permanece sensiblemente constante a medida que se incrementa la polarización, pero aumenta súbita y rápidamente cuando ésta alcanza un valor llamado *tensión disruptiva directa.* A partir de este momento el tiristor "se dispara" (conduce) y permanece en estado de conducción mientras la corriente no desciende por debajo de un valor mínimo, llamado *corriente de mantenimiento,* o no se invierte de sentido, como sucede automáticamente si se trata de corriente alterna. Cuando la corriente anódica es inferior al valor de mantenimiento, el tiristor vuelve al estado de bloqueo.

Si se aplica al tiristor una polarización inversa (es decir, el cátodo se hace positivo con respecto al ánodo), también circulará inicialmente por él una débil corriente, que se distingue con el nombre de *corriente de bloqueo inversa.* Sin embargo, si la polarización aplicada llega a rebasar un límite llamado *tensión de descarga inversa,* la corriente aumenta súbita y vertiginosamente y destruye la estructura interna del tiristor por calentamiento local excesivo de sus cristales.

El tiristor puede también "dispararse" por medio de polarizaciones directas *inferiores* a la tensión disruptiva si se aplica al electrodo auxiliar (puerta) cierta tensión positiva con respecto al cátodo. La figura 11.44 *b* muestra diversas curvas características de un tiristor para varias tensiones de puerta. Se observa que la tensión disruptiva es tanto menor cuanto mayor es la tensión de puerta. Si ésta es suficientemente elevada se llega a suprimir prácticamente toda la zona de bloqueo, y el tiristor se comporta entonces como un rectificador normal de tipo diodo. En condiciones prácticas de funcionamiento, el tiristor se hace trabajar con una polarización directa muy inferior a la tensión disruptiva máxima (con la puerta libre). Basta entonces aplicar a la puerta un impulso positivo de suficiente amplitud para que el tiristor "se dispare" en el punto deseado de la curva.

Resumiendo lo antedicho, un tiristor se dispara, sin necesidad de impulso de gobierno en su puerta, si la tensión de polarización directa aplicada al mismo es suficientemente elevada. Si la tensión de polarización es inferior al valor disruptivo y no varía, el tiristor se dispara en cuanto se aplica a su puerta un impulso de tensión suficientemente alto. Recíprocamente, el tiristor también dispara si, permaneciendo constante la tensión aplicada a su puerta, la tensión de polarización alcanza determinado valor. En condiciones prácticas del funcionamiento, el tiristor sólo entra en estado de conducción cuando su puerta recibe un pequeño impulso positivo de tensión (del orden de unos pocos voltios). Dicho impulso debe tener suficiente duración para dar tiempo a que se establezca la corriente anódica, lo cual requiere normalmente pocos microsegundos. Una vez en estado de conducción, el tiristor permanecerá en él hasta que la corriente anódica descienda por debajo del valor de mantenimiento, que es muy pequeño, o hasta que la tensión anódica se anule o invierta de polaridad.

Por consiguiente, si se aplica al tiristor una tensión de polarización alterna, es evidente que sólo será capaz de conducir durante los semiperíodos positivos; durante los semiperíodos negativos la polarización será inversa, y la conducción cesará automáticamente. Ahora bien, si por medio de un circuito especial de cebado puede conseguirse que el tiristor se dispare en un instante determinado de cada semionda positiva de tensión, se habrá obtenido sin duda un sistema excelente para gobernar o ajustar la velocidad de un motor de corriente continua. Basta, en efecto, un pequeño impulso de tensión (que supone una potencia de unos pocos microvatios) aplicado a la puerta del tiristor algo después de haberse iniciado una semionda positiva de tensión, para modular una potencia de centenares de vatios a través del tiristor.

El intervalo de tiempo que transcurre entre el origen de la semionda positiva y el instante de aplicación del impulso se llama *ángulo de abertura*. La figura 11.45 permite ver cómo variando el ángulo de abertura se modifica el tramo sombreado de cada semionda positiva, lo cual hace variar a su vez la potencia que recibe el motor y, por tanto, su velocidad. De esta manera se consigue ajustar la velocidad de éste prácticamente a cualquier valor comprendido entre la gama posible.

La figura muestra que cuando el ángulo de abertura sea de 45° el motor girará más aprisa que cuando sea de 90°.

Funcionamiento del tiristor

Como se ha dicho anteriormente, el tiristor se compone de cuatro capas PNPN de silicio semiconductor, dispuestas por este orden. Para explicar su funcionamiento supondremos el tiristor formado por dos transistores PNP y NPN (fig. 11.46). Los terminales de ánodo, de cátodo y de puerta van conectados como indica la figura 11.47.

Para que el transistor NPN pueda conducir es preciso que la base del mismo sea positiva con respecto al emisor (cátodo). Si en dicha base no está aplicada ninguna tensión, o bien si ésta es negativa, el transistor no conduce (polarización inversa). Por consiguiente, tampoco puede circular corriente alguna entre el cátodo y el ánodo del tiristor.

Supóngase ahora que el ánodo y el cátodo del transistor NPN tienen las polaridades indicadas y que se aplica un impulso positivo de tensión a la base de este transistor a través del terminal de puerta. Puesto que dicho transistor recibe una polarización base - emisor directa, entra en estado de conducción, y circula una elevada corriente hacia el colector. En tales condiciones la caída de tensión entre los extremos del transistor NPN es sumamente pequeña, por lo que su colector se vuelve casi tan negativo como su emisor (cátodo). Como la tensión en este colector es la misma que queda aplicada a la base del transistor PNP, y la tensión existente en el emisor (ánodo) de este transistor es positiva, el transistor PNP entra también en estado de conducción. Su colector queda entonces prácticamente a la misma tensión que su emisor. Puesto que el colector del PNP está unido a la base del NPN, y puesto que su tensión es casi la misma que la del ánodo, la base del NPN se vuelve más positiva, lo cual hace aumentar todavía más la corriente en el colector del NPN. Este efecto recibe el nombre de *retroalimentación regenerativa,* ya que todo incremento de la corriente del colector en un transistor se traduce en un incremento de la corriente del colector en el otro transistor. La corriente de régimen quedará limitada únicamente por la resistencia del circuito exterior.

No es difícil ver que, una vez establecida la retroalimentación desde el colector del PNP hacia la base del NPN, esta base permanece constantemente positiva (pues el potencial del colector del PNP es positivo) y por tanto no es necesario ningún impulso más en la puerta del tiristor para mantener la conducción. También es evidente que a través de ambos transistores debe circular una determinada corriente mínima

—la *corriente de mantenimiento*— para que la base del NPN se conserve positiva. Si esta corriente de circulación es inferior a la de mantenimiento, el tiristor PNPN deja de conducir.

Es conveniente tener presentes los siguientes puntos:

1. Para "disparar" un tiristor es necesario aplicar un pequeño impulso positivo de tensión a la puerta del mismo.
2. Una vez el tiristor en estado de conducción, persistirá indefinidamente en él a menos que la corriente anódica descienda por debajo del valor de mantenimiento.
3. La supresión del impulso de gobierno cuando la corriente anódica ya se ha establecido no interrumpe en absoluto la conducción del tiristor.
4. Para dejar el tiristor fuera de servicio es preciso anular o invertir la polaridad de la tensión anódica. Ambas condiciones se cumplen automáticamente si el tiristor se alimenta con corriente alterna, pues al iniciarse cada semionda negativa la polarización pasa a ser inversa.
5. Entre el descebado de un tiristor y la subsiguiente aplicación de polarización directa debe transcurrir determinado intervalo de tiempo (unos 10 microsegundos). Si este intervalo es más corto que el indicado, el tiristor puede cebarse prematuramente, es decir, antes de aplicar el impulso a su puerta.
6. Si la tensión anódica crece con mucha rapidez, puede establecerse una corriente de fuga suficiente para disparar el tiristor prematuramente.

Cebado del tiristor

De las explicaciones precedentes se deduce que la facultad que posee un tiristor de pasar del estado de no conducción al de conducción (o sea del estado de "abierto" al de "cerrado") depende de la simple aplicación de un pequeño impulso de tensión al terminal de la puerta. Este pequeño impulso, llamado *señal de gobierno* o *señal de disparo,* es el que "ceba" el tiristor al estado de conducción, siempre y cuando el ánodo del mismo reciba polarización positiva con respecto al cátodo.

Si se conecta el tiristor en serie con una carga cualquiera, y entre los extremos de este circuito se aplica una tensión alterna, el tiristor sólo podrá cebarse durante los semiperíodos en que el ánodo es positivo. Provocando en cada semiperíodo positivo el disparo del tiristor con un determinado ángulo de abertura (por ejemplo, 90° eléctricos) se conseguirá transmitir a la carga una potencia que sólo corresponda a una fracción definida de la total. Si la carga es un motor de corriente continua, la variación de la potencia transmitida se traducirá en una variación consecuente de la velocidad. Existen circuitos que permiten ajustar a voluntad el momento de la aplicación del impulso, y por consiguiente proporcionan una amplia gama de gobierno de la velocidad.

Antes de pasar a su descripción se explicará en qué consiste el gobierno de fase sobre semiondas y sobre ondas completas.

Gobierno de fase sobre semiondas

Supóngase que se aplica una tensión alterna al circuito formado por la unión en serie de un tiristor y un motor de corriente continua (fig. 11.48). Si se provoca el disparo del tiristor justo en el instante de iniciarse cada semionda positiva (fig. 11.49), circulará corriente a través de tiristor y motor durante cada semionda positiva entera. Puesto que el tiristor no conduce durante las semiondas negativas, por tener entonces el ánodo negativo con respecto al cátodo, el motor será recorrido por una corriente unidireccional pulsatoria (análoga a la obtenida con rectificación de media onda) y sólo recibirá la mitad de la potencia total.

Si el disparo del tiristor se provoca en el instante en que cada semionda positiva pasa por su valor máximo (fig. 11.50), sólo circulará corriente a través de tiristor y motor durante cada mitad de semionda positiva. El motor recibirá, por tanto, la mitad de la potencia que recibía en el caso anterior, o sea la cuarta parte de la potencia total. No es difícil ver que la potencia transmitida al motor puede modularse a voluntad variando el ángulo de abertura entre 0 y 180° eléctricos. Esta clase de gobierno se llama *de fase,* porque con él se modifica el ángulo de fase existente entre el origen de cada semionda positiva y el instante del disparo. Por consiguiente, la velocidad del motor puede ajustarse al valor deseado cebando simplemente el tiristor en el instante adecuado de cada semionda positiva.

Gobierno de fase sobre ondas completas

La figura 11.51 muestra un circuito previsto para modular la velocidad de un motor de corriente continua por medio de un tiristor, pero ejerciendo el gobierno sobre la onda completa de tensión alterna. Este circuito es análogo al de la figura 11.48; sin embargo, cuenta con un puente de rectificadores suplementario, cuya misión es precisamente convertir la onda completa de tensión alterna en dos semiondas positivas, capaces por tanto de atravesar el tiristor. El funcionamiento es el siguiente. Durante los semiperíodos en los que L_1 es negativo y L_2 positivo, la corriente circula a través del rectificador D_3, del tiristor, del motor y del rectificador D_2. Durante los semiperíodos en los que L_2 es negativo y L_1 positivo, la corriente circula a través del rectificador D_4, del tiristor, del motor y del rectificador D_1. Se observa que la corriente siempre circula por el tiristor y el motor en el mismo sentido, tanto durante las alternancias positivas de la red como durante las negativas. Si el cebado del tiristor se efectúa con un ángulo de abertura de 60°, la tensión aplicada al motor tendrá la forma representada en la figura 11.52. Esta tensión unidireccional pulsatoria no es ciertamente muy adecuada para alimentar un motor de corriente continua, y debe ser previamente filtrada. Los elementos necesarios para el filtrado han sido omitidos en el circuito, con el fin de simplificarlo.

Por medio de un tiristor y un puente de rectificadores puede también modularse la velocidad de un motor de corriente alterna. En tal caso es preciso conectar el motor de la manera indicada en la figura 11.53 *a*. La figura 11.53 *b* muestra la forma de la tensión en la red de alimentación y en bornes del motor, respectivamente. Obsérvese que ambas tensiones son alternas, es decir, constan de semiondas positivas y negativas. Sin embargo, la segunda sólo queda aplicada al motor durante los tramos sombreados, que corresponden en este ejemplo a un disparo del tiristor con un ángulo de fase de 45° eléctricos.

Circuitos de cebado

Cebado por resistencia. Una manera muy sencilla de conseguir el cebado automático de un tiristor alimentado con una red de corriente alterna, es la representada en la figura 11.54 *a*. Una vez cerrado el interruptor S_1, durante cada semiperíodo positivo el ánodo y la puerta del tiristor serán positivos con respecto al cátodo. La tensión de puerta hará cebar el tiristor, y circulará una corriente relativamente intensa de L_1 a L_2 a través del tiristor y de la carga. Puesto que la caída de tensión en bornes del tiristor disminuye considerablemente mientras éste se halla en período de conducción, el potencial en la puerta se reducirá en este intervalo casi a cero. Durante cada semiperíodo negativo el ánodo del tiristor es negativo y el cátodo positivo; en consecuencia, el tiristor no conduce e interrumpe el circuito de la carga, que sólo es recorrida por una corriente pulsatoria de media onda. El diodo D_1 impide la aplicación de una polarización inversa entre puerta y cátodo durante el transcurso de los semiperíodos negativos. La resistencia R_1 limita la corriente máxima de puerta a un valor admisible y determina por tanto el instante de disparo del tiristor. En el circuito de la figura 11.54 *a*, por consiguiente, el ángulo de abertura o fase será siempre idéntico para todos los semiperíodos positivos.

Con objeto de poder variar el ángulo de fase sin modificar el esquema básico del circuito se substituye la resistencia fija R_1 por otra variable (fig. 11.54 *b*). Con este artificio se logra un ángulo de retraso en el disparo comprendido prácticamente entre 0 y 90° eléctricos, según el valor al cual se ajuste la resistencia. No es posible incrementar este ángulo por encima de 90°, puesto que la tensión de alimentación y la tensión de puerta se hallan en fase. En resumen, con el circuito de la figura 11.54 *b* se consigue un gobierno variable de puerta que determina el disparo del tiristor desde el principio de las semiondas positivas de tensión, cuando la resistencia se ajusta a su valor mínimo, hasta el punto medio de dichas semiondas, cuando la resistencia se ajusta a su valor máximo. La forma de la tensión pulsatoria aplicada a la carga en ambos casos extremos es la representada en la figura 11.54 *c*.

Cebado por resistencia y condensador. El circuito de cebado de la figura 11.55 está constituido por una resistencia variable R_1 y un condensador C_1. Al inciarse cada semiperíodo positivo, el condensador empezará a cargarse a través de la resistencia variable y su placa superior será, por tanto, cada vez más positiva. Obsérvese que el potencial positivo de esta placa queda precisamente aplicado a la puerta del tiristor, el cual recibe simultáneamente polarización directa. Cuando el potencial de puerta sea suficientemente elevado para disparar el tiristor, éste pasará al estado de conducción y dejará circular una corriente relativamente intensa a través de la carga. El tiempo que el tiristor tardará en cebarse es precisamente el tiempo que el condensador tarda en cargarse a la tensión de puerta que provoca el disparo, el cual depende sólo de los valores de R_1 y C_1, como se detallará en breve.

El diodo D_1 permite la rápida carga del condensador durante los semiperíodos negativos, haciendo inmediatamente negativa su placa superior. Esto es necesario, puesto que el condensador debe estar en seguida a punto para experimentar otra carga a través de la resistencia durante el próximo semiperíodo positivo. Este circuito permite un gobierno completo de las semiondas positivas, es decir, permite ajustar el disparo del tiristor a un ángulo de abertura cualquiera comprendido entre 0 y 180° eléctricos.

En todo circuito formado por una resistencia y un condensador en serie entre cuyos extremos se aplica bruscamente una tensión, el condensador queda sujeto a un proceso de carga que exige determinada duración. El tiempo que tarda el condensador en cargarse hasta que entre sus placas aparece el 63,2 % de la tensión aplicada constituye la *constante de tiempo* de dicho circuito. Suponiendo, por ejemplo, que la tensión aplicada es de 100 V, la constante de tiempo será el tiempo invertido por el condensador en alcanzar entre sus placas una tensión de 63,2 V. El valor de la constante de tiempo en un circuito como el que nos ocupa se calcula por medio de la fórmula:

$$T = R_1 \cdot C_1 .$$

Expresando la resistencia en Ω (ohmios) y la capacidad en F (faradios) se obtendrá la constante T en segundos. De esta fórmula se deduce que el condensador tardará tanto más en cargarse cuanto mayor sea la resistencia, y viceversa. Por otra parte, se comprende que toda variación de la resistencia supone una variación inversa de la corriente de carga, y por tanto de la velocidad con la cual se carga el condensador. En el circuito de la figura 11.55 se ha visto que el potencial de la placa superior del condensador, aplicado a la puerta del tiristor, es el encargado de cebar este último en cuanto alcanza determinado valor. Puesto que el tiempo empleado en alcanzarse dicho potencial crítico depende de la velocidad de carga del condensador, y ésta depende a su vez de $R_1 C_1$, es evidente que ajustando R_1 al valor adecuado puede hacerse disparar el tiristor con un ángulo de fase comprendido entre 0 y 180° eléctricos.

La carga completa del condensador se admite como prácticamente concluida una vez transcurridas cinco constantes de tiempo. Así, en el ejemplo numérico anterior, si el condensador invierte 0,01 segundos en alcanzar los 63,2 V, se supone que se habrá cargado por completo a 100 V al cabo de 0,01 × 5 = 0,05 segundos.

Cebado por transistor uniunión. Ya se ha estudiado con anterioridad la teoría del transistor uniunión, e incluso se ha reproducido en la figura 11.42 una de sus aplicaciones más frecuentes, que es la de crear en la puerta de un tiristor el impulso de tensión necesario para cebarlo (circuito oscilador de relajación).

Las figuras 11.56 y 11.57 muestran dos circuitos elementales para el gobierno de la velocidad de un motor de corriente continua a base de tiristor cebado por transistor uniunión. El primero de ellos rectifica sólo media onda; el segundo rectifica la onda completa. Por consiguiente, según cuál de los dos se utilice el motor recibirá respectivamente la mitad o la totalidad de la potencia de la red. En uno y otro el condensador C_1 se carga a través de la resistencia variable R_1. Cuando la tensión positiva en la placa superior del condensador es suficiente para vencer la de umbral del transistor uniunión Q_1, la resistencia entre E y B_1 se anula súbitamente, C_1 se descarga sobre R_2 y crea una diferencia de potencial entre los extremos de esta última. Como la tensión que aparece en el extremo superior de R_2, unido a la puerta del tiristor, es positiva, éste recibe un impulso y se ceba. Los circuitos de las figuras 11.56 y 11.57 son apropiados para el simple gobierno de motores universales o de polos blindados, o sea sin usar señal de retroalimentación (véase más adelante el significado de este término).

En circuitos más perfeccionados, previstos para funciones de regulación, se substituye la resistencia variable por un transistor PNP (figura 11.58). En anteriores apartados de este capítulo, al tratar de los transistores, se ha visto que basta la circulación de una pequeña corriente entre emisor y base para gobernar una corriente mucho mayor entre emisor y colector, y que la segundo corriente es proporcional a la primera. Por consiguiente, no hay duda que la corriente de carga del condensador C_1 puede gobernarse ajustando convenientemente la corriente entre emisor y base del transistor PNP (fig. 11.58), en vez de hacerlo por ajuste de la resistencia variable R_1 (fig. 11.57).

El circuito de la figura 11.58 es adecuado para la regulación de un motor de corriente continua. La rectificación de la corriente alterna de alimentación es de onda completa. Obsérvese que el circuito emisor - base está controlado por la diferencia entre dos señales de entrada: una de referencia, y otra de retroalimentación. Más adelante se explicará el significado de ambos términos. En función de estas señales de regulación circula una corriente mayor o menor por el transistor Q_1, la cual carga el condensador C_1, cuya placa superior se halla unida al emisor de Q_2. Cuando la tensión positiva en dicha placa es ligeramente superior a la existente en el punto de Q_2 se dispara y permite que C_1 se descargue sobre la resistencia R_2. Esto era un impulso de tensión entre los extremos de dicho resistencia, el cual es transmitido a la puerta del tiristor y provoca su cebado. Al entrar el tiristor en conducción circula corriente pulsatoria modulada a través del motor.

En el circuito de la figura 11.59 se utiliza además un diodo Zener D_1 para estabilizar la tensión existente en bornes de ambos transistores. De este modo se obtiene una respuesta más exacta de ambos a la señal de entrada en Q_1. Como siempre, Q_1 determina la corriente de carga de C_1. Por ejemplo, si la señal de entrada (diferencia entre las señales de referencia y retroalimentación) es grande, circulará una corriente relativamente intensa a través de Q_1 y el condensador se cargará rápidamente a la tensión necesaria para cebar Q_2 y el tiristor. El período de conducción del tiristor se iniciará entonces casi inmediatamente después del principio de cada semionda rectificada.

Señales de referencia y de retroalimentación. Para poder regular la velocidad de un motor es preciso saber en todo momento el valor instantáneo de la misma y compararlo con otro valor preestablecido de referencia. Esta comparación se efectúa cómodamente convirtiendo ambos valores en sendas tensiones eléctricas, llamadas respectivamente *señal de retroalimentación* y *señal de referencia.* La señal de referencia se ajusta por medio de un potenciómetro o divisor de tensión cualquiera; la señal de retroalimentación puede ser la propia fuerza contraelectromotriz desarrollada por el motor o bien la tensión generada por una dínamo tacométrica montada sobre el mismo árbol del motor, ya que una y otra son proporcionales a la velocidad de este último. Ambas señales se comparan mutuamente conectándolas en serie, o bien en paralelo, pero siempre en oposición de polaridades. En el primer caso la señal resultante es la diferencia entre las dos tensiones (en magnitud y signo); en el segundo, la diferencia entre las dos corrientes.

Esto se ve claramente en el circuito de la figura 11.60 *a*, compuesto por dos baterías conectadas en serie y una carga. Las tensiones de ambas baterías son respectivamente $V_1 = 30$ V y $V_2 = 25$ V, y el signo de sus polaridades indica que se hallan en oposición. Por consiguiente, la tensión $V_{AB} = V_1 - V_2 = 30 - 25 = 5$ V. Puesto que V_1 es mayor que V_2, la polaridad de V_{AB} será igual que la de V_1 (A positivo y B negativo).

Un circuito análogo al precedente es el de la figura 11.60 *b*. La puerta del tiristor recibe una tensión continua positiva V_{REF} procedente de un divisor, que se supone ajustada al valor 20 V. Por otra parte, el motor de corriente continua alimentado a través del tiristor desarrolla una fuerza contraelectromotriz V_{CEM} que, a la velocidad a la cual gira, se supone ser de 15 V. Puesto que ambas señales están en oposición, sobre la puerta del tiristor actuará una tensión resultante positiva $V_G = V_{REF} - V_{CEM} = 20 - 15 = 5$ V.

Esta tensión resultante es la que determina el instante de disparo del tiristor durante cada semionda positiva de corriente alterna. Si la velocidad del motor tiende a variar en cualquier sentido, la tensión resultante varía en sentido opuesto y modifica la fase del disparo de modo que la energía transmitida al motor tienda a conservar la velocidad ajustada con el divisor.

Aplicaciones del tiristor para el gobierno de motores eléctricos

En los capítulos V y VII se han estudiado las diversas funciones realizadas por los combinadores y demás aparatos diseñados para maniobrar motores de corriente alterna y de corriente continua. Las más importantes son el arranque y el paro del motor, la inversión del sentido de giro, la protección contra sobrecargas, el frenado eléctrico, la limitación de la corriente de arranque y el gobierno o la regulación de la velocidad.

Estas funciones, y muchas más, pueden ejecutarse también con auxilio de tiristores. El tiristor presenta además las ventajas de un elevado rendimiento, unas exigencias mínimas de entretenimiento y un gobierno o regulación continuos (sin saltos).

En las páginas que siguen se describirán principalmente las aplicaciones prácticas del tiristor para el gobierno y la regulación de la velocidad en motores universales, de corriente continua y monofásicos.

REGULACION Y GOBIERNO DE LA VELOCIDAD EN EL MOTOR UNIVERSAL

Como se ha dicho anteriormente, la señal de retroalimentación necesaria para el proceso de regulación de la velocidad de un motor puede ser la propia fuerza contraelectromotriz desarrollada por el motor. En un motor universal es fácil conseguir esta señal, pues puede tomarse directamente de las escobillas.

Regulación sobre medias ondas

En el circuito de regulación de la figura 11.61 A, propuesto por Momberg y Taylor, el tiristor está conectado entre el inducido del motor universal y el arrollamiento serie de excitación. Como señal de retroalimentación se utiliza la fuerza contraelectromotriz desarrollada por el inducido. Durante las alternancias negativas el tiristor no conduce, y por tanto no circula corriente por el inducido ni por el arrollamiento serie del motor. En estas condiciones la fuerza contraelectromotriz del motor depende solamente del magnetismo remanente que subsiste en sus polos inductores y de la velocidad del inducido. Puesto que el primero es constante, la f.c.m. resulta entonces proporcional a la velocidad de giro.

La tensión V_G aplicada a la puerta del tiristor se toma de un potenciómetro o divisor R_1 / P_1 conectado directamente a la tensión alterna de alimentación V_{AC}, y por tanto es una onda sinusoidal de magnitud atenuda y en fase con las semiondas unidireccionales de tensión que aparecen en bornes del inducido. Mientras el motor permanece todavía en reposo, el magnetismo remanente de sus polos no induce ninguna fuerza contraelectromotriz; por consiguiente, el tiristor se ceba al iniciarse la semionda de tensión, y el motor recibe potencia suficiente para acelerarse rápidamente. A medida que el motor adquiere velocidad crece también en proporción la fuerza contraelectromotriz desarrollada por él, la cual se opone, como sabemos, a la tensión variable V_G aplicada a la puerta del tiristor. El resultado es que el tiristor se ceba cada vez a valores instantáneos mayores de V_G (lo cual equivale a un retraso creciente del encendido), hasta que el motor alcanza una determinada velocidad estable de equilibrio.

Si por cualquier causa aumenta ahora la carga del motor, su velocidad tenderá a disminuir. Ello se traducirá en una reducción automática de la fuerza contraelectromotriz desarrollada y en el consiguiente avance del instante de cebado. El motor recibirá entonces un mayor aporte de potencia para compensar el incremento de carga, y su velocidad seguirá manteniéndose sensiblemente constante.

Las figuras 11.61 B y C muestran la forma de la tensión pulsatoria aplicada al motor, de la tensión alterna aplicada a la puerta del tiristor por efecto del potenciómetro y de la fuerza contraelectromotriz desarrollada por el motor. En la figura 11.61 B se supone el potenciómetro ajustado a una posición alta. La tensión de puerta V_G es de amplitud relativamente elevada y el tiristor se ceba con un pequeño ángulo de fase α. La velocidad a la cual el motor está regulado es más bien grande. La figura 11.61 C corresponde a un ajuste "bajo" del potenciómetro. La amplitud de V_G es pequeña, el ángulo de fase α al cual se ceba el tiristor es de unos 90° eléctricos, y la velocidad de regulación del motor es más bien reducida.

Este circuito es muy simple, pero presenta dos inconvenientes: la elevada pérdida de potencia que tiene lugar en el potenciómetro P_1 / R_1 y la dificultad de conseguir el cebado consistente del tiristor con un ángulo de fase superior a 90° eléctricos. Por otra parte, el circuito tiene también tendencia a oscilar con la fluctuaciones de la red cuando trabaja con un ángulo de encendido próximo a 90° eléctricos. Todo ello impide un funcionamiento estable a velocidades bajas. Para determinadas aplicaciones, no obstante, estos inconvenientes no tienen mucha importancia.

Regulación mejorada sobre medias ondas

Si se desea un funcionamiento estable a velocidades bajas puede recurrirse al circuito de la figura 11.62 A. Este circuito también utiliza el magnetismo remanente del motor para crear una señal de retroalimentación, pero sólo permite al tiristor un período de conducción muy breve; de aquí que la velocidad del motor sea pequeña.

Durante los semiperíodos negativos de la tensión de alimentación el condensador C_1, que puede ser de tipo electrolítico, se descarga completamente; durante los semiperíodos positivos C_1 tiende a cargarse hasta una tensión constante V_B (limitada por el diodo Zener D_3) a través de la resistencia ajustable P_1. Mientras el inducido todavía permanece en reposo, no genera fuerza contraelectromotriz alguna, y el tiristor se ceba tan pronto como la tensión V_C en bornes de C_1 supera la caída de tensión en el diodo D_1 y en la puerta del tiristor. Esto ocurre prácticamente al iniciarse cada semiperíodo positivo, y por tanto el motor recibe suficiente potencia para acelerarse con rapidez. A medida que crece su velocidad crece también la fuerza contraelectromotriz desarrollada por el inducido, la cual tiene polaridad opuesta a la tensión existente entre las placas de C_1. Como el tiristor sólo puede cebarse cuando V_C sobrepasa la tensión en el inducido, y este valor instantáneo de V_C debe ser cada vez superior al de antes, el retraso del encendido va aumentando hasta que el motor cesa de acelerarse y adquiere una velocidad constante de régimen.

Una vez alcanzada esta velocidad estable de funcionamiento, la señal de retroalimentación se encarga de efectuar automáticamente la regulación necesaria para mantener aquélla constante. Por ejemplo, si un aumento de la carga tiende a reducir la velocidad del motor, la fuerza contraelectromotriz generada por el inducido disminuye ligeramente; ello provoca un pequeño avance en el cebado del tiristor y un mayor aporte de potencia al motor, el cual puede así hacer frente al incremento de carga sin disminuir su velocidad. A la inversa, una disminución de la carga tenderá a acelerar el motor, y por tanto a elevar la fuerza contraelectromotriz desarrollada; inmediatamente se producirá un retraso en el cebado del tiristor y el motor recibirá menos potencia, con lo cual su velocidad permanecerá invariable.

La velocidad de régimen se fija ajustando convenientemente la posición del cursor sobre la resistencia P_1. Cuando se desea una velocidad relativamente elevada, se ajusta el cursor de modo que P_1 sea pequeña. De este modo la tensión V_C crece rápidamente y el tiristor se ceba con muy poco retraso α (fig. 11.62 B). Obsérvese la forma de onda de V_C y la amplitud relativamente grande de la fuerza contraelectromotriz desarrollada por el motor a esta velocidad. Cuando el cursor se ajusta de modo que P_1 sea grande, la tensión V_C crece lentamente y el tiristor se ceba con notable retraso α (fig. 11.62 C), lo cual disminuye considerablemente la potencia suministrada al motor y hace que su velocidad de régimen sea reducida. El gráfico de la figura 11.62 D corresponde a la tensión V_B en bornes del diodo Zener D_3. Obsérvese cómo las semiondas positivas de tensión alterna quedan cercenadas por la acción de dicho diodo y reducidas a un valor V_B prácticamente constante a lo largo del semiperíodo. El condensador C_2 y la resistencia IK, a través de los cuales la puerta queda unida al cátodo, tienen por objeto estabilizar el circuito filtrando las perturbaciones causadas por el colector u otras señales extrañas que podrían provocar el cebado prematuro del tiristor.

Los dos circuitos de las figuras 11.61 A y 11.62 A tienen el inconveniente de exigir conexiones separadas para el arrollamiento inductor y para el inducido del motor. Con el circuito de la figura 11.63 A se consigue eliminar este inconveniente. En este circuito se utiliza también la fuerza contraelectromotriz generada por el magnetismo remanente del motor como señal de retroalimentación para la regulación de la velocidad. Igual que en los casos anteriores, toda disminución de la velocidad repercute en una reducción de la fuerza contraelectromotriz generada y en un avance del cebado del tiristor, lo cual supone un mayor aporte de potencia al inducido y un aumento automático de velocidad que compensa la disminución primitiva. Cuando el motor tiende a acelerarse tiene lugar una compensación similar y de signo contrario, por lo que en cualquier circunstancia la velocidad del motor permanece sensiblemente constante.

Durante los semiperíodos positivos de la red alterna de alimentación el cátodo del diodo D_2 es negativo con respecto al ánodo, y por el divisor R_1 / P_1 circula una semionda de corriente. Esto proporciona en el cursor del potenciómetro P_1 la tensión de referencia para el ajuste de la velocidad de régimen. Sin embargo, la presencia del condensador C_1 aplana esta semionda sinusoidal y la transforma en una rampa cosenoidal de tensión que permite un prolongado gobierno de la fase de encendido, más allá de 90° eléctricos. La curva ideal para la rampa de tensión sería una que presentara la amplitud mínima a 0° eléctricos y la amplitud máxima a 180° eléctricos, como indica la figura 11.63 B. En realidad, la rampa de tensión producida por el condensador no es íntegramente cosenoidal, y existe un tramo inicial y otro final en la misma que no permiten el cebado del tiristor. La figura 11.63 C muestra, por ejemplo, que no es posible disparar el tiristor con un ángulo de fase superior a Z, pues más allá de este punto la curva cosenoidal queda distorsionada.

Es digno de hacer resaltar que un valor pequeño de C_1 puede ser insuficiente para lograr un cebado tardío del tiristor con vistas a establecer velocidades de régimen bajas, y que un valor demasiado grande de C_1 puede causar inestabilidad en el funcionamiento a bajas velocidades.

El instante de encendido del tisistor está determinado por la tensión resultante que queda aplicada a la puerta del mismo. Sobre la puerta actúan, en efecto, la tensión de referencia V_C (que le llega a través del diodo D_1) y la fuerza contraelectromotriz generada por el inducido, de polaridad opuesta. Cuando el motor inicia la marcha, la fuerza contraelectromotriz desarrollada es todavía nula, y el tiristor se ceba en cuanto la tensión V_C es suficiente para vencer las caídas en el diodo D_1 y en el tramo puerta / cátodo. Esto ocurre prácticamente en seguida, y el motor recibe la potencia máxima, la cual le permite acelerarse con rapidez. El aumento de la velocidad hace crecer, no obstante, la fuerza contraelectromotriz del motor; por consiguiente, el cebado del tiristor tendrá lugar ahora a un valor instantáneo de V_C mayor, lo cual retrasa automáticamente el instante de encendido. El motor recibe cada vez menos potencia y aminora entonces su marcha hasta que alcanza la velocidad de régimen.

Para evitar oscilaciones en el motor cada vez que el cursor del potenciómetro P_1 se sitúa en su ajuste mínimo, puede conectarse una resistencia en serie entre P_1 y D_2 que fije la velocidad mínima del motor a un nivel que no cause inestabilidad. El condensador C_1 debe permanecer unido al cursor de P_1 y a D_2. El circuito en paralelo R_2 / C_2 entre puerta y cátodo del tiristor filtra las oscilaciones debidas al colector e impide que lleguen a la puerta.

Es digno de observar que los valores de los componentes del circuito deben modificarse para diferentes condiciones de carga. Véase a este respecto la tabla de la figura 11.63 D.

Ampliación del campo de regulación en la gama de velocidades bajas. El circuito que acabamos de describir da buenos resultados para la gama de velocidades comprendidas entre la de régimen y varios centenares de revoluciones por minuto. Para velocidades inferiores, el sistema tiende a oscilar. La figura 11.64 muestra un circuito que permite una regulación excelente en todo el ámbito de velocidades, sean éstos grandes o pequeñas. Este circuito es muy similar al de la figura 11.63 A, pues sólo requiere la adición de una etapa intermedia de amplificación entre la tensión de referencia que se obtiene en P_1 y la puerta del tiristor. Esta amplificación puede conseguirse de varias maneras; una de ellas consiste en el empleo de un "interruptor unilateral de silicio", designado abreviadamente "IUS".

El IUS es esencialmente un tiristor en miniatura provisto de una puerta en el ánodo (en vez de la puerta normal en el cátodo) y de un diodo de avalancha de baja tensión incorporado entre la puerta y el cátodo. Igual que el transistor uniunión, el IUS se utiliza para proporcionar el impulso de disparo; se diferencia, sin embargo, del anterior, porque el "cierre" del mismo tiene lugar a una tensión fijada y no a una fracción de otra tensión, como ocurre con el transistor uniunión. En el circuito de la figura 11.64, el tiristor se ceba al recibir el impulso del IUS, no por la circulación de corriente de la puerta hacia D_1.

Regulación sobre ondas completas rectificadas

La figura 11.65 muestra un circuito para regular sobre ondas completas rectificadas la velocidad de un motor universal (o de un motor serie). Este circuito exige conexiones separadas para el inducido del motor y para su arrollamiento de excitación. El puente formado por los rectificadores D_2 a D_5 alimenta con tensión pulsatoria de onda completa el divisor R_1 / P_1 y la serie integrada por el arrollamiento de excitación, el tiristor y el inducido del motor. Este circuito funciona básicamente como el representado en la figura 11.61 A y utiliza asimismo la fuerza contraelectromotriz generada por el inducido como señal de retroalimentación. Cuando el motor todavía no ha iniciado la marcha, el tiristor se ceba así que la tensión de referencia (ajustada por la posición del cursor del potenciómetro P_1) supera las caídas de tensión en D_1 y en el tramo puerta / cátodo del tiristor. A medida que aumenta la velocidad del motor crece también su fuerza contraelectromotriz, opuesta a la tensión de referencia, y el motor va aminorando su marcha hasta girar a la velocidad de régimen ajustada con el cursor de P_1. El proceso es idéntico al que se ha detallado para la figura 11.61 A. El diodo D_6, llamado "de libre circulación", se utiliza para mantener ininterrumpido el paso de corriente a través del arrollamiento de excitación (véase la explicación relativa a la figura 11.68).

Uno de los inconvenientes de este circuito es que, con ajustes de baja velocidad, a causa de la exigua fuerza contraelectromotriz generada, la tensión entre ánodo y cátodo no llegue a ser negativa durante un intervalo de tiempo suficiente para que el tiristor se descebe. Cuando esto ocurre, durante la media onda siguiente el motor recibe bruscamente la totalidad de la potencia disponible y empieza a oscilar. Por otra parte, y a semejanza de lo que ocurre en el circuito de la figura 11.61 A, el cebado del tiristor no puede conseguirse para ángulos de fase superiores a 90° eléctricos. La derivación de un condensador en el cursor de P_1 no remedia la situación, puesto que ello no altera la fase de la tensión de referencia debida al proceso de carga por rectificación de onda completa.

Gobierno sobre ondas completas alternas (sin retroalimentación)

En el circuito de la figura 11.66 se emplea un "diac" como componente electrónico para disparar un "triac", que en este caso reemplaza al tiristor. Obsérvense los símbolos adoptados para representar ambos elementos. El "diac" es un diodo bidireccional de silicio provisto de dos terminales, que puede utilizarse para disparar indistintamente un "triac" o un tiristor. El "triac" es un interruptor semiconductor provisto de tres terminales, que entra bruscamente en conducción al recibir una señal en su puerta, de manera análoga a la de un tiristor. Difiere, sin embargo, de éste por el hecho de poder conducir corriente en uno u otro sentido según que la señal de puerta sea positiva o negativa, y ello lo hace especialmente apto para circuitos de corriente alterna, donde el sentido de la misma se invierte a cada semiperíodo.

Al iniciarse un semiperíodo cualquiera, positivo o negativo, de la corriente alterna de alimentación, el condensador C_1 se carga a través de la resistencia R_1 y del potenciómetro P_1. Cuando la tensión en la placa superior de C_1 alcanza el valor instantáneo suficiente para disparar el "diac", éste emite un impulso y ceba el "triac". Puesto que no hay señal de retroalimentación, en caso de ajustes a pequeña velocidad se obtiene un par de arranque muy exiguo. Por otra parte, el gobierno de la velocidad resulta poco preciso.

La rama formada por el condensador C_2 y la resistencia R_2, conectada en paralelo con el "triac", tiene por objeto mantener lo más baja posible la rapidez de crecimiento de la tensión $dV : dt$ en el "triac" inmediatamente después del paso de la tensión por cero. Esto da tiempo a que se anule del todo la corriente en el "triac", con lo cual éste queda preparado para un nuevo cebado (con el desfase adecuado) durante el próximo semiperíodo. Si la tensión en bornes del "triac" crece demasiado aprisa a partir de cero, éste puede permanecer en conducción, sin conmutar.

Gobierno sincronizado sobre ondas completas rectificadas

Para asegurarse de que el impulso que ceba el tiristor ocurre siempre en el mismo instante de cada semiperíodo, es preciso sincronizar la carga de C_1 (fig. 11.67) con las alternancias de la red. La sincronización es vital para el correcto funcionamiento del circuito, puesto que el impulso de disparo debe hallarse siempre en la misma relación de fase con respecto a cada semionda de tensión pulsatoria rectificada. Aunque puedan producirse varios impulsos de cebado durante cada semionda, es el primero de ellos el que debe mantener un desfase constante con respecto al origen de la misma.

En la figura 11.67, el transistor uniunión dispara al final de cada semionda, cuando la tensión en B_2 inicia su descenso a cero. El condensador C_1 se descarga entonces por completo y rápidamente, con lo cual queda dispuesto para un nuevo proceso de carga al principiar la semionda siguiente. Obsérvese que tanto el motor como el circuito de disparo están alimentados con una tensión pulsatoria de ondas completas rectificadas procedente de un puente de rectificadores. El diodo Zener D_1 sirve para aplanar y estabilizar las puntas de las semiondas rectificadas. Obsérvense las formas de las ondas en las diferentes partes del circuito.

GOBIERNO Y REGULACION DE LA VELOCIDAD EN MOTORES DERIVACION DE CORRIENTE CONTINUA

El motor derivación de corriente continua es fundamentalmente una máquina de velocidad constante. Para modificar la velocidad de régimen de un motor derivación se varía la potencia aplicada al inducido del mismo, dejando constante la excitación de sus polos.

Los circuitos que se describen a continuación pueden emplearse indistintamente para el gobierno de motores derivación o compound.

Gobierno sobre medias ondas

La figura 11.68 muestra un circuito elemental para el gobierno de la velocidad de un motor derivación sobre medias ondas.

Durante los semiperíodos positivos el condensador C_1 se carga a través de las resistencias R_1 y P_1, y luego envía una señal desfasada al dispositivo de disparo, el cual ceba entonces el tiristor. El desfase deseado se establece ajustando convenientemente la posición del cursor del potenciómetro P_1. Al modificarse con ello el inicio de la fase de conducción dentro de cada semiperíodo positivo, varía la potencia aplicada al inducido, y por tanto la velocidad del motor. El dispositivo de disparo puede ser un "diac", un IUS, una lámpara de neón, etc.

Durante los semiperíodos negativos, o sea cuando L_1 es negativo con respecto a L_2, circula la corriente por el arrollamiento derivación a través del diodo D_2 (véanse flechas de trazo seguido). Durante los semiperíodos positivos, o sea cuando L_2 es negativo con respecto a L_1, el diodo D_2 impide el paso de la corriente en sentido inverso. La corriente tiende entonces a decrecer en el arrollamiento derivación. Sin embargo, la energía almacenada en el campo magnético del mismo se opone a esta disminución y hace circular por él una corriente de autoinducción a través del diodo D_1 (flechas de trazos). El arrollamiento de excitación queda, pues, recorrido permanentemente por una corriente unidireccional. Cuando un diodo se emplea con esta finalidad se llama *rectificador de libre circulación.*

Gobierno sobre medias ondas (circuito de la Square D. Company)

El uso de tiristores debe ir acompañado de medidas preventivas para protegerlos. Como se sabe, los tiristores poseen una determinada tensión de descarga sometidos a polarización inversa. Mientras no se alcanza este valor límite la corriente inversa que circula por ellos es insignificante; no obstante, si por cualquier motivo dicho valor es sobrepasado, la corriente crece tan rápidamente que el tiristor queda destruido. La figura 11.69 muestra un circuito en la cual la protección del tiristor está confiada al fusible F, al parrayos P y a los dos diodos normales de silicio D_2 y D_3. El diodo D_3 está conectado en paralelo con el tiristor T y dispuesto en sentido contrario a éste. D_3 es conductor mientras T recibe polarización inversa, y por tanto cortocircuita el tiristor durante las semiondas negativas de la tensión alterna aplicada. El diodo D_2 bloquea, por su parte, las semiondas negativas de la tensión de alimentación. Durante los semiperíodos negativos el tiristor queda protegido, pues, de cualquier polarización inversa. El fusible F y el pararrayos P protegen el tiristor de corrientes excesivas o de puntas de tensión muy elevadas. El diodo D_1 permite descargar la energía inductiva almacenada en el arrollamiento del inducido.

La figura 11.70 muestra un circuito típico elemental de la Square D. Company diseñado para gobernar la velocidad de un motor derivación (entre un valor base y 1/20 de dicho valor base) modulando la potencia aplicada al inducido, de modo que el par se mantenga constante. En este circuito aparecen algunos de los componentes vistos en la figura 11.69.

El inducido del motor es alimentado con una tensión pulsatoria a base de las semiondas positivas rectificadas por un solo tiristor T, el cual puede variar la potencia suministrada dentro de un campo de límites

20 : 1; D_1 es un diodo rectificador de libre circulación conectado en paralelo con el inducido; D_2 es un diodo rectificador que protege al tiristor de toda polarización inversa durante las alternancias negativas; PM es un módulo encapsulado compuesto principalmente por una resistencia, un condensador y un transistor uniunión, los cuales desplazan la fase de la tensión puerta / cátodo en el tiristor, de modo que éste, al cebarse, transmita al inducido la potencia necesaria para mantener la velocidad que ha sido ajustada. Dicho módulo incluye también dos rectificadores de silicio para el arrollamiento derivación. Estos diodos están dispuestos exactamente como los de la figura 11.68; uno de ellos sirve para bloquear las alternancias negativas en dicho arrollamiento y el otro, conectado en paralelo, para permitir la circulación por él de la corriente de autoinducción. Otros circuitos disponen de un puente de rectificadores para alimentar el arrollamiento derivación con tensión pulsatoria procedente de la rectificación de ondas completas.

El gobierno de la velocidad se obtiene ajustando la potencia aplicada al inducido y manteniendo la excitación a pleno régimen. El par permanece entonces sensiblemente constante.

La potencia transmitida al inducido se modula variando el intervalo de conducción del tiristor dentro de cada semiperíodo positivo. El tiristor se gobierna a su vez modificando la fase de la tensión puerta / cátodo EGK con respecto a la tensión pulsatoria de alimentación por medio del módulo.

La velocidad se ajusta disponiendo el cursor de un potenciómetro en la posición adecuada; con ello se obtiene una tensión o señal de referencia que se introduce en el módulo. La posición superior del cursor corresponde a la velocidad base del motor, pues permite conducción del tiristor durante casi la semionda positiva completa. Tal es el caso representado en la figura 11.71 *a*. Se observa que la tensión puerta / cátodo EGK está muy poco desfasada de las semiondas de alimentación a 120 V. El punto X es el punto de encendido, donde la puerta pasa a ser positiva con respecto al cátodo y por tanto donde el tiristor empieza a conducir. La fuerza contraelectromotriz desarrollada por el inducido está representada por la línea horizontal de trazo seguido, y equivale en este caso a unos 90 V. Obsérvese que con el ajuste de velocidad máxima la corriente que circula por el inducido es intermitente.

La figura 11.71 *b* muestra las condiciones que imperan cuando el cursor del potenciómetro se halla en la posición inferior. Esta corresponde a la velocidad mínima del motor, que es 1/20 de su velocidad base. Obsérvese cómo el punto de encendido X se encuentra retrasado casi 135° con respecto a las semiondas de alimentación a 120 V.

En las figuras 11.71 *a* y *b* se observa que la fuerza contraelectromotriz baja acusadamente en el punto Y. Eso es debido a la tensión generada por la inductancia del inducido, la cual se opone a la fuerza contraelectromotriz del motor. El diodo D_1, conectado en paralelo con el inducido (fig. 11.70), suministra un paso para que se descargue la energía inductiva almacenada en el arrollamiento del inducido, de modo similar a lo que sucede con el arrollamiento derivación. A velocidades bajas, esta tensión inductiva establece un régimen permanente de corriente a través del inducido, que mejora sensiblemente el factor de forma. Ello permite la elección de motores más pequeños.

Obsérvese la estación de pulsadores de ARRANQUE y PASO, que actúan sobre el contacto 1M1, la resistencia DB para frenado dinámico y el contacto normalmente cerrado 1M3.

Regulación sobre ondas completas rectificadas

El circuito de la figura 11.72 es adecuado para la regulación de la velocidad en motores derivación de potencia inferior a un caballo. Un puente de rectificadores se encarga de convertir la tensión alterna de la red en tensión pulsatoria de onda completa rectificada. El arrollamiento derivación está conectado permanentemente en paralelo con la salida del puente de rectificadores. El inducido recibe la potencia a través del tiristor, potencia que es modulada desfasando el encendido de este último con respecto al origen de cada semionda. El tiristor no se desceba hasta el final de cada semionda. El diodo D_3 permite la descarga de la energía inductiva almacenada en el inducido en cuanto el tiristor cesa de conducir. Sin la presencia de D_3, esta corriente de autoinducción circularía a través del tiristor y del puente de rectificadores, impidiendo con ello el descebe de T.

Al principio de cada semionda el tiristor se encuentra descebado y el condensador C_1 inicia su carga a través de la resistencia variable R_2, el diodo D_2 y el propio inducido. Cuando la tensión en la placa superior de C_1 es superior a la tensión disruptiva del diodo de disparo "diac", éste emite un impulso a la puerta del tiristor, el cual se ceba y transmite así potencia al inducido del motor durante el resto de la semionda. Al final de cada semionda C_1 se descarga sobre el arrollamiento derivación a través de la resistencia R_1. El ángulo de desfase con el cual se provoca el cebado de T es función del tiempo que tarda el condensador C_1 en alcanzar la tensión disruptiva del "diac", tiempo que queda fijado por el valor de la resistencia variable R_2 y por la tensión en bornes de T. Puesto que esta tensión equivale a la tensión existente a la salida del puente de rectificadores menos la fuerza contraelectromotriz desarrollada por el inducido, la carga de C_1 dependerá en parte de dicha fuerza contraelectromotriz, y por tanto de la propia velocidad del motor. Así, si el motor tiende a aminorar su velocidad por exceso de carga, su fuerza contraelectromotriz será más pequeña y por tanto la tensión efectiva aplicada al circuito de carga, mayor. Ello reducirá el tiempo necesario para cebar el tiristor, con lo cual aumentará la potencia transmitida al inducido. El motor podrá hacer frente entonces al incremento de carga sin que su velocidad descienda.

La energía inductiva almacenada en el inducido dará lugar a una circulación de corriente a través de D_3 durante un corto intervalo al principio de cada semionda. Durante este intervalo el inducido queda en cortocircuito, y por tanto la tensión aplicada al tiristor coincide con la tensión a la salida del puente de rectificadores. El tiempo necesario para que esta corriente se desvanezca y la fuerza contraelectromotriz vuelva a aparecer en el inducido depende a la vez de la velocidad del motor y de la corriente que circula por él. A velocidades más bajas y con corrientes más elevadas en el inducido, el diodo D_3 permanecerá mayor tiempo conduciendo al principio de cada semionda. Esta acción determina también una carga más rápida del condensador C_1, y por consiguiente proporciona una compensación que es sensible tanto a la corriente del inducido como a la velocidad del motor.

La resistencia R_1 se elige de manera que limite la corriente de descarga de C_1 a un valor inferior a la que circula por el arrollamiento de excitación. Si esta corriente de descarga fuese superior a la del arrollamiento derivación, el exceso podría desviarse hacia el tiristor y determinar el fallo de éste a descebarse al final de cada semionda. Por otra parte, si se adopta para R_1 un valor excesivo, la tensión de C_1 puede tardar demasiado en descender, con lo cual C_1 no se recargará correctamente al principio de la semionda siguiente; ello quedará puesto de manifiesto por un funcionamiento irregular con ajustes a bajas velocidades.

Este circuito proporciona una gama muy amplia de ajuste de velocidad. Además, la autorregulación debida a la señal de retroalimentación, sensible tanto a la propia velocidad como a la corriente del inducido, mejora sensiblemente la característica típica del motor.

Regulación sobre medias ondas

Son muchos los motores derivación diseñados para trabajar con medias ondas rectificadas de una red de corriente alterna a 120 V, y no como en el apartado anterior, con ondan completas. La figura 11.73 muestra el circuito regulación correspondiente. El arrollamiento derivación queda alimentado a través del diodo D_1, el diodo D_3 permite la descarga de la energía inductiva almacenada, con lo cual la onda de corriente que circula por dicho arrollamiento resulta más aplanada. El inducido recibe la potencia a través del tiristor, y también tiene conectado en paralelo un diodo D_5 de libre circulación. Como en el circuito de la figura 11.72, la tensión de carga aplicada al circuito C_1 / R_1 es la diferencia entre la tensión pulsatoria de alimentación y la fuerza contraelectromotriz generada por el inducido. Al final de cada alternancia positiva, la tensión en bornes del arrollamiento derivación se anula, y el condensador C_1 se descarga sobre él a través del diodo D_2. De esta manera se tiene la seguridad de que la tensión en el condensador C_1 siempre es cero al principio de cada semionda positiva (sincronización), independientemente de la posición de ajuste de la resistencia variable R_1.

El funcionamiento de este circuito es básicamente idéntico al de los circuitos de onda completa descritos anteriormente. El diodo D_5 de libre circulación conectado en paralelo con el inducido puede ser suprimido, pero ello supone una reducción notable en el par, especialmente a pequeñas velocidades. Por otra parte, la tensión nominal del tiristor debe ser unas dos veces superior a la que haría falta en caso de carga puramente óhmica, ya que la fuerza contraelectromotriz desarrollada por el inducido a velocidades elevadas se suma a la tensión de alimentación durante las alternancias negativas, lo cual dobla aproximadamente la tensión inversa aplicada al tiristor. Esta tensión queda también aplicada al diodo D_4, que debe dimensionarse por tanto para unos 400 V.

CIRCUITOS VARIOS DE GOBIERNO

Gobierno sobre medias ondas de un motor derivación

La figura 11.74 A muestra el circuito de gobierno de la velocidad de un motor derivación. El inducido del motor queda conectado a la red a través de un tiristor, y la alimentación del arrollamiento de excitación está asegurada por el par de diodos D_2 y D_3. La figura 11.74 *b* ayuda a comprender cómo se efectúa esta alimentación. Cuando L_1 es negativo y L_2 positivo, la corriente circula a través del diodo D_2 y del arrollamiento derivación en el sentido indicado por las flechas externas al circuito. Cuando L_2 es negativo y L_1 positivo, el diodo D_2 impide el paso de la corriente; sin embargo, la energía inductiva almacenada en el arrollamiento de excitación se descarga entonces a través del diodo D_3 (flecha interna al circuito). Así se logra mantener una circulación permanente de corriente por dicho arrollamiento derivación.

Al oprimir el pulsador de ARRANQUE (fig. 74 *a*) se cierran los contactos normalmente abiertos M y se abre el contacto normalmente cerrado M de frenado dinámico. Durante las alternancias positivas, cuando L_2 es negativo con respecto a L_1 (y suponiendo que el tiristor recibe un impulso de cebado), circula la corriente de L_2 a L_1 a través del inducido, el tiristos, el diodo D_1 y el fusible F. Durante las alternancias negativas el tiristor no conduce, pero circula corriente de L_1 a L_2 a través del diodo D_2 y del arrollamiento de excitación. Gracias al diodo D_3 y a la autoinducción de dicho arrollamiento se consigue que durante las alternancias positivas siga pasando corriente por el mismo, como ya se ha explicado anteriormente.

P es un "pararrayos" —generalmente un doble rectificador de selenio— destinado a proteger el tiristor de puntas de corriente o de tensión inversa excesivamente elevadas, que podrían destruirlo. R_3 es una resistencia en derivación que protege el tiristor de puntas de tensión inversa al transmitirlas directamente hacia el diodo D_1. En determinados circuitos el diodo D_1 lleva conectada una resistencia en paralelo para su propia protección. El diodo D_1 tiene por misión proteger el tiristor de tensiones transitorias inversas. La resistencia R_1 asegura al tiristor la corriente de mantenimiento necesaria. Como se observa, R_1 está conectada en paralelo con la carga (inductiva, en este caso, por tratarse del inducido). La corriente de mantenimiento que circula por R_1 se halla en fase con la tensión alterna de alimentación, mientras que la corriente que circula por el inducido presenta un retardo de fase respecto a dicha tensión, a causa de la inductividad de su arrollamiento. Si no existiese R_1, el tiristor podría recibir el impulso de disparo antes de que circulara corriente por él, y por tanto volver inmediatamente a su estado de bloqueo. Gracias a la resistencia R_1 el tiristor puede permanecer en estado de conducción a partir del instante en que recibe el impulso de cebado. El diodo D_4 es de libre circulación, y permite la descarga, durante las alternancias negativas, de la energía inductiva almacenada en el inducido. A bajas velocidades, esta energía hace posible el establecimiento de una corriente permanente a través del inducido, lo cual se traduce en un funcionamiento más suave.

Gobierno sobre ondas completas de un motor derivación

El circuito de la figura 11.75 *a* está diseñado para gobernar la velocidad de un motor derivación. El gobierno se efectúa variando la potencia suministrada al inducido del motor; la tensión aplicada al arrollamiento de excitación se mantiene constante. El circuito de disparo de ambos tiristores no ha sido representado. La tensión alterna monofásica de la red es convertida en tensión pulsatoria de onda completa gracias al puente rectificador constituido por los diodos D_1 y D_2 y los propios tiristores T_1 y T_2. Tanto los diodos D_3 y D_4 como las resistencias R_1 y R_2 tienen por cometido proteger ambos tiristores de tensiones transitorias inversas. Las derivaciones formadas por C_1 / R_3 y C_2 / R_4 protegen su respectivo tiristor de cualquier falso encendido debido a una velocidad de crecimiento excesiva de la tensión aplicada.

Durante las alternancias que L_1 es positivo con respecto a L_2, la corriente circula de L_2 a L_1 a través del fusible F_2, del tiristor T_2, del diodo D_4, de la resistencia R_5, del inducido, del diodo D_1 y del fusible F_1. La corriente circula por el inducido en el sentido de A_1 a A_2. Durante las alternancias en que L_2 es positivo con respecto a L_1, la corriente circula de L_1 a L_2 a través de F_1, D_2, R_5, el inducido, T_1, D_3 y F_2. Obsérvese que también ahora el inducido es recorrido por la corriente en sentido A_1 A_2.

Los rectificadores D_1 y D_2 se utilizan al propio tiempo como diodos de libre circulación para permitir la descarga de la energía inductiva almacenada en el arrollamiento del inducido. Si se emplease un solo tiristor en vez de dos, como tal es el caso de la figura 11.75 *b*, sería necesario disponer un diodo de libre circulación conectado en paralelo con el inducido, pues de no tomar esta precaución, la energía inductiva almacenada en el inducido mantendría el tiristor en estado permanente de conducción. Gracias a este diodo, que proporciona un paso a la corriente inductiva de descarga, el tiristor puede descebarse al término de cada alternancia.

La resistencia R_5, conectada en serie con el inducido, suministra una caída de tensión que se emplea a fines de regulación. La resistencia en paralelo R_6 proporciona la necesaria corriente de mantenimiento a los tiristores. El arrollamiento derivación del motor queda alimentado con tensión pulsatoria de onda completa procedente del puente rectificador constituido por los diodos D_5.

La energía transmitida al inducido del motor es modulada por los tiristores T_1 y T_2. Esta energía es más pequeña cuando los tiristores se ceban casi al final de las alternancias correspondientes, y más grande cuando el cebado de los mismos tiene lugar casi al principio de dichas alternancias. Durante cada alternancia se ceba un solo tiristor, precisamente aquel cuyo ánodo es positivo con respecto al cátodo.

Otro circuito de gobierno que guarda cierta semejanza con el anterior es el representado en la figura 11.76 *a*. También aquí el inducido recibe la alimentación a base de ondas completas recticadas por medio del puente formado por los tiristores T_1 y T_2 y los diodos D_1 y D_2. Cuando L_2 es negativo y L_1 positivo funciona el tiristor T_2; cuando L_1 es negativo y L_2 positivo, funciona el tiristor T_1. En el primer caso la corriente circula de L_2 a L_1 a través de F_2, D_1, el inducido, T_2 y F_1; en el segundo, circula de L_1 a L_2 a través de F_1, D_2, el inducido, T_1 y F_2. Se observa que el sentido de paso de la corriente a través del inducido es el mismo para todas las alternancias de la red.

Las resistencias R_2, R_3, R_4 y R_5 protegen a sus respectivos rectificadores o tiristores de tensiones transistorias inversas. La resistencia R_1 se utiliza para proporcionar la necesaria corriente de mantenimiento en los tiristores, como ya se ha explicado al describir el circuito de la figura 11.74 *a*. D_3 es un diodo de libre circulación que permite la descarga de la energía inductiva del inducido, y por consiguiente el descebe del tiristor correspondiente al final de las alternancias. Con él se consigue además mantener una circulación permanente de corriente a través del inducido en caso de ajuste a bajas velocidades, lo cual mejora el funcionamiento del motor.

Con el fin de evitar el crecimiento demasiado rápido de la tensión, que suele ser causa de cebados prematuros, pueden conectarse ramas resistencia / condensador en paralelo con los rectificadores del puente. Asimismo pueden conectarse condensadores entre el cátodo y la puerta de cada tiristor para filtrar toda señal extraña susceptible de disparar indebidamente el tiristor.

El arrollamiento derivación del motor sólo queda alimentado durante las alternancias positivas, a través del diodo D_1. Sin embargo, la energía inductiva almacenada en aquél se descarga durante las alternancias negativas (L_2 positivo) gracias al diodo de libre circulación D_2. La figura 11.76 *b* permite ver en detalle cómo se realiza la alimentación de dicho arrollamiento. De este modo se logra una excitación sensiblemente constante en el mismo.

Circuitos de cebado

En esquemas precedentes han podido verse diversos circuitos para el gobierno de la velocidad en motores pequeños, por lo general a base de alimentaciones separadas de sus respectivos arrollamientos de inducido y de excitación. Se ha visto también que este gobierno o regulación de la velocidad se efectúa variando el intervalo de tiempo que, durante cada alternancia, el tiristor permanece cebado, es decir, en conducción. La manera de cebar o disparar el tiristor no es siempre la misma en todos los circuitos. En los que se describen a continuación, el cebado es provocado por un impulso positivo procedente de un transistor uniunión. Muchos circuitos de cebado están provistos de un transformador T_1 de alimentación, que suministra la señal de referencia.

La figura 11.77 muestra un circuito elemental en el cual el impulso positivo de disparo se produce cuando el condensador C_2 se descarga sobre el transistor uniunión Q_1 y la resistencia R_3. Esta última puede reemplazarse por un transformador de impulsos T_2 con objeto de aislar el circuito del tiristor del circuito de cebado. El diodo D_1 suministra tensión pulsatoria por rectificación de medias ondas, y el condensador C_1 filtra la corriente pulsatoria así obtenida, con lo cual a través de R_4 circula una corriente de amplitud prácticamente constante. Durante los semiperíodos positivos, el condensador C_2 se carga a través del potenciómetro (o resistencia variable) R_1. Cuando la tensión en este condensador supera la tensión existente en la unión del emisor, el transistor adquiere polarización directa y C_2 se descarga sobre la resistencia R_3, creando un impulso positivo de tensión entre los bornes de la misma. Una vez descargado el condensador, el transistor Q_1 queda fuera de servicio y comienza un nuevo ciclo. El instante de aplicación del impulso varía según la velocidad a la cual se carga el condensador, que como sabemos depende de la constante de tiempo $R_1 C_2$. El ángulo de desfase del disparo se fija ajustando el potenciómetro R_1 al valor correspondiente.

Es muy importante que la carga de C_2 quede sincronizada con las alternancias de la tensión de alimentación. Esto puede lograrse de diferentes maneras, una de las cuales es la representada en la figura 11.78. Durante las alternancias negativas el diodo D_2, conectado en paralelo con C_2, permite la descarga de este condensador, cuya tensión entre placas queda entonces reducida a unos 0,5 V. El condensador se halla, pues, preparado para iniciar un nuevo proceso de carga durante las alternancias positivas, cuya rapidez será fijada por el ajuste del potenciómetro.

En circuitos de regulación, la carga del condensador C_2 suele estar gobernada por un transistor, cuya función es amplificar la pequeña señal de error (diferencia entre las señales de referencia y de retroalimentación) aplicada a su base y determinar así la circulación de una corriente mucho mayor del emisor hacia el colector. Puesto que esta corriente es la que circula a su vez por el condensador C_2, el valor de la misma fija la velocidad de carga de este último.

En la figura 11.79, el transistor Q_2 empleado es del tipo PNP. Para poder cebar este transistor es preciso que su emisor reciba polarización positiva y su base polarización negativa. La tensión continua de referencia se ajusta con auxilio del cursor del potenciómetro P_1, cuyo extremo opuesto está conectado a la base de Q_2. El cursor comunica a la base una polaridad que normalmente (en ausencia de señal de retroalimentación procedente del inducido) es negativa respecto a la del emisor. La tensión o señal de retroalimentación permite obtener una autorregulación excelente de la velocidad del motor. Esta tensión tiene polaridad opuesta a la de referencia, suministrada por el potenciómetro, y por tanto es la diferencia entre ambas (señal de error) la que queda aplicada a la base de Q_2. Esta señal de error gobierna la corriente que circula a través del transistor Q_2 y, por consiguiente, también del condensador C_2. Si la corriente que fluye por ambos es elevada, el condensador se cargará rápidamente y adquirirá en breve la tensión necesaria para el disparo de Q_1; si dicha corriente es pequeña, el condensador se cargará lentamente. Al adelantarse o retrasarse el disparo de Q_1 sucederá lo propio con el del tiristor T, con lo cual la velocidad del motor aumentará o disminuirá.

El proceso de regulación es el siguiente. Cuando el motor gira a la velocidad fijada por el ajuste del potenciómetro, la fuerza contraelectromotriz (señal de retroalimentación) generada por el inducido es ligeramente inferior a la tensión de referencia. La pequeña diferencia entre ambas es justamente la necesaria para mantener el transistor Q_2 (y en consecuencia el tiristor T) en el régimen establecido. Sin embargo, si la velocidad tiende a disminuir por efecto de un incremento de la carga, la fuerza contraelectromotriz del inducido desciende en la misma proporción, y por tanto crece inmediatamente la señal de error aplicada a la base de Q_2. Ello se traduce en un incremento de la corriente entre emisor y colector. El condensador C_2 se carga entonces más aprisa y dispara con mayor antelación el transistor uniunión Q_1, el cual ceba a su vez el tiristor T. Puesto que el tiristor empieza ahora a conducir con menor retraso, transmite mayor potencia al inducido del motor. Este puede hacer frente entonces al aumento de carga sin que su velocidad varíe.

El circuito de la figura 11.79 proporciona una tensión pulsatoria de alimentación obtenida por rectificación de medias ondas. Anteponiendo al condensador C_1 de filtrado el circuito representado en la figura 11.80 (transformador con toma central en el secundario, y dos diodos) puede conseguirse la rectificación de las ondas completas de tensión alterna.

En las explicaciones anteriores no se ha tenido en cuenta la variación de la caída de tensión en el inducido producida por las fluctuaciones de la carga. En la práctica suele introducirse a tal efecto una señal de compensación en el circuito de cebado, al objeto de que la regulación sea precisa. El sistema de compensación empleado ha sido omitido, no obstante, del esquema, por razones de sencillez.

El circuito de la figura 11.81 muestra otra manera de sincronizar la carga del condensador C_2 con las alternancias de la tensión de alimentación. Eso se logra por medio de un transistor Q_3, cuyo emisor y colector están conectados directamente en bornes de C_2. Obsérvese que el circuito es alimentado con una tensión pulsatoria aplanada procedente de ondas completas rectificadas. Al principio de cada media onda se provoca el cebado de Q_3, con lo cual C_2 puede descargarse a su través. Una vez concluida la descarga de C_2 se hace descebar Q_3, el cual permanece en este estado durante todo el recto de la media onda.

Para cebar el transistor Q_3, del tipo NPN, es preciso polarizar su base positivamente con respecto a su emisor. La base del transistor recibe simultáneamente una polarización positiva a través de la resistencia R_4, que tiende a cebar el transistor, y una polarización negativa a través de la resistencia R_6 y del diodo D_3, que tiende a descebar el transistor. La tensión resultante de ambas polarizaciones opuestas determina el cebado de Q_3 en el mismo instante de iniciarse la media onda y el descebado subsiguiente del mismo durante el resto de la media onda, el cual permite que C_2 se cargue a través de la resistencia variable R_1.

Este circuito muestra una aplicación más de las muchas que tienen los transistores.

Arranque de motores monofásicos

Los motores de fase partida y los motores con condensador en el arranque utilizan un interruptor centrífugo para desconectar el arrollamiento de arranque en cuanto el motor ha adquirido aproximadamente el 75 % de su velocidad de régimen. Cuando se desea evitar el arco de ruptura del interruptor centrífugo, por ejemplo porque puede haber gases explosivos en el ambiente, se substituye este aparato mecánico por un interruptor electromagnético como los descritos en capítulos precedentes de este libro, situado a distancia y accionado por la corriente o la tensión del motor, o bien por un interruptor integrado por componentes semiconductores.

En el circuito de la figura 11.82, el interruptor semiconductor bidireccional que pone en servicio o deja fuera de él el arrollamiento auxiliar del motor es accionado por un transformador de corriente cuyo primario está intercalado en serie con una de las líneas de alimentación. En el instante del arranque, o sea al aplicar tensión al motor, éste absorbe una corriente elevada, que al circular por el primario del transformador induce en el secundario otra corriente suficiente para disparar el interruptor bidireccional. Este pasa entonces al estado de conducción y conecta el arrollamiento auxiliar o de arranque. Cuando el motor ya se ha acelerado y su velocidad se aproxima a la de régimen, la corriente absorbida disminuye y el interruptor bidireccional deja de conducir, con lo cual el arrollamiento auxiliar queda fuera de servicio.

Accionamientos trifásicos con velocidad variable de salida

En estos accionamientos se hace uso principalmente de motores con potencias superiores a un caballo. Existen varios tipos, de los cuales los más extendidos son el embrague electromagnético, el grupo motor / generador y el accionamiento estático trifásico.

Embrague electromagnético. Un embrague electromagnético está constituido fundamentalmente por tres órganos: 1, un arrollamiento inductor fijo, montado sobre un soporte cilíndrico que se sujeta con pernos a la carcasa del aparato; 2, un tambor, montado sobre el eje del motor de impulsión y dispuesto concéntricamente en el interior del soporte cilíndrico, de modo que al girar quede equidistante de éste, y 3, un conjunto de polos, montado sobre el árbol de salida, que gira a la velocidad ajustada por la señal de gobierno. Por consiguiente (figura 11.83), dos de estos órganos son rotativos, y el tercero, estacionario.

Mientras no circula corriente de excitación por el arrollamiento inductor, el tambor del embrague gira, impulsado por el motor del accionamiento, y el árbol de salida permanece en reposo. Tan pronto como se aplica una tensión continua al arrollamiento inductor, circula corriente por él y se establece un flujo magnético alrededor del mismo que se cierra a través del tambor y del conjunto de polos. La interacción entre el campo magnético generado por el arrollamiento inductor y el campo creado por las corrientes parásitas inducidas en el tambor al cortar las líneas de fuerza, produce un par electromagnético sobre el conjunto de polos que determina el movimiento rotativo de este último. La magnitud de este par, y por tanto el valor de la velocidad de salida, depende de la intensidad del campo magnético inductor, o sea de la corriente de excitación que circula por el mismo. Es obvio que el par y la velocidad de salida no pueden ser superiores al par máximo ni a la velocidad máxima del motor de accionamiento.

La corriente de excitación se ajusta variando el instante de encendido de un tiristor conectado en serie con el arrollamiento inductor. En circuitos de regulación, la señal de gobierno que determina el encendido procede de la comparación entre una señal de referencia y otra de retroalimentación, generada normalmente por una dínamo tacométrica. Los circuitos de cebado empleados con esta finalidad son similares en ciertos aspectos a los vistos anteriormente.

La figura 11.84 muestra un circuito muy elemental para la alimentación del arrollamiento inductor de un embrague electromagnético y del motor que acciona el tambor del mismo. El motor trifásico de impulsión es maniobrado desde una estación normal de pulsadores ARRANQUE - PARO. El arrollamiento inductor se alimenta a través de un puente de rectificadores, que convierte la tensión alterna existente entre dos fases de la red en una tensión pulsatoria de onda completa, sin filtrado. El tiristor se ceba una sola vez durante cada semionda. El impulso de cebado proviene de un circuito de gobierno (no representado) donde se comparan las señales de referencia y retroalimentación.

Grupo motor / generador. El grupo motor / generador está formado por un motor trifásico de inducción acoplado mecánicamente a un generador de corriente continua. Completan el sistema un motor de corriente continua, que constituye la salida (con velocidad variable) del accionamiento, el circuito de alimentación de los dos arrollamientos de excitación y el circuito de gobierno del tiristor. El grupo motor / generador convierte la tensión alterna trifásica de la red en una tensión continua, que aparece en bornes del generador, y esta tensión se utiliza para alimentar el inducido del motor de c. c. Suponiendo constante la velocidad a la cual es impulsado el generador de c. c., la tensión de salida que se obtiene en sus bornes depende únicamente de la excitación de su arrollamiento inductor. Variando esta excitación puede modularse, pues, a voluntad la tensión aplicada al inducido del motor de c. c., y por consiguiente también la velocidad del mismo si su excitación se mantiene constante.

La figura 11.85 muestra un esquema elemental de este tipo de accionamiento, cuyo funcionamiento es el siguiente: al oprimir el pulsador de ARRANQUE (no representado en la figura), el motor trifásico se pone en marcha e impulsa el generador de c. c., acoplado con él. Puesto que el arrollamiento inductor de éste queda excitado a través del puente rectificador de onda completa y del tiristor T, aparece una tensión continua entre los bornes A_1 y A_2. La magnitud de la excitación, y por tanto de la tensión generada, se ajusta variando el instante de aplicación del impulso a la puerta del tiristor. El inducido del motor de c. c. está conectado directamente a los bornes A_1, A_2, y por su arrollamiento de excitación circula la corriente pulsatoria suministrada por un segundo puente rectificador de onda completa. La velocidad de este motor variará, por tanto, en función del desfase con que se ajuste el encendido del tiristor. El circuito de cebado de T es en ciertos aspectos similar a los explicados en páginas anteriores, y por razones de sencillez se ha omitido del esquema.

Accionamiento estático trifásico. La figura 11.86 reproduce el circuito elemental de gobierno y alimentación de este tipo de accionamiento. El único elemento dinámico del mismo, que suministra la velocidad variable de salida, es un motor derivación de corriente continua. El funcionamiento es el siguiente: la tensión trifásica de la red es convertida en una tensión pulsatoria mediante un triple sistema rectificador de onda completa. Los impulsos de cebado se aplican a los tiristores de gobierno en distintos instantes de tiempo, de modo que T_1 dispare cuando L_1 es negativo con respecto a L_2 y L_3, T_2 dispare cuando L_2 es negativo con respecto a L_1 y L_3, y T_3 dispare cuando L_3 es negativo con respecto a L_1 y L_2. En el primer caso la corriente circula de L_1 a L_2 a través de T_1, el diodo D_1, el inducido del motor y el diodo D_5; en el segundo caso, de L_2 a L_3 a través de T_2, el diodo D_2, el inducido y el diodo D_6, etc. Puede observarse que el sentido de paso de la corriente pulsatoria por el inducido del motor es siempre el mismo, independientemente de cuál de las tres líneas de la red es negativa en aquel momento.

El rectificador D_7 es un diodo de libre circulación, cuyo objeto es permitir la descarga de la energía inductiva almacenada en el arrollamiento del inducido. El rectificador D_6, conectado en paralelo con el arrollamiento derivación, es también un diodo de libre circulación; sus funciones son análogas a las del diodo D_7, pero en relación con este último arrollamiento. Los rectificadores D_1, D_2, D_3 y las resistencias R_1, R_2, R_3 protegen sus respectivos tiristores de toda tensión transitoria inversa.

El contacto M se cierra al oprimir el pulsador de ARRANQUE desde una estación a distancia. El circuito de cebado de los tiristores, no representado en el esquema, es similar a los descritos anteriormente. Por regla general, cada tiristor cuenta con su propio circuito de cebado.

A P E N D I C E

T a b l a s

TABLA I. — Características de los conductores de cobre normalizados según la escala de calibres A.W.G. (American Wire Gauges)

Calibre n.º	DIAMETRO Pulgadas	DIAMETRO mm	SECCION MAYORADA Milésimas circulares	SECCION MAYORADA mm²	PESO Libras por 1000 pies	PESO Kp por km	RESISTENCIA ELECTRICA Ohmios por 1000 pies a 68° F	RESISTENCIA ELECTRICA Ohmios por km a 20° C
0000	0,4600	11,68	211600	136,42	640,5	953,18	0,0490	0,164
000	0,4096	10,38	167800	107,74	507,9	755,86	0,0618	0,203
00	0,3648	9,36	133100	87,61	402,8	599,45	0,0779	0,256
0	0,3249	8,25	105500	68,06	319,5	475,48	0,0982	0,322
1	0,2893	7,34	83694	53,87	253,3	376,96	0,124	0,407
2	0,2576	6,54	66370	42,77	200,9	297,67	0,156	0,512
3	0,2294	5,82	52630	33,87	159,3	237,07	0,197	0,646
4	0,2043	5,18	41740	26,83	126,4	188,10	0,248	0,814
5	0,1819	4,61	33100	21,25	100,2	149,12	0,313	0,029
6	0,1620	4,11	26250	16,89	79,46	118,25	0,395	1,296
7	0,1443	3,66	20820	13,39	63,02	93,79	0,498	1,634
8	0,1285	3,26	16510	10,62	49,98	74,38	0,628	2,060
9	0,1144	2,91	13090	8,47	39,63	54,51	0,792	2,598
10	0,1019	2,59	10380	6,71	31,43	46,77	0,998	3,274
11	0,09074	2,30	8230	5,29	24,92	37,09	1,260	4,134
12	0,08081	2,05	6530	4,20	19,77	29,42	1,588	5,209
13	0,07196	1,82	5170	3,31	15,68	23,33	2,003	6,572
14	0,06408	1,62	4107	2,62	12,43	18,50	2,525	8,284
15	0,05707	1,41	3257	1,99	9,858	14,68	3,184	10,176
16	0,05082	1,29	2583	1,66	7,818	11,78	4,016	13,176
17	0,04526	1,14	2048	1,30	6,200	9,23	5,064	16,614
18	0,04030	1,02	1624	1,04	4,917	7,32	6,385	20,948
19	0,03589	0,90	1288	0,81	3,899	5,80	8,051	26,414
20	0,03196	0,81	1022	0,65	3,092	4,60	10,150	33,201
21	0,02846	0,72	810,1	0,52	2,452	3,649	12,80	42,00
22	0,02535	0,64	642,4	0,41	1,945	2,895	16,14	52,95
23	0,02257	0,57	509,5	0,32	1,542	2,295	20,36	66,80
24	0,02010	0,51	404,0	0,26	1,223	1,820	25,67	84,22
25	0,01790	0,45	320,4	0,20	0,9699	1,443	32,37	106,20
26	0,01594	0,41	254,1	0,17	0,7692	1,145	40,81	133,89
27	0,01420	0,36	201,5	0,13	0,6100	0,909	51,47	168,87
28	0,01264	0,32	159,8	0,10	0,4837	0,720	64,90	212,93
29	0,01126	0,29	126,7	0,084	0,3836	0,571	81,83	268,47
30	0,01003	0,26	100,5	0,067	0,3042	0,453	103,20	338,59
31	0,00892	0,23	79,70	0,053	0,2413	0,359	130,1	426,8
32	0,00795	0,20	63,21	0,040	0,1913	0,285	164,1	583,4
33	0,00708	0,18	50,13	0,032	0,1517	0,226	206,9	687,8
34	0,00630	0,16	39,75	0,025	0,1203	0,179	260,9	856,0
35	0,00561	0,14	31,52	0,019	0,09542	0,142	329,0	1079,4
36	0,00500	0,13	25,00	0,016	0,07568	0,113	414,8	1361
37	0,00445	0,11	19,83	0,012	0,06010	0,089	523,1	1716
38	0,00396	0,10	15,72	0,010	0,04759	0,071	659,6	2164
39	0,00353	0,09	12,47	0,008	0,03774	0,056	831,8	2729
40	0,00314	0,08	9,888	0,006	0,02990	0,044	1049,0	3442

TABLA II. — Calibres equivalentes de conductores

Al rebobinar un motor es siempre preferible utilizar conductor de calibre idéntico al del conductor primitivo. Sin embargo, las circunstancias pueden obligar a veces a emplear conductores de calibres distintos. Con objeto de facilitar su elección, se indican en la tabla siguiente varias correspondencias entre calibres de conductores que mantienen la sección útil inalterada.

Cuando no se aispone de 1 conductor de calibre	*Pueden emplearse dos conductores en paralelo de calibre*
n.° 10	n.° 13
n.° 11	n.° 14
n.° 12	n.° 15
n.° 13	n.° 16
n.° 14	n.° 17
n.° 15	n.° 18
n.° 16	n.° 19
n.° 17	n.° 20
n.° 18	n.° 21
n.° 19	n.° 22
n.° 20	n.° 23
Cuando no se dispone de 2 conductores en paralelo de calibre	*Puede emplearse 1 conductor de calibre*
n.° 28	n.° 25
n.° 27	n.° 24
n.° 26	n.° 23
n.° 25	n.° 22
n.° 24	n.° 21
n.° 23	n.° 20
n.° 22	n.° 19
n.° 21	n.° 18
n.° 20	n.° 17
n.° 19	n.° 16
n.° 18	n.° 15

TABLA III. — Corriente (en amperios) absorbida a plena carga por motores de corriente continua de diversas potencias y tensiones, girando a la velocidad de régimeu

Potencia en CV	*120 V*	*240 V*
¼	2.9	1.5
⅜	3.6	1.8
½	5.2	2.6
¾	7.4	3.7
1	9.4	4.7
1½	13.2	6.6
2	17	8.5
3	25	12.2
5	40	20
7½	58	29
10	76	38
15		55
20		72
25		89
30		106
40		140
50		173
60		206
75		255
100		341
125		425
150		506
200		675

TABLA IV. — Corriente (en amperios) absorbida a plena carga por motores monofásicos de diversas potencias y tensiones

Los valores de la tabla siguiente son válidos para motores que giran a velocidades normales o que desarrollan pares también normales. Los motores construidos para girar a velocidades particularmente bajas o para desarrollar pares excepcionalmente elevados pueden absorber corrientes sensiblemente mayores. Los motores con varias velocidades de régimen absorberán mayor o menor corriente según la velocidad adoptada, de acuerdo con los datos que figuran en sus placas de características.

Para determinar la corriente absorbida por motores que trabajan a 208 ó 200 V, búsquese el valor que corresponde a una tensión de 230 V y auméntese respectivamente en un 10 y un 15 %.

Las tensiones indicadas en la tabla son valores normalizados, que corresponden a unos valores nominales comprendidos respectivamente entre 110 y 120 V, 200 y 240 V.

Potencia en CV	*115 V*	*230 V*
1/6	4.4	2.2
1/4	5.8	2.9
1/3	7.2	3.6
1/2	9.8	4.9
3/4	13.8	6.9
1	16	8
1 1/2	20	10
2	24	12
3	34	17
5	56	28
7 1/2	80	40
10	100	50

TABLA V. — Corriente (en amperios) absorbida a plena carga por motores bifásicos de diversas potencias y tensiones, con 4 conductores de alimentación

Los valores de la tabla siguiente son válidos para motores con correa que giran a velocidades normales o que desarrollan pares también normales. Los motores construidos para girar a velocidades especialmente bajas o para desarrollar pares muy elevados pueden absorber mayores corrientes. Los motores con varias velocidades de régimen absorberán mayor o menor corriente según la velocidad adoptada, de acuerdo con los datos que figuran en sus placas de características. Caso de haber 3 conductores de alimentación, la corriente en el conductor común será $\sqrt{2}$ veces mayor que la indicada en la tabla.

Las tensiones especificadas son valores normalizados, que corresponden a unos valores nominales comprendidos respectivamente entre 110-120 V, 220-240 V, 440-480 V, 550-600 V.

Potencia en CV	*Asíncronos, de jaula de ardilla y de rotor bobinado*					*Síncronos Factor de potencia = 1 **			
	115 V	*230 V*	*460 V*	*575 V*	*2300 V*	*220 V*	*440 V*	*550 V*	*2300 V*
½	4	2	1	.8					
¾	4.8	2.4	1.2	1.0					
1	6.4	3.2	1.6	1.3					
1½	9	4.5	2.3	1.8					
2	11.8	5.9	3	2.4					
3		8.3	4.2	3.3					
5		13.2	6.6	5.3					
7½		19	9	8					
10		24	12	10					
15		36	18	14					
20		47	23	19					
25		59	29	24		47	24	19	
30		69	35	28		56	29	23	
40		90	45	36		75	37	31	
50		113	56	45		94	47	38	
60		133	67	53	14	111	56	44	11
75		166	83	66	18	140	70	57	13
100		218	87	87	23	182	93	74	17
125		270	135	108	28	228	114	93	22
150		312	156	125	32		137	110	26
200		416	208	167	43		182	145	35

* **Para un factor de potencia igual a 0,9 ó 0,8, estas cifras deben multiplicarse respectivamente por 1,1 y 1,25.**

TABLA VI. — Corriente (en amperios) absorbida a plena carga por motores trifásicos de diversas potencias y tensiones

Los valores de la tabla siguiente son válidos para motores con correa que giran a velocidades normales o que desarrollan pares también normales. Los motores construidos para girar a velocidades especialmente bajas o para desarrollar pares elevados pueden absorber mayores corrientes. Los motores con varias velocidades de régimen absorberán mayor o menor corriente según la velocidad adoptada, de acuerdo con los datos que figuran en sus placas de características.

Para determinar la corriente absorbida por motores que trabajan a 208 ó 200 V, búsquese el valor que corresponde a una tensión de 230 V y auméntese respectivamente en un 10 y un 15 %.

Las tensiones indicadas en la tabla son valores normalizados, que corresponden a unos valores nominales comprendidos respectivamente entre 110-120 V, 220-240 V, 440-480 V, 550-600 V

Poten.	*Asíncronos, de jaula de ardilla y de rotor bobinado*					*Síncronos* *Factor de potencia = 1 **			
en CV	*115 V*	*230 V*	*460 V*	*575 V*	*2300 V*	*220 V*	*440 V*	*550 V*	*2300 V*
½	4	2	1	.8					
¾	5.6	2.8	1.4	1.1					
1	7.2	3.6	1.8	1.4					
1½	10.4	5.2	2.6	2.1					
2	13.6	6.8	3.4	2.7					
3		9.6	4.8	3.9					
5		15.2	7.6	6.1					
7½		22	11	9					
10		28	14	11					
15		42	21	17					
20		54	27	22					
25		68	34	27		54	27	22	
30		80	40	32		65	33	26	
40		104	52	41		86	43	35	
50		130	65	52		108	54	44	
60		154	77	62	16	128	64	51	12
75		192	96	77	20	161	81	65	15
100		248	124	99	26	211	106	85	20
125		312	156	125	31	264	132	106	25
150		360	180	144	37		158	127	30
200		480	240	192	49		210	168	40

*** Para un factor de potencia igual a 0,9 ó 0,8, estas cifras deben multiplicarse respectivamente por 1,1 y 1,25.**

TABLA VII. — Velocidades síncronas posibles (r.p.m.) en función del número de polos y de la frecuencia

Nº polos	*60 Hz*	*50 Hz*	*40 Hz*	*25 Hz*
2	3600	3000	2400	1500
4	1800	1500	1200	750
6	1200	1000	800	500
8	900	750	600	375
10	720	600	480	300
12	600	500	400	250
14	514.2	428.6	343	214.3
16	450	375	300	187.5
18	400	333.3	266.6	166.6
20	360	300	240	150
22	327.2	272.7	218.1	136.3
24	300	250	200	125
26	277	230.8	184.5	115.4
28	257.1	214.2	171.5	107.1
30	240	200	160	100
32	225	187.5	150	93.7
34	212	176.5	141.1	88.2
36	200	166.6	133.3	83.3
38	189.5	157.9	126.3	78.9
40	180	150	120	75
42	171.5	142.8	114.2	71.4
44	163.5	136.3	109	
46	156.6	130.5	104.3	
48	150	125	100	
50	144	120	96	
52	138.5	115.4	92.3	
54	133.3	111.1	88.9	

TABLA VIII. — Factores de arrollamiento más usuales en función del paso abarcado y del número de ranuras por polo

Paso	*Número de ranuras por polo*								
	6	7	8	9	10	11	12	13	14
1-3	.50	.43	.38	.34					
1-4	.71	.62	.57	.50					
1-5	.87	.78	.71	.64	.59				
1-6	.98	.90	.83	.77	.71	.66	.61		
1-7	1.00	.98	.92	.87	.81	.76	.71	.66	.62
1-8		1.00	.98	.94	.89	.84	.79	.75	.71
1-9			1.00	.98	.95	.91	.87	.83	.78
1-10				1.00	.98	.96	.92	.88	.85
1-11					1.00	.98	.97	.94	.90
1-12						1.00	.99	.97	.94
1-13							1.00	.99	.97
1-14								1.00	.99
1-15									1.00

INDICES

INDICE ALFABETICO

A

B

C

CH

D

E

F

G

H

I

N

O

P

R

INDICE GENERAL